利己的な遺伝子〈増補新装版〉

THE SELFISH GENE

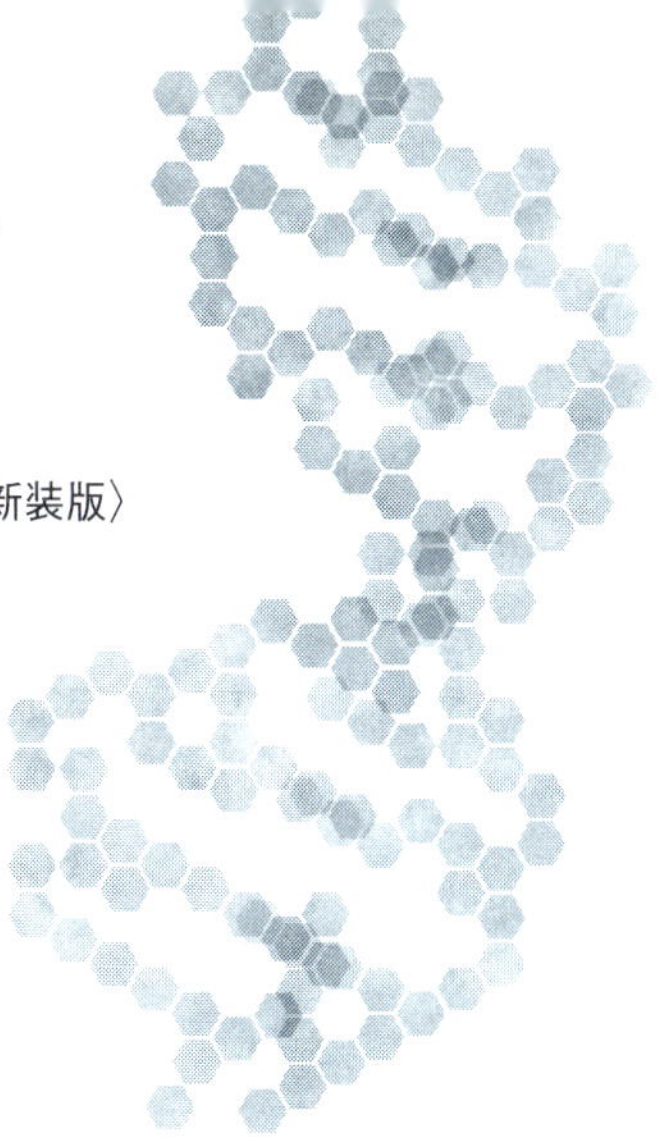

リチャード・ドーキンス

RICHARD DAWKINS

日高敏隆 岸 由二 羽田節子 垂水雄二 訳

紀伊國屋書店

利己的な遺伝子〈増補新装版〉

THE SELFISH GENE

リチャード・ドーキンス
RICHARD DAWKINS

日高敏隆　岸 由二　羽田節子　垂水雄二 訳

Richard Dawkins

THE SELFISH GENE

30th anniversary edition

First published 1976
Second edition 1989
30th anniversary edition 2006

This book is published in Japan by arrangement
with Oxford University Press.

利己的な遺伝子〈増補新装版〉

THE SELFISH GENE

目次

CONTENTS

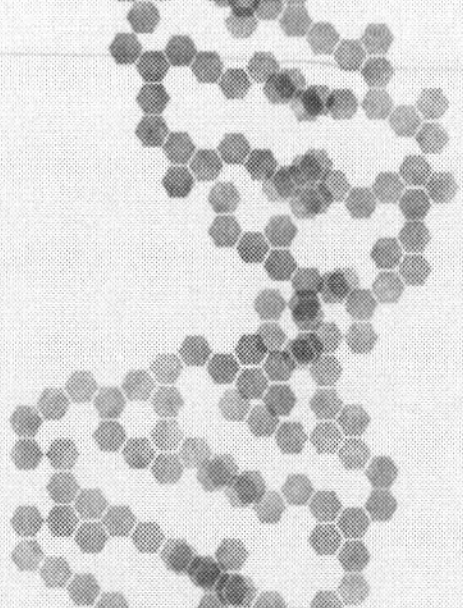

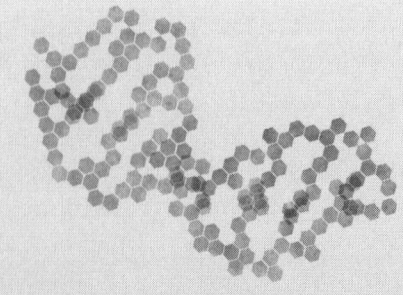

三〇周年記念版への序文

よくも悪くも、自分が人生の半分近くを『利己的な遺伝子』とともに生きてきたことに気がつくといささか身が引き締まる。ここ数年、ひきつづく七冊の本が出るたびに、出版社は販売促進のために私を講演ツアーに送り出した。聴衆はどの本の場合でも、新しい本に対して心地よい熱狂をもって応え、丁重に褒めたたえ、気の利いた質問を発してくれた。そのあと、列に並んで本を買い、私にサインをさせる……『利己的な遺伝子』だ。これはいささか誇張である。何人かは実際に新著を買うのであり、その他の人々について妻は、新しい著者を発見した人間が、その著者の処女作にもどるという傾向は自然なことよと言って私を慰める。『利己的な遺伝子』を読みおわったら、彼らは（その好きな著者の）最新のしかもお気に入りの赤ん坊の顔を拝みに、必ずやってきてくれるのだろうか。

もしも、『利己的な遺伝子』はどうしようもなく時代遅れで、無用なものになってしまったと言いきることができるのなら、私はもっと深刻に悩むことだろう。残念ながら（ある視点からすれば）、そうは言いきれないのだ。細部では変わってしまったところもあり、具体的な実例がものすごい勢いであらわれている。しかし、すぐこのあとで論じる一つの例外を除いて、大あわてで撤回したり謝罪したりするところは本書にはほとんどない。リヴァプール大学の前動物学教授で、六〇年代にオックスフォード大学で私に強い影響を与えた先生でもあるアーサー・ケインは、一九七六年に『利己的な遺伝子』を「若書きの本」だと評した。彼はわざわざ、A・J・エアの『言語・真理・論理』（邦訳は吉田夏彦訳、岩波現代叢書）についてのある注釈家の言葉を引用していた。私はこの比較に大喜びした。もっとも、私はエアがその処女作で書いた内容の大半を撤回したことを知っていたので、私もいずれしかるべきときがくれば同じことをするにちがいないという、ケインがそこに込めた辛辣（しんらつ）な含みを見逃すことはありえなかった。

まずは、本のタイトルについての多少の再考から始めることにしよう。一九七五年に、友人であるデズモンド・モリスの仲介で、ロンドンの出版界の長老であるトム・マシュラーに未完成本を見せ、ジョナサン・ケープ社の彼の部屋で議論をした。彼は、その本を気に入ったが、タイトルは気に入らなかった。「利己的」というのは「鬱陶しい（ダウン）ことば」だと彼は言った。なぜ『不滅の遺伝子（インモータル）』としないのだ。不滅は「明るい（アップ）ことば」で、遺伝情報の不滅性はこの本の中心的主題だったし、「不滅の遺伝子」は「利己的な遺伝子」とほとんど同じほど、好奇心を掻（か）きたてる響きがあった（われわれのどちらも、オスカー・ワイルドの『わがままな大男（The Selfish Giant）』との共鳴には気づいていなかったと思う）。今となっては、マシュラーが正しかったのかもしれないと思う。多くの批判者、とりわけ哲学を専門とする声高な批判者たちは、本をタイトルだけで読みたがるということを私は知ったからだ。このことは、『ベンジャミン・バニーのおはなし』（ピーター・ラビット・シリーズの一冊）や『ローマ帝国衰亡史』にもまったく同じようにあてはまるのは疑いないが、本そのものという膨大な脚注がなければ、『利己的な遺伝子』というタイトルは、その内容について不適切な印象を与えかねないことを、私は容易に理解できた。現在の、米国の出版社なら、少なくとも副題をつけることを強く主張していたことだろう。

このタイトルを説明する最善の方法は、力点の置き方を変えることである。「利己的」に力点を置けば、本書は利己性についての本だと思われるだろう。ところが、本書はどちらかといえば、利他行動により大きな関心を振り向けているのである。このタイトルで強調すべき正しいことばは「遺伝子」なのであり、その理由を説明することにしよう。ダーウィニズム内の中心的な論争は、実際に淘汰される単位に関するものである。すなわち、自然淘汰の結果として生き残ったり、あるいは生き残らなかったりするのは、どういう種類の実体なのかという論争である。その単位は、その定義からして、多少とも「利己的」になるのである。利他主義はそれとは別のレベルでも十分に進化しうるだろう。自然淘汰の選択は種のあいだでなされるのだろうか。もしそうなら、生物のそれぞれの個体が「種の利益のために」利他的にふるまうと予想しなければならないだろう。各個体は、個体数の過剰を避けるために、自らの出産率を制限したり、あるいは、その種にとっての将来の獲物の貯えを保護するために、自らの狩猟行動を制限したりするのではないか。この本を書くようにもともと私を掻きたてたのは、そういった広く流布しているダーウィニズムについての誤解であった。

それとも自然淘汰は、私が主張するように、遺伝子のあいだで選択がなされるのだろうか。この場合、生物の個体が「遺伝子の利益のために」、たとえば、同じ遺伝子のコピーをもっている可能性が高い血縁者に給餌したり、保護を与えたりするという形で、利他的にふるまうことを見つけても驚くべきではないだろう。そのような血縁者利他主義は、遺伝子の利己主義を個体の利己主義に転換するための方法の一つにしかすぎない。本書は、ダーウィニズムにおけるもう一つの主要な利他主義の発生源である互恵的利他行動とあわせて、それがどのような仕組ではたらくかを説明している。もし私が、ザハヴィ／グラフェンの「ハンディキャップ原理」(二四二〜四頁参照)への遅ればせの転向者として、本書を書き直すとすれば、利他的な贈与は優位性を示す「ポトラッチ」形式の信号であるかもしれないというアモツ・ザハヴィの考え方にも、少しばかり紙面を割くべきかもしれない。つまり、私はあなたに贈り物をする余裕があるんだから、私があなたよりどれだけすぐれているかをわかりなさい！　というわけだ。

タイトルに「利己的」ということばを使った論理的根拠をもう一度くりかえし、さらに敷衍（ふえん）してみよう。決定的な疑問は、生命の階層構造のどのレベルが、自然淘汰が作用する必然的に「利己的な」レベルとなるのかである。利己的な種なのか？　利己的な集団（群）なのか？　利己的な個体なのか？　利己的な生態系なのか？　この大部分は主張としては成り立つし、ほとんどは、いずれかの著者によって無批判に仮定されてきたが、そのすべてがまちがいである。ダーウィニズムのメッセージが簡潔に、「利己的な何ものか」として要約されようとしていることを考えれば、その何ものかは、本書で論じられている強力な理由によって、遺伝子でなければならないことになる。あなたが、この主張を最終的に受け入れるか受け入れないかはともかく、これが、本書のタイトルの説明である。

私は、もっと深刻な誤解をしないよう注意していただくことを願っている。にもかかわらず、後から振り返ってみると、私自身がこのまさに同じ問題についていくつか小さな誤りをおかしていたことに気づいている。そうした誤りはとくに1章に見られ、「われわれが利己的に生まれついている以上、われわれは寛大さと利他主義を教えることを試みようではないか」という一文がその典型である。寛大さと利他主義を教えることについてはなにもまちがったところはないが、「利己的に生まれついている」というのは誤解を招くおそれがある。不完全な説明として、「乗り物（ヴィークル）」（ふつうは個体）と、その中にいてそれを運転する「自己複製子」（実際は遺伝子）のあいだの区別について、私が明確な考えをもちはじめたのは、ようやく一九七八年になってからだという事情がある（この問題の全容は、第二版で付け加えた13章で説明されている）。どうか、この逸脱した文章やそれと似たような文章を、心の中で消去し、この一節で述べたことに沿うような別の文章に置きかえていただきたい。

こういう形の誤りがおこる危険性を考えると、このタイトルがどれほど誤解されやすいかは容易に理解でき、そのことが、ひょっとしたら『不滅の遺伝子』を支持するべきだったかもしれないと思う理由である。『利他的なヴィークル』はもう一つの可能性だったかもしれない。たぶんそれは、あまりにも謎めいたタイトルだったかもしれないが、いずれにせよ、自然淘汰の単位として競合する遺伝子と個体のあいだの見かけ上の論争（故エルンスト・マイアを最後まで悩ませた論争）は解消されている。自然淘汰の単位には二種類があり、その二つのあいだに論争はない。遺伝子は自己複製子という意味での単位であり、個体はヴィークルという意味での単位である。両方とも重要なのである。どちらも軽視すべきではない。それらは、二つの完全に異なる種類の単位であり、その区別を認識しないかぎり、われわれは、どうしようもなく混乱してしまうことになるだろう。

『利己的な遺伝子』のもう一つのいい代案は、『協力的な遺伝子』だったかもしれない。それは矛盾して、まったく正反対のように聞こえるが、本書の中心的な部分は、利己主義的な遺伝子のあいだにおけるある種の協力を主張しているのである。このことは、遺伝子のあるグループが自分たちの仲間を犠牲にして、あるいは他のグループを犠牲にして栄えるということを意味するわけでは断じてない。そうではなく、各遺伝子は、遺伝子プール――一つの種内で、有性生殖によるシャッフルの候補となる遺伝子のセット――に含まれる他の遺伝子がつくる背景のもとで、自己の利益という課題を追求しているとみなされる。こうした他の遺伝子は、天候、捕食者や獲物、生命を支える植物や土壌細菌が環境の一部であるのと同じ意味で、それぞれの遺伝子が生き残るための環境の一部なのである。一つ一つの遺伝子の視点から見れば、「背景」遺伝子は、世代を超えていく旅で同じ体を共有する道連れである。それは、短期的には、その個体のゲノムに含まれる他のメンバーを意味する。長期的には、その種の遺伝子プールに含まれる他の遺伝子を意味する。したがって、自然淘汰は、相互に共存しうる（ほとんど協力しあっているといえる）遺伝子の徒党（ギャング）が互いの存在のもとで有利になるように取りはからう。この「協力的な遺伝子」の進化が利己的な遺伝子という根本的原理を侵犯することはけっしてない。5章はボート競技のクルーのたとえ（アナロジー）を使って、この考え方を展開し、13章はそれをさらにつっこんで論じている。

ところで、利己的な遺伝子に対する自然淘汰が協力に有利にはたらく傾向をもつとすれば、そういうことをいっさいせず、ゲノムの他の遺伝子の利益に反するようにはたらく遺伝子もいくつかは存在することを認めなければならない。ある人はそれを無法遺伝子（アウトロー）と呼び、別の人は超利己的な遺伝子と、また別の人は単に「利己的な遺伝子」と呼んできた――利己主義的なカルテルで協力しあう遺伝子との微妙な違いを誤解している。超利己的な遺伝子の実例は、三六六〜七頁に述べられているマイオティック・ドライヴ遺伝子と、最初に六四頁で提唱した「寄生的DNA」と、それをのちにさまざまな著者が「利己的DNA」というキャッチフレーズでさらに展開したものなどである。超利己的な遺伝子の新しい、さらに奇想天外な実例は、本書が最初に刊行されて以後の時代の一つの特徴にさえなっている。*

『利己的な遺伝子』は擬人主義的な人格化をしていると批判されてきているので、これもまた、弁解ではないにしろ、説明が必要だろう。私は、遺伝子と個体という二つのレベルで擬人的表現を採用した。

遺伝子の人格化は本当のところ問題になるようなものではない。なぜなら、まともな人間なら、ＤＮＡ分子が意識的な人格をもつなどとはだれも考えないし、分別のある人間なら、そのような妄想を著者のせいにしたりはしないだろうからである。かつて私は、偉大な分子生物学者ジャック・モノーが科学における創造性について話すのを聴くという光栄に浴した。彼が使った正確なことばは忘れてしまったが、おおむね次のようなことを言ったのである。すなわち、彼が化学の問題について考えようとするときには、もし自分が電子だったらどうするだろうと自問するのだという。ピーター・アトキンスは、その名著『創造再考』において、速度を遅くさせる屈折率の大きな媒体に入っていく光線の屈折について考察するときに、同じような人格化を用いている。光線はまるで、目標地点までの移動時間を最短にするかのようにふるまう。アトキンスは、それを、溺（おぼ）れかけている海水浴客を救うために急行する海浜の監視員（ライフガード）としてイメージしている。彼は海水浴客めざしてそのまままっすぐに泳いでいくべきなのか？　否（ノー）である。なぜなら、泳ぐよりは走るほうが速いのだから、移動時間のうちの陸上部分を増やすのが賢いやり方だからである。彼は泳ぐ時間を最短にするために、目標人物のちょうど正面の地点まで浜を走るべきだろうか？　そのほうがましだろうが、まだ最善とはいえない。計算をすれば（もしそれをするだけの余裕があればだが）、監視員にとって、速く走ったあと、それより遅くなるのは避けがたい泳ぎとの理想的な組合せになるような、両者の中間の最適な角度が明らかになるだろう。アトキンスは次の

＊（原注）　オースチン・バートとロバート・トリヴァースの新著 *Genes in Conflict : the biology of selfish genetic elements*（Harvard University Press）は、この新しい版の第一刷に間に合わないタイミングで到着した。この本は間違いなく、この重要な問題に関する決定的な参照文献になるだろう。

ように結論している。

これこそまさに、光が密度の大きな媒体に入るときのふるまいである。しかし、光はどのようにして、明らかに前もって、どれが最短距離であるかを知るのだろう。そして、いずれにせよ、なぜ、そんなことに気をつかうのだろう。

彼は、こうした疑問を、量子理論から着想をえて、一つのみごとな説明へと発展させる。

こういう類いの人格化は、人に教えるための単なる古めかしい工夫というだけではない。それは本職の科学者が、誤りへの巧妙な誘惑に抗して正しい答えを得る助けにもなりうる。利他主義と利己主義、協力と恨みについてのダーウィニズム的な計算などが、その例である。まちがった答えを得るのは非常にたやすいことである。遺伝子の人格化は、しかるべき配慮と注意をもっておこなうなら、しばしば、泥沼で溺れているダーウィニズムの理論家を救う最短のルートであることがわかる。この注意を実践しようと努力しているとき、私は、本書で名をあげた四人の英雄のうちの一人、W・D・ハミルトンのすばらしい先例によって勇気づけられた。一九七二年（私が『利己的な遺伝子』の執筆を開始した年）の論文で、ハミルトンは次のように書いていた。

もし一つの遺伝子の複製の集合が遺伝子プール全体の中でより高い割合を形成するようになれば、その遺伝子は自然淘汰において選択される。われわれは、持主の社会的行動に影響を与えると想定されるような遺伝子に関心を向けようとしている。そこで、一時的に、遺伝子に知性と一定の選択の自由をもたせることによって、この議論をより生き生きとしたものにするよう試みてみよう。ある遺伝子が、自分の複製の数を増やすという問題を考えていると想像してみてほしい。そして、それが……を選択することができると想像してみてほしい。

これこそまさに、『利己的な遺伝子』を読むときの正しい精神である。

個体を人格化するのは、もっと厄介な問題になりかねない。というのは、個体は、遺伝子とちがって脳をもつ。したがって、われわれが主観的感覚に認めるものと似たような、利己的あるいは利他的な動機を本当にもっているかもしれないからである。『利己的なライオン』という表題の本は、『利己的な遺伝子』ではありえないような形で、実際に混乱を引きおこすかもしれない。想像上の光線の立場に自分を置いて、レンズとプリズムのカスケードを通り抜ける最適ルートを選択することができるのとまったく同じように、あるいは想像上の遺伝子が世代から世代へと渡っていく最適ルートを選択することができるのとまったく同じように、個体としての雌ライオンが、自らの遺伝子の長期的な未来での存続のために最適な行動戦略を計算していると仮定することができる。生物学に対するハミルトンの最初の贈物は、真の意味でダーウィニズム的な個体が、自らの遺伝子の長期的な生存を最適化すると計算される決断をおこなうときに、実際に採用しなければならない厳密な数学であった。本書で私は、そのような計算に対応する数式によらない口語的な表現を用いた——二つのレベルで。

一九五頁で、われわれは、一つのレベルからもう一つのレベルへ急速な転換をしている。

このような（育ちそこねの）子どもは死なせてしまったほうが、実際に母親にとって有利となることがある。いったいどんな条件のときにそうなるかは、先にも考察しておいた。直観的に考えると、当の育ちそこねの子ども自身は、最後まで努力しつづけるにちがいないとみなしてしまいそうである。しかし、遺伝子の利己性理論からは、必ずしもこのような予測は出てこないのだ。育ちそこねた子どもの余命が、小型化、衰弱化によって短くなり、親による保護投資が彼に与える利益が、同量の投資によって他の子どもたちの獲得しうる潜在的利益の½より小さくなってしまうなら、彼は自ら名誉ある死を選ぶべきなのである。そうすることによって彼は、自己の遺伝子に最も大きく貢献しうるからである。

これはすべて、個体レベルでの内省である。ここで仮定されているのは、育ちそこねの子どもが自分に喜びを与えるものを選ぶ、あるいは心地ちよいものを選ぶということではない。そうではなく、ダーウィニズムの世界における個体は、あたかも自分の遺伝子にとって何が最善であるかの計算をしていると仮定されている。次の特別な一節はさらに続けて、遺伝子レベルの人格化に迅速に転換することによって、それをあからさまにする。

いいかえれば、「体よ、もし君が他の一腹子仲間よりはるかに小さかったなら、努力を放棄して死にたまえ」という指令を発する遺伝子が、遺伝子プール内で成功を期しうるというわけである。彼の死によって救われる個々の兄弟姉妹の体には、彼の遺伝子が五〇%の確率で入っており、一方、育ちそこねた彼の体内でその遺伝子が生き残れる可能性のほうは、いずれにしろごく小さいというのが、その理由である。

そして、この一節はただちにスイッチをふたたび、内省的な育ちそこないの子どもに切り換える。育ちそこねた子どもの生涯には、回復が不可能となる時点が、あるにちがいないのだ。この時点に達しないうちは、彼は努力を続けるべきである。しかし、そこに達したら、彼はただちに努力を放棄せねばならない。そして自分の体を、一腹子仲間や親たちに食わせてしまったほうがましなはずなのである。

この二つのレベルの人格化は、文脈を正しく読めば混同されるようなものではないと、私は本気で信じている。この二つのレベルの「であるかのような計算」は、もし正しくおこなわれれば、正確に同じ結論に達する。それこそが、実際に、その計算の正しさを判定するための規準なのだ。それゆえ人格化は、もし現在この本をもう一度書くとすれば抹消すべきものであるとは私は考えていない。

本を書かないことと、本を読まないこととは、また別の問題である。オーストラリアの一読者から寄せられた次のような意見をわれわれはどうすればいいのだろう。

とても魅力的だが、ときどき読まないでおれたらよかったとも思う。……一つのレベルで私は、このような複雑な計算をきわめて明瞭に理解するドーキンスと畏敬（センス・オヴ・ワンダー）の念をともにすることができる。……しかし、同時に一〇年以上にわたって私を苦しめてきた一連の鬱状態について『利己的な遺伝子』を強く非難する。……精神的な人生観にけっして確信がもてなかったが、何かより深いものを見つけようと試みて——信じようと試みてみたが、うまくできなかった——、私はこの本がまさに、そういった面で私がこれまで漠然ともっていたあらゆる考えを吹き飛ばし、そうした考えがこれ以上合体するのを妨げようとしていることに気づいた。このことが、数年前に、私にきわめて強い人格の危機（パーソナル・クライシス）をつくりだしたのだ。

私は以前に、読者からの同じような二件の反応について書いたことがある。

私の初めての著書を出版してくれた外国のある編集者は、あの本を読んだあと、そこから読みとれる冷酷で血も涙もないメッセージに悩まされて、三日眠れなかったと告白した。ほかの人々は、どうしたら毎朝、平気で目覚めることができるのかと尋ねてきた。遠い国のある教師は私に非難がましい手紙を寄越し、この本を読んだ一人の女生徒が、人生は空しく目的のないものだと思いこみ、彼のところに来て泣いたと言ってきた。この教師は、他の生徒が同じような虚無的な悲観論に染まることを怖れて、彼女に友達にはこの本を見せてはいけないと忠告したそうだ（『虹の解体』、序文）。

もし何かが正しければ、どれほどの希望的観測をもってしても、それをなかったことにはできないのである。真っ先に言うべきことはそれだが、次に言うべきこともほとんどそれに劣らず重要である。私は、さらに次のように続けている。

おそらく、宇宙の究極的な運命には目的など実際に存在しないだろうが、われわれのなかで誰であれ、人生の希望を宇宙の究極的な運命に託す人間など本当にいるだろうか。もちろん、正気であれば、そんなことはしない。われわれの生活を支配しているのは、もっと身近で、温かく、人間的な、ありとあらゆる種類の野心や知覚である。人生を生きるに値するものにしている温かさを、科学が奪い去ると言って非難するのは、途方もなく馬鹿げたまちがいであり、私自身や大部分の現役の科学者の感覚とまるで正反対なものである。私は、自分に対して誤ってかけられた嫌疑のあまりのひどさに、もうすこしで絶望に駆りたてられるところだった。

真実そのものでなく、それを報せる者を殺してしまうという似たような傾向は、『利己的な遺伝子』に承服しがたい社会的、政治的、経済的意味合いが含まれているとみなし、反対してきた他の批判者たちによっても示される。一九七九年にサッチャー女史が政権後初めての選挙に勝った直後、私の友人のスティーヴン・ローズは『ニューサイエンティスト』誌に次のように書いた。

私はなにも、サッチャーの原稿を書くのに、アーチ・アンド・サーチ社（英国の大手広告代理店）が社会生物学者のチームを雇ったなどと言うつもりはないし、オックスフォードやサセックスのある大学教授（ドン）たちが、自分たちが必死で広めようとしてきた利己的遺伝子学の単純な真理がこのような形で実践的に表明されたことを喜びはじめているとさえ言うつもりはない。流行の理論と政治的な出来事の偶然の一致は、それよりも厄介である。しかし私は、一九七〇年代末における右傾化の歴史について書かれる時がくれば、法と秩序から、マネタリズム（通貨量の抑制政策）へ、そして（より自己矛盾した）国家統制への攻撃へと続いたあと、進化理論における群淘汰モデルから血縁淘汰モデルへの転換だけでも、科学的流行の転換がサッチャー主義ならびに凝り固まった一九世紀風の競争的で外国人嫌いな人間の本性を権力の座につかせることになった潮流の一部とみなされるようになるだろうと信じている。

「サセックスの大学教授」とは、スティーヴン・ローズからも私からも賞賛された故ジョン・メイナード＝スミスのことで、彼は『ニューサイエンティスト』誌に「その同一視を壊すために、われわれは何をすべきだったのか」という彼らしい流儀で反論の手紙を寄せた。『利己的な遺伝子』の支配的なメッセージの一つ（『悪魔に仕える牧師』の表題となったエッセイでより強い形で述べてある）は、われわれは、マイナス記号をつけてでないかぎり、ダーウィン主義から価値観を引き出すべきではないということである。われわれの脳は自らの利己的な遺伝子に叛（そむ）くことができる地点まで進化したのである。われわれにそれができるという事実は、避妊具の使用によって明らかになっている。同じ原理はより大きな尺度で作用できるし、そうすべきなのである。

一九八九年の第二版とちがって、この三〇周年記念版では、この序文と、三度にわたって私の本を担当してくれた編集者で、代弁者でもあるレイサ・メノンが選んだ書評からのいくつかの抜粋を除いて、新しい材料は何も付け加わっていない。レイサ以外のだれも、マイケル・ロジャースの代わりを務めることはできなかっただろう。K淘汰を生き残った卓越した編集者ロジャースの本書に対する不屈の信念こそ、本書の第一版を軌道に乗せたブースター・ロケットだった。

とはいえ、この版では――私にとって格別の喜びを与えてくれる報せだが――、初版にあったロバート・トリヴァースの序文を再録した。ビル・ハミルトンについて、本書の四人の知的英雄の一人だと述べたが、ボブ・トリヴァースはそのうちのもう一人である。彼の考えは、9章、10章、および12章の大部分、および8章全体を支配している。彼の序文は本書に対するみごとに工夫された紹介文になっているだけではない。異例としかいいようがないが、彼は本書を華麗な新しいアイディア、自己欺瞞（じこぎまん）の進化についての彼の理論を発表する媒体として選んでくれたのだ。この三〇周年記念版を飾るために、もとの序文の再録を許可してくれたことについて、彼に最大限の感謝を捧げる。

オックスフォードにて　二〇〇五年一〇月

リチャード・ドーキンス

一九八九年版へのまえがき

『利己的な遺伝子（The Selfish Gene）』が出版されてから十年ほどの間に、この本の中心をなすメッセージは、教科書にも載るオーソドックスな見解となってしまった。これはいささか逆説的なことであるが、なぜ逆説的であるかについては少々説明がいる。この本は、出版されたときは革命的とそしられながらその後次第に帰依者を得て、ついにはまったくオーソドックスなものとなってしまったので、今にしてみるといったいあのさわぎは何だったんだといぶかられる、という類いの本ではない。まったくその反対だ。最初から書評は心地よいほどに好意的で、これが論争的な本だとは、最初は見られなかった。何年かのうちにこれは大いに問題をはらんだ本だという評判が高くなっていって、今では過激な極端論の著作だと広くみなされている。けれど、この本が極端論だという評判が広まっていったその同じ年月の間に、この本の実際の内容は、次第、次第に極端なものとは思われなくなり、次第、次第に当然なものとして通用するようになってしまった。

利己的遺伝子説はダーウィンの説である。それを、ダーウィン自身は実際に選ばなかったやり方で表現したものであるが、その妥当性をダーウィンはただちに認め、大喜びしただろうと私は思いたい。事実それは、オーソドックスなネオ・ダーウィニズムの論理的な発展であり、ただ目新しいイメージで表現されているだけなのだ。個々の個体に焦点をあわせるのでなく、自然の遺伝子瞰図的（自然を遺伝子の視点からみる）見方をとっているのである。『延長された表現型（The Extended Phenotype）』の初めの数ページで、私はこれをネッカー・キューブのたとえを使って説明した。

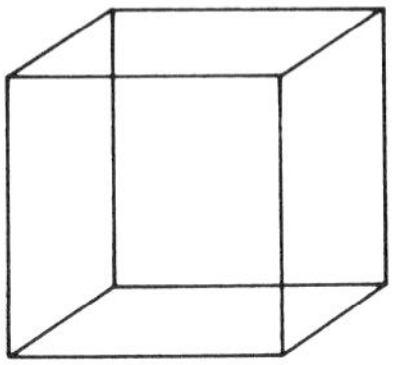

これは、紙の上にインクで描かれた二次元のパターンである。けれどそれは、透明な三次元のキューブとして知覚される。二、三秒間それを見つめていると、向きが変わるだろう。さらに見つづけているがよい。突然、またもとのキューブにもどる。どちらのキューブも網膜の上の二次元のデータに等しく合致している。脳が両者を交代させて楽しんでいるのだ。そのどちらかがもう一方より正しいということはない。私がいいたかったのは、自然淘汰に二つの見方があるということだ。遺伝子からの見方と、個体からの見方と。正当に理解するなら、それらは等価である。一つの真実の二つの見方である。その一つからもう一つへと切り替えてみることができる。それでもなお、それは一つのネオ・ダーウィニズムなのだ。

今、私はこのたとえがあまりにも慎重すぎたと思っている。科学者ができるもっとも重要な貢献は、新しい学説を提唱したり、新しい事実を発掘したりすることよりも、古い学説や事実を見る新しい見方を発見することにある場合が多い。ネッカー・キューブのたとえは、誤解を招く。なぜならそれは、二つの見方が同じように妥当だと思わせるからである。たしかにこのたとえは、部分的には正しい。「見方」というものは、学説と同様、実験によって判断できるものではない。検証とか反証とかいう、われわれがよく知っている判断基準に訴えることはできない。けれど見方の転換は、うまくいけば、学説よりずっと高遠なものを成し遂げることができる。それは思考全体の中で先導的な役割を果たし、そこで多くの刺激的かつ検証可能な説が生まれ、それまで思ってもみなかった事実が明るみに出てくる。ネッカー・キューブのたとえは、このことを完全に見逃している。それは見方の転換というアイディアは表現しているが、その価値を正当に評価することができていない。今ここでわれわれが語っているのは、もう一つの等価な見方への転換ではなくて、極端にいうなら、一つの変容（transfiguration）についてなのだ。

私は自分のささやかな貢献がそのように位置づけされることを、できるだけ早く放棄したいと思っている。とはいえ、この類いの理由から、私は科学とその「普及」とを明確に分離しないほうがよいと思っている。これまでは専門的な文献の中にしかでてこなかったアイディアを、くわしく解説するのは、むずかしい仕事である。それには洞察にあふれた新しいことばのひねりとか、啓示に富んだたとえを必要とする。もし、ことばやたとえの新奇さを十分に追求するならば、ついには新しい見方に到達するだろう。そして、新しい見方というものは、私が今さっき論じたように、それ自体として科学に対する独創的な貢献となりうる。アインシュタインはけっしてつまらない普及家ではなかった。そして、私は、彼の生き生きとしたたとえは、あとの人々を助けたという以上のものであったのではないかと、しばしば思ったことがある。それらは彼の創造的な天才を燃えたたせもしたのではなかろうか？

ダーウィニズムの遺伝子瞰図は、R・A・フィッシャーをはじめとする一九三〇年代初頭のネオ・ダーウィニズムの大先輩たちの著作の中で暗黙のうちに語られている。それを明白な形で述べたのは、六〇年代のハミルトンとウィリアムズだった。私にとって彼らの洞察は、予言的なものにみえた。しかし、それについての彼らの表現は、あまりに簡明すぎ、十分言いつくされていないと私は思った。私はこれを敷衍（ふえん）し発展させたものを作れば、生物についてのすべてのことが、心においても脳においても、しかるべきところに収まるのではないかと確信した。私は進化の遺伝子瞰図を讃（ほ）めたたえる本を書こうと思った。当時、一般向けダーウィニズムに浸透していた意識されない群淘汰（グループ・セレクション）説を矯正すべく、とりあげる例は社会行動にしぼるべきだと考えた。私はその本を一九七二年に書きはじめた。ちょうど、産業の不況による電力カットで、私の研究が中断された年であった。停電は、（一つの見方からすれば）不幸にも、わずか二章書けたところで終ってしまい、私はこの計画を一九七五年にサバティカル休暇を得るまで棚上げにした。その間に、この学説は拡張された。とくにメイナード＝スミスによって。今になってわかるのだが、それは新しいアイディアがいくつもそこいらじゅうに漂っている神秘的な時代の一つであった。私は『利己的な遺伝子』を興奮の熱にうなされたような状態で書き上げた。

オックスフォード大学出版部が第二版を書かないかともちかけてきたとき、ありきたりの、大幅な、ページごとの見直しは適当でないと、出版部は主張した。その構想からして次々と改訂すべく運命づけられていることの明らかな本もあるが、『利己的な遺伝子』はそうではない。第一版はそれが書かれた時代の若々しさをとりこんでいる。そのころ、外国には革命の気配があり、ワーズワースの幸せな曙光（しょこう）

が射していた。その時代の子を変えて、新しい事実でそれを太らせ、あるいは複雑さや慎重さでそれをしわだらけにするのは惜しい。そこでもともとの本文はそのままにしておく、欠陥も性差別的代名詞もすべて。終りに補注をつけて、訂正や応答やその後の展開をそこに含める。そして、それぞれその時代での新奇さが革命的な曙光の気分をさらに盛り上げるような事項について、まったく新しい章を付け加えるべきだと考えた。実際には12章と13章がそれである。この二章については、この間の何年かで私をもっとも興奮させた分野の二つの本、つまり、われわれの未来に対してある種の希望を与えるようにみえるロバート・アクセルロッドの『協力の進化（The Evolution of Cooperation）』（邦題『つきあい方の科学』）と、私自身の『延長された表現型』とである。後者はこの何年か私を支配しつづけてきたものであり、かつまたそれが、本当かどうかは別として、おそらくは私の今後書くものの中でもっともすばらしいものだからである。

「気のいい奴が一番になる」というタイトルは、私が一九八五年に提供したBBCのホライズン・テレビ・プログラムから借用した。これはジェレミー・テイラーがプロデュースした、協力の進化へのゲーム理論的アプローチについてのドキュメンタリー五〇分番組である。このフィルム、および同じプロデューサーによるもう一つの「ブラインド・ウォッチメーカー（The Blind Watchmaker）」は、私に彼の職業への新たな尊敬の念を生じさせた。じつにすばらしいことに、ホライズンのプロデューサーたち（彼らの番組のいくつかは、アメリカでも見られる。ただし、ノーヴァという名で放映されることが多い）は、そのときどきのテーマに関して高度の学究的エキスパートに変身してしまうのだ。12章は、そのタイトルばかりでなく、ジェレミー・テイラーとホライズン・チームに密着して仕事した体験の賜物であり、私は深く感謝している。

最近、私は不愉快なことを知った。自分がその構成に何の役割も果していない出版物に、平気で自分の名前を連ねる癖のある高名な科学者がいるということだ。どうやら、何人かの年長の科学者たちは、自分たちの貢献はせいぜい研究机のスペース、研究費、そして原稿を読んで手を入れただけにすぎないのに、論文の共著者にせよと要求するらしい。おそらく、彼らの科学的名声は、すべて学生や同僚の仕事の上に築かれてきたのだろう！　このような不正と闘うにはどうしたらよいか、私にはわからない。たぶん、雑誌の編集者は、著者のそれぞれがどのような貢献をしたかの署名入り証言を要求すべきだろう。とにかくこれはついでのことだ。私がこの問題をここでとりあげた理由は、話のコントラストを作りたかったからである。ヘレナ・クローニンは、一行、一行、いや一語、一語を改善するのにじつに多くの努力を費してくれた。もし彼女の断固たる辞退がなかったら、彼女は当然、この本の新しい部分すべての共著者とされるべきだった。私は彼女に深く感謝しており、これだけのお礼しかいえないのを残念に思っている。私はまた、特定の部分についてアドバイスと建設的な批判をしてくれたマーク・リドレー、メリアン・ドーキンス、そしてアラン・グラフェンにもお礼をいいたい。トーマス・ヴェブスター、ヒラリー・マッグリンその他オックスフォード大学出版部の方々は、私のむら気と仕事のおくれに、機嫌も損ねず耐えてくれた。

リチャード・ドーキンス

序文

チンパンジーと人間とはその進化の歴史のほぼ九九・五%を共有している。にもかかわらず、大多数の人間の思想家たちは、チンパンジーをできそこないで見当ちがいの化けものとみなし、一方自分たち人間は全能への踏み台だと思っている。進化論者からみれば、そのようなことはありえない。一つの種を他の種より上に見る客観的根拠などは存在しないのだ。チンパンジーと人間、トカゲとキノコ、われわれはすべておよそこの三〇億年をかけて、自然淘汰として知られる過程によって進化してきた。どの種の中でも、ある個体は他の個体よりもよりよく生き残る子孫を残し、その結果、繁殖に成功したものの遺伝的因子(遺伝子)は、次の世代において、より数が多くなる。これが自然淘汰、つまり、遺伝子がランダムでなく、差をつけながら増殖してゆくことである。自然淘汰がわれわれを創りあげた。だから、もしわれわれが自分のアイデンティティを理解しようとするのなら、われわれは自然淘汰というものを理解せねばならぬ。

自然淘汰による進化というダーウィンの学説は、動物の社会行動の研究にとってはかなめといえるほど重要なものである(とくにそれがメンデル遺伝学と組合わさった場合には)。にもかかわらず、ダーウィン説は大方から無視されてきた。産業はすべて、社会的、心理的世界のダーウィン以前、メンデル以前的理解を構築してきた社会科学の中で育ってきた。生物学の中においてさえ、ダーウィン説の無視と誤用は驚くべきものがあった。しかし、このように奇妙なことになってきた理由がなんであれ、それはもう終りに近づいている。ダーウィンとメンデルの偉業は、R・A・フィッシャー、W・D・ハミルトン、G・C・ウィリアムズ、J・メイナード＝スミスといった人々を先頭とする多くの研究者たちによって拡大されてきた。そして今はじめて、自然淘汰に基礎をおいた社会学説のこの重要な体系が、リチャード・ドーキンスの手によってシンプルでポピュラーな形で提出されたのである。

ドーキンスは社会学説におけるこの新しい研究の主要なテーマを、一つずつとりあげてゆく——利他的・利己的行動の概念、私利私欲の遺伝的定義、攻撃行動の進化、親子関係や、社会性昆虫の進化も含めた血縁淘汰説、性比についての学説、互恵的利他主義、いつわり、性差の自然淘汰など。基盤となる学説をマスターしていることからくる自信をもって、ドーキンスは新しい研究を驚嘆すべき明快さとみごとな文体でくり広げてゆく。広く生物学を身につけた彼は、生物というものがいかに豊かで魅惑的なものかを読者に教えてくれる。既発表の研究と意見を異にする場合（彼が私の誤りを批判するときのように）、彼はほとんどいつも正確に的をついている。ドーキンスはまた、彼の論議の論理を明確にすべく苦労している。それゆえに読者は、彼の与えてくれた論理を適用してゆくことによって、議論を広げてゆくことができる（そしてドーキンス自身を乗り越えてさえゆけるのである）。議論それ自体は多くの方向に広がってゆく。たとえば、もしうそというものが、（ドーキンスがいうように）動物のコミュニケーションに基本的にそなわったものであるのなら、必ずやうそを見抜く方向への強い淘汰が働くにちがいないし、またこのことが、うそをついていることの自覚からくる微妙なサインによってそれを洩らしてしまわないよう、事実や動機を意識しないようにさせるある程度の自己欺瞞をよしとする方向への淘汰を生むのであろう。したがって、自然淘汰は世界のより正確なイメージを創りだすような神経系に味方するというありきたりの見方は、心的進化のあまりにもナイーヴな見方だといわざるをえない。

最近における社会学説の進歩はたいへん本質的なものを含んでいるので、ちょっとした反革命的な反応をよびおこした。たとえば、この最近の進歩は、社会の発展は遺伝的に不可能であるようにみせかける点で、実は、社会の発展を邪魔しようとする周期的な陰謀の一部である、というようなことがまことしやかにいわれている。これに類した貧弱な思想がつながりあって、ダーウィン主義的社会学説は政治的意味では反動的だという印象を生みだしてきた。だがこれは、真実からはおよそかけ離れている。両性が遺伝的に平等なものであることは、フィッシャーとハミルトンによって、はじめて明確にされた。社会性昆虫からえられた理論と定量的データによって、親が子を（あるいは逆に子が親を）支配する本来的な傾向など存在しないことが示された。そして、親による投資とか、雌による選択という概念は、性差をどう見るかというときの客観的で、偏見のない基盤を提供してくれる。これは、女性の力と権利の根源を生物学的同一性という泥沼の中に求めようとするいま流行り(はや)の努力にくらべれば、格段の前進である。要するにダーウィン主義的社会学説は、社会関係の底にある対称性と論理とをかいまみさせてくれるのだ。もしわれわれ自身がそれをより深く理解するならば、それはわれわれの政治の理解にふたたび生気を与え、生物学でありかつ医学でもある心理学に知的な支持を与えてくれるはずである。そしてそこに至る過程の中で、われわれの悩みの多くの根をより深く理解させてもくれるはずである。

一九七六年七月ハーヴァード大学

ロバート・L・トリヴァース

一九七六年版のまえがき

この本はほぼサイエンス・フィクションのように読んでもらいたい。イマジネーションに訴えるように書かれているからである。けれどこの本は、サイエンス・フィクションではない。それは科学である。いささか陳腐かもしれないが、「小説よりも奇なり」ということばは、私が真実について感じていることをまさに正確に表現している。われわれは生存機械――遺伝子という名の利己的な分子を保存するべく盲目的にプログラムされたロボット機械なのだ。この真実に私は今なおただ驚きつづけている。私は何年も前からこのことを知っていたが、到底それに完全に慣れてしまえそうにはない。私の願いの一つは、他の人たちをなんとかして驚かせてみることである。

私がこの本を書いているとき、想像上の読者が三人、私の肩ごしにのぞきこんでいた。今私は、この人々にこの本を捧げたい。三人のうちの第一は、一般的な読者、つまり門外漢である。彼のために私は、専門用語をほとんどまったく使わないようにした。どうしても専門的なことばを使わねばならないときは、きちんと定義してからにした。なぜ学術雑誌からも多くの専門用語を追放しないのか、ふしぎである。私は門外漢は専門的な知識をもっていないものとみなしたが、彼が愚かであるとはみなさなかった。思い切った単純化をおこないさえすれば、だれでも科学を大衆化できる。私はいくつかの微妙で複雑な考えを、数学的なことばを使わないで、しかもその本質を見失うことなしに大衆化しようと苦労した。

どこまでこれに成功したか私にはわからないし、また、この本をその主題にふさわしくおもしろい魅力的なものにしようという私のもう一つの野心が実を結んだかどうかもわからない。私は生物学はミステリー小説と同じくらい刺激的なものであるべきだと前々から思っている。生物学はまさにミステリー小説なのであるからだ。とはいえ私は、この主題が提供するはずの刺激のごくわずかな部分以上のものを伝ええたとまでは、期待していない。

私の第二の想像上の読者は、専門家である。彼は非情な批判者であって、私のもちだすアナロジーや比喩に、鋭く息をのむ。彼のお気に入りのことばは、「……という例外がある」、「しかし一方では……」、それに軽蔑の意をこめた「へえー」である。私は彼のいうことに注意ぶかく耳を傾け、彼の意見に従ってまるまる一章を書きかえたことさえある。けれど最終的には、私は自分の思うとおりに語ってゆくほかはなかった。専門家が私の語り口に完全に満足することはないであろう。けれど私は、その彼すらもこの本の中に何か新しいことを見出してくれるのではないかと期待している。ありふれた考え方の新しい見方ができるとか、あるいはさらに、彼自身の新しい着想を刺激するとか……。もしこれが思いあがりにすぎるならば、せめてこの本が車中で彼を楽しませてくれることぐらい期待してもよいだろうか？

私が心に描いていた第三の読者は、門外漢から専門家へ移行中の学生である。もし彼がどの分野の専門家になるかをまだ決めていないのなら、私は彼に私自身の分野である動物学へほんのちょっとだけでも目を向けてくれるようすすめたい。動物学を勉強する理由は、それがいずれは「有用」になるだろうことか、一般に動物がかわいらしいものであることとかいう以外にもっとある。それは、われわれ動物が既知の宇宙におけるもっとも複雑でもっとも完璧にデザインされた機械だからである。このようにいったら、動物学以外のことを勉強するなんてとても理解できない！　すでに動物学に足を踏みいれている学生に対しては、私の本が何らかの教育的価値をもってほしいものだと願っている。彼は私の論法の基礎となった原論文や原著を学んでゆかねばならない。もしそれら原著がわかりにくかったら、たぶん私の非数学的説明が、導入や追加として助けとなるだろう。

異なる三種類の読者すべてにアピールしようとすることは、明らかに危険である。私にいえるのは、私はこの危険を重々承知していること、けれどこのような試みによる利益はこの危険をはるかに上まわるだろうということだけである。

私は行動生物学者（エソロジスト）であり、これは動物の行動についての本である。私は自分がトレーニングを受けてきたエソロジーの伝統に多くを負うているのは明らかだろう。とくに、ニコ・ティンバーゲンは、私がオックスフォードの彼のもとで研究していた十二年間に、私にどれほどの影響を与えたか、きっとわかっていないにちがいない。「生存機械」ということばも、実際には彼の造語ではないにせよ、おそらくそれに近い。けれどエソロジーは最近、常識的にはエソロジーに関わりがあるとはみなされていないところからきた新鮮なアイディアの侵入によって活力を与えられてきた。この本は大幅にこのような新しいアイディアを基盤としてできあがっている。その発想者たちは、本文のしかるべき場所で名をあげてあるが、とくに記すべき人々はG・C・ウィリアムズ、J・メイナード＝スミス、W・D・ハミルトン、そしてR・L・トリヴァースである。

いろいろな人々がこの本のタイトルについてサジェストして下さった。私はそれを各章のタイトルにありがたく使わせていただいた。「不滅のコイル」はジョン・クレブス、「遺伝子機械」はデズモンド・モリス、「遺伝子道」はティム・クラットン＝ブロックとジーン・ドーキンスの示唆によるものである。スティーヴン・ポッターには申し訳なかった。

想像上の読者たちは見込みのない期待と願望の目標とはなってくれるかもしれないが、現実の読者や批評家ほど実際の役には立たない。私にはどうも改訂癖があって、メリアン・ドーキンスが毎ページ、毎ページの数限りない書き直しを読まされる羽目になった。生物学の文献に関する彼女の莫大な知識、理論的な論争についての彼女の理解、そして彼女の絶えざる激励と精神的支持は、私にとってこの上なく大切なものであった。ジョン・クレブスも原稿段階でこの本全体に目を通してくれた。彼はこの主題については私以上によく知っており、助言や示唆を惜しまなかった。グレニス・トムスンとウォルター・ボドマーは、遺伝学的な問題の扱い方を親切にしかし手厳しく批判してくれた。私は彼らが私の改訂にはまだ完全には満足していないのではないかと恐れているが、いくぶん改善されたとは認めてくれることを願っている。私は彼らが大切な時間を割いてくれたことと、彼らの辛抱づよさに心から感謝している。ジョン・ドーキンスは的確な目で誤解をうけやすい言いまわしをチェックし、数々のすぐれた建設的な言いかえの示唆を与えてくれた。私はマクスウェル・スタンプ以上に親切な「知的な門外漢」を期待することはできなかったであろう。彼は第一稿の文章の中から重大な一般的欠陥を鋭くみつけだしてくれたが、それは最終稿の作成に大いに役立った。この他にも、ジョン・メイナード＝スミス、デズモンド・モリス、トム・マシュラー、ニック・ブラートン＝ジョウンズ、サラ・ケトルウェル、ニック・ハンフリー、ティム・クラットン＝ブロック、ルイーズ・ジョンソン、クリストファー・グレアム、ジョフ・パーカー、そしてロバート・トリヴァースは、いくつかの章を建設的に批判してくれたり、あるいは専門的な助言を与えてくれた。パット・サールとステファニー・ヴァーホーヴェンは原稿をみごとにタイプしてくれたばかりか、とても楽しそうにその仕事をしてくれたので、私は大いに勇気づけられた。最後に、私は、原稿を批判的に読んで助けてくれた上に、単なる義務ということをはるかに超えて、この本を作るすべての段階に立会ってくれたオックスフォード大学出版部のマイケル・ロジャースにお礼を申し上げたい。

リチャード・ドーキンス

本文中＊印のついた箇所には、著者自身による注釈が
四一七頁以下の「補注」で付け加えられている

1 人はなぜいるのか

ある惑星上で知的な生物が成熟したといえるのは、その生物が自己の存在理由をはじめて見出したときである。もし宇宙の知的にすぐれた生物が地球を訪れたとしたら、彼らがわれわれの文明度を測ろうとしてまず問うのは、われわれが「進化というものをすでに発見しているかどうか」ということであろう。地球の生物は、三〇億年もの間、自分たちがなぜ存在するのかを知ることもなく生き続けてきたが、ついにそのなかの一人が真実を理解しはじめるに至った。その人の名はチャールズ・ダーウィンであった。正確にいうなら、真実をうすうす気づいた人は他にもいたのだが、われわれの存在理由について筋が通り、かつ理にかなった説明をまとめたのが、ダーウィンその人であった。ダーウィンは、この章の表題のような質問をする好奇心の強い子どもに、われわれが理屈の通った分別ある答えをきかせてやれるようにしたのである。生命には意味があるのか？　われわれはなんのためにいるのか？　人間とはなにか？　といった深遠な問題に出会っても、われわれはもう迷信に頼る必要はない。著名な動物学者G・G・シンプソンはこの最後の疑問を提起したあとで、こう述べている。「私が強調したいのは、一八五九年以前には、この疑問に答えようとする試みはすべて無価値であったこと、われわれがそのような試みをまったく無視できるのなら、そのほうがましであろうということである」[*1-1]。

　今日進化論は、地球が太陽のまわりをまわっているという説と同じくらい疑いないものであるが、ダーウィン革命の意味するものすべてが、さらに広く理解されねばならない。動物学は大学ではいまだ少数派の研究分野であるし、動物学を選ぶ人でさえ、その深い哲学的意味を評価した上でそう決心するのではない場合が多い。哲学と、「人文学」と称する分野では、今なお、ダーウィンなど存在したことがないかのような教育がおこなわれている。こうしたことがいずれ変わるであろうことは疑いない。どのみち、この本の意図は、ダーウィニズムの一般的な擁護（ようご）にあるのではない。そうではなくて、ある論点について進化論の重要性を追求することにある。私の目的は、利己主義（りこしゅぎ）（selfishness）と利他主義（りたしゅぎ）（altruism）の生物学を研究することである。

　学問上の興味を別にしても、この問題が人間にとって重要であることは明らかだ。それはわれわれの社会生活のあらゆる面、たとえば愛と憎しみ、戦いと協力、施しと盗み、貪欲（どんよく）と寛大にかかわるものである。ローレンツの『攻撃』、アードリーの『社会契約』、アイブル＝アイベスフェルトの『愛と憎しみ』もこのような問題を論じているといえようが、これらの本の難点は、その著者たちが全面的にかつ完全にまちがっていることである。彼らは進化のはたらき方を誤解したために、まちがってしまったのだ。彼らは、進化において重要なのは、個体（ないし遺伝子）の利益ではなくて、種（ないし集団）の利益だという誤った仮定をおこなっている。皮肉なことに、アシュリー・モンタギューはローレンツを批判して、「十九世紀の『歯も爪（つめ）も血まみれの自然』派の思想家の直接の子孫だ」と述べている。進化に関するローレンツの見解を私がみたところでは、彼は、テニスンのこの有名な一句の意味するものを退ける点では、モンタギューとまったく同じなのだ。彼ら二人とはちがって、私は「歯も爪も血まみれの自然」というこの表現は、自然淘汰というもののわれわれの現代的理解をみごとに要約していると思う。

私の論旨そのものに入る前に、私は、それがどういう種類の議論であって、どういう種類の議論でないかを手短に説明しておきたい。もし、ある男がシカゴのギャング界で長年順調な生活を送ってきたと聞いたら、その男がどういう種類の人間であるか、およその見当がつこう。おそらく彼は、タフな早撃ちの名手で、義理堅い友人を魅きつける才のある人間であろうと思われる。これは絶対確実な推論ではないかもしれないが、ある人が生きのび成功してきた条件について何かわかれば、その人の性格についてなんらかの推測をくだすことができる。この本の主張するところは、われわれおよびその他のあらゆる動物が遺伝子によって創りだされた機械にほかならないというものである。成功したシカゴのギャングと同様に、われわれの遺伝子は競争の激しい世界を場合によっては何百万年も生き抜いてきた。このことは、われわれの遺伝子になんらかの特質があることを物語っている。私がこれから述べるのは、成功した遺伝子に期待される特質のうちでもっとも重要なのは非情な利己主義である、ということである。ふつう、この遺伝子の利己主義（gene selfishness）は、個体の行動における利己主義を生みだす。しかし、いずれ述べるように、遺伝子が個体レベルにおけるある限られた形の利他主義を助長することによって、もっともよく自分自身の利己的な目標を達成できるような特別な状況も存在するのである。この最後の文の「限られた（limited）」と「特別な（special）」という語は重要なことばである。そうでないと信じたいのは山々だが、普遍的な愛とか種全体の繁栄とかいうものは、進化的には意味をなさない概念にすぎない。

そこでまず私は、この本が何でないかを主張しておきたい。私は進化にもとづいた道徳を主張しようというのではない。[*12] 私は単に、ものごとがどう進化してきたかを述べるだけだ。私は、われわれ人間が道徳的にはいかにふるまうべきかを述べようというのではない。私がこれを強調するのは、どうあるべきかという主張と、どうであるという言明とを区別できない人々、しかも非常に多くの人々の誤解を受けるおそれがあるからである。私自身の感じでは、単に、つねに非情な利己主義という遺伝子の法にもとづいた人間社会というものは、生きていくうえでたいへんいやな社会であるにちがいない。しかし残念ながら、われわれがあることをどれほど嘆こうと、それが真実であることに変わりはない。この本は主として、おもしろく読めることをねらったが、この本から道徳をひきだそうとする方々は、これを警告として読んでほしい。もしあなたが、私と同様に、個人個人が共通の利益に向かって寛大に非利己的に協力しあうような社会を築きたいと考えるのであれば、生物学的本性はほとんど頼りにならぬということを警告しておこう。われわれが利己的に生まれついている以上、われわれは寛大さと利他主義を教えることを試みようではないか。われわれ自身の利己的な遺伝子が何をしようとしているかを理解しようではないか。そうすれば、少なくともわれわれは、遺伝子の意図をくつがえすチャンスを、すなわち他の種がけっして望んだことのないものをつかめるかもしれないのだから。

教育についてこうした意見を述べるのは、遺伝的にうけつがれる特性が、その定義からして固定した変更のきかないものだと考えることが誤りだからである（ついでにいうと、この誤りはごくふつうにみられる）。われわれの遺伝子は、われわれに利己的であるよう指図するが、われわれは必ずしも一生涯遺伝子に従うよう強制されているわけではない。確かに、利他主義を学ぶことは、遺伝的に利他主義であるようプログラムされている場合よりはずっとむずかしいであろう。あらゆる動物の中でただ一つ、人間は文化によって、すなわち学習され、伝承された影響によって、支配されている。ある人々にいわせると、文化こそ重要なのであって、遺伝子が利己的であろうとなかろうと、人間の本性を理解するうえでは事実上関係がないという。一方、そうではないという人々もいる。これはすべて、人間の属性の決定因が「氏(うじ)か育ちか」という議論においてどちらの立場をとるかによる。ここで私は、この本が何々でないという第二の事項を述べねばならない。すなわち、この本は「氏か育ちか」論争におけるなんらかの立場を主張するものではない。もちろん、私はこれについてある意見をもっているが、それを表明しようとは思わない。ただし、文化について最終章〔改訂版では11章〕で述べる見解に含まれるものは、この限りではない。たとえ遺伝子が現代人の行動の決定にはまったく無関係であることがわかったとしても、すなわち、われわれが実際この点で動物界でユニークな存在であることがわかったとしても、ごく最近人間が例外となったその規則について知ることは、少なくともまだ興味ぶかいことである。そして、もしわれわれの種が、われわれが考えたがるほど例外的でないのであれば、その規則を学ぶことはいっそう重要である。

この本が何々でないという第三の事項は、人間の行動やその他の動物の詳細な行動を記載したものではない、ということである。細かい事実は説明のさいの例として用いるにとどめる。私は、「ヒヒの行動をみれば、その行動が利己的であるのがわかるだろう、だから人間の行動も利己的であると思われる」といおうとしているのではない。私の「シカゴ・ギャング」論の論理はまったくちがう。それはこうである。人間もヒヒも自然淘汰によって進化してきた。自然淘汰のはたらき方をみれば、自然淘汰によって進化してきたものは、なんであれ利己的なはずだということになる。それゆえ、われわれは、ヒヒ、人間、その他あらゆる生きものの行動をみれば、その行動が利己的であることがわかる、と考えねばならない。もしこの予想が誤りであることがわかったならば、つまり、人間の行動が真に利他的であることが観察されたならば、そのときわれわれは、困惑させられる事態、説明を要する事態にぶつかるであろう。

先に進む前に、定義が必要である。ある実在（たとえば一頭のヒヒ）が自分を犠牲にして別の同様な実在の幸福を増すようにふるまったとすれば、その実在は利他的であるといわれる。利己的行動にはこれとは正反対の効果がある。「幸福」は「生存の機会」と定義される。たとえ、実際の生死の見込みに対する効果がごく小さく、無視できそうにみえたとしても。ダーウィニズム理論の現代的説明の驚くべき結果の一つは、生存の見込みに対するささいな作用が進化に多大な力を及ぼしうることである。これは、こうした作用が影響をおよぼすのにつかえる時間がたっぷりあるからである。

利他主義と利己主義の前述の定義が行動上のものであって、主観的なものではないことを理解することが重要である。私はここで動機の心理学にかかわるつもりはない。利他的に行動する人々が「ほんとうに」かくれた、あるいは無意識の利己的動機でそれをおこなっているのかどうかといった議論をしようとは思わない。彼らがそうであろうとなかろうと、われわれがそれを知ることができなかろうと、いずれにせよそれはこの本の関知するところではない。当の行為が結果として、利他行為者とみられる者の生存の見込みを低め、同時に受益者とみられるものの生存の見込みを高めさえするならば、私はそれを利他行為と定義するのである。

長期にわたる生存の見込みに対する行動の効果を示すことは、非常にむずかしい仕事である。実際問題として、実際の行動に定義をあてはめるときには、「のようにみえる」ということばを補わねばならない。利他的にみえる行為とは、表面上、あたかも利他主義者の死ぬ可能性を（たとえどれほどわずかであれ）高め、同時に、受益者の生きのびる可能性を高めると思わせる行為である。よく調べてみると、利他的にみえる行為はじつは姿を変えた利己主義であることが多い。くりかえすが、私は、根元にある動機がじつは利己的なものだといっているのではない。生存の見込みに対する行為の効果が、最初に考えられたものとは逆だといっているのである。

利己的にみえる行動と利他的にみえる行動の例をいくつかあげてみよう。われわれは自種を扱うさいには、主観的に考える癖（くせ）を抑（おさ）えがたいものなので、他種の動物の例をひくことにしよう。まず、個体による利己的行動のいろいろな例をみる。

ユリカモメは大きなコロニーをつくって営巣（えいそう）するが、巣（す）と巣はわずか数十センチしか離れていない。かえりたての雛（ひな）は小さくて無防備であり、捕食者にとってはたいへん呑（の）みこみやすい。あるカモメはとなりのカモメが巣を離れるのを、たぶん魚をとりに出かけるのを待って、そのカモメの雛に襲（おそ）いかかり、丸呑（まるの）みにしてしまうことがよくある。こうして、そのカモメは魚をとりにいく手間を省き、自分の巣を無防備な状態にさらさないで栄養豊かな食物を手に入れるのである。

いっそうよく知られている例に、雌のカマキリの恐ろしい共食（ともぐ）いがある。カマキリは大型の肉食性の昆虫である。彼らはふつうハエのような小型の昆虫を食べるが、動くものならほとんどなんでも攻撃する。交尾のさいには、雄は注意ぶかく雌にしのびより、上にのって交尾する。雌はチャンスがありしだい雄を食べようとする。雄が近づいていくときか、上に乗った直後か、離れたあとかに、まず頭を咬み切って食べはじめる。雌は交尾が終わってから雄を食べはじめるほうがよさそうに思われよう。けれど、頭がないことは、雄の体の残りの部分の性的行為の進行を止めることにはならないようである。じっさい、昆虫の頭は抑制中枢神経の座であるので、雌は雄の頭を食べることによって、雄の性行為を活発化することができる。[*1-3] もしそうであれば、これは利点をふやすことになる。もちろん、第一の利点は、雌が上等な食物を手に入れることである。

「利己的」ということばは、共食いのような極端な場合につかうには控えめすぎる言い方に思われるかもしれないが、こうした例はわれわれの定義にはよくあっている。南極の皇帝ペンギンで報告されているひきょうな行動についてなら、おそらくだれでもただちに同意できるであろう。このペンギンたちは、アザラシに食べられる危険があるため、水際に立って飛びこむのをためらっているのがよく見られる。彼らのうち一羽が飛びこみさえすれば、残りのペンギンたちはアザラシがいるかどうかを知ることができる。当然だれも自分がモルモットにはなりたくはないので、全員がただひたすら待っている。そしてときどき互いに押し合って、だれかを水中に突き落とそうとさえするのである。

もっとふつうの場合には、利己的な行動というのは、単に食物やテリトリーや交尾の相手といった価値のある資源をわけあうのを拒否することである。次に、利他的にみえる行動の例をいくつかあげてみよう。

働きバチの針を刺す行動は、蜜泥棒に対するきわめて効果的な防御である。しかし刺すハチたちは神風特攻隊（かぜとっこうたい）なのだ。刺すという行為で、生命の維持に必要な内臓がふつうは体外にもぎとられ、そのハチはその後まもなく死んでしまう。そのハチの自殺的行為がコロニーの生存に必要な食物の貯えを守ったかもしれないが、そのハチ自身はその利益にはありつけない。われわれの定義では、これは利他的行動である。意識的な動機について述べているのではないことを思いだしてほしい。この場合にも、また利己主義の例でも、意識的な動機はあることもあろうし、ないこともあろうが、それはわれわれの定義には無関係である。

ある個体が、友のために生命を捨（す）てることが利他的であることは明らかだが、友のためにわずかな危険をおかすこともやはり利他的である。多くの小鳥はタカのような捕食者が飛んでいるのをみると、特徴的な「警戒声（けいかいせい）」を発し、それによって群（む）れ全体が適当な逃避行動をとる。警戒声をあげる鳥は捕食者の注意を自分にひきつけるので、ことさら身を危険にさらしているという間接的な証拠がある。それは仲間より多少危険が増すということにすぎないのだが、やはりこれは、少なくとも一見した限りではわれわれの定義による利他的行為に含められるようにみえる。

動物の利他的行動の中でもっともふつうに、もっとも顕著にみられるのが、親、とくに母親の子に対する行動である。彼らは巣の中か自分の体内で卵をかえし、多大な犠牲を払って子に食物を与え、大きな危険に身をさらして捕食者から子をまもる。一例をあげると、多くの地上営巣性の鳥はキツネのような捕食者が近づいてきたときに、いわゆる「擬傷（ぎしょう）」ディスプレイをおこなう。親鳥は片方の翼（つばさ）が折れているかのようなしぐさで巣から離れるのである。捕食者は捕えやすそうな獲物（えもの）に気づいて、おびきよせられ、雛のいる巣から離れる。最後に親鳥はこのしばいをやめ、空中に舞いあがってキツネの顎（あご）から逃（の）

がれる。この親鳥はたぶん自分の雛の生命を救ったであろうが、そのために自分自身をかなりの危険にさらしている。

　私は物語を語ることによって、自説を主張しようとしているのではない。適当に選びだした例でもって、ちゃんとした一般論のまともな証拠とすることはできないからである。これらの話は単に、個体レベルの利他的行動と利己的行動とはどういう意味かを説明するためにあげたにすぎない。この本で私は、遺伝子の利己性と私がよんでいる基本法則によって、個体の利己主義と個体の利他主義がいかに説明されるかを示そうと思う。しかしその前にまず、利他主義についての誤った説明をとりあげねばならない。というのは、そうした説明が一般に知れわたっており、学校で広く教えられてさえいるからである。

　この説明は、すでに述べたような誤解にもとづいている。つまり、生きものは「種の利益のために」、「集団の利益のために」ものごとをするように進化する、という誤解である。生物学でこの考え方がどれほど優勢であるかは、容易にみることができる。動物の生活は大方が繁殖に捧げられており、自然界にみられる利他的自己犠牲の行為のほとんどが親の子に対するものである。「種の存続」とは繁殖ということのよく使われる婉曲な言いまわしである。たしかに、それが繁殖の結果であることはまちがいない。繁殖の「機能」が種を存続させる「こと」だと推論するには、論理をわずかに飛躍させるだけでよい。このことから、動物が一般に種の存続に役立つようにふるまうと結論づけるには、さらに短い誤った一歩があればすむ。たぶんその次には、自種の仲間に対する利他主義という話になるであろう。

　この考え方はなんとなくダーウィニズム的なことばに翻訳できる。進化は自然淘汰によって進み、自然淘汰は「最適者」の生存に加担する。ところで、ここでいう「最適者」とは最適個体のことだろうか、それとも最適品種、あるいは最適種のことだろうか？　いったい何をさしているのだろう？　目的によってはこれはさして問題ではないが、利他主義について述べるときには、これは非常に大事なことである。ダーウィンが生存競争とよんだものにおいて競いあっているのが種であるとすれば、個体は将棋(しょうぎ)の歩(ふ)とみなすことができる。種全体の利益のために必要とあれば、犠牲になるのである。もう少し上品な言い方をすれば、各個体がその集団の幸福のために犠牲を払うようにできている種ないし種内個体群のような集団は、各個体が自分自身の利己的利益をまず第一に追求している別のライバル集団よりも、おそらくは絶滅の危険が少ないであろう。したがって、世界は、自己犠牲を払う個体からなる集団によって大かた占(し)められるようになる。これが「群淘汰(グループ・セレクション)」説である。この説は、V・C・ウィン＝エドワーズが有名な著書の中で世に公表し、ロバート・アードリーが『社会契約』の中で普及させた、進化説の詳細を知らない生物学者たちに長年真実だと考えられてきた説である。昔から支持されてきたもう一つの説は、ふつう「個体淘汰(インディビジュアル・セレクション)」とよばれているものである。私としては遺伝子淘汰(ジーン・セレクション)というほうが好きであるが……。

　この群淘汰説に対する「個体淘汰論者」の答えは、簡単にいえばこういうことになろう。利他主義者の集団の中にも、いっさいの犠牲を拒否する意見のちがう少数派が、ほぼ必ずいるものである。他の利他主義者を利用しようとする利己的な反逆者が一個体でもいれば、定義によると、その個体はたぶん他の個体より生き残るチャンスも、子をつくるチャンスも多いであろう。そしてその子どもたちはそれぞれ利己的な性質をうけつぐ傾向があるであろう。何代かの自然淘汰を経ると、この「利他的集団」には利己的な個体がはびこり、この集団は利己的な集団と区別がつかなくなるであろう。ありそうもないことだが、最初に反逆者のまったくいない純粋な利他的集団がたまたまあったと仮定しても、利己的な個体がとなりの利己的集団から移住してくることや、利己的個体との交配によって、利他的集団の純血が汚(けが)されることをくいとめるものは何なのかを知るのはたいへんむずかしい。

個体淘汰論者は、集団が実際に滅(ほろ)びるものであること、ある集団が滅びるか否(いな)かはその集団の個体の行動いかんにかかっていることを認めるにちがいない。また、ある集団の個体に先見の明がありさえすれば、彼らはいずれ、利己的な欲望を抑制して集団全体の崩壊を防ぐことが、自分たちの最大の利益につながることに気づくはずだ、ということを認めさえするであろう。このようなことが、近年イギリスの労働者について何度いわれてきたことか？　ともあれ、集団の絶滅は、個体間の苛烈(かれつ)な競争にくらべればゆっくりとした過程である。集団がゆっくりと確実に衰退していくあいだにすら、利己的な個体は利他主義者を犠牲にして短期間に成功する。イギリスの市民が先見の明に恵まれているにせよいないにせよ、進化は未来に対して盲目である。

群淘汰説は、いまや進化を理解している専門の生物学者の間ではあまり支持されていないが、この説は直観的に訴えるところがある。代々の動物学の学徒は、学校を出てから、これがオーソドックスな見解でないことを知って驚く。だからといって彼らを責めるのは酷(こく)であろう。なぜなら、イギリスのレベルの高い生物学の教師のために書かれた『ナフィールド生物学教師指導書』には、こう書かれている。「高等動物では、種の生存確保のために、個体の自殺という行動形態をとることがある」。この指導書の無名の著者は、幸せなことに、論争の的になっていることを述べているということに気づいていない。この点では彼はノーベル賞受賞者の仲間にはいる。ローレンツは『攻撃』の中で、攻撃行動の「種保存」機能の一つは、最適個体のみが繁殖を許されるよう保証することだと述べている。これは堂々めぐりの議論の最たるものだが、ここで私がいいたいのは、ナフィールド指導書の著者と同様、明らかにローレンツも自分のいっていることがオーソドックスなダーウィニズムに反していることに気づかなかったほど、群淘汰説は深く根をおろしている、ということである。

このあいだ私は、オーストラリア産のクモに関するBBCテレビの番組（他の点ではすぐれた番組だった）で、同じようなおもしろい例をきいた。番組の「専門家」はクモの子の大部分が他種の餌食（えじき）になるのを観察し、続いてこういった。「おそらくこれが彼らの真の存在理由なのでしょう。種の維持のためにはほんの少数が生き残ればそれですむのですから！」『社会契約』の中でロバート・アードリーは、一般的な社会秩序全般を説明するのに群淘汰説を用いた。明らかに、彼は人間を動物の正しい道からはずれた種だとみなしている。これでアードリーは少なくとも宿題はすました。オーソドックスな説に異議を唱えようとする彼の決意は、明らかに意識的なものであった。そして彼は、そのことを評価されてしかるべきである。

おそらく群淘汰説が非常にうけたのは、一つにはそれが、われわれの大部分がもっている倫理的理想や政治的理想と調和しているからであろう。われわれは個人としてはしばしば利己的にふるまうが、理想上は他人の幸福を第一にする人々を尊敬し賞賛する。しかし、われわれが「他人」ということばをどこまで広く解釈しようとするかについては、多少混乱がある。集団内の利他主義は、集団間の利己主義を伴うことが多い。これが労働組合主義の基本原理である。別のレベルでは、国家は利他的自己犠牲の主要な受益者であり、若者たちは自国全体の栄光をさらに高めるために個人の命を捧（ささ）げるよう期待される。そのうえ彼らは、他国の人間だということ以外に、まったく知らない他人を殺すことを奨励される（ふしぎなことに、個人個人に対して、自分たちの生活水準を向上させる速度を少し犠牲にせよという平和時の呼びかけは、個人に自分の生命を捨てよという戦時の呼びかけほど効果的ではないようである）。

最近、民族主義や愛国心に反対して、仲間意識の対象を人間の種全体に置き替えようとする傾向がでてきた。利他主義の対象のこの人道主義的な拡大は興味ぶかい帰結を生む。つまり、それはやはり進化における「種の利益」論を支持しているようにみえるのである。政治的に自由主義的な人々は、ふつうは種の倫理をもっとも強く信じている人であり、したがって今や彼らは、利他主義の枠をさらに広げて他種をも含めようとする人々に対して、もっとも強い軽蔑（けいべつ）の念を抱（いだ）いていることが多い。もし私が、人々の住宅事情を改善することより、大型クジラ類の殺戮（さつりく）を防ぐことのほうに関心があるといったとしたら、一部の友人はショックをうけるであろう。

自種のメンバーが他種のメンバーにくらべて、倫理上特別な配慮をうけてしかるべきだとする感覚は、古く根強い。戦争以外で人を殺すことは、通常の犯罪の中ではもっとも厳しく考えられている。われわれの文化でこれより強く禁じられている唯一のことは、人を食べることである（たとえその人が死んでいても）。しかしわれわれは他種のメンバーを喜んで食べる。われわれの多くは極悪（ごくあく）犯人に対してですら死刑の執行をしりごみするが、一方、たいした害獣でもない動物を裁判にもかけずに喜々として撃ち殺す。それどころか、われわれは多くの無害な動物をレクリエーションや遊びのために殺している。アメーバほどにも人間的感情をもたない人間の胎児（たいじ）は、おとなのチンパンジーの場合をはるかにこえた敬意と法的保護をうけている。だが、最近の実験的証拠によれば、チンパンジーは豊かな感情をもち、ものを考え、ある種の人間のことばをおぼえることすらできる。胎児はわれわれの種に属するがゆえに、即もろもろの権利・特権を与えられるのである。リチャード・ライダーのいう「種主義」の倫理が、「人種主義」の倫理よりいくらかでも確実な論理的立場にたてるのかどうか、私にはわからない。私にわかるのは、それには進化生物学的に厳密な根拠がないということである。

どのレベルでの利他主義が望ましいのか――家族か、国家か、人種か、種か、それとも全生物か――という問題についての人間の倫理における混乱は、どのレベルでの利他主義が進化論的にみて妥当なのかという問題についての生物学における同様な混乱を反映している。群淘汰主義者ですら、敵対集団のメンバーどうしが互いに忌(い)み嫌(きら)いあっているのをみても、驚きはしないにちがいない。つまり彼らは、労働組合主義者や兵士と同じく、限られた資源をめぐる争いでは自分の集団に味方しているというのだ。しかしこの場合、群淘汰主義者がどのレベルが重要であるかをどうやって決めているかということは、問う価値がある。もし淘汰が同じ種内の集団間や異種間でおこるのであれば、もっと大きな集団間でおこらないのはなぜだろう。種は属で集団をなし、属は目(もく)としてまとまり、目は綱(こう)に属する。ライオンとアンテロープは、どちらもわれわれと同様に哺乳(ほにゅう)綱のメンバーである。では、「哺乳類の利益のために」アンテロープを殺すのをやめるようにライオンに要求すべきだろうか。たしかに、綱の絶滅を防ぐためには、ライオンはアンテロープのかわりに鳥か爬虫(はちゅう)類を狩るべきであろう。だがそれでは、脊椎(せきつい)動物門全体を存続させるにはどうすればよいのだろう？

背理法で論じ、群淘汰説の難点を指摘するのはこのくらいにして、個体の利他主義のみかけ上の存在を説明しなければならない。アードリーはトムソンガゼルの「ストッティング」のような行動を説明できるのは群淘汰だけだというところまでいってしまった。捕食者の前で演じられる、この人目をひく迫力ある跳躍(ちょうやく)行動は、鳥の警戒声に相当するものである。この行動は、危険にさらされている仲間に警告を発しつつ、一方ではストッティングをしている個体自身に捕食者の注意をひきつける。われわれには、トムソンガゼルのストッティングやその他の同様な現象すべてを説明する責任がある。そしてこれは、私が以下の章で立ち向かおうとしている問題である。

その前に、進化をながめる最良の方法はもっとも低いレベルにおこる淘汰の点からみることだ、という私の信念について述べなければならない。この信念について、私はG・C・ウィリアムズの名著『適応と自然淘汰』から大きな影響をうけた。私が本書で活用する中心的なアイディアは、今世紀の初頭、遺伝子以前の時代に、A・ヴァイスマンが予示していた。「生殖質の連続」という彼の学説がそれである。私は、淘汰の、したがって自己利益の基本単位が、種でも、集団でも、厳密には個体でもないことを論じるつもりである。それは遺伝の単位、遺伝子である。*1-4 一部の生物学者には、これは最初、極端な見解であるようにきこえるかもしれない。けれど、私がどういう意味でそういっているのかがわかれば、彼らは、たとえそれがみなれぬ方法で表現されてはいても、実際にそれが正統であることに同意してくれるものと思う。この議論を展開するには時間がかかる。そしてわれわれはまず、生命そのものの真の起源から始めねばならない。

2 自己複製子

初めは単純であった。その単純な世界ですら、どのように始まったかを十分に説明するのはむずかしい。ましてや、複雑な秩序——生命ないしは生命を生みだすことのできるもの——の突然の発生をあますところなく説明することがどれほど困難であるかは、異論のないところであろう。自然淘汰による進化というダーウィンの学説に納得がいくのは、単純なものが複雑なものに変わりうる方途を、すなわち、無秩序な原子が自ら集まっていっそう複雑なパターンをなし、ついには人間をつくりあげた方法を示してくれるからである。ダーウィンはわれわれの存在についての深遠な問題にある解釈を与えてくれる。それは、これまでに示唆されたものの中では、可能性のある唯一の解釈である。私は、進化自体が始まる以前の時期からはじめて、従来のものよりもっと一般的な方法でこの偉大な学説を説明してみようと思う。

ダーウィンの「最適者生存」は、じつは安定なものの生存というさらに一般的な法則の特殊な例である。世界は安定したもので占められている。安定したものは、名をつけうるくらいに永続的か、あるいは一般的な原子集団である。それは、たとえばマッターホルン（スイスとイタリアの国境にそびえるアルプス山脈中の高峰）のように、名をつけるに値するくらい長続きのするユニークな原子集団であることもあろう。あるいは、雨滴（うてき）のように、その一つ一つは短命であっても集合的な名をつけうるくらいに高い率で生じる一団の存在であることもあろう。われわれのまわりにみえるもの、説明を要すると思われるもの——岩とか銀河とか海の波とかはすべて、多かれ少なかれ原子の安定したパターンである。せっけんの泡（あわ）は球状になる性質があるが、これは、気体のつまった薄（うす）い膜では球が安定した形だからである。宇宙船内では、水もやはり小球体で安定であるが、地球上では、重力があるので、静止している水の安定な表面は平たく水平である。塩の結晶は立方体をなす傾向がある。それが、ナトリウム・イオンと塩素イオンをいっしょにつめこむさいの安定した方法だからである。太陽では、すべての原子の中でももっとも単純な水素原子が融合してヘリウム原子をつくっている。太陽での条件のもとでは、ヘリウムの形のほうが安定しているからである。その他のさらに複雑な原子は宇宙じゅうの星でつくられており、また、広く信じられている説によると、宇宙を生みだした「大爆発（ビッグ・バン）」でもつくられた。これが、われわれの世界にある元素の由来である。

ときには原子どうしが出会い、化学反応をおこして結合し、多かれ少なかれ安定な分子を形成する。このような分子は非常に大きいことがある。ダイヤモンドのような結晶は単一の分子、この場合には周知のとおり安定な分子だと考えられるが、その内部の原子構造が無限のくりかえしであるがゆえに、ごく単純な分子でもある。現在の生物にはきわめて複雑な大きな分子があるが、その複雑さにはいくつかの段階がある。われわれの血液中のヘモグロビンは典型的なタンパク質分子である。それはアミノ酸というもっと小さな分子の鎖（くさり）でできており、各アミノ酸には正確なパターンでならんだ数十の原子が含まれている。ヘモグロビン分子には五七四のアミノ酸が含まれている。これらのアミノ酸が四本の鎖状にならび、この鎖が互いにからみあって、とてつもなく複雑な球状の三次元構造をなしているのである。ヘモグロビン分子の模型をみると、まるでうっそうとしたイバラの茂(しげ)みのようにみえる。けれど、それは本物のイバラの茂みとはちがって、でたらめなおおよそのパターンではなく、一定不変の構造である。それが、人間の体内には、どの小枝もぴったり同じ形のヘモグロビン分子が、平均六×一〇の二一乗個も存在するのである。アミノ酸配列の等しいタンパク質を二本とり出すと、ちょうど二本のバネのように、いずれも屈曲してまったく同一の三次元構造を示して安定する。ヘモグロビンのようなタンパク質分子のイバラの形が細部にいたるまで一定しているのはこのためである。われわれの体内ではヘモグロビンのイバラの茂みが毎秒四億×一〇〇万個の割合でその「選ばれた」形に作られ、別のヘモグロビンが同じ割合で崩壊しているのである。

　ヘモグロビンは今日みられる分子であるが、原子が安定なパターンに落ち着く傾向があるという原則を説明するために、これを例にひいた。ここで重要なのは、地球上に生物が生まれる以前に、分子の初歩的な進化が物理や化学のふつうのプロセスによっておこりえたという点である。設計とか目的とか指示を考える必要はない。エネルギーのあるところで一群の原子が安定なパターンになれば、それらはそのままとどまろうとするであろう。最初の型の自然淘汰は、単に安定したものを選択し、不安定なものを排除することであった。これについてはなんのふしぎもない。それは定義どおりにおこるべくしておこったのである。

　だからといって、人間のような複雑な存在をまったく同じ原理だけで説明できるということにはもちろんならない。正しい数の原子をとりだして、いくらかの外部エネルギーといっしょにかきまぜ、それらが正しいパターンになるのを待ってもだめである。それではアダムは生まれない！　数十個の原子でできた分子ならそうやってつくれるかもしれないが、人間は一〇の二七乗個以上の原子からできている。人間をつくろうと思ったら、宇宙の全時代が一瞬に思えるほど長い期間、生化学のカクテル・シェーカーを振らねばなるまいが、それでも成功しないであろう。これは、ダーウィンの学説が、そのもっとも一般的な形で、救いの手を差しのべてくれる部分である。ゆっくりとした分子形成の物語が終わる時点から、ダーウィンの学説がはじまるのである。

　これから述べる生命の起源の話は、どうしても推論に頼らざるをえない。定義からして、ことのおこりをみた者はいないのだから。対立する学説は数々あるが、それらにはすべてある共通したところがある。これから述べる単純化した話は、おそらく真実からそれほどかけ離れてはいないであろう。[*2-1]

　生命の誕生以前の地球上にはどのような化学原料が豊富にあったのか確かなことはわからないが、可能性が高いのは、水、二酸化炭素、メタン、アンモニアなど、太陽系の少なくともいくつかの惑星上にあることがわかっている単純な化合物である。化学者たちは昔の地球の化学的状態を再現してみようと試みた。これらの単純な物質をフラスコに入れ、紫外線や電気火花（原始時代の稲妻を人工的に模倣したもの）などのエネルギー源を与えたのである。二、三週間たつと、ふつうはフラスコの中に興味ぶかいものがみられる。はじめに入れておいた分子より複雑な分子をたくさん含んだ薄茶色の液体ができるのである。特筆すべきことに、その中にアミノ酸がみつかった。これは、生物体を構成する二つの代表的な物質の一つであるタンパク質の構成要素である。こうした実験がおこなわれる前は、自然にあらわれるアミノ酸は生命が存在している証拠だと考えられていた。たとえば火星にアミノ酸がみつかれば、その惑星に生物がいることはほぼまちがいないと思われていた。しかし今では、たとえアミノ酸の存在が示されたとしても、空気中に単純な気体がいくつかあることと、火山か日光か雷があることがわかるだけである。さらに最近では、生命誕生以前の地球の化学的状態をまねた室内実験で、プリンとかピリミジンといった有機物がつくられている。これらは遺伝物質、DNA自体の構成要素である。

生物学者や化学者が、三、四〇億年前に海洋を構成していたと考えている「原始のスープ」にも、これと似たような過程がおこったにちがいない。これらの有機物は、おそらくは海岸付近の乾いた浮き泡や浮かんだ小滴の中で、局部的に濃縮されていったのであろう。それらはさらに太陽からの紫外線のようなエネルギーの影響をうけて化合し、いっそう大きな分子になっていった。今日では、大型有機分子が人に気づかれるほど長い間存在しつづけることはない。つくられるそばからバクテリアその他の生物に吸収され分解されてしまうからだ。しかし、当時、バクテリアその他のあらゆる生物はまだ生まれていなかった。大型有機分子は濃いスープの中を何ものにも妨げられることなく漂っていた。

あるとき偶然に、とびきりきわだった分子が生じた。それを自己複製子とよぶことにしよう。それは必ずしももっとも大きな分子でも、もっとも複雑な分子でもなかったであろうが、自らの複製を作れるという驚くべき特性をそなえていた。これはおよそおこりそうもない出来事のように思われる。たしかにそうであった。それはとうていおこりそうもないことだった。人間の生涯では、こうしたおこりそうもないことは、実際上不可能なこととして扱われる。それが、フットボールの賭けで決して大当りをとれない理由である。しかし、おこりそうなこととおこりそうもないことを判断する場合、われわれは数億年という歳月を扱うことになれていない。もし、数億年間毎週フットボールに賭けるならば、必ず何度も大当りをとることができよう。

　実際のところ、自らの複製（レプリカ）をつくる分子というのは、一見感じられるほど想像しがたいものではない。しかもそれはたった一回生じさえすればよかったのだ。鋳型としての自己複製子（レプリケーター）を考えてみることにしよう。それは、さまざまな種類の構成要素分子の複雑な鎖からなる、一つの大きな分子だとする。この自己複製子をとりまくスープの中には、これら小さな構成要素がふんだんに漂っている。今、各構成要素は自分と同じ種類のものに対して親和性があると考えてみよう。そうすると、スープ内のある構成要素は、この自己複製子の一部で自分が親和性をもっている部分に出くわしたら、必ずそこにくっつこうとするであろう。このようにしてくっついた構成要素は、必然的に自己複製子自体の順序にならって並ぶことになる。このときそれらは、最初自己複製子ができたときと同様に、次々と結合して安定な鎖をつくると考えてよい。この過程は順を追って一段一段と続いていく。これは、結晶ができる方法でもある。一方、二本の鎖が縦に裂けることもあろう。すると、二つの自己複製子ができることになり、その各々がさらに複製をつくりつづけることになるのである。

　さらに複雑に考えるならば、各構成要素が自分の種類に対してではなく、ある特定の他の種類と相互に親和性をもっているという可能性もある。その場合には、自己複製子は同一の複製（コピー）の鋳型ではなくて、一種の「ネガ」の鋳型のはたらきをする。そして次にその「ネガ」がもとのポジの正確な複製をつくるのである。原初の自己複製子の現代版であるＤＮＡ分子が、ポジ－ネガ型の複製をおこなうことは注目に値するが、最初の複製過程がポジ－ネガ型であったか、ポジ－ポジ型であったかは、このさい問題ではない。重要なのは、新しい「安定性」が突然この世に生じたことである。あらかじめスープの中に、特定の種類の複雑な分子がたくさんあったとは考えられない。なぜなら、そうした分子はそれぞれ、たまたま運よく特定の安定した形になっている構成要素に頼っていたのだから。自己複製子は生まれるとまもなく、そのコピーを海洋じゅうに急速に広げたにちがいない。このため小型の構成要素の分子は貯えが減り、他の大型分子もその形成量がしだいに減っていった。

　このようにして、同じもののコピーがたくさんできたと考えられる。しかしここで、どんな複製過程にもつきまとう重要な特性について述べておかねばならない。それは、この過程が完全ではないということである。誤りがおこることがあるのだ。私はこの本に誤植がないことを願うが、注意ぶかく探せば、二つや三つはみつかるであろう。だがそれらは、たぶん文章の意味をひどくそこなうほどのものではなかろう。というのは、それらが「第一代めの」誤りだからである。けれども、印刷術発明以前、福音書などの書物が手書きで写されていた時代を考えてみよう。筆写者たちはみな注意ぶかかったであろうが、必ずいくつかの誤りをおかしたにちがいないし、中には、故意に少しばかりの「改良」を加えてはばからぬ者もいたであろう。彼らがみな一つの原本から写したのであれば、内容がひどく曲解されることはなかったであろう。だが、写本からコピーし、その写本からまたコピーするということをくりかえすならば、誤りは累積(るいせき)しはじめ、深刻なものになる。われわれは誤った複写を悪いものだと考えがちである。たしかに、人間の文書の場合には、誤りが改善につながるという例は考えにくい。私は、ギリシャ語訳旧約聖書をつくった学者たちが「若い女」というヘブライ語を「処女(しょじょ)」というギリシャ語に誤訳し、「見よ、処女ははらみ男児を産まん……」[*2-2]という予言をつけ加えたとき、彼らはあるたいへんなことをスタートさせたといえると思う。いずれにせよ、後に述べるように、生物学的な自己複製子にみられる誤ったコピーは、ほんとうの意味で改良をひきおこしうるし、ある誤りがおこることは、生命の前進的進化にとって欠かせぬことであった。最初の自己複製子が、実際どのようにして自己のコピーをつくったのかはわからない。それらの現代の子孫であるＤＮＡ分子は、人間のもっとも忠実度の高い複写技術にくらべても驚くほど忠実ではあるが、そのＤＮＡ分子でさえもときに誤りをおかす。そして、進化を可能にするのは結局これらの誤りなのである。おそらく最初の自己複製子はもっとずっと誤りが多かったであろうが、どのみち、誤りはおこったにちがいないし、それらの誤りが累積してきたことも確かであろう。

誤ったコピーがなされてそれが広まってゆくと、原始のスープは、すべてが同じコピーの個体群ではなくて、「祖先」は同じだが、タイプを異にしたいくつかの変種自己複製分子で占められるようになった。タイプによって数にちがいがあっただろうか？　たぶんあったであろう。あるタイプは本来的に他の種類より安定であったにちがいない。ある分子はいったんつくられると、他のものより分解されにくかったであろう。このようなタイプのものは、スープの中に比較的多くなっていったはずである。それは「長生き」の直接の結果であるばかりでなく、それらの分子が長期間にわたって自らのコピーをつくることができたためであろう。したがって、長生きの自己複製子はさらに数を増す傾向があったであろう。そして、他の条件が同じだとすれば、分子の個体群にはいっそう長生きになる「進化傾向」があったにちがいない。

だが、おそらく他の条件は同じではなかったであろう。ある自己複製子には、個体群内に広がってゆく上でさらに重要であったにちがいないもう一つの特性があった。それは複製の速度、すなわち「多産性」である。もしA型の自己複製分子が平均週一回の割合で自己のコピーをつくり、一方B型の自己複製分子が一時間に一回の割でつくるとすれば、A型分子がB型分子よりはるかに「長生き」だとしても、A型分子はほどなく数の上ではるかに追いこされてしまうであろう。したがって、スープの中の分子にはたぶんいっそう高い「多産性」へ向かう「進化傾向」が存在していたにちがいない。選ばれてきた自己複製分子の第三の特徴は、コピーの正確さである。たとえば、X型分子とY型分子が同一時間存続し、同じ速度でコピーをつくる場合、X型分子が平均一〇回に一回の割で誤ったコピーをつくるのに対して、Y型分子が一〇〇回に一回しか誤りをおかさないとすれば、明らかにY型分子のほうが数が多くなる。この個体群内のX型分子団は正しい「子ども」そのものを失うばかりでなく、現実の子孫、あるいは可能性としてありうる子孫を、すべて失うことになるからである。

われわれが進化について多少とも知っているなら、この最後の点が少々逆説的であることに気づくだろう。複数の誤りが進化に必要不可欠だという説と、自然淘汰が忠実な複製に有利にはたらくという説は果たして両立するものだろうか？　われわれは自分が進化の産物であるがために、進化を漠然と「よいもの」であると考えがちだが、実際に進化したいと「望む」ものはないというのが、その答えである。進化とは、自己複製子（そして今日では遺伝子）がその防止にあらゆる努力を傾けているにもかかわらず、いやおうなしにおこってしまうという類(たぐ)いのものなのである。ジャック・モノーはハーバート・スペンサー講演でこの点をみごとに指摘したが、その前に皮肉たっぷりにこういった。「進化論のもう一つのふしぎな点は、だれもがそれを理解していると思っていることです！」

原始のスープに話をもどそう。スープはさまざまな安定した分子、すなわち、個々の分子が長時間存続するか、複製が速いか、あるいは複製が正確か、いずれかの点で安定した分子によって占められるようになったにちがいない。これら三種類の安定性へ向かう進化傾向があるというのは、次のような意味である。つまり、時期をずらせて二度スープからサンプルをとると、二度めのサンプルには、寿命、多産性、複製の正確さという三点においてすぐれた分子の含有率が、より高くなっているだろう。これは本質的には、生物学者が生物について進化とよんでいる過程とかわらない。そのメカニズムも同じであって、すなわち自然淘汰なのである。

それならこの最初の自己複製分子は「生きている」というべきであろうか。そんなことはどうだってよい。私は「かつて存在したもっとも偉大な人物はダーウィンだ」といい、あなたは「いや、ニュートンだ」というかもしれないが、そんな議論をいつまでも続けることはあるまい。重要なのは、われわれの議論にどう決着がつこうと、本質的結果には影響がないということである。われわれがニュートンやダーウィンを「偉大」だといおうといういまいと、彼らの生涯と業績の事実にはなんの変わりもない。同様に、自己複製分子を「生きている」といおうというまいと、それらの分子のたどった道は、おそらく、私が述べているのと多かれ少なかれ似たものであったろう。ことばというものはわれわれが自由に使う道具にすぎず、またたとえ「生きている」というようなことばが辞書にあるからといって、そのことばが現実世界における何か明確なものを指しているとは限らない。人間の苦難はこういったことを理解していない人があまりに多いために生じているのだ。初期の自己複製子を生きているといおうがいうまいが、それらは生命の祖であり、われわれの基礎となる祖先であった。

この議論における次の重要な要素は、ダーウィン自身が強調した競争である（もっとも彼は動植物について述べているのであって、分子についてはいっていないのだが)。原始のスープにとって、無限の数の自己複製分子を維持してゆくことは不可能だった。それは一つには地球の大きさが限られているためでもあったが、他にも重要な限定要因が存在していたにちがいない。われわれの想像では、鋳型としてはたらく自己複製子は、複製をつくるのに必要な構成要素の小分子をたくさん含んだスープの中につかっていたと考えられる。しかし自己複製子が増えてくると、構成要素の分子はかなりの速度で使い果たされてゆき、数少ない、貴重な資源になってきたにちがいない。そしてその資源をめぐって、自己複製子のいろいろな変種ないし系統が、競争をくりひろげたことであろう。有利な種類の自己複製子の数をふやすのに役立った要因については、すでに検討したとおりである。事実、あまり有利でない種類は競争によって数が減っていき、ついにはその系統の多くのものが死滅してしまったにちがいない。自己複製子の変種間には生存競争があった。それらの自己複製子は自ら闘っていることなど知らなかったし、それで悩むことはなかった。この闘いはどんな悪感情も伴わずに、というよりなんの感情もさしはさまずにおこなわれた。だが、彼らは明らかに闘っていた。それは新たな、より高いレベルの安定性をもたらすミスコピーや、競争相手の安定性を減じるような新しい手口は、すべて自動的に保存され増加したという意味においてである。改良の過程は累積的であった。安定性を増大させ、競争相手の安定性を減じる方法は、ますます巧妙に効果的になっていった。中には、ライバル変種の分子を化学的に破壊する方法を「発見」し、それによって放出された構成要素を自己のコピーの製造に利用するものさえあらわれたであろう。これらの原始食肉者は食物を手に入れると同時に、競争相手を排除してしまうことができた。おそらくある自己複製子は、化学的手段を講(こう)じるか、あるいは身のまわりにタンパク質の物理的な壁をもうけるかして、身をまもる術(すべ)を編みだした。こうして最初の生きた細胞が出現したのではなかろうか。自己複製子は存在をはじめただけでなく、自らの容(い)れ物、つまり存在し続けるための場所をもつくりはじめたのである。生き残った自己複製子は、自分が住む生存機械（survival machine）を築いたものたちであった。最初の生存機械は、おそらく保護用の外被の域を出なかったであろう。しかし、新しいライバルがいっそうすぐれて効果的な生存機械を身にまとってあらわれてくるにつれて、生きていくことはどんどんむずかしくなっていった。生存機械はいっそう大きく、手のこんだものになってゆき、しかもこの過程は累積的、かつ前進的なものであった。

　自己複製子がこの世で自らを維持していくのに用いた技術や策略の漸進(ぜんしん)的改良に、いつか終りが訪れることになったのであろうか？　改良のための時間は十分あったにちがいない。長い長い歳月はいったいどのような自己保存の機関を生みだしたのであろうか？　四〇億年が過ぎ去った今、古代の自己複製子の運命はどうなったのだろうか？　彼らは死に絶えはしなかった。なにしろ彼らは過去における生存技術の達人だったのだから。とはいっても、海中を気ままに漂う彼らを探そうとしても、むだである。彼らは当の昔にあの騎士のような自由を放棄してしまった。いまや彼らは、外界から遮断された巨大なぶざまなロボットの中に巨大な集団となって群がり、[*2-3]曲りくねった間接的な道を通じて外界と連絡をとり、リモート・コントロールによって外界を操っている。彼らはあなたの中にも私の中にもいる。彼らはわれわれを、体と心を生みだした。そして彼らの維持ということこそ、われわれの存在の最終的論拠なのだ。彼らはかの自己複製子として長い道のりを歩んできた。いまや彼らは遺伝子という名で呼ばれており、われわれは彼らの生存機械なのである。

3 不滅のコイル

　われわれは生存機械である。だが、ここでいう「われわれ」とは人間だけをさしているのではない。あらゆる動植物、バクテリア、ウイルスが含まれている。地球上の生存機械の総数を数えあげることはとうていできない。種の総数ですらわかっていないのが現状である。昆虫だけをとってみても、現生の種数は約三〇〇万と推定され、その個体数にいたっては、一〇の一八乗にものぼると思われる。

　生存機械は、種類によってその外形も体内器官もきわめて多様である。タコはネズミとは似ても似つかないし、この両者はカシノキとはまったくちがう。だが基本的な化学組成の点では、それらはかなり画一的である。とくに、それらがもっている自己複製子、すなわち遺伝子は、バクテリアからゾウにいたるわれわれすべてにおいて基本的に同一種類の分子である。われわれはすべて同一種類の自己複製子、すなわちDNAとよばれる分子のための生存機械であるが、世界には種々さまざまな生活の仕方があり、自己複製子は多種多様な機械を築いて、それらを利用している。サルは樹上で遺伝子を維持する機械であり、魚は水中で遺伝子を維持する機械である。そしてドイツのビール・コースターの中で遺伝子を維持している小さな虫けらまでいる。DNAの営みは、まかふしぎである。

私は話を簡単にするために、DNAからなる現代の遺伝子が、原始のスープの中の最初の自己複製子とまったく同じであるかのような印象を与えてきた。これは議論のうえではなんら支障はないが、実際は正しくないかもしれない。最初の自己複製子はDNAに類縁の近い分子であったかもしれないし、まったく異なるものであったかもしれない。もし異なるものであったとすれば、彼らの生存機械は、時代がたってからDNAによって乗っ取られたのではないかと思われる。もしそうであれば、最初の自己複製子は完全に破壊されてしまっているはずである。現代の生存機械には、それらは跡かたもないのだから。これらのことを踏まえて、A・G・ケアンズ＝スミスは、われわれの祖先である最初の自己複製子が有機分子ではまったくなくて、ミネラルとか粘土の小片といった無機分子ではなかったかという興味ぶかい推測をおこなっている。強奪者であるにせよないにせよ、DNAは今日まがうかたなく生存機械をにぎっている。私が11章で試みに示唆するように、現在新たな権力奪取がはじまっているのでないならば……。

DNA分子は、ヌクレオチドとよばれる小型分子を構成単位とする長い鎖である。タンパク質分子がアミノ酸の鎖であるのとちょうど同じように、DNA分子はヌクレオチドの鎖なのである。DNA分子は小さくて目に見えないが、その正確な形は間接的な方法でみごとに突きとめられている。それは、美しいらせん形にからみあった一対のヌクレオチドの鎖で、「二重らせん」とか「不滅のコイル」とかよばれている。ヌクレオチドを構成する単位は、たった四種類しかない。その名は省略してA、T、C、およびGとしよう。これらはあらゆる動植物で同一である。ちがうのはそれらがつながる順序である。人間のG構成単位はあらゆる点で巻貝のG構成単位と等しい。だが、一人の人間におけるこれら構成単位の配列は巻貝のそれとちがうばかりではない。それは他のすべての人のそれとも（それほど大きくではないが）ちがっているのである（一卵性双生児という特殊な場合はこの限りではない）。

われわれのＤＮＡはわれわれの体内に住んでいる。それは体の一ヶ所に集まっているのではなくて、各細胞に分布している。一人の人間の体を構成している細胞は平均約一〇の一五乗個ある。無視しうる程度の例外はあるが、それらの細胞のすべてに、その体のＤＮＡの完全なコピーが含まれている。このＤＮＡは、ヌクレオチドのＡ、Ｔ、Ｃ、Ｇというアルファベットで書かれた、体の作り方に関する一組の指令だと考えてよい。それはまるで、巨大なビルの全室に、そのビル全体の設計図を収めた「書棚」があるかのようである。細胞内のこの「書棚」は核とよばれる。設計図は人間では四六巻にのぼる――この数は種によって異なる。各「巻」は染色体とよばれる。染色体は顕微鏡でみると長い糸のようにみえる。遺伝子はその上にきちんとならんでいる。ある遺伝子がどこで終り、次の遺伝子がどこから始まるのかを判断するのは容易ではなく、実際意味のあることですらないかもしれない。幸い、この章で述べるように、このことはわれわれの目的にあまり関係がない。

以後、実物を示す用語と比喩とを適当にまぜながら、建築家の設計のたとえを用いて述べていくことにしよう。「巻」と染色体ということばは、同じものを指すと考えてほしい。また、遺伝子間の境界は本のページ間の境界ほどはっきりしないが、かりに「ページ」は遺伝子と同じ意味に使うことにする。この比喩はかなり先まで使えるであろう。これがついに破綻をきたしたら、また別の比喩を用いることにする。ついでながら、もちろん「建築家」は存在しない。ＤＮＡの指令は自然淘汰によって組立てられてきたのである。

DNA分子は二つの重要なことをおこなっている。その一つは複製である。つまりDNA分子は自らのコピーをつくる。この営みは生命の誕生以来休みなく続けられてきたし、DNA分子は現在実際にこの点できわめて優秀である。人間は、おとなでは一〇の一五乗個の細胞からできているが、初めて胎内に宿ったときには、設計図のマスター・コピー一つを受け取った、たった一個の細胞である。この細胞は二つに分裂し、その二つの細胞はそれぞれもとの細胞の設計図のコピーを受け取った。さらに分裂が続き、細胞数は、四、八、一六、三二……と増えていき、数兆になった。分裂のたびにDNAの設計図は、ほとんどまちがいなく忠実に複製されてきた。

これがDNAの複製という第一の話である。だが、もしDNAが実際に体をつくるための一組の設計図であるとしたら、その設計図はどのようにして実行に移されるのだろうか？　どのようにして体の構造に翻訳されるのだろうか？　ここで、DNAのおこなっている第二の重要なことへ話が移る。DNAは別の種類の分子であるタンパク質の製造を間接的に支配している。前章で述べたヘモグロビンは、膨大な種類のタンパク質分子の一例にすぎない。四文字のヌクレオチド・アルファベットで書かれた、暗号化されたDNAのメッセージは、単純な機械的な方法で別のアルファベットに翻訳される。それは、タンパク質分子をつづっているアミノ酸のアルファベットである。

タンパク質をつくることとは、体をつくることとはひどくかけ離れているように思われようが、その方向への小さな第一歩なのである。タンパク質は体の物理的構造を構成しているばかりでなく、細胞内の化学的プロセス全般にこまやかな制御をおこない、正確な時間、正確な場所で、化学的プロセスのスイッチを選択的に入れたり切ったりする。たしかに、これが最終的に赤ん坊の発育にどうつながるかという問題は、発生学者が解決するのに何十年、いや何百年もかかるであろう。しかし、それがおこっていることは事実である。遺伝子は人体をつくりあげてゆくのを間接的に支配しており、そしてその影響は厳密に一方通行である。すなわち獲得形質は遺伝しない。生涯にどれほど多くの知識や知恵を得ようとも、遺伝的な手だてによってはその一つたりとも子どもたちに伝わらない。新しい世代はそれぞれ無から始めねばならない。体は、遺伝子を不変のまま維持するために遺伝子が利用する手段なのだからである。

遺伝子が胚(はい)発生を制御しているという事実が、進化の上でもつ重要性は、次のことにある。つまりそれは、遺伝子が少なくとも部分的には将来の自己の存在に責任があることを意味するからである。なぜなら、遺伝子の存在は、彼らがその中に住み、彼らがその構築を助けた体の効率に依存しているからである。昔、自然淘汰は、原始のスープの中を自由に漂っていた自己複製子の生き残り方の差によって成りたっていた。今では、自然淘汰は生存機械をつくることのうまい自己複製子に、つまり、胚発生を制御する術にたけた遺伝子に有利にはたらく。しかしこの点に関して、自己複製子はかつてと同様、相変わらず意識的でも意図的でもない。寿命の長さ、多産性、複製の忠実度によるライバル分子間の自動的淘汰という同じく古いプロセスは、今なお遠い昔と同様に盲目的(もうもく)に避(さ)けがたく続いている。遺伝子は前途の見通しをもたない。彼らは前もって計画をたてることをしない。遺伝子はただいるだけだ。ある遺伝子は他のものよりたくさんいる。単にそれだけのことだ。しかし遺伝子の寿命の長さと多産性を決定する能力は昔ほど単純ではない。はるかに複雑なのだ。

近年——ここ六億年くらいの間——、自己複製子は、筋肉、心臓、目(幾度か独立に進化している)

といった生存機械技術の注目すべき成功をものにした。それ以前に、彼らは自己複製子としての生活様式の根本的特性を徹底的に変革した。これについては、ひきつづき議論を進めていく中で、おのずと理解できてくるであろう。

現代の自己複製子についてまず理解しなければならないことは、非常に群居(ぐんきょ)性が強いという点である。一つの生存機械はたった一個のではなくて何十万もの遺伝子を含んだ一つの乗り物(ヴィークル)である。体を構築するということは、個々の遺伝子の分担を区別するのがほとんど不可能なほど入り組んだ協同事業なのである。[*3-1] 一つの遺伝子が、体のいろんな部分に対してさまざまに異なる効果を及ぼすことがある。また、体のある部分が多数の遺伝子の影響をうける場合もあれば、ある遺伝子が他の多数の遺伝子との相互作用によって効果をあらわすこともある。また、なかには、他の遺伝子群のはたらきを制御する親遺伝子のはたらきをするものもある。たとえていえば、設計図のそれぞれのページには建物のそれぞれ異なる部分についての指示が書かれており、各ページは他の無数のページと前後参照してはじめて意味をなすのである。

遺伝子にこれほど複雑な相互依存があるのなら、いったいなぜ「遺伝子」ということばをつかうのかといぶかるむきもあろう。なぜ「遺伝子の複合体」というような集合名詞をつかわないのだろう？　なるほどそれは、多くの目的からいって名案である。しかし、別の見方をするならば、この遺伝子複合体なるものが不連続な自己複製子、すなわち遺伝子に分けられていると考えるには、それなりの意味がある。それというのは、性という現象のためである。有性生殖には遺伝子をまぜあわせるはたらきがある。これは、個々の体がいずれも遺伝子の短命な組合わせのための仮(かり)の媒体にすぎないことを意味している。

一つ一つの個体に宿っている遺伝子の組合わせは短命であるが、遺伝子自体は非常に長生きする。彼らの歩む道はたえず出会ったり離れたりしながら、世代から世代へ続いていく。一個の遺伝子は、何世代もの個体の体を通って生き続ける単位と考えてよかろう。これが、この章で論じる中心課題である。そしてこれは、私のたいへん尊敬する幾人かの同僚ががんとして同意を拒んでいる点でもあるので、私の説明は多少くどすぎると思われようが、許していただきたい。まず、性の実態を簡単に説明しなければならない。

私は、人間の体をつくるための設計図は四六巻の中にはっきり描かれている、といった。じつはこれは単純化しすぎであった。事実はかなり奇妙である。四六本の染色体は二三対の染色体から成りたっている。つまり、全細胞の核内に整理されているのは、二三巻の設計図二組だといってもよかろう。これらを一a巻と一b巻、二a巻と二b巻……二三a巻と二三b巻としよう。もちろん、どの巻やどのページにどの番号をあてるかは、まったく随意である。

われわれは、両親からそれぞれ一そろいずつの染色体を受けとっている。それは両親の精巣または卵巣内で組になったものだ。たとえば、一a巻、二a巻、三a巻……は父親起源のものであり、一b巻、二b巻、三b巻……は母親からきたものである。実際には非常にむずかしいことだが、理論上は、ある細胞の四六本の染色体を顕微鏡でみて、父親に由来する二三本と母親に由来する二三本をみわけることができる。

対になっている染色体は互いに物理的にくっついて全生涯を過ごすわけではないし、互いに近くで過ごすわけでもない。ではどういう意味で「対」なのだろう？　それは、父親起源の各巻が母親起源の特定の巻とページを入れかえることが可能だという意味で「対」をなしているのである。たとえば、一三a巻の六ページと一三b巻の六ページはどちらも目の色に関するものであるとする。片方には「青」と書かれ、他方には「茶」と書かれているかもしれない。

ときには、二つの取りかえ可能なページに同じことが書かれている場合もあるが、目の色の例のように異なることもある。それらが矛盾する「勧告」を発した場合、体はどうするのだろう？　答えはさまざまだ。ある場合には片方の表示が他方の表示に打ち勝つ。目の色がその例である。実際に茶色の目をもった人では青い目をつくるための指令が無視されているのである（しかし、青色の目をつくる指令が子孫に伝わらなくなったわけではない）。このように無視される遺伝子を劣性遺伝子という。劣性遺伝子の反対は優性遺伝子である。茶色の目をつくる遺伝子は青い目をつくる遺伝子に対して優性である。対応するページの二つのコピーが一致して青い目を勧告している場合にのみ、青い目ができるのである。もっとふつうには、対になる遺伝子が同一ではない場合、その結果はある種の妥協になる。つまり、体は中間のデザインになるか、あるいはどちらともぜんぜんちがったものになるのである。

茶色の目の遺伝子と青い目の遺伝子のように、二つの遺伝子が染色体上の同一位置に関するライバルである場合、それらを互いの対立遺伝子とよぶ。われわれの話の中では、対立遺伝子ということばはライバルと同義である。建築家の設計図の巻をルーズリーフ・バインダーにみたて、そのページを分離交換できるものと考えてみよう。すべての第一三巻には第六ページがあるが、五ページと七ページの間にはいる可能性のある第六ページが数種類ある。あるものは「青い目」を表示しており、あるものは「茶色の目」をあらわしている。また、個体群全体には、緑色など他の色をあらわすものもあるかもしれない。おそらく、個体群全体にちらばっている第一三染色体上の六ページめに位置する対立遺伝子は、五、六個あるにちがいない。どの人も第一三巻の染色体は二つしかもっていない。したがって、一人の人が第六ページの部位にもてる対立遺伝子は最大二個である。つまり、青い目の人の場合のように、同じ対立遺伝子のコピーを二個もっているか、あるいは、個体群全体に利用されている五、六個の中から選ばれたいずれか二個の対立遺伝子をもっている。

もちろん、個体群全体として利用できる遺伝子プールの中へ文字通り自分で出かけていって遺伝子を選んでくることはできない。どの時点でも、すべての遺伝子は個々の生存機械の中に包みこまれている。遺伝子は受精時にわれわれに分け与えられるもので、これについてはわれわれはどうすることもできない。けれども、長い目でみれば、個体群の遺伝子は一般に遺伝子プールと考えられる性格のものである。このことばはじつは遺伝学者のつかう学術用語である。有性生殖は注意ぶかく組織だてられた方法によってではあるが遺伝子をまぜあわせるので、遺伝子プールというのはうまい概念である。とくに、ページやページの束（たば）をルーズリーフ・バインダーからはずしたり入れかえたりするようなことは、実際におこなわれている。これについてはまもなく述べる。

前に述べたように、一個の細胞が二個にわかれる正常な細胞分裂では、その各々が四六個すべての染色体のコピーを全部受けとる。この正常な細胞分裂は体細胞分裂とよばれる。だがこのほかに減数分裂とよばれる別の型の細胞分裂がある。これは生殖細胞、すなわち、卵と精子をつくるときにだけおこる細胞分裂である。卵と精子は、染色体を四六個ではなく二三個しかもっていないという点で、われわれの細胞の中でユニークな存在である。もちろんこの数は、四六個のきっかり半数であって、それらが受精によって合体して新個体をつくるのに都合がよい数なのだ！　減数分裂は精巣と卵巣でしかおこらない特殊な型の細胞分裂である。そこでは、二組四六個の染色体をもつ一細胞が分裂して、一組二三個の染色体をもつ生殖細胞になるのである（説明には人間の場合の数をつかうことにする）。

二三個の染色体をもつ精子は、精巣内の四六個の染色体をもつふつうの細胞が減数分裂してつくられる。ある精細胞に入るのはどの二三個だろうか。明らかに重要なのは、四六個の中からどれでもよい、とにかく二三個受けとるのではないことである。つまり、一三巻のコピーが二つあって一七巻のコピーが一つもないという状態になってはならないのだ。理論上は、ある個体がその精子の一つに、たとえば母親起源の染色体ばかりを、つまり一b巻、二b巻、三b巻……、二三b巻を授けることが可能である。このおこりそうもないことがおこった場合には、子どもはその遺伝子の半分を父方の祖母から受けつぎ、父方の祖父からはなにも受けつがないことになる。しかし実際には、このような全染色体のまとまった配分はおこらない。事実はもっと複雑である。巻（染色体）はルーズリーフ・バインダーと考えられるといったことを思いだしてほしい。どうなるかというと、精子の製造中に一ページないし数ページがはずされ、対になる巻のそれにあたるページと交換されるのである。だから、ある精子は、一a巻の最初の六五ページと一b巻の六六ページからおしまいまでをとって、第一巻をつくることがある。この精細胞の他の二二巻も同じようにしてつくられる。したがって、たとえ、ある個体のすべての精細胞が同じ組の四六本の染色体の小片から二三本の染色体をとり集めたとしても、それらの精細胞はすべてユニークなものである。卵子は卵巣内で同じようにしてつくられ、やはりいずれもユニークである。

この混合のメカニズムはかなりよくわかっている。精子（あるいは卵子）の製造中に、各父方の染色体の一部が物理的に離れて、母方の染色体のちょうどそれにあたる部分と入れ換わる（前に述べたように、ここで父方、母方といっているのは、その精子をつくる個体の両親に由来する染色体のこと、つまり、その精子が受精してつくる子どもの祖父母に由来する染色体のことである）。染色体の一部を交換するこの過程は交叉とよばれる。これは、この本の議論全般にわたって非常に重要である。交叉ということがおこる以上、あなたが顕微鏡をもち出して自分の精子（あなたが女なら卵子）の染色体をみたとしても、あなたの父親からきた染色体と母親からきた染色体をみわけようとするのは時間のむだにすぎなかろう（これはふつうの体細胞の場合とはいちじるしい対照をなしている（三五頁参照））。一個の精子内の染色体は、おそらくはいずれも母方の遺伝子と父方の遺伝子のモザイク、つまりつぎはぎなのである。

ページと遺伝子の比喩はここで崩壊しはじめる。ルーズリーフ・バインダーでは、一ページ全体が挿入されたり、はずされたり、交換されたりするが、一ページの一部分がはずされたり交換されたりすることはない。けれど、遺伝子複合体はヌクレオチドの文字を連ねた長い糸であって、別々のページにはっきりわかれていない。たしかに、「タンパク質連鎖メッセージの終止」と「タンパク質連鎖メッセージの開始」には、タンパク質メッセージと同じ四文字のアルファベットで書かれた特別なシンボルがある。これら二つの区切りのマークの間に、一個のタンパク質をつくるための暗号化された指令がある。望むなら、単一の遺伝子とは、開始と終止のシンボルの間にあって一個のタンパク質連鎖を暗号であらわしている一連のヌクレオチド文字である、と定義することもできる。シストロンという語は、このように定義される単位としてつかわれており、一部の人々は遺伝子ということばとシストロンということばを同じものとしてつかっている。しかし、交叉はシストロン間のしきりをまもらない。シストロン間と同様にシストロン内でも裂けることがある。それは、あたかも設計図が別々のページに描かれているのではなく、四六巻きのテープに描かれているようなものである。シストロンは長さがきまっていない。あるシストロンはどこで終って、次のシストロンがどこで始まっているかを知る唯一の方法は、テープ上のシンボルを読んで、「メッセージの終り」と「メッセージの始め」のシンボルを探すことである。交叉は、相当する母方のテープと父方のテープをとりあげ、それらに書かれていることとは無関係に、対応する部分を切りとって交換することにあたる。

　この本の題名につかった遺伝子ということばは、単一のシストロンをさすのではなくて、もっと微妙な何かをさしている。私の定義は万人向きではないかもしれないが、遺伝子について万人の賛意を得られる定義はない。たとえあったとしても、神聖で犯しがたい定義というものはない。あることばをはっきりと疑いの余地なく定義するのであれば、自分の目的にあわせて好きなように定義できる。私がつかいたいと思うのは、G・C・ウィリアムズの定義である。[*3-2] 彼によれば、遺伝子は、自然淘汰の単位として役立つだけの長い世代にわたって続きうる染色体物質の一部と定義される。前章で用いたことばで表現するなら、遺伝子は複製忠実度のすぐれた自己複製子であるといえる。複製忠実度というのは、コピーの形での寿命をあらわす別の言い方である。私はこれを単に寿命ということにする。この定義はかなり正当化できるものであろう。

　どの定義においても、遺伝子が染色体の一部であることはまちがいない。問題は、どのくらいの大きさの一部であるか、つまりテープのどれだけの部分であるか、ということである。テープ上のとなりあった暗号文字の連続を考えてみよう。この暗号の連なりを遺伝単位とよぶことにしよう。それは、一シストロン内のわずか一〇文字の連続であるかもしれないし、八個のシストロンの連続であるかもしれない。あるいは、シストロンの中ほどで始まったり終ったりしていることもあろう。それは他の遺伝単位と重複することもあるかもしれない。小さな単位をいくつも含むこともあろうし、大きな単位の一部をなすこともあろう。現在の議論には、長さがどうであろうとかまわない。これが、われわれが遺伝単位とよんでいるものである。それは染色体上の単なる一定の区間のことであって、物理的には残りの染色体となんらちがいがない。

ここで重要なことに気づく。遺伝単位は短ければ短いほど何世代にもわたって長生きするらしいのだ。とくに、交叉によってたち切られることが少ないと思われる。減数分裂によって精子や卵がつくられるたびに一染色体について平均一回交叉がおこり、しかもその交叉が染色体のどこででもおこりうると考えてみよう。染色体の長さの半分にもおよぶような非常に大きな遺伝単位を考えると、その単位が一回の減数分裂でたち切られる確率は五〇パーセントである。われわれの考えている遺伝単位が、染色体の長さの一パーセントしかなければ、一回の減数分裂でたち切られる確率が一パーセントしかないと仮定できる。これは、その単位が個体の子孫の中で幾世代にもわたって生き長らえうることを意味している。一個のシストロンは染色体の長さの一パーセントよりずっと小さいようである。となりあったいくつかのシストロンの集団でさえ、交叉によって解体されるまでに何世代にもわたって生き続けると考えられる。

遺伝単位の平均寿命は、好都合なことに世代数であらわすことができ、さらにそれを年数に換算することができる。もし一個の染色体全体を遺伝単位と仮定すれば、その生活史は一世代しか続かない。あなたが父親から受けついだ八a番の染色体の場合を考えてみよう。それは、あなたが受胎される直前にあなたの父親の精巣の中でつくられたもので、世界の全歴史を通じてそれ以前には決して存在しなかった。それは、減数分裂の混合プロセスによって生じた。つまり、あなたの父方の祖父母からきた染色片がいっしょになってできあがったのである。それはある特定の精子内に配置されており、ユニークな存在であった。その精子は、莫大な数にのぼる微小な船の大船団の中の一そうで、それらの船はいっせいにあなたの母親の中へこぎだしていった。この特別な精子は、(あなたが二卵性双生児でなければ)あなたの母親の卵の一つにたどりついた、船団唯一の精子であった——これがあなたの存在する理由である。われわれが考察している遺伝単位、つまりあなたの八a番の染色体は、残りすべての遺伝物質といっしょに自らの複製にとりかかった。いまやそれは対をなした形であなたの体中に存在する。しかし、あなたが子どもをつくる番になると、この染色体は、あなたが卵子を(あるいは精子を)つくるときに破壊される。その一部はあなたの母方の染色体八b番の一部と交換されるであろう。どの生殖細胞でも新しい八番の染色体がつくられる。それは古い染色体より「よい」かもしれないし、「悪い」かもしれないが、とてもおこりそうもない偶然の一致がないかぎり、まったく異なる、まったくユニークなものである。一個の染色体の寿命は一世代なのである。

もっと小さな遺伝単位、たとえばあなたの染色体八aの一〇〇分の一の長さの遺伝単位の寿命はどうだろうか。この単位もやはりあなたの父親からきたものだが、それはあなたの父親の中ではじめてかき集められたものではあるまい。前述の推論によれば、あなたの父親がその両親の一人からそれをまるごとそっくり受けとった確率は九九％に達するからである。それが彼の母、つまりあなたの父方の祖母からきたものとしよう。彼女がその両親の一人からその単位をまるごと受けついだ確率もやはり九九％である。小さな遺伝単位の祖先をどこまでもさかのぼってたどっていけば、ついにはその最初の創造者に出会えるのであろう。それはある段階で、あなたの祖先の一人の精巣または卵巣内ではじめてつくられたにちがいないのだ。

私は「つくられる」ということばを、かなり特殊な意味でつかっていることをくりかえしておこう。われわれが考えている遺伝単位を構成している、さらに小さな亜単位は、ずっと以前から存在していたかもしれない。われわれの遺伝単位が、ある時点で生みだされたというのは、亜単位の配置（これによって単位が規定される）が、それ以前に存在しなかったということにすぎない。つくられた時期は、たとえばあなたの祖父母の代くらいのごく最近であったかもしれない。しかし、ごく小さな単位を考えれば、それは最初もっとずっと遠い祖先の中にできあがっていたかもしれない。さらに、あなたの中の小さな遺伝単位は、遠い未来まで生き続け、遠い子孫にそっくり受けわたされるかもしれない。

ある個体の子孫は、一つの系統をなすのではなくて、枝分かれすることを思いだしてほしい。あなたの八番ａの染色体のその短い一部分を「つくりだした」のがあなたのどの祖先であっても、その人には多分あなたの他にたくさんの子孫があるであろう。あなたの遺伝単位の一つはあなたのまたいとこにもあるかもしれない。それは私にあるかもしれないし、首相にあるかもしれない。そしてあなたの飼いイヌにあるかもしれない。十分昔にさかのぼれば、われわれはみな同じ祖先にたどりつくのだから。また、同一の小さな単位が、偶然独立に何回かかき集められることもあろう。つまり、単位が小さければ、一致することもありえないことではない。しかし、いかに近い親類でも染色体一個全部があなたと同じだという人はないであろう。遺伝単位が小さければ小さいほど、それが別の個体に存在する可能性が高い、つまりコピーの形でこの世に何度もあらわれる確率が高いのである。

前から存在する亜単位が交叉によって集まる機会は、新しい遺伝単位がつくられるふつうの方法である。もう一つの方法——それは数が少ないが進化上きわめて重要である——は、点突然変異とよばれる。点突然変異はある本の中の一文字の誤植による誤りである。それは数は少ないが、明らかに、遺伝単位が長ければ、その長さのどこかが突然変異によって変わる可能性が大きい。

長期的結果が重要なもう一つの数少ない種類の過ち、ないし突然変異は、逆位とよばれる。染色体の一部が両端で切れて、さかさまになり、逆の位置でふたたびくっつくのである。前の比喩でいうと、この場合ページの数えなおしが必要になってくる。ときには、染色体の一部が単に逆になっているだけではなくて、染色体のまったく別の部分にくっつくこともあるし、まったく別の染色体にくっつくことさえある。これは、ある巻から別の巻へページの束を移すことにあたる。ふつうは有害であるこの種の過ちが重要なのは、ときに、たまたまいっしょにはたらく遺伝物質片に緊密な連鎖をひきおこすことがあることである。両方が存在するときにのみ有効にはたらく二つのシストロン（これらはある点で互いに補いあっている）は、おそらく逆位によって互いに近づけられるであろう。このとき自然淘汰は、こうしてつくられた新しい「遺伝単位」に有利にはたらく傾向があるかもしれない。その場合、その遺伝単位は未来の個体群内に広がるであろう。遺伝子複合は、年月のたつうちにこうして大幅に組換えられ、「編集され」てきたのだと思われる。

そのもっともみごとな例の一つは、擬態として知られる現象に関するものである。ある種のチョウはいやな味がする。彼らはふつう鮮やかなめだつ色をしており、鳥はその「警告色」をおぼえて彼らを避ける。ところがいやな味のしない他種のチョウは食べられて死ぬ。彼らはいやな味のチョウをまねる。つまり、いやな味のチョウに似た色と形（味は似ない）をもって生まれるのだ。ナチュラリストたちはしばしば彼らにだまされるが、鳥たちもやはりだまされる。ほんとうにいやな味のするチョウを一度味わったことのある鳥は、同じようにみえるチョウをすべて避ける傾向がある。その中には擬態者も含まれている。このため擬態の遺伝子は自然淘汰のうえで有利になる。これが擬態の発達する理由である。

「いやな味のする」チョウにはいろいろな種があり、それらはすべてが似ているわけではない。擬態者は彼ら全部に似るわけにはいかない。ある特定のいやな味の種に自らをゆだねねばならない。一般に、擬態種は、それぞれ特定の味の悪い種をまねる専門家である。しかし中には非常に妙なことをする擬態種がある。その擬態種の一部個体はある味の悪い種に擬態し、他の個体は別の味の悪い種に擬態しているのだ。中間の個体や、両方に擬態しようとする個体はすぐに食べられてしまうにちがいないが、じつはこのような中間型は生まれない。ある個体が雄であるか雌であるかどちらかであるのと同様に、ある個体はある味の悪い種に擬態するか、別の味の悪い種に擬態するかどちらかである。あるチョウはA種に擬態し、その兄弟のチョウはB種に擬態するのである。

それは、あたかも一個の遺伝子がA種に似るかB種に似るかを決定しているかにみえる。しかし、たった一個の遺伝子が擬態の多種多様な面——色、形、模様から飛び方まで——すべてを決定することなど、どうしてできよう。おそらく一シストロンの意味での遺伝子には、それはとてもできまい。だがじつは、逆位その他の偶然の再配列によって遺伝物質に無意識で自動的な「編集」がほどこされた結果、以前にはばらばらだった多数の遺伝子が、染色体上の一ヶ所に集まって緊密な連鎖集団をなしたのである。この一群（クラスター）全体は一個の遺伝子のように行動し——実際、われわれの定義では、これはもう単一の遺伝子である——、別の一群（クラスター）である「対立遺伝子」をもっている。ある一群（クラスター）にはA種への擬態に関するシストロンが含まれており、他方の一群（クラスター）にはB種への擬態に関するシストロンが含まれている。各群（クラスター）が交叉によって裂けることはめったにないので、自然界では中間型のチョウはみられないが、大量のチョウを実験室で飼育すれば、ごくたまにあらわれるにちがいない。

私は遺伝子ということばを、何世代にもわたって続き、多くのコピーという形で配分されるくらいに小さい遺伝単位という意味でつかっている。これは、全か無かという厳密な定義ではなくて、「大きい」とか「古い」とかの定義のように、いわば輪郭（りんかく）がしだいにぼやけていく定義である。染色体のある長さの一節が交叉によって裂けたり、さまざまな種類の突然変異によって変わったりしやすいほど、私がいう意味での遺伝子とよばれる資格がなくなる。シストロンにはおそらくその資格があると思われるが、それより大きな遺伝単位にもやはりその資格がある。十数個のシストロンが互いに染色体上のごく近くにあることがあり、この場合われわれの目的では、それらは単一の長命な遺伝単位を構成しているといえる。チョウの擬態の一群（クラスター）はよい例である。シストロンはある体を離れて次の体に入るとき、すなわち次の世代へ旅するために精子や卵に乗りこむとき、前の航海でとなりあわせた者たち、すなわち遠い祖先の体からの長い放浪の旅をともにしてきた古い旅仲間と同じ小舟に乗りあわせることが多いだろう。同じ染色体上のとなりあったどうしのシストロンは、しっかり団結した旅仲間をなしており、減数分裂のときがめぐってきても、同じ船に乗りそこなうことはめったにないのである。

厳密にいうなら、この本には、利己的なシストロンでも利己的な染色体でもなく、いくぶん利己的な染色体の大きな小片とさらに利己的な染色体の小さな小片という題名をつけるべきであったろう。しかしどうみてもこれは魅惑的な題名ではない。そこで私は、遺伝子を何代も続く可能性のある染色体の小さな小片と定義して、この本に「利己的な遺伝子」(The Selfish Gene)という表題をつけたのである。

ここで、1章の章末に残した問題に立ち帰ってきたわけである。1章では、自然淘汰の基本単位という肩書きに値するあらゆる単位が、利己的だと考えられることをみた。また、人によって、種を自然淘汰の単位と考える人、種内の個体群ないし集団を単位と考える人、あるいは個体を単位と考える人もいることをみた。私は自然淘汰の基本単位として、したがって利己主義の基本単位として、遺伝子を考えるほうがいいと述べた。私が今おこなったのは、私の主張が必ず正しくなるように遺伝子を定義することである。

もっとも一般的な形でいえば、自然淘汰とは各単位の生存に差があるということである。生き残るものもあれば死ぬものもあるのだが、この選択的な死が世界になんらかの影響をおよぼすには、さらに条件が必要である。各単位は無数のコピーの形で存在していなければならない。そしてその単位の少なくとも一部のものは、進化の上で意味のある期間(コピーの形で)生き残ることのできる能力がなければならない。小さな遺伝単位はこれらの特性をそなえている。個体、グループ、種にはそれがない。遺伝単位を実際に不可分の独立した微粒子として扱いうることを示したのは、グレゴール・メンデルの偉大な業績であった。今日では、これはいくぶん単純すぎることがわかっている。シストロンですら、ときには分割されることがあるし、同一染色体上の二つの遺伝子はいずれも完全に独立してはいない。私がおこなったのは、不可分の微粒子という理想に極度に近づく単位として遺伝子を定義することである。遺伝子は不可分ではないが、めったに分割しない。それはどんな個体の体内にも明確に存在するか、明確に不在であるかどちらかである。遺伝子は、祖父母から孫まで、他の遺伝子と合体したりすることなくまるごとそっくり、中間の世代をまっすぐに通過して旅をする。遺伝子がたえずまざりあってしまうのであれば、われわれが現在理解している自然淘汰は不可能である。ちなみに、これはダーウィンの時代に証明されたことである。当時は遺伝がまぜ合わせのプロセスだと考えられていたので、それはダーウィンをたいへん悩ませた。メンデルの発見はすでに発表されていたので、それがダーウィンを救うこともできたはずであるが、残念ながら彼はそれを知らなかった。人々がそれを読んだのは、ダーウィンとメンデルの死後数年たってからであったらしい。メンデルはおそらく自分の発見の意義に気づかなかったのであろう。さもなければ、彼はダーウィンに手紙を出していたはずである。

　遺伝子の粒子性のもう一つの側面は、それが老衰(ろうすい)しないことである。遺伝子は百万歳になっても、百歳くらいのときより死にやすくなるわけではない。それは、自分の目的にあわせて自分のやり方で次から次へと体を操り、死ぬべき運命にある体が老衰や死にみまわれないうちに相ついでそれらの体を捨て、世代を経ながら体から体へ乗り移ってゆく。

　遺伝子は不死身である。いや、不死身といえるに近い遺伝単位として定義される。われわれ、世界の個々の生存機械は数十年生きると予測される。ところが世界の遺伝子の予想寿命は、十年単位ではなくて一万年ないし百万年単位ではからねばならない。

有性生殖をする種では、個体は、自然淘汰の重要な単位としての資格を得るにはあまりに大きすぎ、はかなすぎる遺伝単位である。[*3-3] 個体の集団はいっそう大きな単位である。遺伝学的にいうなら、個体や集団は空の雲や砂漠のようなものである。それらは一時的な集合ないし連合である。進化的な時間の尺度からみれば、安定していないのである。個体群は長期間続くが、他の個体群とたえずまざりあっており、それがためにそれ自体のアイデンティティを失っていく。個体群はまた内部からも進化的変化をうける。それは自然淘汰の単位となるほど独立した存在ではない。つまり、別の個体群よりも好ましいものとして「選ばれる」ほど安定ではないし、単一でもないのである。

個体の体は、それが続いている限りは十分独立しているようにみえるが、それがいったいどれだけ続くだろう？　各個体はユニークである。だが、実体のコピーが一個ずつしかないときに、それらの実体間に淘汰がはたらいて進化がおこることはありえない！　有性生殖は複製ではない。個体群が他の個体群によって汚染されるのと同様に、ある個体の子孫は性的パートナーの子孫によって汚染される。あなたの子どもは半分のあなたでしかないし、あなたの孫は四分の一のあなたでしかない。数世代を経たときに、あなたが望めるのはせいぜい、あなたのわずかな部分をもった、つまり数個の遺伝子をもった多数の子孫をもつこと――たとえそのうちの幾人かがあなたと同じ苗字(みょうじ)を名乗っているにしても――である。

個体は安定したものではない。はかない存在である。染色体もまた、配られてまもないトランプの手のように、まもなくまぜられて忘れ去られる。しかし、カード自体はまぜられても生き残る。このカードが遺伝子である。遺伝子は交叉によっても破壊されない。ただパートナーを変えて進むだけである。

もちろん彼らは進み続ける。それが彼らの務めなのだ。彼らは自己複製子であり、われわれは彼らの生存機械なのである。われわれは目的を果したあと、捨てられる。だが、遺伝子は地質学的時間を生きる居住者である。遺伝子は永遠なのだ。

遺伝子はダイヤモンドのように永遠だが、ダイヤモンドとまったく同じようにではない。原子の不変のパターンとして持続するのが、個々のダイヤモンドの結晶である。DNAは、そのような永久性をもちあわせていない。自然のDNA分子はいずれもその生命がごく短い——明らかに一生より長いことはなく、おそらく数十ヶ月であろう。しかしDNA分子は、論理的には自らのコピーの形で一億年でも生き続けることが可能である。さらに、原始のスープの中の古代の自己複製子とまったく同じように、特定の遺伝子のコピーが世界中にばらまかれることもありうる。ちがうのは、現代の分子が生存機械である体の中にほぼ完全に包みこまれている点である。

私が強調しようとしているのは、遺伝子がその定義上、コピーの形でほぼ不滅だということである。遺伝子を単一のシストロンと定義することは、ある目的には適切だが、進化論を論じるにはそれを拡大する必要がある。拡大の程度は定義の目的によってきまる。われわれは自然淘汰の実際の単位をみつけたいのである。そのために、自然淘汰に成功する単位がもつべき特性を確認することからはじめよう。前章のことばでいえば、それは長命、多産性、複製の正確さである。そこでわれわれは単に「遺伝子」を、少なくとも潜在的にこれらの特性をもっている最大の単位と定義する。遺伝子は多くのコピーの形で存在する長命の自己複製子である。が無限に長命ではない。ダイヤモンドですら文字どおりに永遠ではないし、シストロンとて交叉によって二つに切れることがある。遺伝子は十分に存続しうるほどには短く、自然淘汰の意味のある単位としてはたらきうるほど十分に長い染色体の一片として定義される。「十分に長い」というのは正確にはどのくらいの長さであろうか。厳密には答えられない。それは自然淘汰「圧」がどのくらい強いかによる。つまり、「劣っている」と思われる遺伝単位が「すぐれた」対立遺伝子よりどれだけ多く消滅するかによる。これは量の問題であって、それは個々の場合によって異なる。実際の自然淘汰の単位として最大のものである遺伝子は、ふつうはシストロンと染色体との中間のどこかに位置する大きさであることがわかるであろう。

遺伝子が自然淘汰の基本単位の第一候補になりうるのは、遺伝子が潜在的にもっている不滅性のためである。しかし今やこの「潜在的」ということばを強調すべき時がきた。ある遺伝子は百万年生きることができるが、多くの新しい遺伝子は最初の世代すらまっとうしない。少数の遺伝子が成功を収めるのは、一つには運がよかったためであるが、ふつうは、その遺伝子が必要とされるものをもっていたからである。つまり、それらの遺伝子が生存機械をつくる上ですぐれていたことを意味している。それらの遺伝子は、自分が住みついているそれぞれの体の胚発生に影響をおよぼし、その体がライバルの遺伝子、すなわち対立遺伝子の影響下にあるときより少しだけよけいに長生きし、よけいに繁殖するようにする。たとえば、「すぐれた」遺伝子は自分の住みついている体に長い肢を与えて、その体が捕食者から逃げやすくすることによって、自分の生存を確実にするであろう。これは個別的な例であって、普遍的な例ではない。つまり、長い肢は必ずしも利点であるとは限らない。モグラにとっては長い肢はハンディキャップであるにちがいない。個々の細部にとらわれずに、あらゆるすぐれた（つまり長命の）遺伝子に共通するなんらかの普遍的な特性を考えることができるだろうか？　反対に、ある遺伝子を「劣った」

短命の遺伝子だと簡単に区別できる特性は何であろう？　こうした普遍的な特性はいくつかあるかもしれないが、この本にとくに関係の深い特性がある。すなわち、遺伝子レベルでは、利他主義は悪であり、利己主義が善である。利己主義と利他主義のわれわれの定義からしてこうなることは避けられない。遺伝子は生存中その対立遺伝子と直接競いあっている。遺伝子プール内の対立遺伝子は、未来の世代の染色体上の位置に関するライバルだからである。対立遺伝子の犠牲のうえに、遺伝子プール内で自己の生存のチャンスをふやすようにふるまう遺伝子は、どれも、その定義からして、生きのびる傾向がある。遺伝子は利己主義の基本単位なのだ。

この章で主にいいたいことは今まで述べたことである。だが私は、いくつかの複雑な点とかくれた仮定をごまかして説明してきた。複雑な点の第一はすでに簡単に述べたものである。独立した自由な遺伝子が世代から世代へ旅をするのだが、それらは胚発生の制御においてはあまり自由な因子でも独立した因子でもない。それらはとてつもなく込み入った方法で、お互いと、また外部環境と協力し、相互作用をおこなっている。「長い肢の遺伝子」とか「利他的行動の遺伝子」とかいうような表現は、話をわかりやすくするための比喩で、重要なのはそれが意味するものを理解することだ。長いにせよ短いにせよ肢を独力でつくる遺伝子はない。肢の構築は、複数の遺伝子の協同事業である。外部環境の影響も不可欠である。つまり、肢はじっさい食物からつくられるのだ！　しかし、他の条件が同じであれば、他の対立遺伝子の影響下にあるよりは肢を長くする傾向をもつ、単一の遺伝子があるかもしれない。

これに似た例として、コムギの成長をうながす肥料、いわゆる硝酸塩化学肥料の影響を考えてみよう。コムギが硝酸塩化学肥料のあるところでは、ないところよりも大きくなることは、だれでもよく知っている。しかし、硝酸塩肥料だけで、コムギをつくりうると主張するばかはいない。種子、土、太陽、水、種々の無機質もすべて必要であることは明らかだ。けれど、これら他の要因が同じであるならば、いやある範囲内で多少ちがっていたとしても、硝酸塩肥料の施肥（せひ）によってコムギはさらに大きくなるであろう。同様に、胚発生における個々の遺伝子についても同じことがいえる。胚発生はひじょうに複雑にからみあった仕組によって制御されているため、われわれはそのことをあまりまじめに考えないほうが得策だった。遺伝因子であれ環境因子であれ、赤ん坊のいずれかの部分の単一の「原因」と考えられるものはない。赤ん坊のあらゆる部分には、ほぼ無限の先行する原因がある。しかし、ある赤ん坊と別の赤ん坊の間のある一つの差異、たとえば肢の長さの差異には、環境か遺伝子かどちらかに一つないし二、三の単純な先行する原因が容易にみつかるかもしれない。とにかく、生き残るために競いあう闘いにかかわりのあるのは個体間にみられる差異であり、進化にかかわるのは、遺伝的に支配された差異なのである。

ある遺伝子に関していえば、その対立遺伝子の命にかかわる競争相手だが、他の遺伝子は、気温や食物、捕食者、仲間とならんで、環境の一部にすぎない。ある遺伝子の作用はその環境に左右されるが、この環境なるものには他の遺伝子も含まれている。遺伝子は他の特定の遺伝子が存在するとある作用を及ぼすし、別の仲間の遺伝子が存在するとまったく別の作用を及ぼすことがある。体内の遺伝子セット全体は、一種の遺伝的風土ないし背景をなしており、個々の遺伝子の作用を変更したり、それに影響を与えたりしているのだ。

だがここでわれわれは、逆説に陥（おちい）るように思われる。赤ん坊をつくることがこれほど入り組んだ協同事業であるのならば、そして、あらゆる遺伝子がその仕事を達成するのに数千の仲間の遺伝子を必要とするのであれば、世代を通じて体から体へと不死身のシャモアのように跳躍してゆく不可分の遺伝子、つまり、自由で拘束されない、自己追求的な生命の因子という私の図式とこのこととが、どうして両立しうるのだろうか？　それはすべてたわごとだったのだろうか？　いやそうではない。飾った文句で酔わせた部分もあったかもしれないが、決してたわごとを語ったのではない。じっさい矛盾はないのだ。これは別のたとえで説明することができる。

一人のボート選手は、自分だけでオックスフォード対ケンブリッジのレースに勝つことはできない。彼には八人の同僚が必要だ。それぞれの選手はつねにボートの特定部分にすわる専門家だ——つまり、前オールか整調手かコックスかなにかである。ボートをこぐことは協同作業であるが、にもかかわらず中には他の者より腕のいい者がいる。コーチは、前オール専門の選手陣、コックス専門の選手陣など一群の候補者の中から自分の理想とするクルーを選ばねばならない。彼は次のように選んだとしよう。彼は毎日各ポジションの候補者を無作為に組合わせて、新たに三組の試験クルーを組み、その三組のクルーを互いに競争させる。これを数週間続けると、勝ったボートにはしばしば同一人物が乗っている傾向のあることがわかるであろう。これらの人物はすぐれた選手としてマークされる。また、中にはいつも遅いクルーの中に顔を出す選手もいよう。そうした者たちは結局はのぞかれる。しかし、きわだって腕のいい選手でもときには遅いクルーにはいっていることがある。他のメンバーの腕が悪かったせいか、運が悪かったため——たとえば強い向かい風であったためである。一番すぐれた選手たちが勝ったボートにいる傾向があるというのは、単に平均してのことである。

この選手たちにあたるのが遺伝子である。ボートの各位置に関するライバルは、染色体上の同一点を占める可能性のある対立遺伝子である。速くこぐことは、生存に成功する体をつくることに相当する。風は外部環境にあたる。交替要員の集団が遺伝子プールである。一つの体に関していえば、その体の遺伝子全部が同じボートに乗っていることになる。よい遺伝子が悪い仲間にはいり、致死遺伝子と一つの体の中に同居することもよくある。この場合、致死遺伝子がその体を子どものうちに殺してしまい、よい遺伝子は他の遺伝子といっしょに滅ぼされる。しかし、これが唯一の体ではない。同じよい遺伝子が致死遺伝子をもたない他の体の中で生き続けている。よい遺伝子のコピーは、たまたまたちの悪い遺伝子と一つの体に同居したためにそれらに引きずられて滅びることもあるし、また宿った体が雷にうたれるなど別の種類の不運にみまわれて死ぬこともよくある。ともあれ、定義によれば、運、不運はランダムにおこるものだ。だから、一貫して負けの側にある遺伝子は不運なのではない。だめな遺伝子なのだ。

すぐれたボート選手の資質の一つは、チームワーク、つまりクルーの残りのメンバーと協調できる能力である。これは強い筋肉と同じくらい重要である。チョウの例で述べたように、自然淘汰は、逆位その他、染色体の一部の大規模な移動によって、無意識に一つの遺伝子複合を「編集」し、よく協調する遺伝子を集めて、緊密に結びついた集団にしてしまう。しかし、物理的にはまったく結びつきようのない遺伝子どうしが互いに両立しうるだけで選ばれる場合もある。ゆく先々の体の中で出会う大方の遺伝子、すなわち遺伝子プールの残り全部の遺伝子の大方とうまく協調できる遺伝子は、有利になる傾向があろう。

たとえば、有能な肉食獣の体には数々の特性が必要である。その中には肉を切り裂く歯、肉の消化に適した消化管、その他さまざまな特性が含まれる。一方、有能な草食獣は草をすりつぶすための平たい歯と、別の型の消化機構をもったずっと長い腸を必要とする。草食獣の遺伝子プールの中では、肉食用の鋭い歯をその持主に授(さず)ける新しい遺伝子は、けっして成功しないにちがいない。それは、一般に肉食という着想が悪いためではない。適した消化管その他、肉食生活に必要なあらゆる特性をもそなえていなければ、肉を効率よく食べられないためである。肉食用の鋭い歯に関する遺伝子が、本来的に劣った遺伝子なのではない。それは、草食性に向いた遺伝子が優勢な遺伝子プール内では劣った遺伝子であるというのにすぎない。

　これは微妙で複雑な話である。ある遺伝子の「環境」が大方他の遺伝子からなっており、他の遺伝子のそれぞれが、さらに別の遺伝子という環境と協力しうる能力によって淘汰されていくため、複雑なのである。この微妙な点を説明するのにふさわしいアナロジーがあるが、これは日常経験するようなものではない。それは「ゲーム理論」とのアナロジーである。ゲーム理論については、個体間の攻撃的なコンテストに関連して5章で紹介する予定である。そこで、この点に関するこれ以上の議論は、5章の章末にゆずることにして、この章の中心課題に話をもどそう。つまり、自然淘汰の基本単位と考えるのにもっともふさわしいのは、種ではなく、個体群でもなく、個体ですらなくて、遺伝物質のやや小さな単位（これを遺伝子とよぶと便利だ）であるということだ。この議論の基礎となるのは、前にも述べたように、遺伝子が潜在的に不死身であるのに対して体その他といったもっと上の単位はすべて一過的なものである、という仮定であった。この仮定は二つの事実、すなわち、有性生殖と交叉という事実と、個体は死ぬものだという事実にもとづいている。これらのことはまぎれもない事実である。しかし、だからといってわれわれは、それらがなぜ真実なのかと問うことをためらいはしない。われわれをはじめ大部分の生存機械はなぜ有性生殖をおこなうのだろう？　われわれの染色体はなぜ交叉するのだろう？そしてわれわれはなぜ永遠に生き続けないのだろう？

　われわれがなぜ老いて死ぬのかという疑問は複雑な問題で、その詳細はこの本の範囲をこえている。個別的な理由に加えて、より一般的な理由がいくつか考えられている。たとえば、老衰は、個体の生涯の間におこるコピーの有害な誤りや、その他の遺伝子の損傷が蓄積したものだという説がある。また、ピーター・メダワー卿の提唱するもう一つの説は、遺伝子淘汰による進化思想のよい例である。[*3-4] メダワーはまず、「年老いた個体は、その種の残りの個体に対する利他的行為として死ぬ。なぜなら、繁殖できないほどよぼよぼなのに生きていたのでは、むだに世界を混乱に落し入れるからだ」とする従来の説をすてた。メダワーが指摘しているように、これはいわば堂々めぐりの議論であって、証明しようとすることを、つまり、老いた個体がよぼよぼで繁殖できないということをはじめから仮定してしまっている。その部分はもっと体裁よくいいかえることができるが、これはやはり単純な群淘汰、ないし種淘汰の類いの説明である。メダワー自身の説はみごとな論理である。それは次のように組立てることができる。

「すぐれた遺伝子」のもっとも一般的な特性が何であるかという問題については、すでに述べた。そして「利己性」がその一つであることを確認した。しかし、成功した遺伝子がもつもう一つの一般的特性は、自分の生存機械の死を少なくとも繁殖後までひきのばす傾向である。たしかなことは、あなたのいとこや大伯父の中には子どものうちに死んだ者がいたとしても、あなたの祖先はただの一人も子どものうちに死なかったということである。若くして死なないものこそ祖先なのだ！

　持主を死なせる遺伝子は致死（ちし）遺伝子とよばれる。半致死遺伝子はある程度衰弱させる効果をもっており、他の原因による死をいっそう確実にする。どんな遺伝子も、生涯のある特定の段階で体に最大の効果をおよぼすが、この点で致死遺伝子も半致死遺伝子も例外ではない。大部分の遺伝子は胎児期にその影響をおよぼすが、ある遺伝子は幼児期に、ある遺伝子は青年期に、そしてあるものは中年期に、さらにあるものは老年期に影響をおよぼす（一匹の幼虫とそれが変態したチョウは、まったく同じ遺伝子セットをもっていることを思いだしてほしい）。明らかに、致死遺伝子は遺伝子プールから除かれていく傾向がある。しかし、後期になってからはたらきだす致死遺伝子が、初期にはたらく致死遺伝子にくらべて、遺伝子プール内でより安定であることもまたたしかである。年老いた体で致死的にはたらく遺伝子は、体が少なくとも多少繁殖するまでその致死効果をあらわさずにいれば、遺伝子プール内で今なお栄えているであろう。たとえば、年とった体にガンを発達させる遺伝子は、ガンの発現前に個体が繁殖するので、多数の子孫に伝えられる。一方、若いおとなにガンを発達させる遺伝子はあまり多くの子孫に伝えられないし、幼い子どもに致死的なガンを発達させる遺伝子は、子孫にはまったく伝わらないにちがいない。それゆえこの説によると、老衰は、後期にはたらく致死遺伝子と半致死遺伝子が遺伝子プールに蓄積するという現象の副産物にすぎない。これらの致死および半致死遺伝子は単に後期にはたらくという理由だけで、自然淘汰の網（あみ）の目をくぐりぬけることを許されてきたのである。

　メダワー自身が強調している点は、淘汰が他の致死遺伝子の作用を遅らせる効果をもった遺伝子に有利にはたらき、よい遺伝子の効果を速める効果をもった遺伝子にも有利にはたらくということである。

多くの進化は、遺伝子活動の開始時期に、遺伝的に制御された変化がおこったことによるのかもしれない。

この説では、繁殖がある年齢のときにのみおこることを前提とする必要がないという点に注意してほしい。あらゆる個体がどの年齢でも同じように子どもをつくるということを第一仮定と考えても、メダワー説は、後期に働く有害な遺伝子が遺伝子プール内に蓄積することをただちに予言するであろう。そしてその二次的結果として老年になると繁殖しにくくなる傾向が、生じるにちがいない。

話は別だが、この説のいい点の一つは、この説からなかなかおもしろい推察をすすめることができるということである。たとえば、人間の寿命を延ばしたいのであれば、そうできる可能な方法が二つある、ということになる。その一つは、ある年齢、たとえば四〇歳以前の繁殖を禁止することである。その数百年後には、最低年齢限度を五〇歳にひきあげ、その後も少しずつひきあげていく。この方法で人間の寿命は数百歳まで延ばすことができると考えられる。だれも本気でこんな方針を採用したがるとは思えないが。

第二は、遺伝子を「だまして」、宿っている体が実際の年齢より若いと思いこませることである。実際にこれをやるには、年をとっていく間におこる、体の中の化学環境の変化を明らかにしなければならない。これらの変化のどれかが、後期に働く致死遺伝子の「スイッチを入れる」「きっかけ」であるかもしれない。そうだとすれば、若い体の表面的な化学特性をまねることによって、後期にはたらく有害な遺伝子の「スイッチ・オン」を防ぐことができるのではなかろうか。おもしろいことに、老化の化学信号は、通常のいかなる意味でもそれ自体が有害である必要はない。たとえば、物質Sは、若い個体より老いた個体の体に多くたまっているという事実があるとしよう。Sはそれ自体まったく無害で、食物に含まれていたものが、年を経るうちにしだいに体にたまったものかもしれない。しかし、たまたまSの存在下では有害な効果をおよぼすが、そうでなければよい効果をおよぼす遺伝子が、遺伝子プール内で自動的に確実に淘汰されて残っており、それが事実上老衰死の遺伝子ということになっているのかもしれない。この場合、その療法は体からSを取りのぞくことである。

この考えの革命的な点は、S自体が老齢の「指標」にすぎないということである。Sの大量蓄積が死につながる傾向があることに気づいた医者は、おそらくSを一種の毒と考え、Sと体の機能不全との間に直接の因果関係をみつけようと苦心するにちがいない。だが、今述べた仮説のようになっているのなら、彼は時間を浪費するだけであろう！

老いた体より若い体に多く貯っているという意味で若さの「指標」である物質Yも存在しているかもしれない。やはり、Yの存在下ではよい効果があるが、Yがないときには有害になる遺伝子が淘汰されるかもしれない。SやY――こういう物質はたくさんありうる――がなんであるかわからなくても、単に、年老いた体で若い体の特性を（それらの特性がどれほど表面的なものにみえようと）まねることができればそれだけ、老いた体は長く生きられる、という一般的な予言をおこなうことができる。

これはメダワー説にもとづく、まったくの推測にほかならぬことを強調しておかねばならない。メダワー説が論理的にある真実を含んでいるという意味はあるが、だからといって必ずしも、それが老衰のある実際例に対する正しい説明だということにはならない。当面重要なのは、遺伝子淘汰進化説が、個体が老いて死ぬという傾向を容易に説明できるということである。この章の議論の中心である、個体は死ぬべきものだという仮定は、この説の体系内で正当に説明することができる。

私が述べたその他の仮定、有性生殖や交叉の存在という仮定は証明するのがいっそうむずかしい。交叉は必ずしもおこらなくてもよい。雄のショウジョウバエでは交叉はおこらない。雌にも交叉を抑制するはたらきをもつ遺伝子がある。もし、この遺伝子が広くゆきわたっているハエの個体群を飼育しようとするなら、遺伝子プールならぬ「染色体プール」内の染色体が、自然淘汰の最小基本単位になるにちがいない。事実、われわれの定義の論理的結論に従えば、一本の染色体全体を一つの「遺伝子」と考えねばなるまい。

一方、有性生殖に代るものも存在する。アブラムシの雌は父親のない生きた雌の子を産むことができる。この各々は母親の遺伝子をそっくり受け継いでいる（ときには、母親の「子宮」内の胚がその子宮内にさらに小さな胚を宿していることがある。この場合アブラムシの雌は娘と孫娘を一度に産むことになり、娘と孫娘はどちらも母親の一卵性双生児に相当する）。多くの植物は吸着根をのばして無性的に繁殖する。このような場合には、繁殖というより成長といいたくなるが、考えてみれば、成長も無性生殖も単なる体細胞分裂によっておこるのだから、いずれにせよこの両者の間にはほとんどちがいがない。ときによると、無性生殖によって繁殖した植物が「親」から離れることがある。またある場合には、たとえばニレの木では、吸着根がそのまま残ってつながっている。実際、ニレの森全体を一個体と考えることもできるのである。

そこで、疑問がおこる。アブラムシやニレはそんなことをしないのに、われわれはなぜ子どもをつくるさいに自分の遺伝子と他のだれかの遺伝子とをまぜあわせるようなやっかいなことをしなければならないのだろう？　こんな方法が生じるのは奇妙なことのように思われる。単純明快な無性生殖の代りに、性というかにも奇妙でひねくれた様式がとられるようになったのはそもそもなぜなのだろう？　性の長所はいったい何なのだろう？[*3-5]

これは、進化論者が答えようとするとたいへんむずかしい問題である。この疑問にまじめに答えようとする試みには、たいてい複雑な数学的議論が含まれている。しかし私ははばからずにそれを避け、あることについて述べるにとどめようと思う。それは、理論家が性の進化を説明しようとしてぶつかる困難の少なくとも一部は、彼らが慣習的に、個体とは生き残る遺伝子数を最大にしようと努めるものだと考えることに起因する、ということである。こういう考え方では、性は逆説的なものに思われる。なぜなら、それは、個体が自分の遺伝子をふやすためには「非能率な」方法だからである。つまり、各々の子どもには、個体の遺伝子のたった五〇％しか与えられず、他の五〇％はセックスの相手から供給されるからである。もし、アブラムシのように、単に無性生殖によって自分の正確なコピーである子どもをつくるのであれば、すべての子どもの体で次世代に自分の遺伝子を一〇〇％伝えることができるはずである。この明らかな矛盾から、一部の理論家たちは群淘汰説へ走った。性に対する群レベルの利点は比較的考えやすいからである。W・F・ボドマーが簡潔に指摘したように、性は、「異なる個体に別々におこった有利な突然変異を個体に集めるのに役立つ」と彼らはいうのである。

しかし、この逆説は、この本の議論に従って、個体を、長命な遺伝子の束の間の連合によってつくられた生存機械だと考えれば、それほど逆説的なものではなくなる。この場合、個体全体という観点からする「効率」というのは見当ちがいであるように思われる。有性生殖対無性生殖は、青い目対褐色の目とまったく同様に、単一の遺伝子の制御下にある特性と考えられよう。有性生殖のための遺伝子は、他の遺伝子すべてを自分の利己的目的のために操作する。交叉の遺伝子もやはりそうする。他の遺伝子の写しまちがいの率を操作する遺伝子（突然変異遺伝子（ミューテーター）とよばれる）までである。定義によれば、この写しまちがいは、写しまちがえられた遺伝子が不利になるようにする。しかし、もしこのことが、それを誘発した利己的な突然変異遺伝子（ミューテーター）を利することになれば、その突然変異遺伝子（ミューテーター）は遺伝子プールじゅうに分布を広げることができる。同様に、交叉が交叉の遺伝子を利するならば、それによって交叉の存在は十分に説明できる。無性生殖に対立するものとしての有性生殖が、有性生殖の遺伝子を有利にするのであれば、これによって有性生殖の存在は十分に説明できる。その遺伝子が個体の残りの遺伝子すべてに役立つか否かということは、あまり関係がない。遺伝子の利己性という観点からみれば、結局のところ性はそれほど奇怪なものではないのだ。

　これでは議論が堂々めぐりになるおそれがある。性の存在は、遺伝子を淘汰の単位と考える一連の論議の前提条件だからである。この堂々めぐりを避ける方法はあると思うが、この本はこの問題を追求する場ではない。性は存在する。これは事実だ。小さな遺伝単位、つまり遺伝子を、進化の基本的な独立した因子にもっとも近いものと考えることができるのは、性と交叉があるからである。

　遺伝子の利己性という観点から考えはじめたとたんに逆説が解けてくるのは、性ばかりではない。たとえば、生物体のＤＮＡ量は、その生物体をつくるのに確実に必要な量よりはるかに多いらしい。ＤＮＡのかなりの部分はタンパク質には決して翻訳されないのである。個々の生物体の観点で考えると、これは逆説的に思われる。もしＤＮＡの「目的」が体の構築を指揮することであれば、そのようなことをしないＤＮＡが大量にみつかるのはふしぎなことである。生物学者たちは、この余分と思われるＤＮＡ

がどんな有益な仕事をしているのか考えようと頭をつかっている。しかし、遺伝子の利己性という観点からすれば、矛盾はない。ＤＮＡの真の「目的」は生きのびることであり、それ以上でもなければそれ以下でもない。余分なＤＮＡをもっとも単純に説明するには、それを寄生者、あるいはせいぜい、他のＤＮＡがつくった生存機械に乗せてもらっている、無害だが役にたたない旅人だと考えればよい。[*3-6]

ある人々は極端に遺伝子中心の進化観と思われるものに反対する。彼らにいわせると、結局、実際に生きたり死んだりするのは、遺伝子全部を含んだ個体そのものである。この点に意見の相違がないことは、この章で十分述べたつもりである。レースに勝ったり負けたりするのがボートそのものであるのと同様に、生きたり死んだりするのは個体であるし、自然淘汰が直接あらわれるのはほとんどいつでも個体レベルである。しかし、個体の死と繁殖の成功がでたらめにおこるのではないため、長い間には遺伝子プール内の遺伝子頻度が変わるという結果を招く。条件つきではあるが、遺伝子プールは、原始のスープが昔の自己複製子に対して果たしていたのと同じ役割を、現代の自己複製子に対して果しているといえる。性と染色体の交叉には、現代版原始のスープの流動性をまもるという効果がある。性と交叉によって遺伝子プールはよくかきまぜられ、遺伝子は部分的にまぜられる。進化は、遺伝子プール内である遺伝子が数をまし、ある遺伝子が数を減らす過程である。利他的行動などのようなある形質の進化を説明しようとするときにはいつでも、端的に次のように問題を提起するくせをつけておくとよい。「この形質は遺伝子プール内で遺伝子の頻度にどんな影響を与えるのか？」ときには遺伝子用語が少々冗長なことがあるので、簡潔に生き生きと表現するために、比喩を用いることにする。だが、比喩に対してはつねに疑いの目をもちつづけ、必要とあれば、それを遺伝子用語に訳しもどすつもりである。

遺伝子の側からみれば、遺伝子プールは新しい型のスープ、つまり生活をたてていく場である。昔と変ったことは、今日、遺伝子は、死ぬべき運命にある生存機械を次々につくっていくために、遺伝子プールから相ついでひきだされてくる仲間の集団と協力して、生活をたてていることである。次章では生存機械自体に注目し、遺伝子がどんな意味でその行動を制御するといえるのか、その点に目を向けてみよう。

4 遺伝子機械

生存機械は遺伝子の受動的な避難所として生まれたもので、最初は、ライバルとの化学的戦いや偶然の分子衝撃の被害から身をまもる壁を遺伝子に提供していたにすぎなかった。当初彼らはスープの中で自由に利用できる有機分子を食物にしていた。この気楽な生活が終りをつげたのは、多大な年月にわたる日光の活発な影響のもとでスープの中に育まれた有機性食物がすっかり使いはたされたときだった。今日植物とよばれている生存機械の主要な枝は、生存機械自らが直接日光をつかって単純な分子から複雑な分子をつくりはじめ、原始スープの合成過程をいっそう大きな速度で再演した。動物とよばれるもう一つの枝は、植物を食べるか他の動物を食べるかして、植物の化学的仕事を横取りする方法を「発見」した。生存機械の二つの枝は、さまざまな生活方法で自己の効率を高めるべくさらに巧妙なからくりを発達させ、たえず新たな生活方法を開発していった。この二つの枝からは小枝やそのまた小枝が出て、特殊化した生活様式を進化させた。それらはそれぞれ、海で、地上で、空中で、地中で、樹上で、はては他の生物の体内で、くらしをたてることにたけていた。この枝分かれが、今日われわれを感動させるほどの動植物の多様性を生みだしたのである。

動植物は多細胞体に進化し、あらゆる細胞に全遺伝子の完全なコピーが配分された。いつ、なぜ、独立に何度、このようなことがおこったのかはわからない。ある人々はコロニーにたとえて、体を細胞のコロニーだという。私は体を遺伝子のコロニー、細胞を遺伝子の化学工場として都合のよい作用単位、と考えたい。

体は、遺伝子のコロニーであるにしても、行動上はまぎれもなくそれ自体の個体性を獲得している。一頭の動物は統制のとれた全体として、つまり一つの単位として行動する。主観的には私は自分を一つのコロニーではなく一つの単位であると感じている。これは当然である。淘汰は他の遺伝子と協調する遺伝子に有利にはたらいた。少ない資源をめぐる峻烈な争いや、他の生存機械を食うためと食われるのを避けるための情容赦ない闘いにおいては、共同体的な体の内部が無統制であるものより中枢によって統合されているもののほうが有利であったにちがいない。今日では、遺伝子間の複雑な相互的共進化が進んできており、個々の生存機械が実はそういった協同性の産物であるなどとは、ほとんど識別できないありさまになっている。たしかにそれを見抜けない生物学者は多く、したがって彼らは私とは意見を異にすることになるのである。

幸い、この本の残りの部分のうちジャーナリストたちが「信憑性」を要求するであろう点については、意見の相違は大部分アカデミックなものである。自動車の性能を論じるときに量子や素粒子について語っても仕方がないのと同様に、生存機械の行動を論じるときに、遺伝子の話をもちこむことは冗長であり不必要であることが多い。実際的には、第一近似として、「個体というものはその全遺伝子を、後の世代により多く伝えようとするものだ」とみなしておくのが、多くの場合、便利である。以後私はこの便法にしたがって話を進めることにする。したがって、とくに断わらない場合は、「利他的行動」と「利己的行動」は動物のある個体が別の個体に対しておこなう行動をさす。

この章では行動――つまり、動物と呼ばれる生存機械が大いに利用してきた、すばやく動く芸当――について述べる。動物は敏捷で活発な、遺伝子の乗り物、すなわち遺伝子機械になった。生物学者が使う意味での行動の特徴は、動きが速いことである。植物も動くことは動くが、その動きは非常にゆっくりである。高速度映画でみれば、つる植物は活動的な動物のようにみえる。しかし大部分の植物の運動は、事実上不可逆的な成長である。一方、動物はそれより何万倍も速く動く方法を発達させている。そのうえ、動物の運動は可逆的であり、何度でもくりかえすことができる。

動物がすばやい運動をおこなうために進化させたからくりは、筋肉であった。筋肉は、蒸気機関や内燃機関と同様に、化学燃料に貯えられたエネルギーをつかって機械的運動を生みだすエンジンである。ちがうのは、筋肉の直接の機械力が、蒸気機関や内燃機関の場合のような気体の圧力ではなくて緊張の形で生みだされる点である。しかし筋肉は、しばしばベルトやちょうつがいのてこに力を加える点でエンジンと似ている。われわれの体では、てこは骨、ベルトは腱、そしてちょうつがいは関節である。筋肉の働きの厳密な分子的側面については非常に多くのことがわかっているが、私は筋収縮の時間的調節の問題により興味をひかれる。

あなたはかなり複雑な人工機械、たとえばミシンとか編機や織機、自動瓶詰機、干草束ね機などをみたことがあるだろうか。動力はどこかから、たとえば電動機とかトラクターから供給される。しかしもっとふしぎなのは、操作のタイミングの複雑さである。正しい順序でバルブが開いて閉じ、鋼鉄の指が器用に干草の束をゆわき、そのすぐあとにナイフがでてきて綱(つな)を切る。たいていの人工機械では、あのすばらしい発明品であるカムによって時間的調節がおこなわれている。これは、偏心輪あるいは特殊な形の車輪によって、単純な回転運動を複雑でリズミカルなパターンの操作に変えるものである。オルゴールでも同じような原理がつかわれている。その他スチームオルガンやピアノラのような機械では、あるパターンの穴を開けたカードや巻いた紙がつかわれる。最近では、こうした単純な機械的タイマーが電子タイマーに取り替えられていく傾向がある。ディジタル型コンピュータは、複雑な時間的調節のおこなわれた運動パターンを生みだすのにつかわれる多才な大型電子装置の例である。コンピュータのような近代的電子機器の基本的構成要素は半導体である。その中のなじみぶかいものにトランジスタがある。

生存機械はカムとパンチカードなどというものをまったく無視してしまっているようにみえる。彼らが行動の時間的調節につかっている装置は、コンピュータとの共通点が多いとはいえ、基本的な操作がまったくちがう。生物コンピュータの基本単位である神経細胞、すなわちニューロンは、その内部作用がトランジスタとは少しも似ていない。たしかに、ニューロンからニューロンへ伝えられる信号はディジタル型コンピュータのパルス信号といくぶん似ているように思われる。だが、個々のニューロンはトランジスタにくらべてはるかに手のこんだデータ処理単位である。一個のニューロンには、他の成分(コンポーネント)との連絡がわずか三つではなく、数万もついている。ニューロンはトランジスタよりも情報処理のスピードは遅いが、過去二〇年間エレクトロニクス業界が追求してきた小型化という点では、はるかに進んでいる。これは、人間の脳には数十億のニューロンがあるが、一個の頭骨にはわずか数百個のトランジスタしか詰めこめないことを考えれば、よくわかる。

植物は動きまわらずに生活できるため、ニューロンを必要としないが、大部分の動物集団にはニューロンがみられる。それは動物の進化の早い時期に「発見」され、あらゆる集団に受けつがれたか、あるいは独立に何回か再発見されたものであろう。

ニューロンは基本的にはまさに細胞であり、他の細胞と同様に核と染色体をそなえている。だが、その細胞膜は細長く伸びて針金状の突起（とっき）をなしている。たいていの場合、一個のニューロンには、軸索（じくさく）とよばれるとくに長い「針金」が一本ある。軸索の幅は顕微鏡的なものだが、長さは数メートルに及ぶことがある。たとえば、一本でキリンの頸（くび）の全長にわたる軸索がある。軸索はふつう束になって、たくさんの線維からなる太いケーブルになっている。これが神経である。神経は体のある部分から他の部分へ、ちょうど電話ケーブルの幹線のようにメッセージを運ぶ。あるニューロンは軸索が短く、神経節、あるいはもっと大きな場合には脳、とよばれる密集した神経組織の集まりの中に収められている。脳は機能上コンピュータに似たものと考えることができよう。[*4-1] それらは、どちらも複雑な入力パターンを分析し、貯えられている情報と照合したうえで、複雑な出力パターンを生みだすという点で似かよっている。

脳が生存機械の成功に実際に貢献する方法として重要なものに、筋収縮の制御・調整がある。脳がこれをおこなうには、筋肉に通じるケーブルが必要である。それが運動神経である。しかし、筋収縮の制御・調整が遺伝子の効果的な保存につながるのは、筋収縮のタイミングが外界の出来事のタイミングとなんらかの関係があるときだけである。咬（か）むに値するものが口に入っているときにだけ顎の筋肉を収縮させ、走って追いかけるべき対象か、走って逃げるべき対象が存在するときにだけ肢の筋肉を走行時のパターンで収縮させることが重要なのだ。このため自然淘汰は、感覚器、つまり外界の物理的事象のパターンをニューロンのパルス信号に変える装置をそなえるようになった動物に有利にはたらいた。脳は感覚神経という神経索（さく）によって感覚器——目、耳、味蕾（みらい）など——につながっている。感覚システムのはたらきにはとりわけ当惑させられる。というのは、それらは、非常に高価な最良の人工機械よりも、はるかに複雑なパターン認識をおこなえるからである。もしそうでなければ、タイピストは全員いらなくなって、音声を識別する機械や手書きの文字を読みとる機械にとってかわられているはずだ。人間のタイピストはまだこの先何十年かは必要とされるだろう。

進化の途上では、感覚器官が多少とも直接に筋肉と連絡していた時期があった。イソギンチャクは現在でもこの状態からあまりへだたっていない。その生活様式にとってはそれが効果的だからである。しかし、外界の事象のタイミングと筋収縮のタイミングとの間に、もっと複雑で間接的な関係をなりたせるためには、媒介物としてある種の脳が必要であった。めざましい進歩は、記憶という進化的「発明」であった。この工夫によって、筋収縮のタイミングは、直前の過去の出来事だけでなく、遠い過去の出来事の影響もうけられるようになった。ディジタル型コンピュータでも、記憶、すなわちメモリーがその本質的な主要部分である。コンピュータの記憶は人間の記憶より確かであるが、その容量は小さいし、情報修正の技術ははるかに劣る。

生存機械の行動のもっともいちじるしい特性の一つは、そのまぎれもない合目的性である。こういったからといって、それが動物の遺伝子の生存に役立つようにうまく計算されているようにみえるといいたいのではない。もちろんそうにはちがいないのだが、私がいいたいのは、人間の意図的な行動によく似ているということだ。動物が食物を「探し」たり、配偶者を探したり、いなくなった子どもを捜しているのをみると、われわれが何かを探しているときに経験するある種の主観的感情をその動物がもっていると思わずにはいられない。こうした感情には、あるものに対する「望み」、望みのものを「頭に描いた像」、あるいは「目的」ないし「目論見（もくろみ）」が含まれている。われわれはだれも、自分自身を内省してみればわかるように、少なくとも現代の生存機械では、この合目的性が「意識」とよばれる特性を発達させたことを知っている。私は、これが何を意味するかを論じられるほど偉くはないが、幸いにして、目的によって動機づけられているかのようにふるまう生存機械のことを語るのはやさしいし、生存機械が実際に意識しているかどうかという問題を未解決のまま残すこともできるので、われわれの現在の目的にはなんらさしつかえない。これらの生存機械は基本的にはごく単純で、無意識の合目的行動の原理は、工学の中にはどこにでもころがっている。その古典的な例はワットの蒸気調速機である。

これに含まれる基本原理は、負のフィードバックとよばれるもので、それにはさまざまな形がある。一般的にいうとこうである。「目的機械」つまり、意識的目的をもっているかのようにふるまう機械ないしものは、ものごとの現在の状態と「望みの」状態とのくいちがいを測る一種の測定装置をそなえている。それは、このくいちがいが大きいほど、機械がけんめいにはたらくように造られている。こうして、機械は自動的にくいちがいを減らそうとする。これが負のフィードバックとよばれるゆえんである。そして「望みの」状態に達すると、機械は止まる。ワットの調速機は、蒸気機関の力でまわっている一対のボールからなりたっている。ボールはそれぞれちょうつがいつきのアームの先端についている。ボールが速く飛びまわるほど、遠心力が強くはたらいて、アームを水平位に向かって押し上げるのだが、これに抗して重力も働いている。このアームはエンジンに蒸気を送るバルブにつながっており、アームが水平位置に近づくと、蒸気の供給が減るようになっている。このため、エンジンが速くなりすぎると、供給される蒸気の量が減り、エンジンは遅くなってくる。エンジンが遅くなりすぎると、バルブによってより多量の蒸気が自動的にエンジンに送られ、エンジンはふたたび速度をとりもどす。このような目的機械は、振れすぎや時間的ずれによってしばしば振動をひきおこす。この振動を抑える付属装置を組みこむことが、技術者の腕のみせどころである。

ワットの調速機の「望ましい」状態は、ある一定の回転速度である。明らかに、この機械は意識的にそれを望んでいるのではない。機械の「目標」とは、機械がそこへもどろうとするその状態だ、と単純に定義できる。現代の目的機械は、いっそう複雑な「生きているかのような」行動を達成するために、負のフィードバックのような基本原理を拡大して利用している。たとえば、誘導ミサイルは一見積極的に目標を探しているかのようにみえる。そして射程内に標的をみつけると、標的が逃げようとしてジグザグに進んだり、方向を変えたりするのを勘定(かんじょう)に入れて、ときにはそれを「予測」すらして追いかけるようにみえる。こうしたことがおこなわれる方法の詳細にここで立ち入る必要はあるまい。それには、さまざまな種類の負のフィードバック、「正のフィードバック」、および、技術者にはよく理解されており現在では生物体の活動に広く含まれていることがわかっているその他の原理が含まれている。わずかなりとも意識に類するものを仮定する必要はまったくない。たとえ、しろうとがその慎重で意図的にみえる行動をみて、ミサイルが人間のパイロットによって直接制御されていないことを信じられないとしても、である。

誘導ミサイルのような機械はもともと意識のある人間の手で設計され造られたのだから、まさに意識ある人間に直接に制御されていることになると考えるのは、よくある誤りである。この種の誤解のもう一つの例は、「コンピュータは技師が命じたことしかできないのだから、コンピュータは本当の意味でチェスをプレイしているわけではない」というものである。これがなぜ誤解なのかを理解する必要がある。遺伝子が行動を「制御」しているといいうる意味を理解するうえで重要だからだ。コンピュータのチェスはこの点を説明するのにたいへんよい例なので、簡単に触れておくことにしよう。

コンピュータはまだ名人とわたりあえるほどチェスがうまくはないが、うまいアマチュアの域には達しているだろう。より厳密には、うまいアマチュアの水準に達しているのはプ、ロ、グ、ラ、ムのほうだというべきであろう。というのは、チェスをおこなうプログラムは、その技を演じるのにどのコンピュータをつかおうとかまわないからである。では、プログラム作成者の役割はなんなのだろう？　第一に彼は明らかに、糸を引っぱるあやつり人形師のようにたえずコンピュータを操作しているわけではない。それだったらコンピュータがチェスをしていることにはならない。彼はプログラムを書き、コンピュータに入れる。するとそのときからコンピュータは独立する。つまり、自分の手をコンピュータに打ちこむ対戦者を除けば、もう人間の介入はいらないのである。プログラム作成者は、可能性のあるこまの位置をすべて予測し、万一おこるかもしれないそれぞれのこまの位置に対するうまい手を、長いリストにしてコンピュータにあてがうのだろうか？　そうでないことはほぼまちがいない。チェスでは可能性のあるこまの位置はやたらに多くて、それを全部書きだささぬうちにこの世に終りがくるほどだからである。同じ理由から、必勝の作戦がみつかるまで、可能性のあるあらゆる手と可能性のあるあらゆる読みを「空で」試すようにコンピュータのプログラムを組むことはできない。可能なチェスのゲームは銀河系の原子の数より多いのである。コンピュータにチェスをさせるプログラムを組むことに関するささいな未解決問題にこれ以上深入りするのはやめにしよう。じつは、それはたいへんむずかしい問題であり、もっともよくできたプログラムでさえいまだ名人の域に達しないのもいたしかたないのである。

プログラム作成者の役割は、むしろ、息子にチェスを教える父親の役どころに近い。彼はコンピュータに、可能性のあるあらゆる出発位置について、個別にではなく、より経済的にあらわした規則によって、ゲームの基本的な手を教える。彼は文字どおりにわかりやすく「ビショップは対角線上を動く」とはいわずに、同じことを数学的にこんなふうに（ただしもっと簡単に）いう。「ビショップの新たな座標は、もとのX座標ともとのY座標の両方に同一定数（ただし符号は必ずしも同じでなくてよい）を加えることによって得られる」。それから彼は、同じ種類の数学的ないし論理的なことばで書かれたある種の「忠告」をプログラムに組みこむ。ふつうのことばでいえば「王を無防備のままにしておくな」といったヒントや、ナイトによる「両取り」のような有効な策略がそれである。この詳細は興味をそそるが、あまり立ち入ると横道にそれすぎることになる。重要なのはこういうことである。コンピュータが実際に勝負をするときには、それはもはや独立しており、先生の手助けはいらない。プログラム作成者にできることは、あらかじめ、特殊な知識のリストと戦略や技術のヒントをバランスよく打ちこんで、コンピュータの態勢をできるだけよい状態にしておくことである。

遺伝子もまた、直接自らの指であやつり人形の糸を操るのではなく、コンピュータのプログラム作成者のように間接的に自らの生存機械の行動を制御している。彼らにできることは、あらかじめ生存機械の体勢を組み立てることである。その後は、生存機械が独立して歩きはじめ、遺伝子はその中でただおとなしくしていることができる。彼らはなぜそんなにおとなしくしているのだろう？　なぜたえず手綱(たづな)を握って次々に指示を与えないのだろう？　時間的ずれという問題があってそうできないのだ。このことは、SFからひいた別のたとえをつかうとよくわかる。フレッド・ホイルとジョン・エリオットの著書『アンドロメダのA』は心ときめく物語である。そして、すぐれたSFはいずれもそうだが、その背景には興味ぶかい科学的な問題点がいくつか含まれている。妙なことに、この本は、これら基礎となる問題のもっとも重要な点について、はっきりした叙述を欠いているようにみえる。それは、読者の想像にまかされている。私がここでそれをはっきり書いても、著者たちはどうか気を悪くしないでいただきたい。

　二〇〇光年のかなたにあるアンドロメダ座に、ある文明がある。[*4-2]彼らは自分たちの文化を遠い世界にまで広げたいと考えている。それにはどうしたらいちばんよいだろうか？　直接旅するなど論外である。光速は、宇宙のある場所から別の場所へ移動できる速さに理論的な限界をもうけている。しかも物理的問題を考えると、事実上の限界はさらに低い。そのうえ、すべての世界が行くに値するわけではない。どの方向に進むべきかをどうやって知ればよいのだろう？　無線は宇宙の他の場所と交信するよい手段である。というのは、一方向に信号をビームで送るのでなくあらゆる方向に信号をばらまける力があれば、非常に多数の世界（その数は信号が進む距離の二乗に比較して増える）に到達できるからである。しかし、無線の電波は光速で進む。ということは、その信号はアンドロメダから地球まで二〇〇年かかるということである。このような距離で困るのは、決して会話がなりたたないことである。地球から送られるメッセージが、それぞれ一二世代をへだてた人々によって伝えられるという事実を割引いて考えても、このような距離において話を交わそうとする試みは、明らかにむだなことである。

この問題は近々にわれわれにも現実のものとなってくるであろう。無線電波が地球と火星の間を進むのに約四分かかる。宇宙旅行士が短い文章で交互に話を交わすという習慣をすて、会話というより手紙に近い、長い独りごとを用いねばならなくなることはまちがいなかろう。もう一つ例をあげるなら、ロジャー・ペインが指摘しているように、海はある独特な音響特性をそなえている。つまり、一部のクジラ類がある一定の深さのところを泳いでいるときには、クジラたちのとてつもなく大声の「歌」は理論上世界中あらゆるところできこえるはずである。彼らが実際に非常に遠くにいる仲間と交信しているのかどうかはわからないが、もしそうだとすれば、彼らはおそらく、火星にいる宇宙飛行士と同じ困難に直面しているにちがいない。水中の音速からすると、その歌が大西洋を横断して応えがかえってくるのにほぼ二時間かかる。私は、一部のクジラが、互いに応えあったりしないまま、まる八分間も続けてひとりごとをいうのは、このためではないかと思う。彼らは、その後歌の最初にもどって、ふたたびその歌全部をくりかえし、毎回約八分つづく全サイクルを何度もくりかえすのである。

くだんの物語のアンドロメダ星人も同じことをした。応えを待っていても仕方がないので、いいたいことをすべて集めて、延々と続く大メッセージにし、数ヶ月一サイクルで何度もくりかえし、宇宙に向けて放送した。しかし彼らのメッセージはクジラのそれとはまったくちがっていた。それは、巨大なコンピュータの建設とプログラム作成に関する暗号化された指令であった。もちろんその暗号は人間の言語であらわされてはいないが、熟練した暗号解読者の手にかかると、ほとんどどんな暗号でも解読されてしまうものなのだ。とくに、暗号作成者がわざと簡単に解けるようにつくった場合にはそうである。ジョドレル・バンク電波望遠鏡に拾われたこのメッセージは、実際に解読され、コンピュータが組立てられ、プログラムが流された。結果は、危(あや)うく人類の破滅を招くところだった。アンドロメダ星人の意図はすべからく利他的なものではなかったからだ。このコンピュータは世界の独裁権を握りかけたが、ついに英雄があらわれ、一本の斧(おの)でコンピュータをたたきこわしたのであった。

われわれの観点から興味ぶかいのは、アンドロメダ星人が地球上の出来事を操っているといえるのはどういう意味でか、という問題である。彼らは、コンピュータが次々におこなうことを直接制御したわけではない。じっさい彼らは、コンピュータがつくられたことを知ることすらできなかったのだ。なぜなら、その情報が彼らのもとに届くには二〇〇年かかるのだから。コンピュータは主人に一般方針の指示をあおぐことさえできなかった。破ることのできない二〇〇年という壁のために、その指令はすべて前もって組込まれていなければならなかった。原則的には、それは、チェスをするコンピュータの場合とそっくりにプログラムされていたのであろうが、局部的情報の吸収に関する能力と融通(ゆうずう)性はずっと大きかったにちがいない。これは、そのプログラムが地球上だけでなく、進んだ技術をもっていればどんな世界でも、つまり、アンドロメダ星人がくわしい状態を知る由(よし)もなかった一連の世界のいずれにでも通用するように設計されていなければならなかったからである。

アンドロメダ星人が、自分たちに有利なように日々の決定を下すためには地球上にコンピュータをもたねばならなかったのとまさに同じように、われわれの遺伝子は脳を築かねばならない。しかし遺伝子は、暗号化した指令を送ったアンドロメダ星人に相当するばかりではない。彼らはその指令そのもののでもあるのだ。遺伝子がわれわれあやつり人形の糸を直接操ることができない理由は、まさに同じこと、つまり時間のずれにあるのである。遺伝子はタンパク質合成を制御することによってはたらく。これは、世界を操る強力な方法であるが、その速度はたいへん遅い。胚をつくるには、何ヶ月もかけて忍耐強くタンパク質合成の糸を操らねばならない。一方、行動の特徴は速いことである。それは数ヶ月という時間単位ではなくて、数秒あるいは数分の一秒という時間単位ではたらく。この世に何かがおこり、フクロウが頭上をサッと飛び去り、丈（たけ）の高い草むらがカサカサとなって獲物の居どころを知らせ、一〇〇〇分の一秒単位で神経系がピリリと興奮し、筋肉がおどり、そしてだれかの命が助かったり、失われたりする。遺伝子はこのような反応時間をもちあわせていない。遺伝子にできるのは、アンドロメダ星人と同様に、自らの利益のためにコンピュータを組立て、「予測」できるかぎりの不慮の出来事に対処するための規則と「忠告」を前もってプログラムして、あらかじめ最善の策を講じておくことだけである。しかし、チェスのゲームがそうであるように、生物はあまりに多くのさまざまな出来事にであう可能性があり、そのすべてを予測することはとうていできない。チェスのプログラム製作者の場合と同様に、遺伝子は自らの生存機械に生存術の各論ではなくて、生きるための一般戦略や一般的方便を「教え」こまねばならないのだ。[*4-3]

J・Z・ヤングが指摘しているように、遺伝子は予言に似た作業をおこなわねばならない。生存機械の胚（はい）がつくられているとき、その胚の生命の危険や問題は未来にある。どんな猛獣（もうじゅう）がどんなやぶかげにひそんでいるか、どんな足の速い獲物が目の前に飛び出しジグザグに駆けぬけるか、だれにいえよう。人間の予言者にも、どんな遺伝子にもそれはいえない。だがある程度の予測はつく。ホッキョクグマの遺伝子は、やがて生まれてくる生存機械の未来の環境が寒いものであることをまちがいなく予測できる。その遺伝子は考えて予言しているのではない。まったく考えてなどいない。彼らはただ黙々とぶ厚い毛皮をつくる。これは、彼らが以前の体でつねにやってきたことであり、彼らがまだ遺伝子プール内に存在する理由であるからだ。彼らはまた、地面に雪がつもることを予言し、その予言は毛皮を白くカムフラージュするという形をとる。北極の気候が急に変わり、赤ん坊グマが熱帯の砂漠のどまん中に生まれたりしたら、その予言ははずれ、彼らは罰(ばつ)を受けるにちがいない。仔グマは死に、その中の遺伝子も滅びるであろう。

複雑な世界を予言することはリスクを伴う仕事である。生存機械が下す決定はすべて賭けである。そして、平均してうまくいく決定を下すように脳をあらかじめプログラムしておくのが、遺伝子の仕事である。進化のカジノでつかわれる通貨は生存である。それは、厳密にいうなら遺伝子の生存であるが、いろいろな点からみて、個体の生存をその妥当な近似としてよい。もし、水を飲みに水場におりていくなら、水場に近づく獲物を待ち伏せて生活をたてている捕食者に食べられる危険が高くなる。水場におりていかなければ、ついには渇いて死ぬであろう。どちらをとるにせよ、危険はあるが、自分の遺伝子が生き残る機会を長い目でみて最大にするような決定を下さねばならない。おそらく最善の策は、喉(のど)が渇(かわ)ききってがまんできなくなるまで飲みにいくのを遅らせ、それから降りていって、長時間もちこたえられるようにたっぷりと飲むことであろう。こうすれば、水場へ行く回数を減らすことができる。だがこの場合には、最終的に水を飲むときに、長時間頭を下げていなければならない。これにかわるもっともよい賭けは、少しずつ飲むことかもしれない。水場のそばを駆けぬけぎわに、大急ぎでガブガブッとやるのだ。賭けの作戦としてどれがもっともよいかは、さまざまな複雑な事情による。たとえば、捕食者の狩猟習性などがそれだが、これは、それぞれの捕食者の立場から最大の効果をあげるように進化している。賭けの見込みについてはなんらかの評価をくださねばならない。とはいえ、もちろん動物が意識的に計算すると考える必要はない。なるべく正しい賭けのできるような脳を遺伝子がつくってくれた個体が、その直接の結果としてよりよく生き残り、したがってその同じ遺伝子をふやしていくだろうと考えればよいのだ。

ギャンブルの比喩をもう少しつかうことにしよう。ギャンブラーは主として、賭け金と勝算と賞金という三つの量を考えに入れなければならない。賞金が大きければ、喜んで大きな賭け金を賭けるであろう。一攫千金をねらうギャンブラーは、大もうけをするかもしれない。また大損をするかもしれない。しかし平均すると、大金を賭けるギャンブラーは、少ない賭け金で少ない賞金をねらう勝負師とくらべて、かせぎはよくも悪くもない。同じことは、株式市場での投機的な投資家と着実な投資家との場合にもいえる。ある点では、株式市場の例はカジノの例よりいっそうよく似ているといえよう。なぜなら、カジノは、胴元に有利になるようにあらかじめ準備されているからだ（ということは、厳密にいえば、賭け金の多い勝負師は賭け金の少ない勝負師より割が悪いし、賭け金の少ない人もまったく賭けない人より分が悪いことになる。だが、これはある理由からわれわれの論議にはあまり関係がない）。これを無視すれば、賭け金の大きい賭博も賭け金の少ない賭博もどちらも理にかなっているように思われる。動物にも、大きな賭け金をつむギャンブラーや、もっと控えめなゲームをするものがいるだろうか？9章で述べるように、雄は賭け金が高く危険も大きいギャンブラー、雌は着実な投資家とみたてることができる。とくに、雄どうしが雌をめぐって争う一夫多妻型の種ではそうである。この本を読んでいるナチュラリストには、賭け金が大きく危険も大きい勝負師とみなしうる種や、もっと控えめな勝負をする種が思いあたるであろう。さてここで、遺伝子がどのように未来を「予言」するかという、より一般的なテーマに話をもどそう。

いささか予言不能な環境を予言するという問題を解決するために遺伝子がとる方法の一つは、学習の能力を組みこむことである。この場合、プログラムは、生存機械に次のような指令をおこなうものであろう。「ここに報酬（ほうしゅう）となる事物のリストがある。すなわち、甘い味、オルガスム、穏やかな気候、ほほえんでいる子ども。そしていやな事物のリストがある。すなわち、種々の苦痛、吐き気、空腹、泣いている子ども。もし何かをして、その後にいやなことがおこったら、ふたたびそれをしてはならない。だがいいことがおこったら、そのことをくりかえすがいい」。このようなプログラムの利点は、最初のプログラムに組みこまねばならない細かい規則の数を大幅に減らせることと、くわしく予測できない環境の変化に対処できることである。だが一方、予言されずじまいになっていることがある。今あげた例では、遺伝子は、砂糖の摂取や交尾が遺伝子の生存に都合がいいという意味で、口の中の甘い味やオルガスムは「よいこと」であるはずだ、と予言している。この例では、サッカリンやマスターベーションの可能性は予測されていないし、砂糖が不自然に多すぎる今日の環境下での砂糖のとりすぎも予測されていない。

チェスをするコンピュータのプログラムの中にも学習戦略を使用しているものがある。このようなプログラムは、人間や他のコンピュータを相手に勝負するにつれて実際にチェスがうまくなってくる。それらは規則や戦術のレパートリーをそなえているが、その決定の手順には多少ランダムな傾向も組みこまれている。このようなコンピュータは過去の決定を記録してゆき、勝負に勝つたびに、勝利につながった戦術にいくぶん多くウェイトがおかれるようになり、次回にその戦術をふたたび選ぶ率が少し高くなるのである。

未来を予言する方法のうちもっとも興味ぶかいものの一つは、シミュレーションである。ある将校がどの作戦計画がすぐれているかどうか知りたいと思ったとき、それを予言するのはむずかしい。天気にも、自分の部隊の士気にも、敵の作戦にも未知の要素がある。それがよい計画かどうか知る一つの方法は、それを試してみることであるが、「お国のために」死ぬ覚悟の若者がどれだけいても限りがあるし、可能な作戦計画は非常に多いということからしても、さまざまな計画を思いつくままをすべて試してみるのは望ましいことではない。命を賭けて真剣におこなうより、模擬的に種々の作戦計画を試してみるほうがいい。これは、空の弾薬をつかって「北」と「南」が戦う大演習になることもあろうが、これでも時間と資材が不経済である。さらにむだを省くには、大きな地図の上でブリキの兵隊とおもちゃのタンクを動かして戦争ごっこをすればよい。

最近では、軍事戦略ばかりでなく、経済、生態学、社会学その他、未来の予言を必要とするあらゆる分野で、コンピュータが大部分のシミュレーションをひきうけている。その技術は次のようにはたらいている。世界のある側面をコンピュータにセットする。といってもこれは、コンピュータの裏ぶたをはずせば、中に、シミュレートされたものと同じ形の小さな模型がみられるということではない。チェスをするコンピュータの記憶装置の中に、ナイトや歩の載ったチェス板とみなせる「想像図」があるわけでもない。チェス板とその現在位置は電子的に記号化された数値の表であらわされている。われわれにとっての地図とは、世界の一部を二次元に圧縮した縮尺模型である。コンピュータにとっての地図は、おそらく、町やその他の地点をそれぞれ緯度と経度という二つの数値であらわした表であるにちがいない。ともあれ、コンピュータが頭の中で世界の模型をどのように把握しているかは重要でない。それを操作でき、処理でき、それをつかって実験できる形で把握しているならば、そして人間のオペレータが理解できるように報告をかえしてくれるならば、それでよいのだ。シミュレーション技術の中で、モデル戦争は勝つこともあれば負けることもあるし、シミュレートされた航空機は飛ぶこともあれば墜落することもある。経済政策は繁栄を導くこともあるし破滅に帰着することもある。いずれの場合も、コンピュータでは、全過程にかかる時間は実生活でかかる時間の何分の一かですむ。もちろんすぐれた世界モデルもあれば、できの悪いモデルもあるし、すぐれたモデルでさえ単なる近似にすぎない。シミュレーションの結果、実際におこることを必ずしも正確に予言できるとは限らないが、めくらめっぽうの試行錯誤よりはずっとましである。シミュレーションは、代理試行錯誤と名づけることができよう。残念ながらこれは、ずっと以前にネズミ心理学者によってつかわれたことばではあるが。

シミュレーションがそんなにいい思いつきなのであれば、生存機械はとっくの昔にそれをみつけていたはずである。いずれにせよ生存機械は、人間の用いているその他のさまざまな工学技術をわれわれが登場するずっと以前に、発明している——焦点レンズ、放物面鏡、音波の周波数分析、サーボ機構（位置や速度を制御するための自動制御系）、ソナー、入力情報の緩衝(かんしょう)記憶装置、その他長い名のついた無数の技術（それらの詳細は重要でない）がそれである。シミュレーションについてはどうであろう？　おそらく、あなた自身が未来の未知数を見積るというむずかしい決定を迫られたとき、あなたはきっとシミュレーションという形をとるにちがいない。あなたは、あなたがとりうる道のそれぞれをとったときに、どんなことがおこるかを想像する。頭に描くのは、世界のあらゆるもののモデルではなく、関係があると思われる限られた一連のもののモデルである。あなたは、それらを生き生きと心に描くこともあろうし、それらの型どおりの抽象概念を思い浮かべることもあろう。いずれにせよ、あなたの脳の中のある場所が、想像している出来事の実際の空間モデルであることはありそうもない。しかし、コンピュータの場合と同様に、脳がどのように世界のモデルをあらわすかという細部よりも、脳がそのモデルをつかって可能な出来事を予言しうるという事実のほうが重要である。未来のシミュレーションをおこなえる生存機械は、生身による試行錯誤にもとづいてしか学習できない生存機械より一歩進んでいる。生身による試行の難点は、時間とエネルギーがかかることである。生身による錯誤の難点は、命にかかわることが多いことである。これに対して、シミュレーションはより安全でもあり迅速でもある。

シミュレーション能力の進化は、主観的意識で頂点に達する。なぜそのようなものが生じなければならなかったかは、現代生物学の前に立ちはだかるもっとも深い謎だと私には思われる。電子コンピュータがシミュレーションをおこなうときに意識があると考える理由はないが、彼らが将来そうなる可能性は認めねばならない。たぶん、意識が生じるのは、脳による世界のシミュレーションが完全になって、それ自体のモデルを含めねばならぬほどになったときであろう。*4-4 明らかに、生存機械の四肢と体は、そのシミュレーションされている世界の重要な部分をなしているにちがいない。おそらく同じような理由から、シミュレーションそのものがシミュレートされるべき世界の一部と考えられよう。これをいいかえれば、「自己を知っていること」ということになろうが、私はこれによって意識の進化を十分に説明できるとは思わない。これは一つには、無限の遡及が含まれているからだ——モデルのモデルがあるのならば、なぜモデルのモデルのモデルがないといえよう……？

意識によってどんな哲学的問題が生じようと、この本の論旨でいうならば、意識とは、実行上の決定権をもつ生存機械が、究極的な主人である遺伝子から解放されるという進化傾向の極致だと考えることができる。脳は生存機械の仕事の日々の営みにたずさわっているばかりでなく、未来を予言し、それに従って行為する能力を手に入れている。脳は遺伝子の独裁に叛く力さえそなえている。たとえば、できるだけたくさん子どもをつくることを拒むなどがそれだ。しかし、後に述べるように、この点では人間は非常に特殊なケースなのである。

これは利他主義や利己主義といったいどういう関係があるのだろう？　私は、利他的であるにせよ利己的であるにせよ、動物の行動が、単に間接的であるというだけでじつは非常に強力な意味における遺伝子の制御下にあるという見解を確立しようとしている。生存機械と神経系を組立てる方法を指令することによって、遺伝子は行動に基本的な力をふるっている。しかし、次に何をするかを一瞬一瞬決定してゆくのは、神経系である。遺伝子は方針決定者であり、脳は実施者である。だが、脳はさらに高度に発達するにつれて、しだいに実際の方針決定をも引き受けるようになり、そのさい学習やシミュレーションのような策略を用いるようになった。どの種でもまだそこまではいっていないが、この傾向がすすめば、論理的には結局、遺伝子が生存機械にたった一つの総合的な方針を指令するようになるであろう。つまり、われわれを生かしておくのにもっともよいと思うことをなんでもやれ、という命令を下すようになるであろう。

コンピュータとのアナロジー、人間の意志決定とのアナロジーは、どちらもたいへん結構である。だがわれわれはここで現実問題に戻り、進化は実際には、遺伝子プール内の遺伝子の生存に差があるということを通じて、一歩一歩おこるのだということを思いださねばならない。したがって、行動パターン——利他的なものにせよ利己的なものにせよ——が進化するためには、その行動のための遺伝子が別の行動のためのライバル遺伝子、すなわち対立遺伝子よりも遺伝子プール内でうまく生きのびることが必要である。利他的行動のための遺伝子[*4-5]とは、神経系の発達に影響を与えて、神経系を利他的にふるまいやすくする遺伝子である。ところで、利他的行動の遺伝について何か実験的証拠はあるのだろうか。それはない。だが驚くにはあたらない。どんな行動についても遺伝の研究はほとんどおこなわれていないのだから。そのかわり、あいにく完全に利他的なものとはいえないが、たいへん複雑で興味ぶかい行動パターンの研究について語ろう。この話は、利他的行動がどのように遺伝しうるかを示すモデルとして役立つであろう。

ミツバチは腐蛆病(ふそびょう)という細菌性の伝染病にかかる。これは巣室内の幼虫をおかす病気である。養蜂家に飼われているミツバチでは、ある系統が他の系統よりこの病気にかかりやすい。そして、系統間のこのちがいは、少なくともいくつかの例では、行動のちがいによることがわかっている。いわゆる衛生的な系統は、病気にかかっている幼虫をみつけて、巣室からひっぱりだし、巣の外に放り出し、急いで病気を撲滅(ぼくめつ)してしまう。一方、感染しやすい系統は、この「幼児殺し」をおこなわないため、病気にかかりやすい。この衛生法は実際にはきわめて複雑な行動から成っている。働きバチは病気にかかったそれぞれの幼虫の巣室をみつけ、その巣室のろうのふたをはずし、幼虫をひっぱりだした後、巣の出入口から引きずり出して、ごみ捨て場に捨てねばならない。

ミツバチを使って遺伝の実験をおこなうのは、さまざまな理由から非常にやっかいな仕事である。働きバチ自身は繁殖しないので、ある系統の女王バチと他の系統の雄バチとをかけあわせて、それから生まれた働きバチの行動をみなければならない。これをおこなったのは、W・C・ローゼンブーラーである。彼は、雑種第一代のミツバチがすべて衛生的でないことを見出した。つまり、衛生的な親の行動は失われてしまったようにみえた。だが、やがてわかったのだが、衛生的形質の遺伝子は、人間の青い眼の遺伝子と同様に、ちゃんと存在していた。だが劣性だったのである。ローゼンブーラーが、雑種第一代と衛生的形質の系統とを「戻し交配」してみた（もちろん女王バチと雄バチをつかって）ところ、たいへんみごとな結果が得られた。生まれたミツバチは三つのグループにわかれた。一つのグループは完全な衛生的行動を示した。第二のグループはまったく衛生的行動をとらなかった。第三のグループは中途半端な行動を示した。この最後のグループは、病気の幼虫のいる巣室のろうのふたをはずしたが、最後までやりとげて幼虫を捨てることはしなかったのである。ローゼンブーラーは、ふたをとることに関するのと、幼虫を捨てることに関するのと二種類の遺伝子があるのだと考えた。正常な衛生的系統はその両方の遺伝子をもっており、感染しやすい系統はその二つの遺伝子の対立遺伝子をもっている。途中までしかおこなわない雑種はおそらく、ふたをとる遺伝子を（二倍数で）もっているが、捨てるほうの遺伝子をもっていないのであろう。ローゼンブーラーは、まったく非衛生的にみえるミツバチのグループの中に、幼虫を放りだすための遺伝子はもっているのだがふたをとるほうの遺伝子を失ったために、その能力があらわれないグループがかくされているのではないかと考えた。そこで彼は自分でふたをはずしてやり、この推測の正しさをみごとに証明した。非衛生的にみえるミツバチの半数は、このときまったく正常な幼虫捨て行動を示したのである[*4-6]。

この話は、前章ででてきた数々の重要な問題点を例証している。この話から、たとえ遺伝子から行動に至る、胚発生上の原因の化学的な連鎖がどのようなものかをまったく知らなくてさえ、「何々行動のための遺伝子」という言い方をして、いっこうにかまわないといえる。原因の連鎖には学習が含まれていることさえわかるかもしれない。たとえば、ふたをとるための遺伝子は、ミツバチが病気に感染したろうの味を好むようにすることによってその効果を発揮するのかもしれない。つまり、彼らにとっては病気の犠牲者をおおっているろうのふたを食べることが報酬になり、そのためにそれをくりかえすようになる、ということである。たとえ遺伝子のはたらき方がこうであったとしても、他の条件が同じときに、その遺伝子をもっているハチはふたをとり、もっていないハチはふたをとらないのであれば、それはまさに「ふたをとるための」遺伝子だといってよいのである。

第二に、それは、遺伝子たちがその共有の生存機械の行動に「協力しあって」作用をおよぼすという事実を示している。幼虫を捨てる遺伝子は、ふたをとる遺伝子がなければ役に立たないし、その逆もいえる。しかし遺伝実験からはっきりわかるように、この二つの遺伝子は世代を下る旅では原則としてまったく別々に行動する。その働きをみるかぎり、それらは単一の協同単位と考えられるが、複製のさいには二つの自由な独立した因子なのである。

議論をすすめるために、あらゆる種類のありそうもない事柄をおこなうための遺伝子について考えてみる必要がありそうだ。けれど、私がたとえばかりに「溺(おぼ)れかけている仲間を救うための」遺伝子について述べ、あなたがそのような概念は信じがたいと思ったら、衛生的なミツバチの話を思いおこしてほしい。複雑な筋収縮や感覚統合、さらには意識的な決断に至るまで、溺れかけているものを助けることに含まれるあらゆることの唯一の原因が遺伝子だといっているのではないことに注意してほしい。学習や経験、あるいは環境の影響が行動の発達にかかわるかどうかという問題については何もいっていない。認めねばならないことは、他の条件が同じであり、かつ他の多数の重要な遺伝子や環境要因が存在しているならば、ある単一の遺伝子が対立遺伝子にくらべて、溺れかけているものをいっそうよく助けてやりそうな体をつくることがありうるということである。二つの遺伝子間のちがいが、じつはある単純な量的変数のわずかな差にすぎないことがわかる場合もあろう。胚発生の詳細な過程は、興味ぶかいものではあるけれども、進化的な考察には関係がない。コンラート・ローレンツはこの点をみごとに指摘している。

遺伝子はマスター・プログラマーであり、自分の生命のためにプログラムを組む。遺伝子は、自分の生存機械が生涯に出遭うあらゆる危険を処理するにさいしての、そのプログラムの成功不成功によって裁かれる。その判事は生存という法廷の情容赦のない判事である。遺伝子の生存が、一見利他的行動のようにみえるものによってうながされうるという点については後ほど触れる。ともあれ、生存機械と生存機械のための決断をおこなう脳とにとってもっとも重要なのは、個体の生存と繁殖である。この「コロニー」内の全遺伝子は、一致してこの二つのことに優先権を認めている。だから動物たちは、食物を見つけつかまえるために、自分がつかまって食べられないために、病気や事故を避けるために、不都合な気候条件から身をまもるために、異性をみつけて交尾に誘うために、自分たちが享受しているのと同じようなことを子どもたちに授けるために、いかなる労をもいとわない。あえて例をあげるまでもあるまい――例をお望みなら、今度出会った野生動物をとくと観察されるのがよかろう。けれど私はある類いの行動についてはちょっと述べておきたい。のちに利他主義と利己主義の話をするときに、ふたたびこの問題に言及しなければならないだろうからだ。それは、広くいってコミュニケーションと名づけうる行動[*4-7]である。

　ある生存機械が別の生存機械の行動ないし神経系の状態に影響を及ぼすとき、その生存機械はその相手とコミュニケーションしたということができよう。これは末永く主張したいほどの定義でもないが、当面の目的には十分である。影響というのは、直接の因果的影響をさす。コミュニケーションの例は無数にある。鳥やカエルやコオロギの鳴き声、イヌの尾を振る動作や毛を逆立てる行動、チンパンジーの歯をむき出すしぐさ、人間の身ぶりやことばなど。生存機械の数々の動作は、他の生存機械の行動に影響をおよぼすことによって間接的に自分の遺伝子の繁栄をうながす。動物たちはこのコミュニケーションを効果的にするために骨身を惜しまない。小鳥の歌は昔から人々の心を魅了してきた。すでにふれたように、ザトウクジラのたいへん凝った神秘的な歌はその音域がとてつもなく広い。つまりその周波数範囲は可聴域以下のゴロゴロ音から超音波のキーキー音まで、人間の聴力の全域をはるかに超えている。ケラは丹念に昔の蓄音機のホーンのような形の穴を掘り、その穴の底で鳴いて、自分の鳴き声を大きな音に増幅する。ミツバチは食物の方向と距離について他のハチに正確な情報を伝えるために暗闇の中でダンスをする。そのコミュニケーションの巧妙さは人間のことばにも匹敵する。

エソロジストの伝統的な説によれば、コミュニケーションの信号は、送信者と受信者の両方が互いに利益をうけるように進化するという。たとえば、ヒヨコは迷い子になったり寒かったりするとピーピーとかん高い鋭い声を発して、母親の行動に影響を与える。この声はふつうは母鳥を呼びよせるという直接の効果をもっており、母鳥はその雛を雛の群れに連れ戻す。この行動は、自然淘汰が、迷い子になって鳴いた雛とその鳴き声に適切に反応する母鳥とに有利にはたらいたという意味で、相互の利益のために進化したといえよう。

望むならば（ほんとうは必要ないのだが）、この鳴き声をある意味をもったもの、つまり情報（この場合には「迷い子になったよ」という情報）を伝えるものと考えることができる。1章で述べた小鳥の警戒声は、「タカがいるぞ」という情報を伝えるものだといえよう。この情報を受けとりそれに従って行動する動物は利益をうける。したがって、この情報は真実だといえる。だが動物たちは誤った情報を伝えないものだろうか、彼らはうそをつかないものだろうか？

動物たちがうそをつくという概念は誤解を招きやすいので、前もってことわっておかねばならない。私は、ピアトリスとアレン・ガードナーの講義に出席して、彼らの有名な「話をする」チンパンジー、ワシュー（このチンパンジーはアメリカ式手話法をつかう。そのみごとな出来ばえは言語学者の間に大きな関心をよびおこした）の話を聴いたときのことを思いだす。聴衆の中には何人かの哲学者がいた。講義の後の討論のさい、彼らは、ワシューがうそをつくかどうかという問題で大いに議論を戦わせた。私は、ガードナー夫妻が、論じるならもっとおもしろいことがあると考えているのではないかと思った。私も、同感であった。この本では、あの哲学者たちよりずっと率直に「だます」とか「うそをつく」ということばをつかっている。彼らはだまそうとする意識的な意図に関心を示した。私は単にだますのと機能的に等しい効果をもつということについて述べている。たとえば、ある小鳥がタカのいないときに「タカがいるぞ」という信号をつかい、それによって仲間をこわがらせて追い払い、食物をひとり占めしたとしたら、この鳥はうそをついたといってよい。この鳥が故意に意識的にだまそうと意図したというつもりはない。意味しているのは、うそつきの鳥が他の鳥の犠牲によって食物を獲得したということと、他の鳥が逃げたのは、ほんとうにタカがいる場合に適した方法でうそつき鳥の叫び声に反応したためだということだけである。

食べても毒にならない多くの昆虫は、前章で述べたチョウのように、他の味の悪い昆虫や刺す昆虫の姿に擬態することによって身を守っている。われわれ自身、うっかりして黄と黒の縞(しま)のあるヒラタアブをハチだと思いこむことがよくある。ミツバチに擬態したいくつかのアブは、そのだまし方がさらに完璧である。捕食者もまたうそをつく。イザリウオは海底で背景にとけこんで、辛棒(しんぼう)づよく待つ。唯一の人目をひく部分は、頭のてっぺんからのびている長い「つりざお」の先でミミズのようにのたうつ肉片である。小さな肉食魚が近づいてくると、イザリウオはその小魚の前でこのミミズのような餌(えさ)をおどらせ、隠れた自分の口のあたりにおびきよせる。それからイザリウオはいきなり口を開け、小魚は吸いこまれて食べられてしまう。イザリウオは、のたうつミミズのようなものに近づくという小魚の性質を利用してうそをつくのである。イザリウオは「ここにミミズがいるよ」といい、そのうそを「信じた」小魚はみなただちに食べられてしまうのだ。

ある種の生存機械は、他の生存機械の性的欲望を利用する。ハナバチランは、ハナバチを自分の花と交尾させる。というのは、その花が雌のハナバチにそっくりだからだ。このランがハナバチをだまして手に入れるものは受粉である。二株のランにだまされたハナバチは、心ならずも花から花へ花粉を運んでしまうことになるからである。ホタルは光を点滅させて交尾相手をひきつける。それぞれの種は自種に特有の点滅パターンをもっていて、それによって種間の混乱とその結果おこる有害な雑交を防いでいる。特定の灯台の点滅パターンを捜す船員のように、ホタルも自種の信号になっている点滅パターンを捜すのである。フォトゥリス属（*Photuris*）の雌は、フォティヌス属（*Photinus*）の雌の点滅信号をまねれば、フォティヌス属の雄をおびきよせられることを「発見」した。フォトゥリスの雌はこれを実行している。そしてフォティヌスの雄がこのうそにだまされて近づいていくと、彼はたちどころにフォトゥリスの雌に食べられてしまう。セイレーンやローレライの話がすぐに頭にうかぶが、コーンウォル地方の人々なら、むしろ、ちょうちんをつかって船を岩場におびきよせ、難破船からほうり出された積荷を略奪したという昔の海賊のことのほうを思いだすであろう。

コミュニケーションのシステムが進化するときには、あるものがそのシステムを自分だけの目的に利用しようとする危険がつねに存在する。われわれは「種にとっての善」という進化観で教育されてきたので、ともすればうそつきや詐欺師（さぎし）は捕食者や獲物、寄生者などと同じように、別の種に属するものと考えがちである。しかし、異なる個体の遺伝子の利害が多様化してゆけば、つねに、うそやだましや、コミュニケーションの利己的な利用がおこりうるものと考えねばならない。これは同一種の個体間にもいえる。後に述べるように、子どもが親をだましたり、夫が妻を欺（あざむ）いたり、兄弟どうしがうそをついたりすることすら予想しなくてはならないのである。

動物のコミュニケーション信号はもともと互いの利益を育むために進化したのであって、その後意地の悪い連中に悪用されるようになったのだと信じるのも、やはり単純にすぎる。動物のあらゆるコミュニケーションには、そもそも最初からだますという要素が含まれているのではなかろうか。なぜなら、動物のすべての相互作用には少なくともなんらかの利害の衝突が含まれているからだ。次章では、進化の観点からみた利害の衝突に関する有力な考え方を紹介しよう。

5 攻撃
──安定性と利己的機械

この章ではその大半を、誤解の多い攻撃の話題にあてることにしよう。ひきつづき、個体を、自分の遺伝子全体にとって都合のよいことなら何でもみさかいなくおこなうようにプログラムされた、利己的な機械とみなすことにする。これは便宜上のことばである。この章の章末では、ふたたび個々の遺伝子のことばにもどることにしよう。

ある生存機械にとってみれば、(自分の子どもあるいは近縁個体でない)他の生存機械は、岩や川や一塊の食物などとともに、環境の一部である。それは邪魔(じゃま)なものであることもあれば、利用できるものであることもある。それは、一つの重要な点で岩や川と異なっている。つまり、えてして反撃してくる可能性があることだ。これは、それらの生存機械もまた、未来のために自分の不死身の遺伝子を維持し、やはり遺伝子をまもるためにはなにごともためらわぬ機械だからである。自然淘汰によって選ばれるのは、環境をもっとも有効に利用するように自分の生存機械を制御していく遺伝子である。これには、異種、同種をとわず他の生存機械をもっともうまく利用するということも含まれている。

ある場合には、生存機械は互いの生活にあまり影響をおよぼしあっていないようにみえる。たとえば、モグラとクロウタドリは食ったり食われたりすることもないし、交尾をすることもないし、生活場所をめぐって争うこともない。それでも、彼らをまったく独立した存在とみなしてはならない。彼らはなにかをめぐって、おそらくミミズをめぐって争っているであろう。こういったからといって、モグラとクロウタドリがミミズで綱引きしている姿がみられるというのではない。実際、クロウタドリは生涯モグラを目にすることがないかもしれない。しかし、もしモグラの個体群を根絶やしにしたとしたら、クロウタドリは劇的な影響をうけるにちがいない。その詳細がどうであって、どのような紆余曲折を経て影響がおよぶのかというところまであてずっぽうをいうことは、私にはできないが。

　異なる種の生存機械どうしはさまざまな方法で影響をおよぼしあっている。彼らは捕食者であったり、獲物であったり、寄生者であったり、寄主であったり、ある乏しい資源をめぐる競争相手であったりする。また、ミツバチが花粉運搬者として花に利用される場合のように、特殊な形で利用しあうこともある。

　同種の生存機械どうしはもっと直接的な形で互いの生活に影響をおよぼしあう。これにはいろいろ理由がある。一つには、自種の個体群の半数はつがいの相手になりうる個体であり、子どもたちが搾取できる勤勉な親になりうる個体であるからだ。もう一つの理由は、同種のメンバーが、互いによく似ており、同じような場所で同じような生活手段を用いて遺伝子をまもっている機械であるため、生活に必要なあらゆる資源をめぐる直接の競争相手だということである。一羽のクロウタドリにとって、モグラは競争相手ではあるが、別のクロウタドリほど重大な競争相手ではない。モグラとクロウタドリはミミズをめぐって争うが、クロウタドリどうしはミミズおよびその他あらゆるものをめぐって争っている。彼らが同性であれば、交尾相手をめぐっても争うことになろう。後に述べる理由から、ふつう雄が、雌をめぐって争うのである。これは、ある雄が競争相手の雄にとって有害なことをすれば、自分の遺伝子を有利に導けるということを意味している。

そうであれば、生存機械にとって論理的に正しい方針は、自分のライバルを殺し、できれば食べてしまうことであるように思われるかもしれない。けれど、同種殺しや共食いはじっさい自然界にみられないことではないが、遺伝子の利己性理論の素朴な解釈から予測されるほどふつうではないのである。現に、コンラート・ローレンツは、『攻撃』の中で、動物の戦いが抑制のきいた紳士的なものであることを強調している。彼が注目しているのは、動物の戦いが、ボクシングやフェンシングのようなルールにしたがって戦われる、形式的な試合だという点である。動物たちはグローブをはめたこぶしや先を丸くした剣で戦う。威嚇やこけおどしが命を賭けた真剣勝負にとってかわっているのだ。勝者は降伏のしぐさを認め、なぐり殺すとか咬み殺すとかいう、われわれの素朴な考えから予見されそうな行動を差し控える。

動物の攻撃は抑制のきいた形式的なものだとするこの解釈には反論の余地がある。とくに、あわれなホモ・サピエンスだけが自種を殺す唯一の種であり、カインの刻印ないし同様のメロドラマ的な罪を背負った種だと非難するのは、明らかにまちがいである。ナチュラリストが動物の攻撃の狂暴さを強調するか、抑制を強調するかは、一つにはその人が観察してきた動物の種類によって、一つにはその人の進化論上の先入観によってきまる。ローレンツは要するに「種にとっての善」主義者なのだ。動物の戦いはグローブをはめたこぶしによるものだとする見方は、誇張されすぎたとはいえ、少なくともある程度の真実はあるように思われる。表面的には、これは一種の利他主義のようにみえる。遺伝子の利己性理論は、これを説明するというむずかしい仕事に立ち向かわねばならない。動物たちがあらゆる機会をとらえて自種のライバルを殺すことに全力を尽したりしないのは、なぜなのだろう？

この問いに対する一般的な答えは、徹底したけんか好きには利益（利得）と同時に損失（コスト）もあり、しかもそれが、時間とエネルギーの損失ばかりではない、というものである。たとえば、BとCは二人とも私のライバルであって、私がたまたまBに出会ったとする。利己的な個体である私が彼を殺そうとするのは、当たり前だと思われよう。だがちょっと待て。Cもまた私のライバルであり、同時にCはBのライバルでもある。私がBを殺せば、親切にもCのライバルを一人とりのぞいてやることになるではないか。Bを生かしておいたほうがいい。そうすれば、彼はCと争ったり戦ったりするだろうから、私には間接的に利益になるはずだ。この単純な仮定の例から導かれる教訓は、ただやたらにライバルを殺そうとすることにははっきりした利点がない、ということである。大きく複雑な競争システムの中では、目の前のライバルを一個体とりのぞいても必ずしも都合のいい結果にはならない。そのライバルの死によって、当人よりも他のライバルたちのほうが得をするかもしれないからである。これは、害虫防除の関係者たちによって学ばれた苦い教訓でもある。農作物がひどい虫害をうけたとき、よい根絶法を発見し、喜び勇んでその方法を施す。その結果はただ、その害虫の絶滅によって作物よりも別の害虫が勢いを得、前よりいっそうひどい状態におちいるだけなのだ。

一方、ある特定のライバルをはっきり見きわめて殺すか、少なくともそれと戦うことは、よい方法であるように思われる。もしBが雌のたくさんいる大きなハーレムをもったゾウアザラシであり、別のゾウアザラシである私は彼を殺すことによってそのハーレムを手に入れることができるというのであれば、私はそうしてみたくなるにちがいない。しかし、たとえ相手を選んで戦いをいどんだところで、損失と危険はつきまとう。Ｂが反撃にでて価値ある財産をまもることは、彼の利益につながるのだ。もし戦いをはじめたら、私の死ぬ確率は彼のと同じである。いや、おそらく、私の死ぬ確率のほうが高いかもしれない。彼は価値ある資源をもっており、それが、私に戦いをいどませる原因だ。では、彼はなぜそれをもっているのか？　おそらく彼は戦って勝ち取ったのだろう。きっと私より前に挑戦した他の個体を何頭も撃退してきたのだろう。彼はすぐれた戦士であるにちがいない。たとえ戦いに勝ってハーレムを手に入れたとしても、私はこの戦いで傷だらけになり、利益を楽しむどころではないかもしれない。しかも戦いは時間とエネルギーをつかいはたす。この時間とエネルギーは、当面は蓄えておいたほうがいいのではなかろうか。ある期間食べることに専念し、もめごとに加わらぬよう気をつければ、やがて大きく強くなるはずだ。いずれはハーレムをめぐって彼と戦うことになろうが、今あわててやるより少し待ったほうが、けっきょく勝つ確率が高くなりそうだ。

このひとりごとの例は、理論的にいえば、戦うべきか否かの決断に先だって、無意識にかもしれないが複雑な「損得計算」がなされていることを示している。たしかに戦って得をする場合もあるが、いつでも戦いにみあうだけの利益があるとは限らない。同様に、戦いの間、その戦いをエスカレートさせるか鎮（しず）めるかという戦術的決断には、それぞれ損得があり、それは原則的には分析可能なものであろう。このことは長い間エソロジストたちに漠然とは認識されていたが、この発想を自信をもってはっきりと表現するに至ったのには、一般にはエソロジストとみなされていないＪ・メイナード＝スミスの力が必要であった。彼は、G・R・プライスとG・A・パーカーとの共同研究で、ゲームの理論とよばれる数学の一分野を利用した。彼らのみごとな理論は、数学記号をつかわずにことばで表現することができる。ただし厳密さの点でいくぶん犠牲を払わねばならないが。

メイナード＝スミスが提唱している重要な概念は、進化的に安定な戦略（ESS；evolutionarily stable strategy）とよばれるもので、もとをたどればW・D・ハミルトンとR・H・マッカーサーの着想である。「戦略」というのは、あらかじめプログラムされている行動方針である。戦略の一例をあげよう。「相手を攻撃しろ、彼が逃げたら追いかけろ、応酬してきたら逃げるのだ！」理解してもらいたいのは、この戦略を個体が意識的に用いていると考えているのではないということである。われわれは動物を、筋肉の制御についてあらかじめプログラムされたコンピュータをもつロボット生存機械だ、と考えてきたことを思いだしてほしい。この戦略を一組の単純な命令としてことばであらわすことは、これについて考えていくうえでは便利な方法である。あるはっきりとわからぬメカニズムによって、動物はあたかもこれらの命令にしたがっているかのようにふるまうのだ。

進化的に安定な戦略すなわちESSは、個体群の大部分のメンバーがそれを採用すると、別の代替戦略によってとってかわられることのない戦略だと定義できる。[*5-1] それは微妙でかつ重要な概念である。別の言い方をすれば、個体にとって最善の戦略は、個体群の大部分がおこなっていることによって決まるということになる。個体群の残りの部分は、それぞれ自分の成功を最大にしようとしている個体で成りたっているので、残っていくのは、いったん進化したらどんな異常個体によっても改善できないような戦略だけである。環境になにか大きな変化がおこると、短いながら、進化的に不安定な期間が生じ、おそらく個体群内に変動がみられることさえある。しかし、いったんESSに到達すれば、それがそのまま残る。淘汰はこの戦略からはずれたものを罰するであろう。

この概念を攻撃にあてはめるために、メイナード＝スミスの一番単純な仮定的例の一つを考察してみよう。ある種のある個体群には、タカ派型とハト派型とよばれる二種類の戦略しかないものとしよう。(この名は世間の慣例的用法にしたがっただけで、この名を提供している鳥の習性とはなんの関係もない。じつは、ハトはかなり攻撃的な鳥なのである。) われわれの仮定的個体群の個体はすべてタカ派かハト派のどちらかに属するものとする。タカ派の個体はつねにできるかぎり激しく際限なく戦い、ひどく傷ついたときしかひきさがらない。ハト派の個体はただ、もったいぶった、規定どおりのやり方でおどしをかけるだけで、だれをも傷つけない。タカ派の個体とハト派の個体が戦うと、ハト派は一目散に逃げるので、けがをすることはない。タカ派の個体どうしが戦うと、彼らは、片方が大けがをするか死ぬかするまで戦いつづける。ハト派とハト派がであった場合は、どちらもけがをすることはない。彼らは長い間互いにポーズをとりつづけ、ついにはどちらかがあきるか、これ以上気にするのはよそうと決心するかして、やめることになる。当面のところ、ある個体は特定のライバルがタカ派であるかハト派であるかを前もって知る手だてはないものと仮定しておこう。彼はライバルと戦ってみてはじめてそれを知るだけで、手がかりとなるような、特定の個体との過去の戦いはおぼえていないものとする。

さて、まったく任意の約束事として、戦う両者に「得点」をつけることにする。たとえば、勝者には五〇点、敗者には〇点、重傷者にはマイナス一〇〇点、長い戦いによる時間の浪費にマイナス一〇点というぐあいである。これらの得点は、遺伝子の生存という通貨に直接換算できるものと考えてよい。高い得点を得ている個体、つまり高い平均「得点（pay-off）」をうけている個体は、遺伝子プール内に多数の遺伝子を残す個体である。この実際の数値はかなり広い範囲内でどのようにとっても分析にさしつかえない性質のものであるが、われわれがこの問題を考えるうえでは役に立つ。

重要なのは、タカ派がハト派と戦ったときハト派に勝つかどうかが問題なのではないという点である。その答えはすでにわかっている。いつでもタカ派が勝つに決まっている。われわれが知りたいのは、タカ派型とハト派型のどちらが進化的に安定な戦略（ESS）なのかどうかということである。もし片方がESSで他方がそうでないのであれば、ESSであるほうが進化すると考えねばならない。二つのESSがあることも理論的にはありうる。もし、個体群の大勢を占める戦略がたまたまタカ派型であろうとハト派型であろうと、ある個体にとって最善の戦略は先例にならうということであったなら、このことがいえる。この場合、個体群は二つの安定状態のどちらでもよいから、たまたま先に到達したほうに固執することになろう。しかし、次に述べるように、じつは、タカ派とハト派という二つの戦略はどちらもそれ自体では、進化的に安定ではない。したがって、どちらかが進化すると期待するわけにはいかない。このことを示すには、平均得点を計算しなければならない。

全員ハト派からなる個体群があるとしよう。彼らは戦っても、だれも傷つかない。争いはおそらく長い儀式的な試合、あるいはにらみあいであって、どちらかがひきさがったときに決着がつく。このとき勝者は、戦って資源を手に入れたので五〇点を得るが、にらみあいに長い時間かけたのでマイナス一〇点の罰金を払うため、結局四〇点になる。敗者もやはり時間を浪費したので一〇点ひかれる。平均すると、ハト派の個体はいずれも争いの半数に勝ち、半数に負けるものと考えられる。したがって、一戦あたりの彼の得点はプラス四〇とマイナス一〇の平均、プラス一五点である。というわけで、ハト派の個体群中のハト派個体はすべてたいへんうまくやっているように思われる。

ところが今、この個体群にタカ派型の突然変異個体があらわれたとしよう。彼はここでは唯一のタカ派なので、戦う相手はすべてハト派である。タカ派は必ずハト派に勝つので、彼はすべての戦いでプラス五〇点を獲得し、これが彼の平均得点となる。彼は、正味一五点しかないハト派にくらべて膨大な利益を享受する。その結果、タカ派の遺伝子は、その個体群内に急速に広まるであろう。しかし、そうなると、タカ派の各個体は、もはや出会ったライバルがすべてハト派であると期待するわけにはいかなくなる。極端な例をあげるなら、タカ派の遺伝子が首尾よく広まって、個体群全体がタカ派になった場合、今度はすべての戦いがタカ派どうしの戦いになるはずである。今や、事情は一変する。タカ派の個体どうしが出会うと、片方がけがをするのでマイナス一〇〇点となり、勝者はプラス五〇点をとる。タカ派個体群の各個体は戦いの半数に勝ち、半数に負けると考えられる。したがって、一戦あたりの平均得点は、プラス五〇とマイナス一〇〇の平均、すなわちマイナス二五点である。ここで、タカ派の個体群内にハト派が一個体いるとしてみよう。たしかに、彼はすべての戦いに負けるが、その一方で決してけがをすることはない。タカ派個体群内のタカ派個体の平均得点がマイナス二五点であるのに対して、彼の平均得点は、タカ派個体群内ではゼロである。したがって、ハト派の遺伝子はその個体群内に広まる傾向がある。

この話の語り口からすると、あたかも個体群内にたえず振動があるように思われるかもしれない。タカ派の遺伝子は圧勝して優勢を占める。すると大半がタカ派になる結果、ハト派の遺伝子が有利になり数をふやしていく。やがてハト派が多くなると、ふたたびタカ派の遺伝子が栄えはじめる、というぐあいに。しかし、このような振動のおこる必要はない。どこかに、タカ派とハト派の安定した比率が存在するのである。われわれが用いている任意の得点システムから計算してみると、安定した比率は、ハト派が一二分の五、タカ派が一二分の七であることがわかる。この安定した比率に達すると、タカ派の平均得点とハト派の平均得点がちょうど等しくなる。このため、淘汰が一方より他方に有利にはたらくことはなくなる。もし個体群内のタカ派の数がしだいに上りはじめ、その比が一二分の七以上になると、ハト派が余分の利益をうけはじめ、その比率がもとにもどって、安定状態になる。安定した性比は五〇対五〇であるのと同様に、この仮定的例では、タカ派対ハト派の比が七対五なのだ。どちらの場合も、安定点付近で振動があったとしても、それは非常に大きなものになることはない（巻末の訳者補注1参照）。

表面的には、これは群淘汰説にいくぶん似ているように思われるかもしれないが、実際にはまったくちがう。群淘汰説に似ているようにみえるのは、この説明が、個体群には安定な平衡状態というものがあって、それを乱すと、ふたたびその点までもどろうとする傾向があると考えることを可能にするからである。だが、ESSは群淘汰よりはるかに微妙な概念である。それは、ある集団が他の集団より成功するかどうかということには関係がない。このことは、われわれの仮説的例の任意得点システムをつかうとうまく説明できる。タカ派一二分の七、ハト派一二分の五からなる安定した個体群内のある個体の平均得点は、六・二五であることがわかる。これは、その個体がタカ派であろうとハト派であろうとそうなのである。ところで、この六・二五というのはハト派個体群内のハト派個体の平均得点（一五）よりずっと低い。全員がハト派になることに同意しさえすれば、どの個体も有利になるはずである。単純な群淘汰説によれば、全員がハト派になることに同意した集団はいずれも、ＥＳＳ比にとどまっているライバル集団より成功するはずである。（じつは、全員ハト派になろうという申し合わせをした集団は、成功する可能性がもっとも高い集団ではない。タカ派六分の一とハト派六分の五からなる集団では、一戦あたりの平均得点が一六・六六である。これが考えられるもののうちでもっともうまくゆく申し合わせであるが、当面の目的からすれば無視できる。全員ハト派で、各個体が一五点の平均得点をもつ集団は、すべての個体にとって、ＥＳＳ集団よりはるかによい。）したがって、群淘汰説は、全員ハト派の申し合わせに向かって進化するだろうと予言するにちがいない。なぜなら、タカ派が一二分の七の割合で含まれている群れはそれよりうまくいかないはずだからである。しかし、申し合わせにつきものの難点は、長期にわたって全員の利益をはかるという申し合わせでさえ、裏切りを免れないことである。たしかに、どの個体も、ＥＳＳ集団にいるより、全員ハト派の集団にいるほうが有利である。しかし、残念ながら、ハト派の申し合わせをした集団に生まれた一個体のタカ派はあまりにもめぐまれているために、タカ派の進化をくいとめることができない。こういうわけで、この申し合わせ集団は裏切りによって内部から崩壊してゆく運命に縛（しば）られている。そこへいくと、ＥＳＳは安定している。それは、ＥＳＳが、それに加わっている個体にとってとくに有利だからではなくて、単に内部からの裏切りをくいとめる力をもっているからである。

人間では、各個人の利益をはかる申し合わせをしたり協定を結んだりすることは、たとえそれがＥＳＳという意味で安定していなくても可能である。だがこれができるのは、個人が全員意識的に将来の見通しをたて、その協定の規約にしたがうことが自分の長期的利益につながることを見抜けるからにほかならない。人間の協定ですら、その協定を破れば短期間に大もうけできるため、そうしたいという誘惑がつねに優勢になる危険をはらんでいる。このもっともよい例は価格協定であろう。ガソリンの価格を人為的に高値にきめれば、ガソリン業者は全員が長期間利益をむさぼれる。長期にわたる高い利益を意識的に見込んで結託した価格協定集団は、相当長い期間生きのびるはずである。ところが、遅かれ早かれ、自分だけ値下げをして早く大もうけをしたいという誘惑に負ける者があらわれる。するとたちまち、その近隣の業者がまねをし、値下げの波が国じゅうに広がる。すると、ガソリン業者以外のわれわれには残念なことだが、彼らの将来への意識的な配慮がふたたび頭をもたげ、新たな価格協定が結ばれる。このように、意識的に見通しをたてる才能にめぐまれた種である人間においてさえ、長期的利益にもとづく協定ないし申し合わせは、内部からの崩壊のせとぎわでたえず動揺をつづけている。まして、せめぎあう遺伝子によって支配されている野生動物では、集団の利益や申し合わせの戦略が進化するとはとても思えない。したがって、進化的に安定な戦略という方式がいたるところにみられると考えねばなるまい。

われわれの仮説的例では、ある一つの個体はタカ派かハト派かのどちらかであるという単純な仮定をおこなった。そして結局、タカ派とハト派の進化的に安定な比率にゆきついた。実際にはこれは、タカ派の遺伝子とハト派の遺伝子の安定した比率が遺伝子プール内に確立されるということである。遺伝学用語ではこの状態を安定多型（stable polymorphism）という。けれど数学的には、多型を考えなくても、次のようにしてまったく等しいＥＳＳが達成されうる。どの個体もそれぞれの争いにおいてタカ派のようにもハト派のようにもふるまえるのであれば、全個体が同じ確率で、つまりわれわれの例でいえば一二分の七の割合でタカ派のようにふるまうようなESSが達成される。実際にはこれは、各個体が、そのときにタカ派のようにふるまうべきか、ハト派のようにふるまうべきかを（ランダムにではあるが、七対五の割でタカ派のほうに多く）決断して、それぞれの争いをはじめるということである。たいへん重要なのは、この決断がタカ派のほうに傾いているとはいえ、どの争いの際にもライバルには自分の相手がどうふるまおうとしているかを推定する手だてがないという意味でランダムでなければならない、という点である。たとえば、続けて七回の争いにタカ派を演じ、次に続けて五回ハト派を演じ、以下同様というのはだめである。どの個体かがこのような単純な順序をとったとしたら、そのライバルはすぐさまこの順序を飲みこんで利用するであろう。単純な順序の戦略をとる相手を利用する方法は、彼がハト派を演じようとしていることがわかったときにだけ、彼に対してタカ派を演じることである。

もちろん、タカ派とハト派の話はあまりにも単純である。これは、自然界で実際におこらないが、自然界でおこることを理解するうえで役立つ「モデル」である。モデルには、このモデルのようにごく単純だが、にもかかわらずある点を理解するうえで、あるいはあるアイディアを得るうえで役に立つものがある。単純なモデルはさらに精巧にすることもできるし、しだいに複雑にしていくこともできる。なにもかもうまくいけば、モデルは複雑になるほど実世界に似てくる。タカ派とハト派のモデルを発展させる手始めは、さらにいくつかの戦略をつけ加えることである。タカ派とハト派だけが唯一の可能性のある戦略ではない。メイナード＝スミスとプライスが導入したさらに複雑な戦略は、報復派型とよばれる。

報復派はどの戦いでも最初ハト派のようにふるまう。つまり、タカ派のように徹底した激しい攻撃をしかけず、規定どおりの威嚇試合をおこなう。けれど、相手が攻撃をしかけてきた場合は、報復する。いいかえれば、報復派は、タカ派に攻撃されたときにはタカ派のようにふるまい、ハト派に出会ったときにはハト派のようにふるまう。別の報復派に出会った場合は、ハト派のようにふるまう。報復派は条件戦略者である。その行動は相手の行動によってきまる。

もう一つの条件戦略者は、あばれん坊派とよばれる。あばれん坊派は、だれかが反撃してくるまではだれにでもタカ派のようにふるまう。反撃に遭うとただちに逃げだす。さらにまた別の条件戦略者は試し報復派である。試し報復派は基本的には報復派に似ているが、ときおり争いをちょっと実験的にエスカレートさせてみる。そして相手が反撃にでなかったら、このタカ派型の行動をつづける。けれどもし反撃されたら、ハト派のように規定どおりの威嚇にもどる。攻撃をうけた場合は、ふつうの報復派とまったく同じように報復する。

コンピュータ・シミュレーションで、これまでにあげた五つの戦略者すべてを互いに自由にふるまわせると、報復派だけが進化的に安定であることがわかる。[*5-2] 試し報復派はほぼ安定である。ハト派は、その個体群がタカ派とあばれん坊派の侵略を許すので安定でない。タカ派も、その個体群がハト派とあばれん坊派の侵入を許すので、安定でない。報復派の個体群は、報復派自身よりうまくやる戦略が他にないため、どの戦略者にも侵されない。しかし、ハト派は、報復派の個体群内では同じくらいうまくやれる。つまり、他の条件が同じであれば、ハト派の数がゆっくりふえていくことになる。ところが、ハト派の数がかなりの程度までふえると、試し報復派が（ついでにいうなら、タカ派とあばれん坊派も）有利になりはじめる。というのは、彼らはハト派に対する対処の仕方が報復派よりうまいからだ。試し報復派自身は、タカ派やあばれん坊派とちがって、ほぼESSだといえる。試し報復派の個体群内で彼らよりうまくやれるのは、他の戦略のうちで報復派だけであるし、この戦略とていくぶんましであるにすぎないという意味においてである。したがって、報復派と試し報復派の混ざったものが、おそらくこの二者間の静かな振動を保ちながら少数派であるハト派の数の振動と関連しつつ優勢を占めていくだろうと考えられる。この場合もやはり、どの個体もつねにあるきまった戦略をとるという多型を想定する必要はない。各個体は報復派、試し報復派、およびハト派が複雑に入りまじった行動をとることができるはずである。

この理論上の結論は、大部分の野生動物に実際におこっていることとかけ離れてはいない。動物の攻撃の「グローブをはめたこぶし」的側面についてはある程度説明した。もちろん、詳細は、勝利やけがや、時間の浪費に与えられる「点数」の正確さにかかっている。ゾウアザラシでは、勝利に対する報酬は、雌の大ハーレムをほぼ独占できる権利である。だから、勝利の得点は非常に高くしておかねばならない。戦いが激しいのも、重傷を負う確率が高いのもあまりふしぎではない。時間の損失という費用は、けがによる費用と勝利の利益にくらべておそらく小さいと考えねばなるまい。他方、寒い地方に住む小鳥にとっては、時間の浪費という費用はなにものにもかえがたい大きな損失であろう。育雛(いくすう)期のシジュウカラは三〇秒に一回の割で獲物をつかまえねばならない。まさに日中の一秒一秒が貴重なのだ。タカ派対タカ派の戦いでつかわれる比較的短い時間でさえ、こうした小鳥たちにとってはおそらくけがの危険以上に深刻なものであろう。残念ながら、現在、自然界の諸現象の費用と利益に実際の数値をあてはめるには、あまりにもわかっていることが少なすぎる。*5-3 われわれは、自分で勝手にきめた数値から簡単に結論を引きださぬよう注意しなければならない。重要な一般的結論は、ESSが進化する傾向があること、ESSが集団の申し合わせによって達成されうる最適条件と同じではないこと、そして常識は誤解を招くことがあるということである。

メイナード＝スミスの考えたもう一つの戦争ゲームは「持久戦」である。これは、危険な戦いを決してしない種、たぶんまずけがなどしそうもない、よろいにおおわれた種にみられるものと考えられる。このような種では争いはすべて儀式的姿勢によって解決される。争いはつねに、どちらかがひきさがることで終る。勝つためにしなければならないことは、相手が背を向けるまで自分の陣地に踏みとどまり、敵をにらみつけていることである。明らかに、威嚇に無限に時間をかけられるほど余裕のある動物はいない。よそでしなければならない大事なことがいくらでもある。彼が争っている資源は価値があるかもしれないが、無限に価値があるわけではない。それは、しかるべき時間に値するにすぎず、せり売りの場合と同様に、各個体はその資源にはしかるべき額しか費やさぬ覚悟をしているのだ。時間はこのせり手二人のせりの通貨なのである。

これらの個体はみな、ある資源、たとえば雌が、どれだけの時間に値するかを、あらかじめ正確に算定するものと考えよう。少しだけ長く続ける覚悟をした突然変異個体はつねに勝つはずである。したがって、決まったせり値をまもるという戦略は不安定である。たとえ資源の価値がきわめて正確に推定され、全個体が正しい値をつけたとしても、この戦略は不安定である。この時間を最大化する戦略によってせりをおこなう二個体は、ちょうど同じ瞬間にあきらめ、どちらも資源を手に入れそこなうにちがいない！　この場合、争いで時間をむだにするよりはさっさと初めから権利をあきらめるほうが、個体にとっては得策である。持久戦と実際のせりとの大きなちがいは、要するに、持久戦では競争者がどちらも犠牲を払うが、利益をうるのは片方だけだという点である。したがって、踏みとどまる時間を最大化しようとする戦略をとる個体群内では、初めからあきらめるという戦略が成功し、個体群内で広がるであろう。そうなると今度は、すぐにあきらめずに数秒待ってあきらめる個体にある利益が生じはじめる。この戦略は、現在個体群内で優勢を占めている即時退却派に対して演じられたときに有利であるにちがいない。そこで、淘汰は、あきらめ時間をしだいに引きのばす方向にはたらき、いずれそれは、争われている資源の真の経済価値によって許される最大値にふたたび近づくことになろう。

　われわれはここでも、数式でなくことばをつかって、あたかも個体群がもろもろの戦略をめぐる振動を示すかのように描写してきた。が、数学的分析によれば、この場合もやはり、その描写は正しくないことがわかる。ある進化的に安定な戦略があって、それは数学の式であらわせるが、それと同じことをことばでいうとこうなる。各個体が持久戦を続ける時間は予言できない。それは、どんな場合にも、すなわち資源の真価を平均する以外には、予言できない。たとえば、資源が実際には五分間のディスプレイに値するものとしよう。ＥＳＳでは、どの個体も五分以上ディスプレイを続けることもあれば、五分以下しか続けないこともあるし、また、きっかり五分間続けることもある。大切なのは、彼がその場合どれくらいの時間続けるつもりなのかを、相手が知ることができない、ということである。

　明らかに、持久戦では、あきらめかけているときにそれを相手にさとられないようにすることがなにより重要である。ひげをちょっと動かしたりして、敗北を認めようかと考えはじめていることをうっかり匂（にお）わしたほうは、とたんに不利になる。たとえば、ひげを動かすことが、一分後に退却のおこる確かな兆しであるならば、ごく単純な勝利の戦略が考えられる。「相手のひげが動いたら、はじめの計画がどうであろうとも、一分間待つがいい。相手のひげがまだ動かず、しかもどのみちあきらめるつもりだった時間までにあと一分たらずしかない場合には、即刻あきらめてそれ以上時間をむだにするのをよしたほうがいい。自分のひげは決して動かさぬことだ」。こういうわけで、自然淘汰は、ひげを動かすことやその他、その後の行動をもらしてしまうようなしぐさをただちに罰するであろう。ポーカー・フェースが進化するにちがいない。

まったくのでたらめをいうよりポーカー・フェースのほうがいいのはなぜだろうか？　やはり、うそをつくことが安定ではないからだ。大部分の個体が、持久戦でほんとうに長時間がんばるつもりがあるときしか、頸の毛を逆立たせない場合を考えてみよう。相手の裏をかく計略が進化するにちがいない。つまり、相手が毛を逆立てたらただちにあきらめるという作戦だ。だがここで、うそつきが進化しはじめる。実際に長時間がんばるつもりのない個体がいつでも毛を逆立てて、容易にすばやく勝利をものにするであろう。こうして、うそつきの遺伝子が広がってゆくだろう。やがてうそつきが大勢を占めると、淘汰は今度はそれを見破って挑戦する個体に有利にはたらく。このため、うそつきはふたたび数が減るにちがいない。持久戦では、うそをつくことは真実を語ることより進化的に安定だとはいえない。ポーカー・フェースは進化的に安定である。ついに降伏するとしてもそれは突如としてなされ、予測不能なのだ。

われわれがこれまで検討してきたのは、メイナード＝スミスが「対称的」争いとよんでいるものばかりである。つまり、競争者どうしが、戦いの戦略以外のあらゆる点でまったく同一だと仮定されているということである。タカ派とハト派は同じ強さであり、武器やよろいで同じように武装しており、勝利によって得るものも同じであると仮定されている。これはモデルを利用するには都合のいい仮定だが、あまり現実的ではない。そこでパーカーとメイナード＝スミスは非対称的な争いを考えてみた。たとえば、もし戦闘能力や体の大きさが個体によって異なり、各個体が自分との比較の上で相手がどれくらい大きいかを計ることができたとしたら、このことが、そこに生じるＥＳＳに影響をおよぼすだろうか？おそらく影響をおよぼすにちがいなかろう。

非対称的な争いには三つの主なものが考えられる。第一は、今述べたように、体の大きさか戦闘能力が個体によって異なる場合である。第二は、勝利によって得なければならない利益の大きさが個体によって異なる場合である。たとえば、どうがんばっても老い先短い老雄は、前途に膨大な生殖生活を控えた若雄とちがって、たとえ傷ついても負けられぬ立場にあるであろう。

第三に、これはこの説の一風かわった結論なのであるが、まったく任意の、一見関係なさそうに見える非対称がＥＳＳを生みだしうるというものである。そのような非対称のおかげで、急速に争いの決着がつくことがあるからである。たとえば、競争者の一方がたまたま他方より先に争いの場に到着している場合は、たいていこれにあてはまる。彼らをそれぞれ「先住者」、「侵入者」とよぶことにしよう。議論の都合上、先住者であることや侵入者であることには一般的な利益はないものと仮定する。後に述べるように、この仮定が実際には正しくないと思われる理由があるが、これは重要ではない。重要なのは、たとえ先住者が侵入者より有利だと考える一般的な理由がなくても、この非対称それ自体によって決まるあるＥＳＳが進化するという点である。単純なたとえとしては、人間が大騒ぎをしたりせずに、コインを投げてあっさりもめごとの決着をつけるのがこれにあたる。

条件戦略、すなわち「自分が先住者であれば攻撃し、侵入者であれば退却せよ」というのがＥＳＳであるかもしれない。また、非対称が任意であるという仮定があるので、「先住者であれば退却し、侵入者であれば攻撃せよ」という逆の戦略が安定である可能性もある。ある個体群においてこの二つのＥＳＳのうちどちらが採用されるかは、どちらが先に大勢を占めるかにかかっている。大部分の個体がこの二つの条件戦略の片方をとるようになると、それからはずれた異常個体は罰をうける。したがって、定義からすればそれがＥＳＳなのである。

たとえば、全個体が「先住者が勝ち、侵入者が逃げる」戦略をとるとしよう。これは、彼らが戦いの半分に勝ち、半分に負けることを意味している。彼らは決して傷を負わず、時間もむだにしない。なぜなら、すべての争いが任意の規定によってただちに解決されるからだ。さてここで新たに突然変異の反逆者があらわれたとしよう。彼はつねに攻撃し、決して退かない純粋なタカ派戦略をとるものとする。相手が侵入者の場合には、彼が勝つであろう。相手が先住者であれば、負傷という大きな危険をおかすことになる。平均すると、彼はＥＳＳの任意の規則にしたがって行動する個体より得点が低くなる。「先住者なら逃げろ、侵入者なら攻撃せよ」という逆の規定を試みようとする反逆者は、もっと悪い。彼はたびたびけがをするばかりでなく、めったに争いに勝てない。だが、なにか偶然の出来事によって、この逆の規定に従う個体が大勢を占めるようになった場合を考えてみよう。そのとき、彼らの戦略は安定した規範（きはん）になり、これからはずれたものは罰をうける。もしかすると、ある個体群を何世代にもわたって観察すれば、ときおりある安定状態から別の安定状態へ突如移り変わるのがみられるかもしれない。

　しかし、実生活においては、真に任意の非対称というものはおそらく存在しない。たとえば、先住者はたぶん侵入者より実際に有利な立場にあるであろう。彼らはその土地の地形をよく知っている。また、先住者がずっとそこにいたのに対して、侵入者は戦場におもむいてきたのだから、息をきらしているかもしれない。自然界で二つの安定状態のうち「先住者が勝ち、侵入者が退く」状態のほうがより可能性が高いことには、もっと深い理由がある。つまり、「侵入者が勝ち、先住者が退く」という逆の戦略は、自己崩壊を招く傾向を本来的にもっているのだ。メイナード＝スミスはこれを逆説的戦略とよんでいる。この逆説的ＥＳＳの状態にある個体群では、個体はつねに先住者とみられないように努めているにちがいない。つまりどんな出会いにおいてもつねに侵入者であろうと努めているにちがいない。彼らがそれをやりとげるには、たえまなく、他になんの意味もなしに動きまわるほかはない。その時間とエネルギーの損失は別としても、この進化傾向は「先住者」という範疇（はんちゅう）を自然と消滅させてゆくことになる。「先住者が勝ち、侵入者が退く」というもう一方の安定状態にある個体群では、先住者になろうと努める個体に有利に自然淘汰がはたらく。各個体にとっては、これは、ある区域に踏みとどまり、できるだけそこを離れず、そこを「まもろう」とすることである。今ではよく知られているように、こうした行動は自然界にふつうにみられ、「なわばりの防衛」とよばれている。

　この型の行動的非対称で私が知っているもっともみごとな実例は、すぐれたエソロジストであるニコ・ティンバーゲンが独得の天才的に単純明快な実験によって示したものである。[*5-4] 彼は、雄のトゲウオが二匹はいった水槽をもっていた。魚はそれぞれ水槽の反対側の隅（すみ）に巣をかまえ、自分の巣のまわりのなわばりを「まもって」いた。ティンバーゲンはこの二匹の魚をそれぞれ大きなガラスの試験管に入れて、この二本の試験管をならべて持ち、魚たちが試験管を通して戦おうとするのを観察した。するとたいへん興味ぶかい結果が得られた。二本の試験管を雄Aの巣に近づけると、Aが攻撃姿勢をとり、雄Bが退却しようとした。だが試験管を雄Bのなわばりに移動させると、形勢が逆転した。ティンバーゲンは、単に二本の試験管を水槽の一端から他端へ動かすだけで、どちらの雄が攻撃し、どちらの雄が退却するかを指示することができた。どちらの雄も明らかに単純な条件戦略を、つまり「先住者であれば攻撃し、侵入者であれば退却する」という戦略をとっていたのである。

生物学者はよく、なわばり行動の生物学的「利点」は何かを問う。これにはさまざまな示唆がなされており、その中のいくつかについては後ほど述べる。だがいまや、この質問そのものが無用かもしれぬということがわかってきた。なわばり「防衛」とは単に、二個体とある一定の地域との関係をきめる、到着時刻の非対称ゆえに生じたESSにすぎないかもしれないのだ。

おそらく、任意でない非対称のうちもっとも重要なものは、体の大きさと一般的な戦闘能力であろう。体の大きいことは必ずしも戦いに勝つためにもっとも重要な要件とはいえないが、やはりその一つではある。戦う二者の大きいほうがつねに勝つのであれば、そして各個体が、自分が相手より大きいか小さいかを確実に知っているのであれば、なんらかの意味のある戦略は、ただ一つしかない。すなわち、「相手が自分より大きければ逃げろ。自分より小さい奴にはけんかをふっかけろ」。大きさの重要性がそれほど確実でないとなると、ことは少々ややこしくなる。体の大きいことがわずかでも有利であれば、今述べた戦略はまだ安定である。だが負傷の危険が大きいとなると、第二の「逆説的戦略」も考えられる。すなわち、「自分より大きい奴にけんかをふっかけ、小さい奴から逃げろ！」この戦略が逆説的といわれる理由は明らかだ。それはまったく常識に反するように思われる。この戦略が安定である理由はこうである。全員が逆説的戦略をとる個体群ではだれもけがをしない。これは、あらゆる争いにおいて、関係者の一方、つまり体の大きいほうがつねに逃げるからである。ここに、小さい相手をいじめるという「常識的」戦略をとる平均的大きさの突然変異があらわれると、その個体は出会った相手の半数と激しい争いを演じることになる。これは、彼が自分より小さい相手に出会うと攻撃をしかけ、その小さい個体は逆説的戦略をとっているので激しく応戦してくるからである。常識的戦略派は逆説的戦略派より勝つ確率は高いが、なお、負けて大けがをする危険も十分にある。個体群の大部分が逆説的戦略をとっているので、常識的戦略者はどの逆説的戦略個体よりもけがをする可能性が高いのだ。

逆説的戦略はたとえ安定であったとしても、おそらくこれは学問的に興味ぶかいにすぎない。逆説派が常識派より高い得点を上げられるのは、彼らが数の上で、常識派にはるかにまさっているときに限られるからである。そもそもこの状態が最初どのようにして生じうるのかを想像するのはむずかしい。たとえそれが生じたとしても、個体群内の逆説派に対する常識派の割合がほんの少し増すだけで、もう一つのＥＳＳ、すなわち常識派のＥＳＳの「誘引域（ゆういんいき）」に入り込んでしまうだろう。誘引域というのは、この場合なら常識派が有利になるような個体群比率の集合と定義される領域である。つまり、ある個体群がこの誘引域に達すると、常識的戦略の安定点に向かっていやおうなくひきこまれるのである。自然界に逆説的ＥＳＳ[*5-5]の例をみつけることは心動かされることではあるが、ほんとうにそれを期待できるのかどうかははなはだあやしい。（私は少々早まったようだ。この文を書いたあとで、私はメイナード＝スミス教授から、Ｊ・Ｗ・バージェスがメキシコ産の社会性のクモ *Oecobius civitas* の行動について次のように書いていることをきいた。「このクモはなにかに妨害されて隠れ場所から追いだされると、岩の上をつっ走り、身を隠すことのできる空いた割れ目がみつからないと、同種の別の個体の隠れ場所に逃げこむ。侵入者が入ってきたときに、そこに先住者のクモがいると、そのクモは侵入者を攻撃しないで逃げだし、新たに自分の隠れ場所を探す。このため、いったん最初のクモが追いだされると、次々と巣の持主の入れかえがおこり、それが数分も続いて、しばしば、その集団の大部分の個体が自分の住処(すみか)からよその住処に移らされることになる」〔社会性のクモ、サイエンティフィック・アメリカン誌、一九七六年三月号〕。これは一一六頁に述べた意味で逆説的である〕。

もし、動物が過去の戦いについてなにかおぼえているとしたらどうであろう？　それは、その記憶が個別的なものか、一般的なものかによって異なる。コオロギは過去の戦いでおこったことについて一般的な記憶をもっている。最近多くの戦いで勝ったコオロギはタカ派的になる。最近負け気味のコオロギはハト派的になる。これはR・D・アリグザンダーによってみごとに示された。彼は模型のコオロギをつかって本物のコオロギを奇襲した。この処置を加えたあとでは、そのコオロギは他の本物のコオロギとの戦いに負けやすくなった。おのおののコオロギは、自分の個体群内の平均的個体の戦闘能力と比較しての自分の戦闘能力を、たえず評価しなおしているものと考えられる。過去の戦いの記憶を用いるコオロギのような動物が、ある時間密集した集団をなしてすごすと、ある種の順位制が発達するようである[*5-6]。観察者は各個体を順番にならべることができる。順位の低い個体は順位の高い個体に降伏する傾向がある。個体どうしが互いに認知しあっていると考える必要はない。勝つことになれた個体はますます勝つようになり、負けぐせのついた個体はきまって負けるようになるというのが現象のすべてである。

はじめはまったくでたらめに勝ったり負けたりしていても、おのずとある順位にわかれていく傾向があるのだ。これには、集団内の激しい争いを次第に減らしてゆく効果がある。

以上のような現象は、「一種の順位制」とでもいわねばなるまい。というのは、順位制ということばを、個体の認知がなされている場合にしかつかわない人が多いからである。その場合には、過去の戦いの記憶は一般的というより個別的である。コオロギは互いに相手を個体として認知してはいないが、ニワトリやサルは認知している。あるサルにとって過去に自分を負かしたことのあるサルは、将来も自分を負かす可能性が高いだろう。この場合、個体にとって最善の戦略は、以前に自分を負かしたことのある個体に対しては、比較的ハト派的にふるまうことである。以前に出会ったことのない一群のニワトリを互いにひきあわせると、ふつうはやたらにけんかがおこる。だが一時（いっとき）がすぎると、やがてけんかは下火になる。しかし、それはコオロギの場合と同じ理由からではない。ニワトリの場合には、各個体が互いに別の個体に対する「自分の地位を学ぶ」からである。これはたまたま集団全体にとって都合のいいことである。その証拠として注目されているのは、順位が確立していて激しい戦いがめったにおこらないニワトリの集団では、たえずメンバーが入れかわっていてその結果しょっちゅうけんかがおこっている集団よりも、産卵率がはるかに高いということである。生物学者はよく、順位制の生物学的利点ないし「機能」は集団内の公然の攻撃を減らすことにあるという。しかし、これは説明の仕方としては正しくない。順位制それ自体は進化的な意味で「機能」をもっているとはいえない。なぜなら、それは集団の特性であって、個体の特性ではないからだ。集団レベルでみたときに順位制の形であらわれる個体の行動パターンには、機能があるといえるかもしれない。しかし、「機能」ということばをまったく捨てて、個体認知と記憶という二つの条件を加味した非対称な争いにおけるESSという点からこの問題を考えたほうが、はるかにいい。

以上、同種の個体間の争いについて考えてきたが、種間の争いについてはどうであろうか？　はじめに述べたように、異種のメンバーは同種のメンバーにくらべると、それほど直接的な競争相手ではない。このため、異種間に資源をめぐる争いがおこることは少ないと考えられるし、この予想には確証がある。たとえば、ロビンは他のロビンに対してなわばりをまもるが、シジュウカラに対しては防衛しない。ある森の数羽のロビンのなわばりを地図に示すことができるが、その上に数羽のシジュウカラのなわばり地図を重ねて描くことができるのである。この二種のなわばりはまったく無規則に重なっている。彼らは別々の惑星に住んでいるようなものなのだ。

だがある場合には、別種の個体間の利害がたいへん激しく衝突する。たとえば、ライオンはアンテロープの体を食べたがるが、アンテロープは自分の体についてまったく別の計画をいだいている。これは、ふつうは資源をめぐる争いとは認められないが、論理的にいえば、なぜ認められないのか理解しがたい。この場合の資源は肉である。ライオンの遺伝子は自分の生存機械の食物として肉を「ほしがっている」。アンテロープの遺伝子は自分の生存機械のためにはたらく筋肉や器官としてその肉を必要としている。この二つの、肉の用途は互いに相容(あいい)れないため、利害の衝突がおこるのである。

自種のメンバーもやはり肉でできている。では、なぜ共食いが比較的まれなのだろう？　ユリカモメの例で述べたように、おとなはときおり自種の子どもを食べる。だが、おとなの肉食獣が自種の他のおとなの個体を、食べようと意図して積極的に追いまわすことは決してない。なぜないのだろうか？　われわれはまだ、進化の「種にとっての善」という見方から考えるくせが抜けないので、「ライオンはなぜ他のライオンを狩らないのか？」というようなまったく妥当な質問を忘れがちである。もうひとつ、めったにきかれないタイプのすぐれた質問に、「アンテロープはなぜ反撃しないでライオンから逃げるのか？」というのがある。

ライオンがライオンを狩らないのは、そうすることが、彼らにとってESSでないからである。共食い戦略は、先の例のタカ派型戦略と同じ理由で不安定である。報復の危険があまりに大きいのだ。だがこのことは、異種間の争いにはあまりあてはまらないようにみえる。獲物の動物がたいてい報復せずに逃げるのはそのためである。これはたぶん、別種の二個体間の相互作用においては、同種のメンバー間の場合より大きな非対称が組込まれているという事実に根ざしている。争いに大きな非対称がある場合には、ESSはつねにその非対称に依存した条件戦略となるようである。別種間の争いでは利用できる非対称がたくさんあるため、「小さければ逃げろ、大きければ攻撃しろ」といった類いの戦略がたいへん進化しやすい。ライオンとアンテロープは、争いにもともと存在する非対称がたえず増大するように強調してきた進化的放散によって、一種の安定状態に達している。彼らはそれぞれ、追いかける手腕と逃げる術策に高度に熟練するに至っている。ライオンに「立ち向かう」戦略をとる突然変異のアンテロープは、地平のかなたに姿を消しつつあるライバルのアンテロープよりうまくいかないにちがいない。

われわれは、ESS概念の発明を、ダーウィン以来の進化論におけるもっとも重要な進歩の一つとしてふりかえるようになるのではなかろうか。[*5-7] この概念は利害の衝突のあるところならどこでもあてはまる。つまりそれは、ほとんどあらゆる場面に通用する。動物行動の研究者は、「社会組織」といわれるものについて語るのが習慣になっている。社会組織は、自らの生物学的「利点」をそなえた独自の実体として扱われることがあまりに多い。これまでにあげた例でいえば、「順位制」がそれである。生物学者が社会組織について述べた数々の説の背後には、かならず群淘汰主義者の仮説がかくされていることを私は疑わない。メイナード＝スミスのＥＳＳの概念こそ、独立した利己的な単位の集まりがどのようにして単一の組織された全体に似てくるようになるかを、はじめてはっきりと教えてくれるであろう。このことは種内の社会組織ばかりでなく、多くの種からなる「生態系」や「コミュニティ」についてもいえると思う。ＥＳＳの概念は、いずれ生態学に革命をもたらすであろうと私は期待している。

この概念は、3章で述べた、よいチームワークを必要とするボートの選手（体内の遺伝子にあたる）の例で生じた問題にも適用できる。遺伝子は、それ単独で「すぐれたもの」としてではなく、遺伝子プール内の他の遺伝子を背景にしてはたらくさいにすぐれたものとして淘汰に残る。すぐれた遺伝子は他の遺伝子と両立し、補足しあって、何世代にもわたって体を共有していくものでなければならない。植物をすりつぶす歯の遺伝子は、草食動物の遺伝子プール内ではすぐれた遺伝子だが、肉食動物の遺伝子プール内では悪い遺伝子なのである。

両立しうる一組の遺伝子は、一つの単位としてまとめて淘汰にかけられるものと考えることができる。3章のチョウの擬態の例の場合には、まさにそうなっていたようにみえる。しかし、ＥＳＳ概念のすばらしさは、純粋に独立の遺伝子のレベルの淘汰によって、同じような結果がもたらされることを理解させてくれる点である。遺伝子どうしは同じ染色体上で連鎖している必要はないのだ。

ボート選手の例は、じつはこの点を説明するのには適さない。この点にもっとも迫れるのは、次のような例である。実際にレースに勝つには、クルーの選手どうしがことばをかわして、自分たちの活動を調整することが大事であるとしよう。さらに、コーチが自由にできる選手プールでは、ある選手は英語しか話せず、ある選手はドイツ語しか話せないものとしよう。イギリス人がつねにドイツ人よりこぐのがうまかったり、へただったりするということはない。だが、コミュニケーションが重要なので、混合のクルーは、イギリス人ばかりのクルーやドイツ人ばかりのクルーにくらべると、勝つ回数が少なくなりがちである。

コーチにはこのことがわからない。彼はただ、自分の選手をでたらめにまぜて、勝ったボートに乗っていた選手に点を与え、負けたボートに乗っていた選手から点を引く。ところが、彼が自由にできる選手プールにたまたまイギリス人が多いと、ボートに乗りくむドイツ人は、コミュニケーションを妨げるため、そのボートが負ける原因になりがちだということになる。反対に、選手プールにたまたまドイツ人のほうが多いと、イギリス人が、その乗りくんだボートを負けさせる原因となる傾向がある。総合的に最良のクルーができあがるのは、二つの安定状態の一つになるとき――つまり、全員がイギリス人か全員がドイツ人であって、混ざっていない状態である。それは表面的には、あたかもコーチが言語別のグループを単位として選んでいるかのようにみえる。だが、彼はそうしているわけではない。彼は、レースに勝つ外見上の能力で一人一人の選手を選んでいるにすぎない。ある選手がレースに勝つ傾向は、たまたま候補者のプールに他のどの選手がいるかによる。少数派の候補は、自動的に罰をうけるが、それはこぐのがへたなためではなくて、単に彼らが少数派であるためにすぎない。同様に、遺伝子が互いに両立できるために選択されるという事実があるからといって、チョウの例にみられたように、遺伝子の集団が単位として選ばれていると考えねばならぬ理由は必ずしもない。単一の遺伝子という低レベルでの淘汰が、もっと高いレベルでの淘汰という印象を与えることもあるのである。

この例では、淘汰は単なる適合性を選んでいる。さらに興味ぶかいのは、互いに補いあう遺伝子が選ばれる場合だ。たとえていうなら、理想的にバランスのとれたクルーは、右きき四人と左きき四人からなるものとする。この場合もまたコーチはこの事実を知らず、盲目的に選手の「成績」を基準にして選ぶものと仮定しよう。ところが、選手プールにはたまたま右ききが多く、左ききの選手はみな、どちらかというと有利な状態にある。すなわち、彼は自分の乗っているボートを勝たせる傾向があり、したがってすぐれた選手であるようにみえる。反対に、左ききの多いプールでは右ききが有利であるにちがいない。これはハト派の個体群内で成功するタカ派の個体や、タカ派の個体群内で成功するハト派の個体の場合と同じである。ちがうのは、ハト派とタカ派の例は個体間の、つまり利己的な機械間の相互作用の話だが、この場合は体内の遺伝子間の相互作用の話だという点である。

コーチが盲目的に「すぐれた」選手を選んでいっても、いずれは左きき四人と右きき四人からなる理想的なクルーができあがる。それは、あたかも彼がバランスのとれたひとそろいの単位として彼らをそっくり選んだかのようにみえる。しかし私の考えでは、彼は一つ下のレベルで、つまり個々の候補のレベルで選択をおこなっていると考えたほうが、明快ですっきりしている。左きき四人右きき四人という進化的に安定な状態（ここでは「戦略」ということばは誤解を招きやすい）は、単に、外見上の成績にもとづいた低レベルでの淘汰の結果としてもたらされるものなのである。

遺伝子プールは、遺伝子の長期的な環境である。遺伝子プール内で生き残ったものであれば、なんであれそれが「すぐれた」遺伝子なのである。これは理論ではない。観察された事実ですらない。それは同語反復である。興味ぶかい問題は、遺伝子がすぐれているとはどういうことか、というものである。私は第一近似として、遺伝子がすぐれているというのは、有能な生存機械、すなわち体をつくる能力であるということだと書いた。しかしいまや、この見解には以下に述べるようなただし書きをつけておかなければならない。遺伝子プールは進化的に安定な遺伝子のセット、すなわちどんな新遺伝子にも侵入されることのない遺伝子プールと定義される状態に達するだろう。突然変異や組換えや移入によって生じる新しい遺伝子は、大部分が自然淘汰によって罰をうけ、進化的に安定なセットが復元される。ときおり、ある新しい遺伝子がそのセットに侵入することに成功し、遺伝子プール内に広がってゆくのに成功することもある。すると、不安定な過渡期を経て、やがて、新たな進化的に安定な組合わせに落ち着く——ほんのちょっとだけ進化がおこったのだ。攻撃の戦略の例で述べたように、個体群には二つ以上の代替可能な安定点があり、ときおり一方から他方へ突然の飛躍がおこることがある。進化とは、たえまない上昇ではなくて、むしろ安定した水準から安定した水準への不連続な前進のくりかえしであるらしい。[*5-8] あたかも、その個体群全体は一個の自動調節単位のようにふるまっているかにみえるだろう。しかし、これは錯覚である。それは実際には、単一の遺伝子のレベルでおこる淘汰によって生じているものなのである。遺伝子は「成績」で選ばれる。だがこの成績は、進化的に安定なセット、すなわち現在の遺伝子プールという背景の中でのふるまいにもとづいて判定されるのである。

メイナード＝スミスは、まるごとの個体の間にみられる攻撃的相互作用に焦点をあわせることによって、事態をきわめてはっきりさせることができた。タカ派とハト派の体の安定な割合を考えるのはやさしい。体は大きな物体であって、目でみることができるからだ。けれど、別々の体に宿る遺伝子間のこのような相互作用は氷山の一角にすぎない。進化的に安定なセットの中の、つまり遺伝子プール内での遺伝子の重要な相互作用の大部分は、個々の体の中でおこなわれている。これらの相互作用を目でみるのはむずかしい。それらは細胞内で、とりわけ発生中の胚の細胞内でおこっているからである。よく統合された体が存在するのは、それが利己的な遺伝子の進化的に安定したセットの産物だからである。

ともあれ、この本の主要テーマである動物個体間の相互作用のレベルに、話をもどさねばならない。攻撃を理解するには、個々の動物を独立した利己的な機械とみなすと都合がよかった。しかしこのモデルは、関係する個体どうしが、兄弟姉妹、いとこどうし、親子といった近親者である場合には、当てはめられないのである。これは、近親個体どうしが彼らの遺伝子のかなりの部分を共有しているためである。それゆえ、個々の利己的な遺伝子の忠誠心は、別々の体の間に分配されている。これについては次章で説明する。

6 遺伝子道

利己的な遺伝子とは何だろう？ それは単に一個のＤＮＡの物理的小片ではない。原始のスープにおいてそうであったと同様に、それは世界中に分布している、個々のＤＮＡ片の全コピーである。そうしたいときにはいつでもまともな用語になおせるという自信があるなら、不正確を承知の上で、遺伝子が意識的な目的をもっているかのように語ることができよう。そうしたら、われわれは次のように問うてみることができる。では個々の利己的な遺伝子の目的はいったい何なのか。遺伝子プール内にさらに数をふやそうとすること、というのがその答えである。それ、つまり個々の遺伝子は、基本的には、それが生存し繁殖する場となる体をプログラムするのを手伝うことによって、これをおこなっている。しかし今や、「それ」が多数の異なる個体内に同時に存在する、分散された存在だということを強調しなければならない。この章で重要なのは、遺伝子が他の体に宿る自分自身のコピーをも援助できるらしいという点である。もしそうであれば、これは個体の利他主義としてあらわれるであろうが、それはあくまで遺伝子の利己主義の産物であるだろう。

人間のアルビノ（先天性色素欠乏症）に関する遺伝子を考えてみよう。アルビノをひきおこす遺伝子は実際にはいくつもあるが、ここではその中の一つについて述べることにしよう。この遺伝子は劣性である。つまり、その人がアルビノになるにはこの遺伝子が二倍量存在しなければならない。これは約二万人に一人の割でみられる。しかし、約七〇人に一人はこの遺伝子を単一数でもっているが、これらの個体はアルビノではない。アルビノの遺伝子のような遺伝子は多くの個体に分布しているので、理論上は、自分が宿る体を、他のアルビノ個体に対して(同じ遺伝子をもっていることがわかっているので)利他的にふるまうようにプログラムすることによって、遺伝子プール内における自己の生存を助けることができる。アルビノ遺伝子が宿っている体が何体か死ぬことで、同じ遺伝子を含んでいる他の体の生存を助けるのであれば、アルビノ遺伝子は、たとえそうなっても非常に幸せであるにちがいない。もしアルビノ遺伝子が、体の一つに他の一〇体のアルビノの命を助けさせることができれば、その利他主義者が死んでしまっても、遺伝子プール内のアルビノ遺伝子の数の増加で十分につぐなわれるのである。

では、アルビノの人どうしはとくに親切にしあっていると考えてよいのだろうか? 実際にはおそらく答えは否であろう。その理由を知るために、遺伝子を意識的存在とした比喩を一時捨てなければならない。この文脈ではそれは明らかに誤解を招くからである。少々冗長かもしれないが、まともなことばにいいかえねばなるまい。アルビノ遺伝子は実際に生き続けたいとか、他のアルビノ遺伝子を助けたいとか思うわけではない。だが、アルビノ遺伝子がたまたまその体に、他のアルビノに対して利他的にふるまうようにさせたとしたら、結果として、いやでも自動的に、遺伝子プール内で数がふえてゆくようになるはずである。しかし、そうなるためには、その遺伝子が体に対して二つの独立した効果をもっていなければならない。それは、ごく色白の肌というふつうの効果を与えるだけではない。ごく色白の肌をした人に対して選択的に利他的にふるまう傾向をも与えねばならない。このような二重の効果をもった遺伝子がもし存在するならば、それは個体群内で非常に成功することができるだろう。

ところで、3章で強調したように、遺伝子に多形質発現効果があることはたしかである。色白の肌とか、緑ひげとか、その他の目立つ特徴とかいった、外からみえる「レッテル」と、その目立つレッテルの持主にとくに親切にする傾向とを同時に発現させる遺伝子が生じることは、理論的には可能である。ただし可能だとはいってもとくに可能性が高いわけではない。同じように緑ひげが、指にくいこんでいくタイプの足の爪やその他のなんらかの特徴を発達させる傾向と結びついている可能性があるし、緑ひげに対する好みはフリージアの香りを嗅（か）ぐ能力のないことと関連している可能性もあるからである。同一の遺伝子があるレッテルとそのレッテルに対する的確な利他主義との両方を生みだすことはおそらくあるまい。にもかかわらず、「緑ひげ利他主義効果」は理論上は可能なのである。

緑ひげのような任意のレッテルは、遺伝子が他個体内の自分のコピーを「認知」する一つの手段である。他にもなにか手段があるだろうか？　直接可能な手段は次のようなものである。利他的遺伝子の持主は、単に利他的行為をするという事実によって認めることができる。ある遺伝子が、「体よ、Aが溺（おぼ）れかけている者を救おうとして溺れていたら、とびこんで助けろ」というようなことを「いった」とすれば、この遺伝子は遺伝子プール内で栄えることができるはずである。このような遺伝子が成功する理由は、Aが同じ生命救助利他的遺伝子をもっている確率が平均より高いということである。Aが他のだれかを助けようとしているのがみられるということは、緑ひげと同じレッテルである。それは緑ひげほど恣意（しい）的なものではないが、かといってあまりもっともらしいものとも思えない。遺伝子が他個体内の自分のコピーを「認知する」なにかもっともらしい方法があるだろうか。

答えはイエスである。近しい身内——血縁者（kin）——が遺伝子をわけあう確率が平均より高いことを示すのはやさしい。これが、親の子に対する利他主義がこれほど多い理由だろうということは、以前からわかっていた。R・A・フィッシャー、J・B・S・ホールデン、そしてとくにW・D・ハミルトンが明らかにしたことは、他の近縁者——兄弟姉妹、甥、姪、いとこ——にも同じことがいえるということである。かりに一〇人の近縁者を救うために一個体が死んだとしたら、血縁利他主義遺伝子の一コピーが失われるが、同じ遺伝子のより多数のコピーが救われることになる。

けれど「より多数」というのは少々あいまいである。「近縁者」というのもそうである。ハミルトンが示したように、これはもう少しはっきりさせることができる。一九六四年の彼の二つの論文は、これまでに書かれた社会エソロジーの文献のうち、もっとも重要なものに数えられる。私は、これらの論文がエソロジストたちになぜこれほど無視されてきたのか理解できない[*6-1]（彼の名前は、一九七〇年に出たエソロジーの二大教科書の索引にすら載っていないのだ）。幸い、最近彼の仕事がみなおされはじめている。ハミルトンの論文はかなり数学的だが、いくぶん単純化しすぎという犠牲を払うならば、厳密な数学をつかわずに直観的に基本原理をつかむのはやさしい。まず計算したいのは、たとえば姉妹のような二個体が特定の遺伝子を共有している確率である。

話を簡単にするために、遺伝子プール全体の中で数の少ない遺伝子について述べるものとしよう。[*6-2]大部分の人々は、親類どうしであろうとなかろうと、「アルビノにならないための遺伝子」を共有している。この遺伝子がそれほど多いのは、自然界では、アルビノがアルビノでないものにくらべて生きのびにくいためである。たとえば、太陽が彼らの目をくらませ、近づいてくる捕食者をみつけにくくするからである。アルビノにならないための遺伝子のように、明らかに「よい」遺伝子が遺伝子プール内に広く分布している理由を説明するつもりはない。利他主義という特殊な作用の結果として、遺伝子プールに広がる場合を説明したいのである。したがって、この進化過程の少なくとも最初の段階では、これらの遺伝子は数が少なかったと仮定することができる。ここで重要なのは、個体群全体では数の少ない遺伝子でさえ家族内ではありふれた遺伝子だという点である。私は個体群全体では数の少ない遺伝子をたくさんもっているし、あなたも個体群全体では数の少ない遺伝子をもっている。しかし、われわれ二人が同じ珍しい遺伝子をもっている見込みは、実際にはごく少ない。だが、私の姉が私と同じ珍しい遺伝子をもっている見込みはかなりあるし、あなたの妹があなたと共通の珍しい遺伝子をもっている見込みも同じくらいあるのだ。見込みはこの場合きっかり五〇%である。その理由は容易に説明できる。

あなたが遺伝子Gのコピー一個をもっているとしよう。それはあなたの父親か母親かどちらかから受けとったにちがいない（便宜上、めったにないさまざまな可能性――Gが新しい突然変異である場合や、両親がともにそれをもっている場合、あるいは両親のどちらかがそのコピーを二個もっている場合など――は無視することにする）。この遺伝子をあなたに与えたのが父親だったとしよう。その場合、父親の体細胞はすべてGのコピーを一個もっていたことになる。ここで、人間が精子をつくるときに、自分の遺伝子を半分ずつ分け与えることを思いだしてほしい。ゆえに、あなたの妹をつくった精子が遺伝子Gを受けとった見込みは五〇%である。他方、あなたが母親からGを受けとったとしても、まったく同じ理由で、卵子の半数がGをもっていたはずであり、妹がGをもっている見込みはやはり五〇%である。

これは、あなたに一〇〇人の兄弟姉妹がいたら、そのうちの約五〇人が、あなたと同じある珍しい遺伝子をもっている、ということである。また、あなたが一〇〇個の珍しい遺伝子をもっていたら、そのうちの約五〇個はどの兄弟にもある、ということでもある。

どの程度の近縁個体についても同じような計算ができる。重要なのは、両親と子どもとの関係である。あなたが遺伝子Hのコピーを一個もっているならば、あなたの子どもたちはどの子も、それをもっている確率が五〇%である。なぜなら、あなたの生殖細胞の半数がHをもっており、どの子もそれらの生殖細胞の一つからつくられたからである。あなたが遺伝子Jを一個もっているならば、あなたの父親がJをもっていた確率は五〇%である。なぜならあなたは自分の遺伝子の半数を父親から、半数を母親から受けとっているからである。便宜上、近縁度（relatedness）という指標を用いることにしよう。これは、二人の親族が一個の遺伝子を共有している確率をあらわしている。二人の兄弟間の場合、一人がもっている遺伝子の半数がもう一人にみられるので、その近縁度は½である。これは平均的な数値である。すなわち、特定の二人の兄弟については、減数分裂のくじ運によって、共有する遺伝子がこれより多かったり少なかったりすることがある。親子間の近縁度はつねにきっかり½である。

毎回いちいち最初の原則に従って細かく計算していくのは、かなりうんざりさせられる。そこで、AとBがどんな二個体でも、その近縁度を算出できる大まかで手っとりばやい規則を示そう。それは、遺言書をつくるさいや、自分の家族の外見的な似かよいを解き明かすさいに役立つであろう。この規則は単純な例であれば何にでも適用できるが、近親交配がおこる場合や、後に述べるある種の昆虫にはあてはまらない。

まずAとBの共通の祖先をすべてあらいだそう。たとえば、二人のいとこどうしの共通の祖先は、彼らに共通の祖父と祖母である。共通の祖先が一人みつかれば、論理的にもちろん、その祖先の祖先はすべてAとBにとっても共通の祖先である。だが、もっとも最近の共通の祖先以外はすべて無視することにする。そうすると、いとこどうしの共通の祖先は二人だけになる。もしBがAの直系の子孫、たとえばAの曾孫であれば、A自身がわれわれの求めている「共通の祖先」である。

AとBの共通の祖先がみつかったなら、次のようにして世代間隔を数えよう。まずAから、共通の祖先に達するまで家系図をさかのぼり、それからふたたびBまで下る。たとえば、AがBの叔父であれば、世代間隔は3である。共通の祖先は（たとえば）Aの父とBの祖父である。Aを出発したら共通の祖先に突き当るために一世代さかのぼる。それからBに達するために他方に二世代下らねばならない。したがって世代間隔は$1+2=3$である。

共通の祖先を経由したAB間の世代間隔がわかったら、次に、その祖先に関係したAB間の近縁度を計算しよう。それには、世代間隔の各段階ごとに½をかけていく。世代間隔が3であれば、$\frac{1}{2}\times\frac{1}{2}\times\frac{1}{2}$、つまり$\left(\frac{1}{2}\right)^3$ということになる。特定の祖先を経由した世代間隔がgであれば、その祖先がもとになる近縁部分は$\left(\frac{1}{2}\right)^g$である。

しかし、これはAB間の近縁度の一部にすぎない。彼らに共通の祖先が二人以上いる場合には、各々の祖先に関する同様の数値を加えねばならない。ふつうは二個体に共通の祖先はすべて世代間隔が同じである。そこで、祖先のだれか一人についてAB間の近縁度を計算したら、次にやらねばならないのは、祖先の数をかけることである。たとえば、いとこには共通の祖先が二人あり、その各々を経由する世代間隔は4である。したがって、その近縁度は$2\times(\frac{1}{2})^4=\frac{1}{8}$である。AがBの曾孫であれば、世代間隔は3であり、共通の「祖先」数は1（B自身）なので、近縁度は$1\times(\frac{1}{2})^3=\frac{1}{8}$である。遺伝的にいえば、いとこは曾孫に等しいのである。同様に、あなたは叔父（近縁度$2\times(\frac{1}{2})^3=\frac{1}{4}$）に「似ている」のと同じくらいに祖父（近縁度$1\times(\frac{1}{2})^2=\frac{1}{4}$）に似ているわけである。

祖父または叔母がいとこどうしという遠い親族関係（$2\times(\frac{1}{2})^8=\frac{1}{128}$）では、Aのもっている特定の遺伝子を、個体群内から任意に選んだ個体がもっている基本的な確率に近づいてくる。このような近縁者は、利他的遺伝子に関するかぎり、通りがかりの他人と同じだといっても言い過ぎではない。またいとこどうし（近縁度1/32）はいくぶん近しい間柄であるにすぎない。いとこどうしはそれよりやや近しい（1/8）。兄弟や親子はごく近しい（1/2）。そして一卵性双生児どうし（近縁度1）は自分自身と同じ近しさである。叔父や叔母、姪や甥、祖父母や孫、異母（父）兄弟は近縁度が1/4で、近しさは中くらいである。

さて、血縁利他主義の遺伝子についてもうすこし正確に語ることにしよう。五人のいとこを救うために自分の命をすてる遺伝子が個体群内にふえてくることはないが、五人の兄弟か一〇人のいとこのために命をすてる遺伝子はふえるにちがいない。利他的自殺遺伝子が成功する最小の必要条件は、その遺伝子が二人以上の兄弟（または子どもか親）か四人以上の異母（父）兄弟（またはおじおば、甥姪、祖父母、孫）か、八人以上のいとこ等々を救って死ぬことである。このような遺伝子は、平均的にみて、利他主義者によって救われた十分な数の個体の体内で生き続け、利他主義者自身の死による損失をつぐなうことになる。

ある人が自分と一卵性双生児であるとわかったら、だれでも、その人の幸福を自分の幸福と同じくらい気にかけるであろう。双生児利他主義などというものがあるとすれば、その遺伝子はいずれも、双生児の双方が必ずもっている。したがって片方が他方を救って英雄的に死んでも、その遺伝子は生き残る。ココノオビアルマジロは一卵性四つ子で生まれる。私の知るかぎりでは、アルマジロの子について英雄的な自己犠牲の離れ業は報告されていないが、ある種の強力な利他主義があるにちがいないともいわれている。これはだれか南アメリカへ行って一目見てくる価値がありそうだ。*6-3

さて、子に対する親の世話は血縁利他主義の特殊な例であることがわかる。一般的にいえば、おとなは赤ん坊の弟がみなし子になったなら、自分の子に対するのとまったく同じように熱心にめんどうをみ、気を配るはずである。二人の赤ん坊に対する近縁度はまったく同じ½なのだ。遺伝子淘汰の理論でいえば、年のはなれた姉の利他的行動の遺伝子は、親の利他主義の遺伝子と同じくらいに個体群内に広がる見込みがあるはずである。じつは、これは、後に述べるさまざまな理由から、単純化のしすぎであり、兄や姉による世話は、自然界では親による世話ほど多くはない。しかし、ここで私がいいたいのは、親子関係が兄弟姉妹関係にくらべて遺伝的に特別なことはなにもないということである。親は実際に子に遺伝子をわたすが、姉妹間では遺伝子の受け渡しがないという指摘は的はずれだ。なぜなら、姉妹はどちらも同じ両親から同じ遺伝子のコピーを受けとっているのだから。

ある人々は、このタイプの自然淘汰を群淘汰（群れの生存の差）や個体淘汰（個体の生存の差）と区別して、血縁淘汰（kin selection）とよんでいる。血縁淘汰が家族内利他主義の原因であるとされる。血縁が濃ければ濃いほど、淘汰が強くはたらく。このことばはまちがっているわけではないが、残念ながら最近その誤用がめだつので、つかうのをやめねばならない。さもないと、今後数年間、生物学者は混乱に陥ることになろう。E・O・ウィルソンはその他の点ではみごとといってよいその著書『社会生物学』（邦訳本は思索新社刊行）の中で、血縁淘汰を群淘汰の特殊な例として定義してしまったのである。彼の本には、彼が血縁淘汰を通常の意味で、つまり私が1章でつかった意味で、「個体淘汰」と「群淘汰」との中間に位置するものと考えていることをはっきり示している図が一つ描かれている。ところで群淘汰は、ウィルソン自身の定義によってすら、個体の集団の生存に差があることを意味している。たしかに、ある意味では家族は特殊な集団だといえる。しかし、ハミルトン説で重要なのは、家族と非家族のあいだには数学的確率の問題以外にはっきりしたちがいはないという点である。ハミルトン説は、動物が「家族のメンバー」全員に対して利他的にふるまい、その他のものには利己的にふるまうといっているのではない。家族と非家族の間に決定的な一線をひくことはできない。たとえば、またいとこを家族に入れるべきか否かを決める必要はない。またいとこは子どもや兄弟にくらべて利他主義を受ける可能性が$\frac{1}{16}$になると予想されるだけのことである。血縁淘汰は断じて群淘汰の特殊な例ではない。[*6-4] それは、遺伝子淘汰の特殊な結果なのである。

　ウィルソンの血縁淘汰の定義にはもっと重大な欠点がある。彼は故意に子を除外している。子は血縁に数えられていないのだ！[*6-5] もちろん彼は、子が親にとって血縁であることをよく知っているのだが、親による子の利他的世話を説明するために血縁淘汰に頼りたくないのである。ことばをどうなりと好きなように定義する資格が彼にあることはもちろんだが、これはきわめて混乱を招きやすい定義なので、私は、ウィルソンが将来影響力の大きな本を出すときにそれを変更してくれることを願っている。遺伝的にいえば、親による世話と兄弟姉妹の利他主義はまったく同じ理屈で進化する。つまり、どちらの場合も、受益者の体内に利他的遺伝子が存在する見込みが十分にあるからだ。

このささやかな酷評(こくひょう)については一般の読者の許しをこい、急いで本題にもどることにしよう。これまで私はいくぶん単純化しすぎたきらいがある。ここで多少手直しをしなければならない。これまでは、遺伝子が近縁度のはっきりわかっている特定数の近縁者の生命を助けるために自殺するという初歩的な手法で話をすすめてきた。実際には、動物たちが自分が助けている近縁者の数を正確につかんでいることは期待できないし、かりに彼らがだれが兄弟でだれがいとこかを知ることができたとしても、暗算でハミルトンの計算をすることは望むべくもない。確実な自殺と完全な生命「救助」は、実生活では、自分自身と他の人々の統計的な死亡危険率におきかえられている。自分の危険がごく小さければ、またいとこの子ですら救う価値があるであろう。一方、自分と救おうとしている近縁者はどちらも、いずれいつかは死ぬ運命にある。あらゆる個体には、保険計理士が一定の誤差率で算出できる「平均余命」がある。老い先短い近縁者を救うことは、それと近縁度が等しくて前途の長い近縁者を救うことにくらべて、将来の遺伝子プールに与える影響が小さい。

われわれのおこなったまったく対称的な近縁度の計算は、やっかいな保険統計の操作によって修正をくわえねばならない。遺伝的にいえば、祖父母と孫が互いに対して利他的にふるまう根拠は等しい。彼らは互いに遺伝子の1/4を共有しあっているからだ。しかし、孫の平均余命のほうが大きければ、孫に対する祖父母の利他主義の遺伝子のほうが、祖父母に対する孫の利他主義の遺伝子より淘汰上有利である。類縁の遠い若者を援助するさいの正味の利益が、類縁の近い年寄りを援助するさいの正味の利益をこえることは大いにありうることだ（ついでにいうと、もちろん、祖父母の平均余命が孫のそれよりつねに小さいとは限らない。幼児死亡率の高い種では、逆が真であることもある）。

保険統計的にたとえていえば、個体は生命保険業者だと考えられる。ある個体は他個体の生命に自分の資産の一部を投資する、あるいは賭けるものと考えることができる。彼は他個体と自分との近縁度を考慮し、また保険業者自身の平均余命と比較してみて、その個体が「よい被保険者」であるかどうかをも考える。厳密にいえば「平均余命」というより「繁殖期待値」といったほうがよいし、さらに厳密には、「将来自己の遺伝子に役立つ一般的能力」というべきであろう。そして、利他的行動が進化するには、利他主義者にとっての正味の危険度が、近縁度と受益者にとっての正味の利益とをかけ合わせたものより小さくなければならない。危険度と利益は、先ほど概要を述べた複雑な保険統計の方法によって計算しなければならない。

しかし、それは、あわれな生存機械が急いでおこなうにはなんと複雑な計算だろう！[*6-6] 偉大な数理生物学者のT・B・S・ホールデンですら（ハミルトンより先に、溺れる近縁者を救う遺伝子が広がりうる可能性を検討した一九五五年の論文の中で）こう書いている。「……私は二度ほど溺れそうな人を水からひきあげたことがある（私自身の危険は小さかったが）が、そのときそんな計算をする余裕などなかった」。しかし、ホールデンにはよくわかっていたのだが、幸いにして、生存機械が暗算するものと考える必要はない。われわれが実際に対数を利用していると感じずに計算尺をつかえるのと同じように、動物は複雑な計算をしているかのごとくふるまうように、あらかじめプログラムされているのであろう。これはそれほど考えにくいことではない。ボールを空中にほうりあげて、ふたたびそれを捕えるとき、人はボールの軌道を予言して一連の微分方程式を解いているかのようにみえる。だが、その人が微分方程式のなんたるかを知らず、気にもとめなくても、ボールを捕える手際にはなんらさしつかえない。意識下のレベルで、数学の計算と等しいことがおこっているのである。あらゆる賛否と想像しうるあらゆる結果を考慮してむずかしい決定をおこなうとき、人は、コンピュータがおこなっているのと機能的に等しい「加重合計」計算をおこなっているわけである。

生存機械が利他的にふるまうかどうかを決定するシミュレーションをおこなうためにコンピュータをプログラムするとしたら、だいたい次のようにことをすすめればよい。まず、動物がおこなう利他的行動全部の一覧表をつくる。次に、これらの利他的行動パターンの各々について加重合計計算をプログラムする。もろもろの利益にはすべてプラス記号を、危険にはすべてマイナス記号をつける。合計する前に、利益と危険のどちらにも、適当な近縁度をかけて重みづけしておく。話を簡単にするために、まず第一に、その他の重みづけ要因、たとえば年齢や健康に関する重みづけ要因を無視することにする。ある個体の自分に対する「近縁度」は1である（つまりその個体は自分自身の遺伝子を一〇〇％もっている——当然である）ので、自分自身に対する危険と利益はまったく価値を減じることなく、そのままの値で計算される。いずれか一つの利他的行動パターンに関する総計はこのようになる。

行動パターンの正味の利益＝自分の利益－自分の危険＋兄弟の利益の$\frac{1}{2}$－兄弟の危険の$\frac{1}{2}$＋別の兄弟の利益の$\frac{1}{2}$－別の兄弟の危険の$\frac{1}{2}$＋いとこの利益の$\frac{1}{8}$－いとこの危険の$\frac{1}{8}$＋子の利益の$\frac{1}{2}$－子の危険の$\frac{1}{2}$＋等々……。

合計結果は、その行動パターンの正味の利益得点（net benefit score）とよばれる数値である。次に、そのモデル動物は、自分の利他的行動パターンのレパートリーのそれぞれについて同じように合計をだす。最後にそれは、正味の利益が最大になる行動パターンを選んで実行する。たとえ全得点がマイナスだとしても、なお最高得点の行動を、つまり最小の不運を選ぶであろう。どんなプラスの行動にも時間とエネルギーのむだがあり、それらはどちらも他のことに振り向けることのできるものであることを思いだしてほしい。何もしないことが正味の利益の得点を最高にする「行動」であるならば、モデル動物は何もしないであろう。

ここで非常に単純化しすぎた例をあげよう。今度は、コンピュータによるシミュレーションではなくて主観的なひとりごとの形で述べることにする。私はある動物の個体で、今、キノコが八個かたまってはえているのをみつけたところだ。私はその栄養価を考慮し、それらが毒であるかもしれぬというわずかな危険に対してなにがしかをさしひき、それらがおのおの(+)6単位（この単位は前章と同様任意の得点である）であると推測する。キノコは大きいので、私はそのうち三個しか食べられない。私は「食べ物があるぞ」と叫んで私の発見物を他のだれかに教えてやるべきだろうか？　聞こえる範囲にはだれがいるだろう？　弟のB（私との近縁度1/2）といとこのC（近縁度1/8）、それにD（特別の関係はない。私との近縁度はごく小さく、実際上ゼロとして扱える）だ。私にとって正味の利益得点は、私が自分の発見物について黙っていれば、自分で食べる三個のキノコについてそれぞれ(+)6、合計(+)18である。食べ物があることを知らせた場合の私の正味の利益得点は、ちょっと計算を要する。八個のキノコはわれわれ四人の間で均等にわけられる。私が自分で食べた二個から得る得点は、それぞれ(+)6単位、つまり合計(+)12である。しかし、弟といとこが二個ずつキノコを食べた場合、われわれ三人は共通の遺伝子をもっているので、私にもいくらかの得点がはいる。実際の得点は $(1\times12)+(\frac{1}{2}\times12)+(\frac{1}{8}\times12)+(0\times12)=+19\frac{1}{2}$ となる。利己的行動をとった場合の、これに相当する正味の利益は(+)18であった。似たようなものだが、答えははっきりしている。私は仲間をよぶべきだ。私の利他主義はこの場合、私の利己的な遺伝子に利益を与えることになる。

私は説明を簡単にするために、個々の動物が、自分の遺伝子にとって何が最善かを算出すると仮定した。実際におこっているのは、体に影響をおよぼして、このような計算をしているかのようにふるまわせる遺伝子が遺伝子プール内にはびこることである。

いずれにせよ、この計算は理想的状態へのごく予備的な近似にすぎない。それは、関係個体の年齢など多くのことを無視している。また、私がちょうど、たっぷり食べたばかりでキノコ一個がはいる余裕しかないとすれば、仲間をよぶ正味の利益は、飢えている場合よりずっと大きい。あらゆる面で最善をつくして計算すれば、計算の精度は果てしなく上がるであろう。しかし現実に動物があらゆる面で最善をつくして生きているわけではない。本物の動物が最適の決断を下すさいに、極端に細かいことをすべて考慮しているとは考えられない。今後、野外での観察と実験を通じて、本物の動物が実際にどれだけ厳密に理想的な損得分析をおこなうところまできているかを調べねばなるまい。

ここで、主観的な例にのめりこんでいないことを再確認するために、ちょっと遺伝子の用語にもどることにしよう。生きている体は、生存し続けている遺伝子によってプログラムされた機械である。生存し続けている遺伝子は、過去に平均してその種の環境の特徴をなす傾向のあった条件で生存してきた。したがって、得損の「見積り」は人間が決断を下す場合と同様に、過去の「経験」にもとづいている。しかし、この場合の経験には、遺伝子の経験、もっと正確にいえば、過去における遺伝子の生存条件という特別の意味がある（遺伝子は生存機械に学習能力を授けてもいるので、損得の見積りのあるものは、同時に個体の経験にもとづいておこなわれるともいえる）。条件がとてつもなく変わらないかぎり、その見積りはまちがいないし、生存機械は平均して正しい決断を下すだろう。条件がいちじるしく変わると、生存機械は誤った決断をくだす可能性が高くなって、その遺伝子は罰金を払うことになろう。古い情報にもとづいた人間の決断が誤りやすいのと同じである。

　近縁度の見積りにもやはり誤りと不確実さがつきものである。これまで述べてきた単純化しすぎた計算では、あたかも生存機械が、だれが自分の親族で、どの程度血縁が濃いかを知っているかのように語ってきた。実際には、このように確実に知っていることはまれで、たいてい近縁度は平均値として推定できるにすぎない。たとえば、AとBが両親の同じ兄弟か異父兄弟かわからない場合を考えてみよう。彼らの間の近縁度は$\frac{1}{4}$か$\frac{1}{2}$なのだが、全同胞（両親が同じ兄弟）なのか半同胞（異父兄弟）なのかわからないので、有効につかえる数値は平均をとって$\frac{3}{8}$である。彼らの母親が同じであることは確かだが、父親が同じである確率が$\frac{1}{10}$であるならば、彼らが異父兄弟であることは九〇%確かであり、同じ両親をもつ兄弟であることは一〇%確かである。そこで有効な近縁度は$\frac{1}{10}\times\frac{1}{2}+\frac{9}{10}\times\frac{1}{4}=0.275$である。

　だが、「それ」が九〇%確かだというようなことをいうとき、何にとって「それ」といっているのだろう？　長い野外研究を経たナチュラリストにとって九〇%確かなのだろうか、それとも、動物にとって九〇%確かなのだろうか？　幸い、この二つはほとんど同じことになる。これを知るには、実際に動物が、だれが自分の近縁者であるかをどのようにして判断しようとしているかを考えねばならない。[*6-7]
われわれがだれが身内かを知っているのは、人から聞くからであり、名前がついているからであり、きちんとした結婚の形式をとるからであり、さらにまた、書かれた記録と抜群の記憶力があるからである。多くの社会人類学者は、自分が研究している社会の「親族関係」に血眼になっている。彼らは真の遺伝的血縁をいっているのではなくて、親族関係という主観的文化的概念をさしているのである。人間の慣習や種族の儀式は一般に親族関係を大いに強めるのに役立つ。祖先崇拝が広まり、家族の義務と忠誠が生活の大半を支配する。血で血をあらう復讐や氏族間の戦いは、ハミルトンの遺伝学的な説によって容易に説明できる。近親交配《インセスト》タブーは人間の偉大な親族意識を証言している。近親交配《インセスト》タブーの遺伝的利益は、利他主義とは何の関係もない。それはおそらく、近親交配によってあらわれる劣性遺伝子の有害な効果と関係があるのであろう（いくつかの理由から、多くの人類学者はこの説明を好まないが）。[*6-8]
野生動物はだれが近縁個体かをどうして知ることができるのだろう？　いいかえれば、どのような行動規則に彼らが従っていれば、彼らはあたかも血縁関係を知っているかのようにふるまうことができるのだろうか？　「近縁個体には親切にしろ」という規則は、実際に近縁個体がどのようにして認知されるかという問題を回避している。動物はその遺伝子によって、活動のための単純な規則、つまり、その活動の最終目的の確実な認識を含みはしないが、それでも少なくとも平均的条件ではそれ相応の役にはたつ規則を与えられているはずである。われわれ人間は規則とはなじみぶかい。われわれは、あまりその気がなくても、自分や他のだれかに何もよいことがないのがよくわかっていても、規則そのものに従ってしまうほど、規則は強力である。たとえば、一部の正統派のユダヤ教徒と回教徒は、たとえ飢えても、豚肉を食べないという規則をまもる。動物が従う単純で実際的な規則は、どんな規則なのであろう？　それは、正常な条件のもとではその近縁個体に利益を与えるという間接的効果をもっているものにちがいない。

もし動物が、肉体的に自分に似ている個体に対して利他的にふるまう傾向をもっているならば、彼らは間接的に自分の身内にいくぶんよいことをしていることになろう。当該（とうがい）の種の示すもろもろの特性が大いに影響していよう。いずれにせよ、こうした規則は統計的な意味で「正しい」決断をうながすだけである。条件が変われば、たとえば、ある種がずっと大きな集団で生活しはじめれば、それは誤った決断に導くかもしれない。もしかすると、人種差別とは、肉体的に自分に似た個体と結びつき、外見の異なる個体を嫌うという性質が血縁淘汰によって進化し、それが非理性的に一般化された結果、生じたものだと見ることができるかもしれない。

メンバーがあまり動きまわらない種や、メンバーが小群をなして動きまわる種では、自分がたまたま出会う個体がいずれも自分にかなり近縁な個体である公算が大きい。この場合、「自種のメンバーに出会ったら、だれにでも親切にしろ」という規則は、遺伝子の持主をこの規則に従いたくさせる遺伝子が遺伝子プール内に増えるという意味で、プラスの生存価をもっている。これが、サルの群れやクジラの群れで利他的行動があれほどしばしば報告されている理由であろう。クジラやイルカは空気を吸えないと溺れてしまう。赤ん坊のクジラや水面まで浮かびあがれない傷ついた個体は、群れの仲間に助けられて持ちあげられるのがみられる。クジラにだれが自分の近縁個体かを知る手段があるかどうかはわからないが、それが問題でないということはありそうだ。群れのたまたま出会ったメンバーが近縁個体である公算が総じてたいへん高いので、利他主義が損失にみあうのであろう。ついでに述べると、溺れかかっている人間が野生のイルカに助けられたという話をよくきく。少なくともその一つには確実な証拠がある。これは、群れの溺れかけているメンバーを救うための規則の誤用だと考えられる。この規則における、群れの溺れかけているメンバーの定義は、次のようなものであるにちがいない。「水面近くで息ができずにもがきまわっている細長い物体」。

おとなの雄のヒヒは、ヒョウのような捕食者から群れの残りのメンバーを命がけでまもることが報告されている。平均すれば、おとなの雄はいずれも、群れの他のメンバーの中につなぎとめられているかぎり多数の遺伝子をコピーの形で託している。事実上「体よ、お前がおとなの雄ならば、ヒョウから群れをまもれ」と「いう」遺伝子は、遺伝子プール内でその数を増やすにちがいない。このよく引用される話を終える前に、公平を期すため、少なくとも一人の尊敬される専門家が、まったくちがう事実を報告していることも付け加えておこう。彼女によれば、おとなの雄のヒヒは、ヒョウがあらわれると、まっさきに地平線のかなたに姿を消すというのである。

ニワトリの雛(ひな)は家族群の中で餌(えさ)をついばみ、全員母親のあとをついて歩く。雛には主として二種類の鳴き声がある。前に述べた、大きな鋭いピヨピヨ声に加えて、採餌中には短い歌うようなさえずりを発するのである。母親の助けをよぶ効果のあるピヨピヨという鳴き声は他の雛には無視される。しかし、さえずりのほうは雛たちにとって魅力的である。つまり、一羽の雛が食物をみつけると、そのさえずり声が他の雛を食物にひきつけるのだ。以前の仮説的な例でいえば、このさえずりは「食物があるぞ」という声である。その場合と同様に、雛の見かけ上の利他主義は血縁淘汰によって容易に説明できる。自然界では、雛は全員、同じ両親をもつ兄弟姉妹であるから、さえずる雛の損失が他の雛の正味の利益の½より少なければ、採餌中のさえずりに関する遺伝子は分布を広げるにちがいない。利益は群れ全体でわけられ、群れはふつうは二羽以上からなるので、この条件が成り立つことは想像にかたくない。もちろん、家禽としてめんどりが自分のでない卵を、ときにはシチメンチョウやアヒルの卵を抱かされているときには、この規則は的はずれである。しかし、めんどりも雛もこれを理解することはできない。彼らの行動は、自然界にふつうにみられる条件のもとで形成されたのであり、自然界ではふつうは自分の巣の中に他人がいることはないのだ。

しかし、この類いの誤りは自然界にもときおりおこる。群れで暮らす種では、孤児になった子どもが、別の雌、たいていは自分の子をなくした雌の養子になることがある。サルの観察者はときおり、養子をもっている雌に「おばさん」ということばをつかう。たいていの場合、その雌が実際におばであるという証拠はなく、何らかの近縁個体であるという証拠さえない。サルの観察者が遺伝子の論理に気を配っていたら、「おば」のような重要なことばをむやみにつかうことはなかったにちがいない。だいたいにおいて、養子を養う行動は、いじらしくみえるかもしれないが、組込まれた規則の誤用だとみてよかろう。寛大な雌は、孤児の世話をすることによって自分の遺伝子にはむだなことをしているからだ。彼女は、自分の身内、とくに将来の自分の子どもたちの生活につかえる時間とエネルギーをむだづかいしている。それはおそらく、自然淘汰が母性本能をもっと選択的にするという規則改訂を「わざわざ」おこなうまでもないほどめったにしかおこらないような誤りなのであろう。ついでながら、ほとんどの場合、このような養子縁組がおこることはなく、孤児はほうっておかれて死ぬのがふつうである。

単なる過ちなどではなくて、遺伝子の利己性理論を否定する証拠だと考えたくなるような、極端な過ちの例がある。子をなくした母ザルが他の雌から赤ん坊を盗んでその世話をするというのがそれである。私はこれを二重の過ちだと考える。なぜなら、この里親は自分の時間を浪費するだけでなく、ライバルの雌を子育ての重荷から解放してやり、より早く次の子をつくれるようにしてやるからである。これは、徹底的に調査する価値のある重大な例であると思われる。それがどれくらいの頻度でおこるのか、里親と養子の間の平均近縁度はどのくらいか、その子のほんとうの母親の態度はどうか——子を養子にとられるべきなのは結局のところは彼女の利益なのだ——、母親たちはわざわざ未熟な若い雌をだまして自分の子を養わせようとするのだろうか、といったことを知らねばならない（里親や赤ん坊泥棒が、子育て技術の大事な練習をおこなうことで、利益を得ているという指摘もある）。

故意にたくらまれた母性本能の誤用の例は、他の鳥の巣に卵を産みこむカッコウその他の「托卵鳥」にみられる。カッコウは鳥の親に組込まれた、「自分がつくった巣の中にいる小さな鳥にはいずれにも親切であれ」という規則を悪用している。カッコウを別にすれば、この規則は本来は利他主義を近い身内に限るという望ましい効果をもつものである。それは、たまたま、自分の巣の中味はすなわち自分の雛だといえるほど巣と巣が互いに離れているという事実があるからだ。セグロカモメの親は自分の卵をみわけず、他のカモメの卵を喜んで抱くし、人間の実験者が木の模型ととりかえれば、その模型の卵を抱く。自然界では、カモメにとって卵の認知は重要ではない。なぜなら卵が数メートル先のとなりの巣の近くまでころがっていくことはないからだ。しかし、カモメは自分の雛は認知する。卵とちがって、雛は歩きまわり、ついには隣の親鳥の巣の近くまでゆきつき、1章で述べたように、しばしば命にかかわる結果を招くからだ。

他方、ウミガラスは自分の卵をその斑入り模様でみわけ、抱卵中はそれらをとくに優遇する。これはおそらく、彼らが平たい岩の上に巣をつくるため、卵がころがって混ざってしまう危険があるからであろう。ところで、彼らはなぜわざわざ自分の卵だけ区別して抱くのだろう、という疑問がわく。確かに、すべての雌が、とにかくだれかの卵を忘れずに抱くということにしておきさえすれば、それぞれの母鳥が自分の卵を抱こうが他のだれかの卵を抱こうが、問題ないはずである。これは群淘汰主義者の言い分である。今、子守りサークルのような集団ができたらどうなるかを考えてみよう。ウミガラスの一腹卵数は平均一個である。これは、共同の子守りサークルがうまくゆくには、すべての親鳥が平均一個の卵を抱かねばならないということである。このときだれかがずるくたちまわって、卵を抱くのをやめたとしよう。彼女は抱卵に時間を浪費するかわりに、もっとたくさんの卵を産むことに時間をつかうことができる。そして、この話の美しい点は、他のもっと利他的な親鳥が彼女のためにそれらの卵の世話をすることである。彼らは、「自分の巣のそばに迷い子の卵をみつけたら、たぐりよせてそれを抱け」という規則に忠実にしたがいつづけるであろう。そうすれば、このシステムをうまくのがれるための遺伝子が個体群内に広がり、このすばらしい友好的な子守りサークルは崩壊するにちがいない。

「それなら、正直な鳥がいいなりになることを拒否して報復し、卵は断固一個しか抱かないと決断したらどうだろう。そうすれば、ずるい鳥の裏をかくことになるのではなかろうか。彼らは自分の卵がだれにも抱かれずに岩の上にほうりだされているのに気づくだろうから。そうなれば彼らもまもなく協力するようになるだろう」という人がいるかもしれない。だが、残念ながらそうはならない。この場合、子守りたちが個々の卵を区別しないと仮定しているのだから、たとえ正直な鳥がこの作戦を実行してずるいやり口に対抗したとしても、結局、無視されている卵が自分の卵なのかずるい鳥の卵なのかわからずじまいにちがいない。ずるい鳥はそれでもまだ利益をうけている。彼らのほうがたくさん卵を産み、したがってよけい子孫を残すことになるからだ。正直なウミガラスがずるい個体をやっつけることができる唯一の方法は、積極的に自分の卵を優遇することだ。つまり、利他的であるのをやめて、自分の利益をまもることだ。

メイナード＝スミスのことばをかりれば、利他的養子とり「戦略」は進化的に安定な戦略ではない。この戦略は、正当な割当てよりたくさん卵を産み、それを抱くのを拒否するというライバルの利己的な戦略によって改善されうる、という意味で不安定である。この後者の利己的戦略もやはり不安定である。なぜなら、利用する利他的戦略が不安定で、すぐ消えてなくなるからである。ウミガラスにとって唯一の進化的に安定な戦略は、自分の卵を認知してもっぱら自分の卵だけを抱くことであり、これはまさに実行されていることなのである。

カッコウに托卵される小鳥は、自分個人の卵の外観をおぼえるのではなくて、自分の種に特有な模様のある卵を本能的に優遇することによって反撃にでた。彼らは自種のメンバーに托卵されるおそれはないので、この方法は有効である。[*6-9] ところが今度はカッコウが自分の卵の色、大きさ、模様を里親の卵にますますそっくりにすることによってこれに応えた。これはうその例であり、しばしば成功する。この進化的軍備競争の結果、カッコウの卵には完璧な擬態が生じた。カッコウの卵と雛はある割合で「みつけだされる」と思われる。そして、みつけだされなかった卵と雛が、生きのびて次世代のカッコウの卵を産む。このため、より効果的にだませる形質の遺伝子がカッコウの遺伝子プール内に広がる。同様に、カッコウの卵の擬態にどんなわずかな不完全さがあっても見逃さない鋭い目をもった里親の鳥は、自種の遺伝子プールに大きく貢献する個体である。こうして鋭い疑いぶかい目が次世代に伝えられる。これは、自然淘汰がどのようにして識別能力をみがきあげることができるか、を示す例である。この場合、識別能力は別種に対するもので、その別種のメンバーが識別するものの裏をかくために全力をつくしているのである。

さて、動物自身による、群れのメンバーとの近縁の程度の「推定」と、野外研究専門のナチュラリストによる同様の推定との比較に話をもどそう。ブライアン・バートラムはセレンゲティ国立公園で数年間ライオンの生態を研究してきた。彼は、ライオンの生殖習性の知識をもとに、典型的なライオンの群れの個体間の平均的近縁度を推定している。彼が推定をおこなうのに用いた事実はこのようなことである。典型的な群れはおとなの雌七頭とおとなの雄二頭からなり、雌はより永久的なメンバーであり、雄は移動性がある。おとなの雌の半数は同時に出産し、いっしょに子を育てるので、どの子がだれの子かあてるのはむずかしい。典型的な一腹子の数は三頭である。子の父である可能性は群れのおとなの雄の間で等しい。若い雌は群れに残り、年老いた雌が死ぬか去るかすると、後釜（あとがま）にすわる。若い雄は青年期に追い払われる。彼らは成長すると、二頭ないし数頭の血縁集団をなして群れから群れへ渡り歩き、もとの家族の群れへ帰ることはないらしい。

これらおよびその他の仮定を利用すると、典型的なライオンの群れにおける二個体間の近縁度の平均値をはじきだせることがわかる。バートラムは、無作為に選んだ雄二頭については〇・二二、雌二頭については〇・一五という数値をだしている。すなわち、群内の雄どうしは、平均すると片親ちがいの兄弟よりいくぶん類縁が遠く、雌どうしはいとこよりわずかに類縁が近い。

もちろん、どの二個体かが両親を同じくする兄弟なのだが、バートラムにはこれを知る方法がないし、ライオンにもそれがわからない可能性が高い。他方、バートラムが概算した平均値は、ある意味ではライオン自身にとっても利用可能である。これらの数値が実際に平均的なライオンの群れに典型的なものであるならば、他の雄に対してあたかも片親ちがいの兄弟のように雄をふるまわせる遺伝子は、プラスの生存価をもっているにちがいない。雄の利他的傾向を過剰にさせる遺伝子、たとえば他の雄に対して完全な兄弟に対するのにふさわしいようなふるまいを示させる遺伝子は、他の雄に十分親しさを示させない、たとえばまたいとこに対するのと同じ程度にしかふるまわせない遺伝子と同様に、平均して罰をうけるであろう。ライオンの生活の実態がバートラムのいうとおりだとすると、そして、肝心なことだが、彼らが何世代にもわたってそうであったのならば、自然淘汰は、典型的な群れにおける平均的な近縁度に適った程度の利他主義に有利にはたらいていくだろうと予想される。これが、動物による近縁度の見積りとすぐれたナチュラリストによるそれがほぼ同じだと私がいったことの意味なのである。[*6-10]

こういうわけで、利他主義の進化においては、「真」の近縁度がどれくらいかということは、動物がどれくらいよく近縁度の見積りができるかということほど重要ではない、という結論になる。この事実はおそらく、自然界で親による世話が兄弟姉妹の利他主義にくらべてなぜあれほど頻繁で、しかも献身的なのか、また、動物がなぜ自分自身を数人の兄弟以上に高く評価するのか、といった疑問を理解する鍵であろう。要するに私がいっているのは、近縁度に加えて、「確実度」指数といったものを考えるべきだということである。親子関係は遺伝的には兄弟姉妹関係より近いというわけではないが、その確実度ははるかに高い。ふつうは、だれが自分の兄弟かということよりだれが自分の子どもかということのほうがずっと確実である。そして、だれが自分自身かということにはいっそう確信がもてるのだ。

先にウミガラスのずるい個体について考察したが、さらに次章以下で、うそつき、ずるい奴、搾取(さくしゅ)者について述べることにする。他の個体が、血縁淘汰された利他主義を悪用して自分の目的をとげようとたえず機会をうかがっている世界では、生存機械は自分がだれを信用できるか、だれにほんとうの確信をもてるかを考えねばならない。もし赤ん坊のBがほんとうに私の弟であれば、私は自分を大事にする半分ほど彼のめんどうをみるべきであり、自分の子どもの世話をするのと同じくらい彼の世話をすべきであろう。しかし、私は自分の子を確信できるように彼を確信できるだろうか？　私はその赤ん坊が私の兄弟だとどうやって知るのだろう？

もしCと私が一卵性双生児であれば、私は自分の子の一人に対する二倍彼の世話をすべきであり、たしかに私は自分の命とちょうど同じだけ彼の命にも価値を認めねばなるまい。[*6-11] しかし、私は彼がそうだということを確信できるだろうか？　彼の容貌はなるほど私に似ているが、私たちはたまたま顔の特徴に関する遺伝子を共有しているだけかもしれないではないか。いや、私は彼のために自分の命を投げだすことはあるまい。なぜなら、彼は私の遺伝子を一〇〇%持っている可能性があるが、私が自分の遺伝子を一〇〇%持っていることは無条件にわかっているので、私は私にとって彼以上の価値があるからだ。私は、私の利己的な遺伝子のどれもが確信できる唯一の個体なのだ。理論的には、個体の利己主義の遺伝子は、少なくとも一卵性双生児の片方、子どもか兄弟二人、あるいは孫四人等々を利他的に救うための遺伝子に排除されうるのだが、個体の利己主義の遺伝子は個体のアイデンティティの確かさという点ではるかに有利である。ライバルの血縁利他主義の遺伝子は、まったく偶然にか、あるいはずるい個体や寄生者に故意にたくらまれてか、いずれにしろアイデンティティをまちがえるという危険をおかしている。したがって、自然界では、遺伝的血縁関係を考慮して予言した場合より個体の利己主義がより多くみられると考えねばならない。

多くの種では母親は父親より自分の子を確信できる。母親は、目にみえ、触れることのできる卵や子どもを産む。彼女には自分の遺伝子の持主を確実に知るチャンスがあるのだ。あわれな父親ははるかにだまされやすい。だから、父親は母親ほど育児に熱を入れないのだと考えられる。他にも考えられる理由があるが、それについては、雄雌間の争いの章（9章）で述べることにしよう。同様に、母方の祖母は父方の祖母にくらべて自分の孫に強い確信をもっているので、父方の祖母より強い利他主義を示すのだと思われる。これは、祖母が娘の子どもには確信がもてるが、息子は妻に裏切られているかもしれないからだ。母方の祖父は父方の祖母と同じくらいに孫に確信がもてる。なぜなら、両者とも確実な一世代と不確実な一世代を期待できるからだ。同様に、母方のおじは父方のおじにくらべて姪や甥の幸福にはるかに関心があり、一般におばと同じくらいに利他的であるはずである。実際に夫婦の不貞度の高い社会では、母方のおじは「父親」より利他的であるにちがいない。おじのほうがその子との近縁度に対する確信にはっきりした根拠があるからだ。彼らはその子の母親が少なくとも自分の異父姉妹であることを知っている。「法律上の父親」は何も知らない。私はこれらの予言を支持する証拠があるのかどうか知らないのだが、だれかが証拠を探しはじめることを期待してここに述べてみた。とくに、社会人類学者はおそらく興味ぶかい事実をご存じなのではなかろうか。*6-12

両親の子に対する利他主義が兄弟間の利他主義よりずっとふつうにみられるという事実に話をもどすならば、「アイデンティティの問題」によってこれを説明することは理にかなっているように思われる。しかし、これでは親子関係自体の基本的な非対称性を説明できない。親子の遺伝的関係は対称的であり、近縁度の確信はどちらの立場から相手をみた場合でもまったく同じなのだが、親は、子が親に対するよりずっとよく子のめんどうをみる。これは一つには、親のほうが年たけていて生活の諸事万端に手なれているため、実際に子をよく助けられる位置にいるからである。たとえ赤ん坊が親に餌を与えたいと思っても、赤ん坊には実際にそうする能力がそなわっていない。

親子関係にはもう一つ、兄弟関係にはあてはまらぬ非対称性がある。子どもたちはつねに親より若い。このことは、必ずというのではないにせよたいていの場合、子どもの平均余命のほうが大きいことを意味する。前に強調したように、平均余命は、動物が利他的にふるまうべきか否かを「決断する」さいに、できるかぎり正確に「計算」に入れねばならない重要な変数である。子のほうが親より平均余命が大きい種では、子の利他主義の遺伝子はいずれも不利な立場におかれることになろう。それは、利他主義者自身より老衰死に近い個体の利益のために利他的自己犠牲を払おうともくろんでいるにちがいないのだから。他方、親の利他主義の遺伝子は、その計算式の平均余命の項に関するかぎり、それに相応した分だけ有利であるはずだ。

ときに、血縁淘汰は学説としては申し分ないが、その実際例はほとんどないという話をきく。こういう批判ができるのは、血縁淘汰のなんたるかを理解していない人だけである。じつは、子の保護や親による世話のあらゆる例、乳腺やカンガルーの育児嚢（いくじのう）などそれに関連したあらゆる肉体的器官が、事実上血縁淘汰原理が実際に機能していることの例なのである。批判者たちはもちろん、親による世話が広く存在していることをよく知っているのだが、親による世話が兄弟姉妹の利他主義に劣らぬ血縁淘汰の例であることを理解していない。彼らが例を示せといっているときは、親による世話以外の例を示せといっているのだ。そのような例が数少ないことは事実である。その理由はすでに示唆した。兄弟姉妹の利他主義の例をひこうと思えばそれはできる——事実ごくわずかだがあるのだ。しかし、私はあえてそれをしたくない。というのは、それをすると血縁淘汰が親子関係以外の関係に関するものだという誤った考え（前述のとおりウィルソンが好んでいる）を強化することになるからだ。

この誤りが育った理由は概して歴史的なものである。親による世話が進化上有利であることはあまりにも明らかであり、ハミルトンの指摘を待つまでもなかった。それはダーウィン以来理解されていた。親子以外の関係が遺伝的にそれと等価であり、しかもそれが進化の上で重要な意味をもっていることを示すにあたって、ハミルトンが親子以外の関係を強調しなければならなかったのは当然のことであった。そしてそのために彼は、後の章で述べるとおり姉妹関係がとくに重要なアリやミツバチなど社会性昆虫の例をひいたのである。驚いたことに、この点を誤解して、ハミルトン説が社会性昆虫にしかあてはまらないと思っている人さえいるくらいだ！

親による世話が血縁淘汰の作用の例であることを認めたくない方々は、親の利他主義だけを予言し、その他の親族間の利他主義を予言しない自然淘汰の一般論を、定式化してみせる責任がある。それは成功しないであろうと私は思う。

7 家族計画

親による子の保護行動を、同様に血縁淘汰の産物である他の利他的諸行動とは別扱いにしようとする人々がいるのはなぜだろうか。その理由を理解するのは簡単である。すなわち、子の保護は、繁殖にその一環として組込まれているようにみえるのに、たとえば甥(おい)への利他行動などは繁殖に組込まれているようにはみえないからである。この両者の間には、私も実際に重大な相違がひそんでいると考えている。ただし、先の人々は、この相違が何であるかを見誤っているのである。彼らは、繁殖と親による子の保護行動をひとまとめにし、その他の利他的諸行動をこれに対置している。しかし私としては、相違は、新たな個体を生み出すことと、現存個体に保護を加えることとの間にこそあるのだと考えたい。これら二つの活動をそれぞれ子作り(child-bearing)と子育て(child-caring)と呼ぶことにすると、一個の生存機械たる個体は、子作りと子育てというきわめて異質な二種類の決断を下さなければならないというわけである。私は決断ということばを、無意識におこなわれる戦略的な処置という意味で使用している。子育ての決断は以下のような形をとるだろう。「ここに子どもが一匹いる。この子どもと私との近縁度はかくかくである。もし私がこの子どもに食べ物を与えないとするとこの子どもが死んでしまう確率はしかじかである。さて私はこの子どもに食べ物を与えるべきか」。いっぽう子作りの決断の形は次のようになる。「この世界に新たな個体を一匹産み落とすのに必要なもろもろの処置を講ずることにするか。すなわち私は子作りにふみ切るべきか」。子育てと子作りは、個体の利用しうる時間あるいはその他の諸資源をめぐって、互いにある程度競合せざるをえない宿命になっている。すなわち個体は次のような選択を迫られることもあるわけだ。「この子を育てようか、それとも別に一匹産み落とそうか」。

種をめぐる生態学的諸特性の細部のいかんに応じて、子育て、子作り両戦略のさまざまな混合戦略が進化的に安定となりうる。ただし、進化的に安定となりえない戦略が一つある。それは純粋な子育て戦略である。もしすべての個体が現存する子どもたちを養育することに没頭して自ら子を産まぬ状態になってしまえば、この個体群は、子作り専門に突然変質した諸個体によってたちまち牛耳られてしまうだろう。子育ては、混合戦略の一部としてのみ進化的に安定となりうるのである。つまり、少なくとも何がしかの子作りは必ず実行されねばならないのである。

私たちにもっともなじみの深い動物たち——哺乳類と鳥類——は子育て屋の傾向を多く示している。ここでは子作りの決断に続いて、生まれた子どもを育てる決断がみられるのがふつうである。子作りと子育ては、実際上かなりの場合に共存しているわけであり、人々が両者を混同する理由もここにある。しかしすでに述べたように、遺伝子の利己性の観点からみれば、たとえばあなたが幼い兄弟を育てることと、幼い息子を育てることとの間に原理的な差異はまったくないのである。いずれの子どももあなたの近縁者であり、あなたとの近縁の程度はどちらも同じなのだ。もしあなたが、養育の対象としていずれか一方の子どもを選ばねばならないとしても、それがあなたの息子でなければならない理由は、遺伝学的には存在しないのである。しかし他方では、あなたが兄弟を赤ん坊として産むことは定義からして不可能である。あなた以外のだれかが彼を産んでくれてはじめて、あなたは兄弟を養育することができることになる。前章で私は、既存の他個体に対して個々の生存機械が利他的にふるまうべきかどうかを決める場合、理想的にはいかに決めるべきかを考えてみた。本章では、新たな個体を産み出すかどうかを決める場合に、生存機械がどんなふうに決断すべきかに焦点を合わせることにしよう。

1章で「群淘汰」をめぐる論争を紹介したが、その論争は主として本章で扱う問題を舞台にして展開された。この原因は、群淘汰の見解を流布させた第一の責任者たるウィン＝エドワーズ[*7-1]にある。その見解を広めるにあたって彼は「個体数調節」の理論という文脈で、そうしたからである。彼は、個々の動物が、集団全体のために、意図的かつ利他的に自らの産子数を減少させるといいだしたのだ。

これは非常に人目をひく仮説である。それが、人間個々人の責務にとてもよく合致するからだ。人類はあまりに多くの子どもをかかえている。個体群の大きさは出生数、死亡数、移出個体数、移入個体数という四つの要因で決まる。世界の総人口を問題にする場合、移出と移入はおこりようがない。残るのは出生数と死亡数である。一夫婦当りの子どもの平均数が、出産可能時まで生存する子どもの数にして二人より大きい限り、新生児の数は年ごとに累進的に増加してゆくだろう。どの世代をとっても、人口は一定の数ずつ加算されてゆくのではなく、むしろ、そのときどきに到達した人口の一定比率の分ずつ増加してゆく。各時点での人口自体が増大するのだから、これに対応した人口増加数も増大するのである。もし、阻止(そし)されることなくこの種の増加が続けば、個体群はまたたくまに天文学的規模に達してしまうのだ。

ところで、人口問題を憂慮する人々でさえときとして見落としている事実がある。それは、人々が何人子どもを産むかではなく、何歳のときに出産するかによっても人口増加は左右されるのだということである。人口は、各世代ごとに、そのときの全数に一定の比率を乗じた分ずつ増加する傾向を示すので、もし各世代の間隔を従来より長くすれば、年ごとの人口増加はゆるやかになるはずなのだ。つまり、「夫婦に子どもは二人まで」という標語の代りに「子どもを産むのは三十歳から」といいかえてもほぼ同様な効果を期待しうるのである。いずれにせよ、人口の加速度的な増加は深刻な問題を招来することとなる。

この点をはっきり納得させるために、人を仰天させるような計算が引き合いに出されることがある。たぶん、この種の計算例にはどなたも出くわされたことがおありだろう。例をあげよう。ラテンアメリカの現在の人口は約三億である。そして現在すでに、その多くの人々は貧しい栄養条件下におかれている。しかし、もし現在の比率で人口増加が続けば、直立姿勢の人間がすきまなくならんで当の大陸全域に人間カーペットを敷きつめてしまう状態に達するのに五百年とはかからないだろう。人々が骨と皮ばかりになっている――これは、決して荒唐無稽な想像ではない――と仮定してもこの事態は変わらない。千年もたてば、ぎっしりとつまった人間たちの肩に、それぞれ百万人を超す人間が積み重なることとなろう。この人間の巨塊はやがて宇宙へ向って光速で膨脹するに至り、二千年後までには、現在知られている宇宙の外縁に到達してしまうだろう。

読者の皆さんは、これが仮定にもとづいた計算であることにすでにお気づきであろう。現実には今述べたような具合に人口増加が進行することはない。それを阻止するきわめて有力な現実的な理由がいくつもあるからである。いわく飢餓、疫病、戦争、あるいはもし運がよければ産児制限などというのがその理由のいくつかである。「緑の革命」その他の農学上の進歩を頼みにしてもむだである。食糧増産は人口問題を一時的に緩和するかもしれないとはいえ、それが長期的な問題解決となりえぬことは数学的に確実なことだからだ。じっさい、医学の進歩が人口の危機の促進に一役買ったのと同様に、農学の進歩も、人口の増大速度を速めることによってかえって人口問題を悪化させるかもしれないのである。毎秒数百万機かの割合でロケットを発射して宇宙へ大量移民でも送りこまぬ限り、無制限な産児数は、必然的に死亡率の恐るべき増加を招く。これは単純な論理的真理である。信じがたいことだが、この単純な真理を理解できず、信奉者たちが効果的な避妊手段を講じるのを禁止する指導者たちがいる。彼らは人口を「自然な」手段で制限するのが好ましいといっている。彼らが直面する羽目になるであろうその手段とは、まさしく一つの自然な手段である。それは飢餓と呼ばれる手段だ。

もちろん、ここに述べたような遠い将来に関する計算によって私たちが不安に襲われるのは、その前提として、人類という種全体の将来の幸福に対する配慮があるからである。人口過剰の破壊的帰結に前もって注意を配るための意識的な先見能力を、人間——いや一部の人々というべきか——は持ち合わせているのだ。一方、生存機械というものは、一般に遺伝子という利己的な存在によって支配されており、しかもこの遺伝子という存在は、将来を先取りしたり、種全体の幸福を心配するようなものとはおよそ考えられないというのが本書の基本的前提である。ウィン＝エドワーズが正統的な進化学の理論家たちと袂（たもと）を分かつのはこの点なのだ。彼は、正真正銘利他的な産児制限が進化しうる道があるというのである。

ウィン＝エドワーズの著作や、彼の見解を通俗化したアードリーの読物が強調せずにいることが一つある。それは議論の対立なしに承認されている事実がたくさんあるということである。野生動物の個体群が、理論的には可能な天文学的速度で増加することがないのは、明白な事実だ。ときには、出生率と死亡率が互いにほぼ釣り合うことによって、野生動物の個体群がかなり一定に保たれることもある。また、有名なレミングの場合のように、激しい大繁殖と急激な個体数の減少、そして絶滅に近いほどの個体数の低下が交互におこり、個体群が大幅に変動するような例もたくさんある。その結果、ときには少なくとも局地的な個体群が完全に絶滅してしまうこともある。カナダオオヤマネコの例――この例では、ハドソンベイ会社が売った毛皮数の経年変化から個体数が推定された――などのように、個体群が周期的に振動することもあるのだ。動物個体群が成しえぬ一事は、際限なくふえつづけることなのである。

野生動物が老衰で死ぬことはほとんどない。実際に老化がおこるずっと以前に、飢えや病気あるいは捕食者が彼らをとらえてしまうのだ。つい最近までは、人間もこの例にもれなかった。ほとんどの動物は子どもの段階で死んでしまい、卵の段階で命を終える個体もたくさんいる。飢えその他の死亡原因が究極的な理由となって、個体群の無際限な増加が不可能となっているのである。しかし、先に人間という種について検討したことからも明らかなように、事態がこうならねばならぬ必然的根拠があるわけではない。もし動物が産児数を調節しさえすれば、飢餓がおこる必然性はなくなるからである。そして、動物たちはまさしくこれを実行しているのだというのがウィン＝エドワーズの主張なのである。しかしこの論点についても、人々が、ウィン＝エドワーズの著書を読んで想像しそうなほどに大きな見解の差は存在しない。動物が出生数を調節しているという見解には、遺伝子の利己性理論の信奉者たちもただちに同意するはずだからである。どの種をとっても、その一巣卵数あるいは一腹産子数はかなり一定の数を示す傾向がある。無際限な数の子を産む動物など存在しないのである。つまり、出生数が調節されるかどうかという点をめぐって意見の対立があるのではない。なぜ出生数が調節されているのか、いいかえれば、どのような自然淘汰のプロセスによって家族計画は進化したのかという点をめぐって、意見の相違があるのである。動物の産児制限は集団全体の利益のために実行される利他的なものなのか。それとも、それは、繁殖をおこなう当の個体の利益のために実行される利己的なものであるのか。一言でいえば、意見の相違はこのいずれの見解をとるかにあるのだ。以下、この二つの理論を順にとりあげることにしたい。

動物たちは、集団全体の利益のために、能力的に可能な産子数以下の数の子どもを産むのだというのがウィン＝エドワーズの考え方である。しかし、通常の自然淘汰では、この種の利他主義は進化できそうにないと彼は考えた。平均以下の産子数が自然淘汰で選ばれるなどというのは、ちょっと見ると表現として矛盾しているからである。そこで彼は、1章で紹介したような群淘汰の考えに助けを求めたのだ。構成員たる個体が自らの産子数に制限を加えるような集団は、構成員の増殖が速いために食物供給が危うくなるような対抗集団にくらべると、絶滅の可能性が小さいだろうと彼は考えた。自己規制的な繁殖者からなる集団が自然界にはびこるようになるのはそのためだというのである。ウィン＝エドワーズが考えている個体の自己規制は、広義にとれば産児制限と同じことであるが、彼が意味するところはじつはもっと特殊なことなのである。動物の社会生活総体を個体数の調節機構とみなそうという一つの雄大な着想を、彼は提案しているのだ。たとえば、5章ですでに述べたなわばり制と順位制は、多くの動物種において、社会生活の二つの主要な特徴となっている。

多くの動物たちは、明らかにある範囲の地域を「防衛する」ために多大な時間とエネルギーを費しており、その地域のことを自然観察家たちはなわばりとよんでいる。この現象は動物界にきわめて広くみられるもので、鳥や哺乳類、魚類ばかりか、昆虫やあるいはイソギンチャクですら知られている。なわばりは、ロビンの場合のように広範囲の林地であることもある。この場合その地域は子育て中のつがいの主な採食場所となっているのだ。またなわばりは、セグロカモメの場合のように小面積のこともある。この場合にはなわばりの中に食物はないが、その中央に巣がある。なわばりをめぐって闘う動物は、一片の食物のような現実的な目的物の代りに、特権を保証する印となる代用的な目的物をめぐって闘っているのだとウィン＝エドワーズは信じている。多くの場合、雌は、なわばりをもたない雄とはつがいをつくろうとしない。それどころか、連れ合いの雄が闘いに敗れ、別の雄がなわばりを手に入れると、雌はさっさとその勝者のほうへ鞍がえしてしまうこともしばしばおこる。一見貞節な一夫一婦制を示す種の場合ですら、雌は雄と個体的に結びつくというより、むしろ雄の所有するなわばりと結婚するのかもしれないのである。

個体群があまり大きくなると、なわばりをもてない個体ができ、彼らは繁殖できないことになろう。ウィン＝エドワーズによれば、なわばりの獲得は繁殖への切符あるいは許可証を手に入れるようなものである。成立しうるなわばりの数には限りがあるので、いわば繁殖許可証の発行数が限られているようなものだ。だれがこれらの許可証を獲得するかをめぐって個体は相争うだろう。しかし、個体群全体が産みだしうる子の総数は、成立可能ななわばりの数によって制限されてしまうのである。アカライチョウの場合のように、一見するとたしかに個体が自己規制を実行しているようにみえる例もいくつかある。なぜならこれらの場合、なわばりを獲得できなかった個体は単に繁殖しないばかりでなく、なわばりの獲得をめざして闘うことすら放棄しているようにみえるからである。彼らはあたかも一羽残らず、以下のようなゲームの規則を受け入れているかのごとくである。つまり互いに競い合う季節の終るまでに、もし君がまだ繁殖のための公認切符を手にしていない場合には、君は自主的に繁殖を差し控え、また繁殖期の間は幸運な仲間に妨害を加えぬようにして、彼らが種の繁殖を続けられるようにせよ……と。

ウィン＝エドワーズは、順位制についても同様な解釈を加えている。動物の多くの集団で次のようなことがみられる。個体が互いの個体としての特徴を学び、さらにだれと闘った場合に勝つことができ、だれにはいつも負けるかを学習するのである。これは飼育条件下の動物集団でとくによくみられることだが、野生状態の動物集団でも例がある。5章で述べたように、どのみち勝てそうにないことが「わかっている」相手に対しては、彼らは闘わずして降参してしまう傾向を示すのである。そこで自然観察家(ナチュラリスト)は、順位制あるいは「つつきの順位」(順位制はニワトリで最初に記載されたためこう呼ばれることがある)を次のように記載できることになるのだ。順位制とは社会に階層秩序をつけることであり、その秩序のもとではあらゆる個体が自己の地位をわきまえ、分不相応なことは考えないのである。もちろんときには実際に熾烈な闘いがおこることもあるし、またときにはある個体がすぐ上の地位にいた上級者に勝って昇進をものにすることもある。しかし5章でも述べたように、一般的には下位の個体が自動的に服従するため、実際にえんえんと闘いが続くことはほとんどなく、ひどいけがもめったにおこらないのである。

多くの人々は、やや漠然とした群淘汰論者的な仕方で、この事態を「良いこと」だと考えている。しかし、ウィン＝エドワーズははるかに大胆な解釈をこれに加えているのだ。順位の高い個体は下位の個体よりも繁殖の可能性が大きい。雌が高位の個体を選んだり、あるいは下位の個体が雌に接近するのを上位の個体が力ずくで阻止したりするからである。ウィン＝エドワーズは、高い社会順位が、繁殖の資格を示すもう一つの切符なのだと考える。直接雌をめぐって闘う代りに個体は社会的な地位をかけて闘い、そして、もし高位の社会的な地位に到達できなかった場合には、彼らは繁殖の資格がないことを自ら認めるというのだ。もちろん下位の個体は、たえずより高い社会的地位をめざしてがんばるであろうから、間接的には雌をめぐって競争しているといえるわけだが、直接雌がからむ問題に関しては自制するというのである。そして、ウィン＝エドワーズによれば、順位の高い雄だけが繁殖できるという規則がこのように「甘受」される結果、なわばり行動の場合と同じく、個体数はあまり激しく増加しなくなるというのだ。実際に過剰な数の子どもを作ってしまってから、それがまちがいだったことに気づいてつらい思いをする代りに、動物の個体群は順位となわばりをめぐる形式的な争いを利用して、実際に飢えによる犠牲者が出る水準よりやや少なめにその個体数を制限しているというのである。

ウィン＝エドワーズの着想の中でもっとも驚くべきものは顕示（epideictic）行動という考え方であろう。顕示というのは彼の造語である。多くの動物はその生活の多大な時間を大きな群れの中で費している。この種の群らがり行動が自然淘汰によって促進されたのはなぜだろうか。これに関しては、多少とも常識的な各種の理由が示唆されており、そのいくつかについては10章でお話ししたいと思っているが、ウィン＝エドワーズの考え方は、それらとはまるでかけ離れたものなのだ。彼の主張によれば、夕暮れ時にムクドリが巨大な群れをつくったり、たくさんの蚊(か)が門柱の上空を舞いおどったりする際、彼らは自らの個体群の密度調査をおこなっているというのだ。彼の考えでは、個体は群れ全体の利益のために産子数を自制し、個体群密度が高いときには産子数を減らすというのであるから、彼らが個体群密度を測定するなんらかの手段を講じているにちがいないと考えるのも、理にかなっている。これは、サーモスタットがまともに作動するためには、内部に温度計を必ず備えていなければならないのとまったく同じ理屈である。ウィン゠エドワーズにとって顕示行動とは、個体群密度の推定を容易にするために動物が意図的に集まって群れをなすことにほかならないのだ。しかし彼は意識的な個体数推定がおこなわれると考えているわけではない。彼は、個体群密度に関して個体が受容した感覚刺激を、その生殖システムに結びつける自動的な神経、あるいはホルモン機構を考えているのである。

以上少し短めであったかもしれないが、私はウィン゠エドワーズの理論を正当に紹介するように努めたつもりである。もし私がこれに成功しているならば、読者は今、彼の理論が一見かなりもっともらしいと納得させられたような気がしておられるはずである。しかし、彼の理論が一見もっともらしいからといって、その証拠まで有力にちがいないとはいえないのである。本書のこれまでの諸章を読んでこられた読者は、このような見解を疑ってかかる準備ができているはずである。そして残念ながら、証拠はあまり有力ではないのである。証拠を構成する多数の事例は、確かに彼の見解にそって解釈することも可能だろうが、同様に、もっと正統的な「遺伝子の利己性」の観点からも十分説明がつけられるはずだからである。

遺伝子の利己性理論に立脚した家族計画理論の建設に当った第一人者は、偉大な生態学者デーヴィッド・ラックであった。もっとも彼はその理論を、遺伝子の利己性理論に立脚したなどとは呼ばなかったかもしれないが。彼の研究は、主として野生鳥類の一巣卵数に関するものであったが、彼の理論や結論は一般的に適用しうる利点をもっていた。どの種類の鳥も、その種に特有な一巣卵数を示す傾向がある。たとえば、カツオドリやウミガラスは一度に一個の卵を抱くが、ツバメは三個、シジュウカラは半ダースあるいはそれ以上の卵を抱く。もちろんこの一巣卵数には変異もみられる。一度に卵を二個しか産まないツバメもいるし、シジュウカラが十二個もの卵を産むこともあるのである。一匹の雌が産み落して抱く卵の数は、他の特性と同様、たとえ部分的にせよ遺伝的支配を受けていると考えておかしくないだろう。実際の事態がそれほど単純なことはありえないにはちがいないが、いってしまえば卵を二個産ませる遺伝子、三個産ませる対立遺伝子、四個産ませる対立遺伝子、等々が存在するかもしれないということなのである。さてこうなると、遺伝子プールの中で数を増してゆくのは、これらの遺伝子のうちのどれなのだろうか。遺伝子の利己性理論からは、この問題がクローズアップされることになるのだ。表面的に見ると、卵を二個あるいは三個産ませる遺伝子にくらべたら、卵を四個産ませる遺伝子が有利なのは決まっているように思われるかもしれない。しかし、この「多いことはよいことだ」式の単純な議論が正しくないことは、ちょっと考えてみれば明らかである。もしその議論が正しければ、四個の卵を産むより五個のほうがよく、さらに十個、百個のほうがよく、ついには限りなく卵を産むのが最上だということになるだろう。いいかえればその議論は論理的に不条理に突き当ってしまうのだ。多数の卵を産めば、利益ばかりでなく代価がもたらされることははっきりしている。子作りの拡大は、子に対する保護効果の減少によってあがなわれる運命にあるのだ。任意の環境条件下にある任意の種に関して、特定の最適一巣卵数が存在するはずだというのが、ラックの理論の要点である。ラックとウィン゠エドワーズの見解が分かれるのは、「だれの立場からみて最適なのか」という問いに対する答え方においてである。ウィン゠エドワーズは次のように主張するだろう――すべての個体がめざすべき最適卵数とは、集団全体にとっての最適卵数のことだ。一方ラックは次のように主張する――それぞれの利己的な個体は、彼女が育てうる子どもの数を最大にしうるような一巣卵数を選択するのだ。三個の卵というのが、ツバメにとってもし最適一巣卵数であるなら、これに対するラックの解釈は次のようになる。子どもを四羽育てようとする個体が最終的に育て上げうる子の数は、もっと用心深く三羽しか育てようとしないライバルが育て上げうる子の数より、結局少なくなってしまうのだ。明白な理由として考えられるのは、雛を四羽かかえてしまうと、それぞれにゆきわたる食物の量がわずかになってしまうため、成鳥の段階まで生き残れるものがほとんどいなくなってしまうということだろう。これは、四個の卵に初めに分配される卵黄量、そして孵(ふ)化(か)後子どもに与えられる食物量の両者にあてはまるはずである。つまり、ラックに従うなら、個体が一巣卵数を調節する理由には、利他的なところなどまったくないということになるのである。彼らが産児制限をおこなうのは、集団のための資源を過剰に利用しないようにするためなどではない。実際に生き残る自分の子どもの数を最大化するために、彼らは産児制限を実行するのである。これは、ふつうわれわれが産児制限に結びつけている理由とはまさに正反対の目標である。

雛を育てるのは大変高くつく仕事である。まず卵をつくるために、母鳥は大量の食物やエネルギーを投資しなければならない。おそらく配偶者の手助けはあるだろうが、卵を抱いて保護するための巣をつくるのにも、彼女は大変な努力を費すのだ。さらに両親は数週間にわたって忍耐強く卵を抱きつづける。

そして雛がかえると、親鳥たちは自らを酷使して、ほぼ休むことなく雛たちに食物を運び続けるのである。すでに紹介したことだが、シジュウカラの場合、一羽の親鳥は、日中三十秒ごとに平均一回の割合で食物を巣へ持ち帰るのである。われわれ人間のような哺乳類の場合、事情は多少異なっているとはいうものの、繁殖が、とくに母親にとって大仕事である点は変わりがない。もし母親が、食物や子育てのための努力などという彼女の限られた資源を、あまりにたくさんの子どもに分散させてしまえば、彼女が育て上げることのできる子の数は、もっと控え目な目標で彼女が出発した場合にくらべて、少なくなってしまうにちがいない。彼女は子作りと子育てのあいだで収支勘定をつけなければならないのだ。一匹の雌あるいは一組のつがいがかき集めることのできる食物その他諸資源の総量が、彼らが育てうる子の数を決める制限要因となっているのである。ラックの理論によれば、自然淘汰はこれら限られた諸資源から最大の有利さを引き出せるように、産卵時の一巣卵数（あるいは一腹産子数など）を調整しているのだということになる。

子をたくさん産みすぎる個体が不利をこうむるのは、個体群全体がそのために絶滅してしまうからではなく、端的に彼らの子のうち生き残れるものの数が少ないからなのである。過剰な数の子どもを産ませるのにあずかる遺伝子群は、これらをかかえた子どもたちがほとんど成熟しえないため、次代に多数伝達されることがないというわけである。しかし、現代の文明人のあいだでは、家族の大きさが、個々の親たちが調達しうる限られた諸資源によってはもはや制限されないという事態が生じている。ある夫婦が自分たちで養いきれる以上の子どもを作ったとすると、国家、つまりその個体群のうち当の夫婦以外の部分が断固介入して、過剰な分の子どもたちを健康に生存させようとするのである。物質的資源をいっさい持たぬ夫婦が、多数の子を女性の生理的限界まで産み育てようとしても、実際のところこれを阻止する手段はないのだ。しかしそもそも福祉国家というものはきわめて不自然なしろものである。自然状態では、養い切れる数以上の子をかかえた親は孫をたくさん持つことができず、したがって彼らの遺伝子が将来の世代に引き継がれることはない。自然界には福祉国家など存在しないので、産子数に対して利他的な自制を加える必要などないのである。自制を知らぬ放縦をもたらす遺伝子は、すべてただちに罰を受ける。その遺伝子を内蔵した子どもたちは飢えてしまうからである。われわれ人間は、過剰な人数をかかえた家族の子どもらを飢え死にするにまかせるような昔の利己的な流儀にたち帰りたいとは望まない。だからこそわれわれは、家族を経済的な自給自足単位とすることを廃止して、その代りに国家を経済単位にしたのである。しかし、子どもに対する生活保障の特権は決して濫用（らんよう）されるべきものではないのである。

避妊は、しばしば「不自然だ」といって非難される。確かにそのとおり、きわめて不自然にちがいない。ところが困ったことに、不自然なのは福祉国家も同様なのだ。われわれのほとんどは福祉国家をきわめて望ましいと信じていると、私は考えている。しかし、不自然な福祉国家を維持するためには、われわれは、同様に不自然な産児制限を実行しなければならない。そうしなければ、自然状態におけるより、さらにみじめな結果に至るであろう。福祉国家というものは、これまで動物界にあらわれた利他的システムのうちおそらく最も偉大なものにちがいない。しかしどのような利他的システムも、本来不安定なものである。それは、利用しようとまちかまえる利己的な個体に濫用されるすきをもっているからだ。自分で養える以上の子どもをかかえている人々は、たぶんほとんどの場合無知のゆえにそうしているのであり、彼らが意識的に悪用をはかっているのだと非難するわけにはいかない。ただし、彼らが多数の子を作るよう意図的にけしかけている指導者や強力な組織については、その嫌疑を解くわけにはいかないと私には思われる。

　野生動物の話題に戻ることにしよう。一巣卵数に関するラックの議論は、ウィン＝エドワーズが引き合いに出すその他すべての事例、たとえばなわばり行動、順位制、等々に、一般化して当てはめることができる。例として、ウィン＝エドワーズとその同僚たちが研究対象にしているアカライチョウを取り上げることにしよう。この鳥はヒース属の植物を食べるのだが、湿原を分割して、所有者が実際に必要とするより明らかに多量の食物を含んだなわばりをつくる。繁殖期の初期に彼らはなわばりをめぐって闘うが、やがて敗者は自分の敗北を認めるらしく、もはや闘おうとはしなくなる。彼らはなわばりをもたぬあぶれ者となり、その季節が終るころまでにおおかた飢え死にしてしまう。繁殖できるのはなわばりの所有者だけである。ところが、なわばりをもたぬ鳥たちも生理的には繁殖が可能であることが次の事実から明らかになっている。なわばり所有者を射殺すると、あぶれもののうちの一羽がただちにその後釜にすわって繁殖をはじめるのである。この極端ななわばり行動に関するウィン＝エドワーズの解釈は、すでに御承知のとおり、次のようなものである。あぶれ者たちは、繁殖のための許可証あるいは切符を取りそこねたことを自ら「認め」て、繁殖行為を控えるのだというのである。

　これを遺伝子の利己性理論で説明するのは、一見かなり厄介に見える。あぶれ者たちは、なぜ死力を尽してあくまでなわばり所有者を追いだそうとしないのだろうか。たとえ力尽きて倒れても彼らが失うものは何もないのではないか。しかし、ちょっと待ってほしい。もしかしたら彼らには失うべきものがちゃんとあるのではないだろうか。先にふれたように、もしなわばり所有者が死亡することがあれば、あぶれ者にもそのなわばりを手に入れて繁殖するチャンスがまわってくる。もしあぶれ者にとって、この方法でなわばりの後継者におさまれる可能性のほうが、闘争によってなわばりを手に入れうる可能性よりも大きいならば、たとえわずかなエネルギーにせよ無益な闘いのために浪費するよりは、なわばり所有者のうちのだれかが死ぬことを期待して待機するほうが、利己的個体としての彼にとっては有利だということになる。ウィン＝エドワーズからみると、集団の繁栄をはかるにあたってあぶれ者たちが果たしている役割は、代役みならい中の役者のように、いわば舞台の脇に待機していることである。集団の繁殖のためのひのき舞台の上で、なわばり所有者のうちのだれかが倒れたら、ただちにそれにとって代われるようにというわけだ。ところが、もはや明らかなように、あぶれ者の示すこの行動は、純粋に利己的な個体としての彼らの立場からみても最良の戦略かもしれないのだ。4章で述べたように、われわれは動物を賭博師とみなすことができる。賭博師にとって最良の方策は、ときには猛烈攻撃作戦ではなく、好運待望作戦かもしれないのである。

同様にして、動物が非繁殖者の地位を一見受動的に「甘受」しているかにみえる他の数多くの例も、遺伝子の利己性理論によっていともたやすく説明することができる。いずれの場合も、説明の基本型は同じである。つまり、当の動物の最良の賭けは、さしあたり自制しておいて、将来のもっとよいチャンスに望みをかけることなのだという説明である。ハーレムの所有者たちにちょっかいを出さないあぶれアザラシは、別に集団の利益のためにそうしているのではない。彼は好機の到来を待っているのである。たとえ好機は来たらず、結局彼は子孫を残さずに死ぬとしても、この賭けは勝つかもしれない賭けだったのだ。彼一頭については結果的にこの賭けが負けだったとわかったとしても、やはりそれは勝つかもしれなかった賭けなのである。また、個体数の激増に際して、繁殖の中心地域から幾百万の大群をなしてあふれ出してくるレミングたちも、彼らが立ち去ってきたその地域の個体群密度を減少させるためにそうしているわけではない。彼らは、もっと密度の低い生活場所を探し求めているのだ。利己的存在たる彼らの一頭一頭がそうしているのである。特定の個体をとれば、彼は新しい生活場所を発見できずに死んでしまうかもしれない。しかしこれは、結果がでてからわかることだ。そしてこの事実も、次の可能性を変更するものではない。すなわち、元の地域に残留することはもっと分の悪い賭けだったにちがいないということである。

過密がときに産子数の減少をもたらすということは、多くの資料に支えられた事実である。この事実が、ウィン＝エドワーズの理論を支持する証拠とみなされることがときどきあるが、それも的はずれというものだ。この事実はウィン＝エドワーズの理論ばかりでなく、遺伝子の利己性理論とも同様に合致するからである。例をあげることにしよう。屋外の囲いの中にたっぷり食物を供給し、そこでハツカネズミを自由に繁殖させる実験がおこなわれたことがある。この個体群はある数まで増加したが、その後横ばい状態になってしまったのだ。個体数が横ばいになったのは、過密の結果、雌の繁殖能力が減退したためであることがわかった。雌の産子数が減ってしまったのである。同様な効果は、このほかにもしばしば報告されている。この種の効果をひきおこす直接の原因は「ストレス」と呼ばれることが多い。もっとも原因にそんな名前をつけてみたというだけでは、説明の助けにはならないのだが。さて、ところで直接的原因が何であるにせよ、ここでとりあげなければならない問題は、その効果の究極的な説明、すなわち進化的な説明をどうつけるかということだ。個体群の過密化に応じて産子数を減少させるという性質をもった雌に、自然淘汰が有利にはたらくのはいったいなぜであろうか。

ウィン＝エドワーズの答えは、はっきりしている。雌が個体群密度を測定し産子数を調整する性質をもつおかげで、食物の過剰利用をひきおこさずにすむ集団が、群淘汰で有利になるためだというのだ。先に述べた実験の場合、食物が決して不足しないような条件がたまたま加えられていたわけだが、ハツカネズミがこの条件を理解できると想定するのは、無理だろう。彼らは野生生活に適するようにプログラムされているのだ。そして、野外条件のもとでなら、過密は来たるべき飢饉の信頼しうる指標となろう。

遺伝子の利己性理論の見解はどうか。ほとんど同じ意見なのだが、ただし、一つ決定的な意見の相違があるのだ。動物は、彼ら自身の利己的な立場からみて、最適な数の子どもをもつ傾向がある、というラックの見解を思い出してほしい。彼らがつくる子どもの数が少なすぎたり、あるいは多すぎたりすると、彼らの最終的に育て上げうる子の数は、もし彼らがちょうどよい数の子を産みあてたなら育てられたはずのそれより、少なくなってしまうのだ。ところでこの「ちょうどよい数」というのは、個体群の過密な年においては、個体群が希薄な年にくらべてより小さな数となろう。過密が飢饉の前兆となるだろうという点ではもとより意見は一致している。そこで、もし雌が飢饉を予測させる確かな証拠に接した場合には、彼女が自分の産子数を減少させることは、明らかに彼女の利己的利益にかなうのである。当の警告的な徴候にこの方法で反応しないライバルたちは、たとえ彼女より多数の子をつくったとしても、最終的に育て上げうる子の数は彼女より少なくなってしまうだろう。こうしてわれわれは、最終的にはウィン＝エドワーズとほぼまったく同じ結論に到達するわけだ。ただしわれわれは、彼とはまったく異なるタイプの進化論的な議論をたどって、そこに到達するのである。

遺伝子の利己性理論は、「顕示行動」の問題も難なく処理してしまう。読者は、ウィン＝エドワーズが次のような仮説をたてたのを覚えておられよう。すなわち、あらゆる個体が楽に個体群の密度調査を実行し、これにしたがって自らの産子数を調節できるようにするために、動物たちは意図的に大群をなし、いっしょにディスプレイ（誇示）をおこなうというのである。実際に顕示的な集合があるという直接的証拠はないのだが、かりにその種の証拠が見つかったとしよう。そうなったら、遺伝子の利己性理論は当惑するだろうか。心配は無用である。

ムクドリはおびただしい数がいっしょにねぐらにつく。さて、今かりに、単に冬季の過密が春における産卵能力を減退させるということだけでなく、さらに互いの鳴き声を聞くことが、産卵能力減退の直接的原因となっていることがわかったと想定してみよう。この点を証明するには、ムクドリが密集して騒然としているねぐらの音と、一方もっと鳥が少なくて静かなねぐらの音をテープに録音しておき、ついでそれぞれの音を聞かせたムクドリを相互に比較する実験をおこなって、前者の音にさらされた個体のほうが産卵数が少ないことを示せばよかろう。定義に従えば、これによって、ムクドリの鳴き声は顕示的なディスプレイの一つであることが示されるわけだ。さて、遺伝子の利己性理論は、ハツカネズミの例を扱ったのとほぼ同じ流儀で、この現象を説明しうるのである。

養育能力以上に家族を大きくさせる遺伝子は、自動的に不利をこうむることとなり、遺伝子プール中でその数は減少してゆく。前回と同様、この仮定が議論の出発点である。したがってむだなく卵を産もうという個体に課せられた仕事は、利己的な個体としての彼女の立場からみた最適一巣卵数が、来たるべき繁殖期において、いったいいくつになるかを予言することである。「予言」ということばは、4章で述べたような特殊な意味で使用しているのだが、読者はそれを思い出してほしい。めんどりはいったいどのようにして彼女の最適一巣卵数を予言するのだろうか。どんな変数が彼女の予言に影響するのだろう。まず、多くの種は、年ごとに変化することのない固定的な予言をたてているようだ。たとえば、カツオドリの最適一巣卵数は、この様式で平均一個に決まっている。もちろんとくに魚が豊富な年には、個体にとっての真の最適一巣卵数は一時的に二個に増加しうる可能性もある。しかし、カツオドリには、特定の年が魚の当り年になるかどうかを事前に知る方法がないとすれば、カツオドリの雌たちが二個の卵を産んで、手持ちの資源をむだにしてしまうような危険を選ぶとは予想できない。卵を二個産むことになれば、平均的な年の条件における彼らの繁殖成績は損なわれるはずだからである。

しかし、おそらくムクドリを含め、前述とは異なる条件下にある種もみられるはずだ。これらの種においては、春に特定の食物源の生産が良好になりそうかどうかが、原理的には冬のうちに予言できるのである。農村の人々の間には、たとえばヒイラギの実の量などが、春の天候を予言するよい手段になりうることを示唆する言い伝えがたくさんある。特定の言い伝えが正確かどうかはさておくとしても、その種の手がかりは論理的には存在可能な余地がある。とすれば、上手な予想屋が、自分の利益になるように一巣卵数を年ごとに調整することも理論的には可能であろう。ヒイラギの実が果たして信頼しうる予言手段かどうかわからないが、ハツカネズミの場合と同様に、個体群密度がよい予言手段となりうる可能性は大いにあると思われる。春になって雛たちに餌を与えるようになれば、同種のライバルたちと餌をめぐって競争する羽目になることを、ムクドリの雌は原理的には知ることができるのだ。もし彼女が、同種個体の冬期の地域密度をなんらかの方法で推定できるとすれば、これは、春になって雛のための餌を確保することがどのくらい困難になるかを予言する、強力な手段となりうるだろう。冬の個体群密度がいちじるしく高いことがわかれば、産卵数をやや減少させるというのが、彼女の利己的見地にかなった慎重な対応策ということになろう。すなわち、自分の最適一巣卵数についての彼女の推定値は、減少することになるはずなのである。

さて、個体が実際に、自らの手による個体群の密度推定を根拠として、その一巣卵数を減少させるという性質を示すようになると、ただちに次のような事態が生じよう。すなわち、実際の密度がどうであれ、ライバルに対しては、個体群がいかにも大きいかのように装うことが、個々の利己的個体にとって有利になるはずなのである。たとえばムクドリの例で、もしも冬のねぐらの騒々しさが、個体群の大きさを推定する手がかりになっているとすると、個々の個体は、あらん限りの声をはりあげて、二羽分くらいの声を出したほうが有利だということになるだろう。動物は、あたかも同時に複数の個体がそこにいるかのようにみせかけることがあるのではないかという見解は、J・R・クレブスが別の問題を扱った際に示唆していたことである。彼は、フランス外人部隊の一団が同様な戦術を使う話の出てくる小説にちなんで、それに「ボー・ジェスト効果」という名前をつけている。ムクドリの場合、この行為の狙(ねら)いは、周囲の仲間たちがそれにだまされて、彼らの一巣卵数を本当の最適値以下に減らすように仕向けることである。もしあなたがムクドリで、この狙いをうまく達成できるとすれば、それはあなたの利己的な利益にかなうのだ。あなたは、あなたと同じ遺伝子を保持しない個体を減少させることになるからである。さて以上の考察から、私の結論を述べるなら、顕示ディスプレイというウィン＝エドワーズの着想は、実際にかなりすぐれた考え方だろうということになる。おそらく彼のこの見解は、彼がそれに与えた進化論的な説明が誤っていた点を除けば、終始正しかったのかもしれない。また、先に述べた考察からもっと一般的な結論を引き出すとすれば、次のようになろう。すなわち、群淘汰理論を支持するかにみえるいかなる証拠があらわれたとしても、ラック型の仮説はそれを遺伝子の利己性にもとづいて説明してみせる十分な力をもっているということである。

本章の結論は以下のとおりである。個々の親動物は家族計画を実行するが、しかしそれは公共の利益のための自制ということではなく、むしろ自己の産子数の最適化なのである。彼らは、最終的に生き残る自分の子どもの数を最大化しようと努めるのであり、そのためには産まれる子の数は多すぎても少なすぎてもまずいのである。個体に過剰な数の子をもたせるように仕向ける遺伝子は、遺伝子プールの中にはとどまれない。その種の遺伝子を体内にもった子どもらは、成体になるまで生き残るのがむずかしいからである。

家族のサイズの量的な考察は、以上で締めくくることにしよう。次にとりあげるのは、家族の内部における利害の衝突の問題である。自分の子どもをすべて公平に扱うことは、母親にとってつねに有利なことなのだろうか。ひょっとしたら母親は特定の子どもをひいきするのではないだろうか。家族とは単一の協力集団として統一されたものなのか。それとも、家族の中にすら、利己主義やごまかしがあると考えるべきなのか。同じ家族内の全構成員は、同一の最適値の達成に向けて努力しているのか。それとも彼らの間には、何を最適値とするかをめぐって「意見の不一致」があるのだろうか。次章では、これらの問いに対する解答を探ってみたい。配偶者間に利害の衝突があるかどうかという問題もこれらと関連したものだが、それについては9章までおあずけということにする。

8 世代間の争い

まず、前章の末尾に掲げておいた諸問題の最初の問いから取り組むことにしよう。母親はひいきの子どもを作るべきか、それともすべての子どもに等しく利他的にふるまうべきか。しつこいと思われるかもしれないが、私のおきまりのことわり書きを、ここにも改めて挿入しておかねばならない。「ひいき」ということばに主観的な意味合いはないし、「べき」ということばも、倫理的な用語として使っているのではない。私は、母親というものを、ある種の機械として取り扱っている。この機械の内部には、遺伝子が制御者として乗り込んでいる。そしてこの機械は、その遺伝子のコピーを増殖させるべく、能力の限りあらゆる努力を払うようにプログラムされているのである。読者も、また私も人間であり、意識的な目的をもつことがどんなことかを知っている。そこで、生存機械の行動を説明するに際しては、目的に関連した用語を比喩的に使用すると都合がよいというわけだ。

実際問題として、母親がひいきの子どもをつくるといった場合、それは何をさすのだろうか。その答えは、彼女が自分の利用しうる諸資源を子どもの間に不均等に投資するということであろう。母親が投資することのできる諸資源には、各種のものが含まれる。食物は明白な例だが、それを手に入れる際に費される努力量も、母親になんらかの負担となる以上、同様な資源の例である。捕食者から子どもを守る際の危険も、その「行使」や回避が、母親の手中にある資源の例といえる。巣や住処の維持のために費されるエネルギーや時間、風雨からの保護、さらに一部の動物種では子を教育するのに費される時間など、いずれも母親がその子どもたちに対して公平に、あるいは彼女の「選別」に従って不公平に、分配することのできる貴重な資源である。

親動物の投資しうるこれらすべての資源を測る、共通の尺度を案出することはむずかしい。人間の社会では、食物、土地、労働時間などのいずれとも変換可能な、普遍的な尺度として貨幣が使用されているが、それとちょうど同様に、ここでは、個々の生存機械が他個体とくに子どもの命に対して投資する諸資源を測るための、単一の尺度が必要とされるのである。エネルギーの一つの尺度であるカロリーなどは有望そうに見えるので、一部の生態学者たちは、野外におけるエネルギー費用の会計勘定に没頭してきた。しかしこの尺度は、不十分さをまぬがれない。それを、実際に重大な意味をもつ尺度、つまり進化の「究極的尺度」たる遺伝子の生存に読みかえようとすると、どうしてもあいまいになってしまうからである。この問題を手ぎわよく解決したのはR・L・トリヴァースだった。[*8-1] 彼は一九七二年に、「親による保護投資」という概念を利用してそれを解いてみせたのだ（ただし、二十世紀最大の生物学者R・フィッシャー卿の圧縮された文章の行間を読むと、彼が、一九三〇年に、「親としての経費」ということばで、トリヴァースの親による保護投資とほぼ同一の事柄を指摘していたことが察せられる）。

親による保護投資（P・I）は「ある子どもに対する親の投資のうち、その子どもの生存確率（それゆえ繁殖の成功確率）を増加させ、そのさい同時に他の子どもに対する親の投資能力を犠牲にさせるようなあらゆるもの」と定義される。トリヴァースの親による保護投資の考え方のみごとな点は、実際に重要な意味をもつ究極的尺度にきわめて近い単位でそれを評価できるところにある。たとえばある子どもが、母親のミルクの一部を飲んでしまったとすると、ミルクの消費量はパイント、あるいはカロリー単位で測られるのではなく、これによって他の兄弟がこうむる損害の単位で測られることになるのである。今、ある母親がXとYの二匹の子持ちで、Xが一パイントのミルクを飲んでしまったとする。この場合、この量のミルクに対応するP・Iの大半は、そのミルクを飲まなかったために、Yの死亡確率がどれだけ増加するかによって測られる。P・Iは、すでに生まれているか、あるいは将来生まれるであろう他の子どもたちにおける、平均余命の減少度によって測られるのである。

しかし親による保護投資も、理想的尺度とはいいがたい。他の遺伝的関係を差しおいて、親子関係だけを強調しすぎるきらいがあるからである。理想をいえば、何らかの一般化された「利他的投資」の尺度を、利用すべきところなのだ。個体Aが個体Bの生存確率を増加させるなら、Aは、自分自身および他の近縁個体に対する投資能力を何がしか犠牲にして、Bに投資したのだといってよいのである。このさい支払われるすべての犠牲は、それぞれ適切な遺伝的近縁度によって重みづけされる。すなわち、理想的にいうならば、任意の子どもに対する母親の投資は、他の子どもたちだけではなく、甥や姪、さらには彼女自身などの平均余命の減少によって測られるべきなのだ。しかし、これは多くの点でこじつけめいてくる。実際は、トリヴァースの尺度で十分に役に立つ。

さて、すべての親動物は、彼女の生涯を通算して、子どもに投資しうるある総量のP・Iをもっている（子どもだけでなく、他の血縁者や彼女自身に対する投資も考慮すべきだが、ここでは簡単にするために子どもだけを考える)。この量には、彼女が一生の労働を通して獲得、あるいは生産しうる食物の総量、彼女が自ら対処する用意のある危険の総量、その他、彼女が子どもの福利のために注入しうるあらゆるエネルギーと努力が含まれているのである。成熟期に達した若雌は、彼女の生涯の資源をどのように投資すべきだろうか。彼女が従うべき賢明な投資策はどんなものであろうか。ラックの理論からすでに明らかになったように、あまりにも多数の子どもに投資をごく少量ずつ分散させてしまうべきではない。もしそうしてしまうと、彼女はきわめて多くの遺伝子を失うことになろう。彼女は十分な数の孫を確保できないことになるからだ。しかし一方、あまりに少数の子ども——過保護の甘ったれ小僧ども——にすべてを投資してしまうべきでもない。その場合、彼女は確かになにがしかの孫を確保はできようが、最適数の子どもに投資したライバルのほうが最終的にはさらに多数の孫を得ることになろう。公平な投資策については以上に止めておく。当面の興味は、子どもに対する不平等な投資が、母親にとって得になることがあるかということである。いいかえれば、彼女はひいきの子どもをつくるべきかどうかということなのだ。

　母親のひいきづくりについては、なんら遺伝的根拠はないというのが、この問いへの解答である。彼女の子どもに対する遺伝的近縁度は、すべての子どもで同じく½だからである。つまり、彼女の最適戦略は、繁殖年齢まで養育しうる最大数の子どもに対して、公平な投資をおこなうことなのである。しかし、先にも(6章)ふれたように、一部の個体は、他の個体より生命保険の被保険者としてすぐれている。平均サイズ以下の小型の子どもも、もっと成長のよい他の一腹子仲間たちと同じ数だけ、母親の遺伝子をもってはいるが、彼の平均余命は他の仲間たちより短いのだ。換言すると、他の兄弟たちと最終的に同じ状態まで、彼を育て上げようとすれば、それだけで、公平な配分量以上の親による保護投資が必要となるわけである。そこで、事情によっては、このような小型の子どもへの給餌（きゅうじ）を拒否して、彼に対する親による保護投資の配分量をすべて他の兄弟姉妹に分配してしまうほうが、母親にとって有利になるだろう。それどころか実際には、育ちそこねた子どもを、その兄弟姉妹たちに食わせてしまったり、自らその子どもを食ってミルクの生産にまわしてしまったほうが、母親には得かもしれないのだ。母ブタはときどき自分の子どもを実際に食ってしまうことがある。ただし、彼女らがとくに育ちそこねた子ブタを選んで食べるのかどうか、私は知らないが。

平均サイズ以下の小型の子どもの問題は、特殊例の一つである。もっと一般化すると、子どもに対する母親の投資傾向が、子どもの年齢によってどのような影響を受けるかに関して、いくつかの予測が可能である。まず、もし彼女が、甲乙いずれか一方の子どもの命を救うしかなく、救助を受けなかった子どもは、死ぬほかないという二者択一をせまられたとすると、彼女は年上の子どものほうを救おうとするはずなのだ。年上の子どもが死んでしまうのと、年下の小さな弟が死ぬのとを比較すると、生涯の親による保護投資量の中から母親が失う羽目になる投資量は、前者の場合のほうが大きくなるはずだからである。ただし、これは次のように表現したほうがもっと適切である。もし母親が小さな弟のほうを救ったとすると、大きい兄弟と同じ年齢まで彼を育て上げるだけのために、彼女はさらに何がしかの貴重な資源を投資せねばならないのだ。

一方、もし母親の直面する選択が、前述のごとく子の生死を分かつほどきびしいものではない場合には、母親は年下の子どものほうに援助を加えるほうが安全である。たとえば、一口分の食物を、年上、年下どちらの子どもに与えるべきかという二者択一に母親が直面したとする。自分の食物を自力で見つけうる可能性は、大きい子どものほうが小さいほうの子どもにくらべて大きかろう。それゆえ、母親による給餌が中止されても、大きいほうの子どもは必ずしも死ぬことはあるまい。ところが、まだ自分では食物を見つけることができない小さな子どものほうは、母親がその食物を大きい兄弟のほうに与えてしまうと、死亡する可能性が大きくなろう。こんな場合には、母親は、たとえ大きな子を死なせるよりは、小さな子どもを死なせるほうを選ぼうとする傾向に変わりはなくとも、その食物を小さな子どものほうに与えるだろう。そうしたところで、大きい子どもが死ぬ心配はないからである。哺乳類の母親が、子どもに対して、際限なく一生給餌し続けることはせず、彼らを乳離れさせる理由もそこにあるのである。子どもがその生涯のある時期に達すると、母親は、彼に対する投資を将来の子どもたちに対する投資に切りかえたほうが有利になる。この時期が来ると、母親は子を乳離れさせようとするのである。ただし、最後の子どもをかかえた母親は、もしなんらかの方法で、その子どもが末っ子であることを知ることができれば、残る生涯にわたって彼女の全資源をその子に投資し、ことによると、その子どもが十分成体に達するまで授乳し続けるものと予想しえよう。もっともこの場合、末っ子にそんなに投資するより、孫や、甥、あるいは姪に投資したほうが得にならないか、彼女はよく「見定める」べきなのだ。孫、甥、あるいは姪と彼女との近縁度は、彼女と彼女自身の子どもとの間のそれの半分だが、彼女の投資によって彼らが受けうる利益の大きさは、それによって彼女の子どもが受けうる利益の二倍より大きくなりうるからである。

よい機会なので、人間の女性が中年期にかなり唐突にその生殖能力を失ってしまう現象、すなわち月経閉止と呼ばれている奇妙な現象にも一言ふれておこう。われわれの野生の祖先たちの間で、この現象がそう一般的にみられたとは思えない。その年に達するほど長生きした女性は、さほど多くはなかったと思われるからである。とはいえ、女性の生涯におけるこの突然の変化と、男性の生殖能力の漸次的減退との間に見られる差異は、月経閉止に関して何か遺伝的に「意図されたもの」があること、すなわち、月経閉止が何らかの「適応」であることをうかがわせる。これを説明するのは少しやっかいである。一瞥すると、母親が高齢となるにつれて、子どもの生存はますますむずかしくなるとはいえ、女性は死ぬまで子どもを産み続けるにちがいないと予想してしまいそうである。実際、子どもを産み続けるのは、やってみるだけの価値があるように思われるのではないだろうか。しかしここで私たちは、子どもにくらべればたとえ半分の度合とはいえ、彼女がその孫たちとも近縁関係にあることを思い出さねばならない。

おそらくはメダワーの加齢の理論（五七頁）とも関連した各種の理由から、自然状態の女性は、年をとるにつれて子育ての効率が漸減したであろう。このため、高齢の母から産まれた子どもの平均寿命は、若い母親の子どもの寿命にくらべて短かっただろう。これは、かりにある女性が、自分の子どもと孫を同じ日に授かったとすると、孫のほうが子どもより長生きすると予想されることを意味している。自分の産んだ子どもが成体に達しうる平均確率が、同い年の孫のそれのちょうど二分の一をきる年齢に女性が到達すると、子どもよりむしろ孫のほうに投資させるように仕向ける遺伝子が、有利になるだろう。この遺伝子は、孫四人当り一人の割合で担われるにすぎず、一方それとライバル関係にある遺伝子は、子ども二人当り一人に担われることになる。しかし、孫の寿命の長さがこの関係を逆転させてしまうため、「孫に対する利他的行動」をうながす遺伝子が、遺伝子プールを牛耳ることとなるのである。自分の子どもを産み続ける女性は、孫に十分な投資を与えることができなかった。そこで、中年期に繁殖能力を喪失させるように仕向ける遺伝子のほうが、次第に増加したのである。この遺伝子は、祖母の利他的行動によって生存を手助けされる孫たちの体内に担われていたからである。

以上は、女性の月経閉止の進化に関して考えうる一つの説明である。男性は個々の子どもに対して、女性ほど大きな投資を加えることはない。男性の場合、生殖能力が突然失われるのではなく、次第に衰えてゆく形をとるのは、たぶんこのためではなかろうか。もし男性が若い女性に子どもを産ませることが可能なら、たとえ彼が高齢の男性であっても、孫に投資するより自分の子どもに投資したほうがつねに有利であろう。

前章および本章のこれまでの部分では、すべてを親の観点、主として母親のそれから見てきた。親はひいきの子どもをつくると予想されるかどうか、さらにもっと一般的には、親にとって最良の投資策はどんなものか、というのがこれまでの問題であった。しかし、もしかすると個々の子どもは、他の兄弟姉妹とくらべて自分が両親からどれくらい多くの投資を受けるかについて、自ら影響力を及ぼしうるのではなかろうか。たとえ親たちは、子どもにひいきをつけるのを「望まなく」とも、子どもたちの間に特別待遇(たいぐう)をめぐる確執(かくしつ)がありうるのではないか。しかし、そんな争いは子どもたちにとって有利なのか。もっと厳密にいえば、子ども間に利己的な確執をもたらす遺伝子は、各自が公平な配分量以上は望まぬように仕向けるライバル遺伝子より、遺伝子プールの中で多数になりうるのだろうか。トリヴァースは「親と子の対立」という題の一九七四年の論文で、この問題をみごとに分析している。

母親は、すでに生まれているかこれから生まれるかにかかわりなく、彼女のすべての子どもに対して同じ遺伝的近縁度をもっている。したがってすでに述べたように、遺伝的な背景だけを問題にするなら、彼女にはひいきの子どもをつくるべき理由は何もない。にもかかわらず母親が実際にはひいきを示すとするなら、その理由は、子どもたちの間に年齢その他の要因に依存した平均余命の相違があるためにちがいないのである。どんな個体でも同じことであるが、母親も任意の子どもに対する近縁度のちょうど二倍の近縁度を、「自分自身」に対してもっている。これは、他の条件が等しければ、彼女はその資源のほとんどを、自分自身に対して利己的に投資すべきことを意味しているのである。しかし、他の条件というのが、じつは等しくない。自らの資源のかなりの部分を子どもたちに投資したほうが、彼女の遺伝子に対して母親はもっとよく貢献できるのだ。その理由は、子どもたちのほうが彼女より若くて無力であり、したがって単位投資量あたりで彼らが獲得しうる利益が、それによって彼女自身の得られる利益より大きくなるためである。かくして、自分を差しおいてもっと無力な個体に投資させようとする遺伝子は、利他的行為者の遺伝子が受益者にごく一部しか共有されていない場合でも、遺伝子プールに広がることができる。動物が親による利他行動を示すのはこのためであり、さらに彼らの間に血縁淘汰による利他主義が見られるのも、すべてこの理由にもとづいているのである。

さて問題を特定の子どもの視点からみるとどうなるだろうか。兄弟姉妹それぞれに対する彼の遺伝的近縁度は、その兄弟姉妹に対する母親の近縁度と同じであり、すべての場合でその値は½になる。したがって、彼は、母親が彼女の資源のいくらかを彼の兄弟姉妹にも投資するよう、「望んでいる」といえる。遺伝的にいうなら、兄弟姉妹に対して彼は、母親とまったく同様な利他的傾向を示すはずなのであるる。しかしここでまた、彼の彼自身に対する近縁度が、任意の兄弟姉妹に対するそれのちょうど二倍になっていることが問題になる。このため、他の条件が同一なら、彼は母親が他のどの兄弟姉妹より彼自身に多く投資してくれるようにと、望む傾向を示すこととなろう。この場合、他の条件は実際に等しくなる可能性がありそうだ。かりに、ある子どもとその兄弟が同い年で、しかも両者いずれも、母親の一パイントのミルクで同じ利益を受けうる立場にあるとすると、彼はその公平な配分量以上を奪取するよう努力「すべき」であるし、その兄弟のほうも、同じく公平な配分量以上の獲得をめざしてがんばるべきなのだ。母豚が授乳のために横になると、一番乗りをしようと子ブタたちがキイキイ大騒ぎするのを、読者は聞かれたことがおありだろうか。あるいは、ケーキの最後の一片をめぐって小さな男の子たちが先を争う様子はどうだろうか。利己的な欲張り男性は、子どもたちの多くの行動に特徴的なように思われる。

　しかしこれで話がつきるのではない。かりに一口の食物をめぐって、私が弟と競合しており、しかも弟は私よりはるかに年下のため、その食物によって彼が受けうる利益は、私がそれによって受けうる利益より大きいとしたらどうなるだろう。おそらく、その食物を彼にとらせてしまったほうが、私の遺伝子にとっても有利となりうるのだ。年上の兄弟は、子に対する母親の場合とまったく同じ根拠から、年下の兄弟に対して利他的行動を示すはずなのである。先にみたように、いずれの場合でも近縁度は$\frac{1}{2}$であり、しかもいずれの場合も、年の若い個体のほうが、年上の個体より問題の資源を有効に利用できるはずだからである。かりに、食物を放棄する遺伝子を私がもっているとすると、まだ赤ん坊の弟が、同じ遺伝子を所有する可能性は五〇％になる。この遺伝子は私の体の中にある遺伝子であるから、それが私の中にある可能性は、弟の場合の二倍、すなわち一〇〇％であるが、私がその食物を必要とする緊急さは、弟の場合のそれの½より小さくなりうるのである。以上を一般的に言い直せば次のようになる。おのおのの子どもは、公平な割当量以上に親による保護投資を手に入れようとがんばる「べき」であるが、しかしそれにはある限度があるのである。しかし、どこがその限度なのか。その限度量とは、彼がその分を横取りするために既存の弟妹、および将来生まれる可能性のある弟妹のこうむる損失が、彼の得る利益のちょうど二倍になってしまう量のことなのである（巻末の訳者補注2の(4)式より明らか）。

次は、離乳の時期をいつにすべきかという問題を考えることにしよう。母親は、次の子どもを育てるのに備えて、現在世話をしている子どもへの授乳を打ち切ろうとするだろう。一方、現に世話を受けている子のほうは、まだ離乳させたくないとがんばるはずだ。ミルクは便利で手間のかからぬ食物であり、彼は親元を離れて、自分で働いて生活をたてるべきだなどとは望まないからである。もっと正確にいうと、彼は最終的には確かに、親元を離れて自活しようとするのである。ただしそれは、自分が親元に居すわっているより、そこを去って母親が彼の小さな弟妹を自由に育てられるようにしたほうが、彼自身の遺伝子にとっても有利になるような時点が来てからの話なのだ。単位量のミルクによって子どもが受ける相対的な利益は、子どもの年齢が高くなるほど小さくなる。子どもが大きくなるに従って、彼の要求量の中で単位量のミルクが占める割合は小さくなってゆき、一方、強制された場合にうまく自活する能力は、だんだんに増大してゆくというのが、その理由である。つまり、年上の子どもが、幼い子どもに投資しえたはずのミルクを一パイント飲んでしまうと、彼が母親から奪ってしまう親による保護投資の量は、幼い子どもがその一パイントを飲んだ場合より、相対的に大きくなるのである。子どもが大きくなってゆくと、やがて、彼に対する給餌を中止して、代りに新しい子どもに投資したほうが母親にとって有利となる時期が訪れる。この時期よりいくらか後には、今度は年上の子どもの遺伝子自身も、離乳によって有利となる時期が来るだろう。一パイントのミルクが、彼の体内にある遺伝子よりも、彼の弟妹に伝えられているはずのそのコピーたちのほうに、より大きな利益を与えることができはじめるときが、まさしくその時期に当るのである(巻末の訳者補注2の(7)式参照)。

母子の間の意見の不一致は、絶対的なものではなく、この場合は、時期をめぐる量的な意見の相違である。母親は、子どもの余命や、すでに彼に対して加えられた投資量を勘案しながら、投資量が彼に割当てられた「公正な」量に達する時点まで、現在世話をしている子どもへの授乳を続けようとする。この時期までは、意見の不一致は存在しない。同様に、将来の子どもたちがこうむる不利益が、彼の受ける利益の二倍より大きくなったら、以後母親が彼に対して授乳をおこなおうとはしないという点に関しても、母子の意見は一致するのである。母と子の間に不一致が生ずるのは、中間的な期間についてなのだ。この期間にあっては、子どもは母親の立場から見た公正な配分量以上に投資を手に入れながら、なおかつ、その結果もたらされる他の子どもたちへの不利益は、まだ彼の得る利益の二倍より小さいのである。

離乳の時期は、親子間に争いがおこる問題の一例であるが、これはまた、ある個体と将来生まれるであろうその弟妹との間の争いの一つとみることもできる。その際母親は、まだ生まれていない将来の子どもの側に立つというわけだ。しかし、一腹子の兄弟たち、あるいは同巣の兄弟たちのような同年齢のライバル個体の間には、母親の投資をめぐってもっと直接的な競争がみられるだろう。この場合も母親は、子ども間の競争を公正におこなわせようと努めるのが、ふつうであろう。

多くの雛鳥は巣内で親の給餌を受ける。雛たちが大きな口を開けて鳴き声を張りあげると、親鳥は、そのうちの一羽の広げている口の中にミミズ、その他の一口分の食物を放りこむのである。理想的にいえば、個々の雛が張り上げる声の大きさは、当の雛の空腹の度合に比例するとよい。もしそうならば、最も大きな声を出す雛に常に親が食物を与えさえすれば、子どもらはすべて公正な分配にあずかれるにちがいない。なぜなら、十分食物をもらった雛は、それほど大きな声をあげなくなるはずだからである。個体がごまかしをしないなら、少なくとも考えうる最も理想的な状態のもとではそのような事態が出現するはずだ。しかし、遺伝子の利己性という観点に照らせば、個体はごまかしをおこなうはずであり、雛たちは空腹度に関してうそをつくはずだと予想せざるをえないのである。しかし、この詐欺行為はしだいに激しくなって、明らかに無意味なものに近くなってしまうだろう。なぜなら、すべての雛が非常に大きな声を張り上げてうそをいいあうようになると、結果的に今度はこの大声が標準レベルになってしまい、それはうそとして通用しなくなるだろうからだ。しかし、詐欺行為が縮小される可能性はない。声を小さくする方向に進みはじめた個体は、給餌量の減少という形でただちに不利をこうむり、飢え死にする可能性が増すからである。雛鳥の声が際限なく大きくなりはしないということには、他の理由も考えられる。たとえば、大声は捕食者をひきつけやすいし、またエネルギー消耗も大きくしよう。

先にも述べたように、一腹子のうちの一匹がとくに小さな個体となる場合がある。このような子どもは、他の兄弟たちのように元気に食物を取り合うことができず、死んでしまうことも多い。このような子どもは死なせてしまったほうが、実際に母親にとって有利となることがある。いったいどんな条件のときにそうなるかは、先にも考察しておいた。直観的に考えると、当の育ちそこねの子ども自身は、最後まで努力しつづけるにちがいないとみなしてしまいそうである。しかし、遺伝子の利己性理論からは、必ずしもこのような予測は出てこないのだ。育ちそこねた子どもの余命が、小型化、衰弱化によって短くなり、親による保護投資が彼に与える利益が、同量の投資によって他の子どもたちの獲得しうる潜在的利益の½より小さくなってしまうなら、彼は自ら名誉ある死を選ぶべきなのである。そうすることによって彼は、自己の遺伝子に最も大きく貢献しうるからである。いいかえれば、「体よ、もし君が他の一腹子仲間よりはるかに小さかったなら、努力を放棄して死にたまえ」という指令を発する遺伝子が、遺伝子プール内で成功を期しうるというわけである。彼の死によって救われる個々の兄弟姉妹の体には、彼の遺伝子が五〇％の確率で入っており、一方、育ちそこねた彼の体内でその遺伝子が生き残れる可能性のほうは、いずれにしろごく小さいというのが、その理由である。育ちそこねた子どもの生涯には、回復が不可能となる時点が、あるにちがいないのだ。この時点に達しないうちは、彼は努力を続けるべきである。しかし、そこに達したら、彼はただちに努力を放棄せねばならない。そして自分の体を、一腹子仲間や親たちに食わせてしまったほうがましなはずなのである。

ラックの一巣卵数の理論を論じた際には言及しなかったが、当年の最適一巣卵数がいくつか決めかねている親にとっては、次のような戦略が一つの妥当な回答になろう。すなわち、彼女が真の最適数だろうと「考える」卵数より、一個だけ余分に卵を産むことにするのである。こうしておけば、もしもその年の食物量が予想より良好なことがわかれば、彼女は追加しておいた子どもを育てることができよう。逆に食物量が予想より少なければ、損な投資を中止することができる。子どもへの給餌を常に同じ順序、たとえば大きさの順でおこなうように注意すれば、彼女は、余分な一匹、おそらくは発育不全児を、速やかに死亡させ、彼のために当初の卵黄、あるいはこれに相当する他の形で投資された分以上の過剰な食物を浪費するのを、確実に回避できるのである。これは、母親の視点からみた場合の発育不全児出現現象の説明となろう。彼は、母親が掛けつなぎして投資の損失を防ぐための手段となっているのである。この現象は多くの鳥類で観察されている。

本書では、動物個体というものが、あたかも遺伝子の保存という「目的」をもって活動する、生存機械であるかのようにみなしている。この比喩に従って、私たちは、親子の争い、すなわち世代間の争いを論ずることができるのである。これは、両者があらゆる手を打って展開する陰険な闘いである。子は親をだます機会を逃しはしない。彼は実際以上に空腹なふりをしたり、あるいは実際より幼いふうを装ったり、さらには、実際以上の危険にさらされているようにみせかけたりするだろう。親を物理的におどすには、彼は小さすぎるし弱すぎる。しかし彼にはうそ、詐欺、ぺてん、利己的利用など、自由に使える心理的な武器がある。それらによって血縁者がこうむる不利益が、遺伝的近縁度の許容しうる限度をこえるぎりぎりのところまで、彼はそれらあらゆる心理的武器を駆使するのだ。一方親たちは、詐欺やぺてんに対する油断をおこたってはならず、それにだまされぬように努めねばならない。これは一見簡単なことのように思えよう。空腹度について子がうそをつきがちなことをかりに親が知っているとすれば、親は、子に一定量の食物しか与えず、たとえ子がさわぎ続けたとしても、それ以上は給餌しないという方策を講じることができるだろう。この方策をとる際に問題となる一つの点は、子がうそをついていなかった場合に、もし給餌を受けなかったために彼が死亡するようなことになれば、その親は貴重な遺伝子を何がしか失ってしまうだろうということである。野鳥はほんの数時間食物を与えられなかっただけでも、死亡することがあるのだ。

A・ザハヴィは、子どもがとてつもなく悪魔的な恐喝(きょうかつ)をおこなう可能性があると指摘している。彼によれば、子は捕食者をわざわざ巣に引きつけるような仕方で、鳴きわめくことがあるというのである。その子どもは、「キツネサン、キツネサン、ぼくを食べにおいで」と「いっている」のだ。子の鳴きわめくのを止めさせるために、親がとりうる唯一の手段は、彼に食物を与えることだ。かくして彼は公正な分配量以上の食物を手に入れるというわけだが、彼自身も何がしかの危険を覚悟せねばならない。この容赦のない戦術の原理は、身代金が与えられなければ自分もろとも飛行機を爆破するとおどす、ハイジャッカーのそれと同じである。しかし、このような戦術が進化の途上で選択されるなどということがありえただろうか。これに関して私は懐疑的である。別にその戦術が極端だからというのではない。私には、恐喝する側の子どもが、その戦術によって利益を得るなどとはちょっと考えられないからである。実際に捕食者があらわれたら非常に困った事態になるのは、彼自身である。ザハヴィは一人っ子の場合を考察したのだが、そこではその戦術の不利さがはっきり理解できる。母親がたとえどれだけの投資を彼に加え済みだとしても、彼女は子どもの遺伝子を半分しか共有しておらず、したがって彼自身にとっての彼の命のほうが、母親からみた彼の命より依然として高価なはずだからである。さらに、たとえその恐喝者に兄弟があり、そのか弱い雛たちがすべて同一の巣内にいるとしても、その戦術が彼に有利となることはあるまい。恐喝者となる子どもは、自己自身に一〇〇%分だけ賭けていると同時に、彼の戦術によって危機に見舞われる兄弟のそれぞれにも五〇%分ずつ遺伝的な「元手(もとで)」を賭けているからである。ただし、有力な捕食者が、巣の中の雛のうち最大の個体だけを捕食するという習性を示す場合になら、ザハヴィの理論にも、活躍の余地はありえると思われる。この条件下でなら、小さな個体が大きい危険にさらされる心配はなく、したがって彼は、捕食者をおびきよせるおどしを使って利益を得ることができるかもしれないのである。これは、自分を爆破するといっておどすやり方より、兄弟の頭にピストルを突きつけるやり方に似ている。

カッコウの雛は、捕食者をおびきよせる恐喝戦術で利益を得るかもしれない。これは先に述べた例よりも真実性がありそうだ。よく知られているように、カッコウの雌は、いくつかの「里親」の巣に一個ずつ卵を産み落し、それと気づかぬ里親たち（まったく別種の鳥）に、自分の雛を育てさせる。このため、カッコウの雛は、乳兄弟たちには遺伝的元手をいっさい賭けていないのである（カッコウの仲間には、乳兄弟をもたぬ種がある。そうなってしまう不吉な理由については、あとでふれる。当座は、雛の時に乳兄弟たちと同居するような種類のカッコウを扱うものと、仮定しておく）。カッコウの雛が捕食者を誘引できるほどの大声をはりあげるとすると、彼は自分の命という大きな犠牲を払う可能性があるが、しかし里親は、さらに大きな犠牲を強いられる可能性がある。もしかすると彼女は、雛を四羽も失うことになるかもしれないのだ。したがって、カッコウの雛を黙らせることができるなら、それに特別たくさんの食物を与えるほうが里親にとっては有利となりうるわけである。そしてこうなれば、大声をあげることは、カッコウの雛にとって有利になりうる。捕食者に襲われる危険より、多量の食物を得ることによる利益のほうが大きくなるかもしれないからである。

さてこのあたりで、尊重すべき遺伝子レベルの用語に問題を訳しもどしておくのが賢明だろう。主観的な比喩に押し流されていないことを再確認しておくためである。カッコウの雛は「捕食者、捕食者、こっちへ来てぼくとぼくの乳兄弟を捕えろ」と大声をあげることで、里親を恐喝するのだという仮説をたてたわけだが、実際これは何を意味しているのだろうか。遺伝子レベルの用語でその意味を示すと、次のようになる。

カッコウの雛が大声でさわぐと、里親が彼に餌を与える確率が増した。このため大声で鳴くように仕向ける遺伝子は、カッコウの遺伝子プール中で数を増してきたのである。雛の鳴き声に対して里親が餌を与えるという形で反応したのは、このような反応を示すように仕向ける遺伝子が、すでに里親の遺伝子プール内に広がっていたからだ。その遺伝子が里親に広がったのは、鳴きわめくカッコウの雛に余分の食物を与えなかった個々の里親たちが、カッコウの雛に実際に余分の食物を与えたライバルたちより、少数の子どもしか育てられなかったからである。カッコウの声が捕食者を巣におびきよせたのが、その理由だ。大声をあげさせない遺伝子は、大声をあげさせる遺伝子にくらべて捕食者の腹の中に収まってしまう可能性は小さかったろう。しかし、前者は余分の食物を与えられないという形でもっと大きな失点をこうむったのだ。大声をあげさせる遺伝子は、今述べたような理由でカッコウの遺伝子プールに広がったのである。

今述べたと同様な遺伝子論議で、先のやや主観的な論議をさらにたどってみると、次のようなことがわかるはずだ。すなわち、ここで述べたような恐喝遺伝子は、ある種のカッコウの遺伝子プール内では広がる可能性が考えられても、ふつうの種類の鳥の遺伝子プール内では広がりそうにないということである（少なくとも、鳴き声が捕食者を誘引する原因となったために恐喝遺伝子が増加する、という可能性はない)。もちろん、ふつうの種にも、大声をあげさせる遺伝子の増加をうながす他の理由がありうることは先にみたとおりであり、それらの付随的な効果として、ときに捕食者の誘因が生じるかもしれない。しかしこの場合には、捕食がもし何らかの淘汰的影響を及ぼしうるとすれば、鳴き声を小さくする方向に作用するはずなのである。しかし、仮説的な例として紹介した前述のカッコウの場合には、一見逆説的だが、捕食は最終的に鳴き声をさらに大きくさせるような効果を雛に及ぼしうるのである。

カッコウあるいは同様に「托卵」習性をもつ他の鳥が、実際に恐喝戦術を採用しているかどうかという点については、いずれにしろ証拠は何もない。とはいえ、彼らが残忍さを欠いていないことは確かである。たとえば、カッコウと同じように他種の巣に卵を産むミツオシエという鳥がいる。この鳥の雛は、先端のとがった鋭利な嘴(くちばし)をもっており、孵化直後、まだ羽毛もなく目もみえず、他の点ではいかにもか弱い身でありながら、その嘴で乳兄弟をめった切りにして殺してしまうのである。兄弟を殺してしまえば、餌をめぐって競合する心配はないというわけだ。英国でふつうにみられるカッコウは、これとは少し違う方法で同じ目的を達している。卵の期間が短いので、そのカッコウの雛は乳兄弟たちより早く孵化することができる。孵化した雛は、その直後、盲目的かつ機械的とはいえ、おそるべき効果をもった方法で他の卵を巣から放り出すのである。彼は卵の下にもぐりこみ、それを背中のくぼみにうまくあわせる。ついで二本の小さな翼で卵のバランスをとりながら、後ろ向きにゆっくりと巣壁をよじのぼり、卵を地面へ突き落とすのだ。彼は残りのすべての卵についても同じことをくりかえし、ついには巣と、里親の関心とを独占してしまうのである。

この一年の間に私が学んだ最もおもしろい事実の一つは、スペインのF・アルバレス、アリアス・

デ・レイナ、H・セグラが報じたツバメの話である。彼らは、カッコウの犠牲者となる可能性をもつ里親たちが、侵入者であるカッコウの卵や雛を検出する能力をもっているかどうかを調べているところだった。一連の実験の中で彼らは、カッコウの卵と雛をカササギの巣に入れてみたことがあった。その際比較のために、ツバメをはじめとする他種の卵や雛をカササギの巣に入れたのである。あるとき、彼らはツバメの雛を一羽カササギの巣に入れてみた。翌日彼らは巣の下の地面にカササギの卵が一つ落ちているのを発見した。卵は割れていなかったので、彼らはそれを拾って元の巣へ戻し、何がおこるか見たのである。彼らが見たものは、まさに驚くべき出来事だった。ツバメの雛が、カッコウの雛とまったく同じ動作でカササギの卵を放り出したのである。彼らは落ちた卵をもう一度元に戻してみた。するとまったく同じことがくりかえされた。ツバメの雛が採用した方法は、卵を背中にのせて小さな翼の間でバランスをとり、巣の壁面を後ろ向きによじのぼって卵を外に転落させるというもので、カッコウと同じ方法だったのである。

この驚くべき観察に、アルバレスらが説明を与えようとしなかったのは、賢明だったのかもしれない。そんな行動がツバメの遺伝子プールの中で進化するなどということは、いったいどうしたら可能なのか。当の行動はツバメのふだんの生活のなんらかの側面に対応しているにちがいない。しかし気がついたらカササギの巣の中にいたなどということは、ツバメの雛にとって尋常なことではない。正常な場合、彼らが自種以外の巣内で発見されるなどということは、決してないのである。それなら、問題の行動は逆にカッコウに対抗する手段として進化した一つの適応なのだろうか。カッコウに対する対抗策として、自らの武器でカッコウをやっつけるように仕向ける遺伝子が、自然淘汰によってツバメの遺伝子プール内に広がったということなのか。しかし、通常ツバメの巣がカッコウの寄生を受けることがないのは、事実と思われるのだ。もっとも、ひょっとするとこの説明が正しい可能性もありうる。この説に従えば、アルバレスらの実験に供されたカササギの卵は、カッコウの卵と同様にツバメの卵より大型なため、カッコウに対すると同じ扱いを偶然受けてしまったのだということになろう。しかし、もしかりにツバメの雛が正常なツバメの卵と、それより大型の卵を区別しうるというのなら、母ツバメもおそらく同じ能力をもつはずだ。もしこの説が正しいなら、カッコウの卵を放り出す役をなぜ母親が引き受けないのか。卵を放り出す仕事は、雛より母親のほうが楽にこなせるはずではないか。雛ツバメの示した行動は、本来腐った卵やゴミを巣から放り出すのに役だっているのだという考え方も、一つの説明となるが、これに対しても先に述べたとまったく同じ反論があてはまる。すなわち、この仕事も母親のほうがうまくこなせるはずであり、実際そうなっているのである。卵を放り出す作業はやっかいで技術のいる仕事だ。親ツバメのほうがはるかに楽にこれをこなせるにちがいないはずなのに、実際には、ひ弱な雛のほうがその作業に当っている。これから結論すれば、親の立場からみると、その雛はむだなことをしているといわざるをえなくなってしまうではないか。

正しい説明は、カッコウなどとはまったく関係がないこともありうるはずだと、私には思われる。恐ろしい話ではあろうが、ツバメの雛の相互間には、次のような関係があるのかもしれないではないか。最初に生まれた雛は、次に孵化してくる弟妹たちと、親による保護投資をめぐってやがて競争することになる。それならば、彼はその生涯の初仕事として、まず他の卵を一つ巣から放り出しておいたほうが得だということになるかもしれないのだ。

ラックの一巣卵数理論は、親の立場からみた最適卵数を問題にしている。かりに私が母ツバメだとすると、私の立場からみた最適一巣卵数は、たとえば五個ということになる。しかしかりに私が雛のほうだとすると、この立場からみた自分を含む一巣卵数の最適値は、前者の場合より小さくなりうるはずなのである。親にはある一定量の保護投資が可能であり、彼女はそれを五羽の雛に、それぞれ均等に分配「したいと望んでいる」。しかし、個々の子どものほうは、それぞれ、⅕の割当て分以上の投資をせがむのだ。とはいえ、カッコウの場合とは異なって、個々の雛は、親による保護投資の独占までは望まない。彼は他の雛たちと血縁関係にあるからである。卵を一つ放り出してしまうだけで、彼は親の投資の¼を獲得できることになり、もう一つ放り出すことにすれば投資の⅓をわが物にできる。遺伝子のことばに翻訳すると、兄弟殺しをうながす遺伝子は、兄弟殺しをする当の個体の体の中には一〇〇％の確率で存在するが、彼の犠牲となる個体の中には五〇％の確率でしか存在しない。兄弟殺しをうながす遺伝子が遺伝子プール中に広がりうる理由は、ここにあるのである。

兄弟殺し説に対する第一の反論の根拠は、実際にそんなことがおこっているのなら、その悪魔的所業をこれまで見た者がだれもいないなどということがきわめて信じがたい点にある。これに関しては、私にも読者を納得させられるような説明は、思い浮かばない。ただし世界各地には、品種を異にするツバメがみられる。スペインのツバメは、いくつかの点で、たとえばイギリスのツバメの品種とは異なっていることが知られている。しかも、このスペインの品種に関しては、イギリスのツバメに関しておこなわれたと同程度の詳細な研究は、まだ実行されていないのである。ということになると、スペインのツバメでは実際に兄弟殺しがおこなわれていて、ただしそれが今まで見落されていたのだという可能性も考えられないわけではあるまい。

　兄弟殺しの仮説などという一見荒唐無稽な考えをここで提示した理由は、一般的な論点を一つはっきりさせておきたいからである。つまり、カッコウの雛が示す無慈悲な行動は、どの家族にも見られるにちがいない事態の、一つの極端な例にすぎないということである。カッコウの雛とその乳兄弟との関係にくらべれば、同じ両親を持つ兄弟間には、はるかに濃い血縁関係があることは明らかだが、この差は単に程度の差なのである。あからさまな兄弟殺しが進化しうるとまでは、信じ切れぬかもしれない。しかしこれより程度の弱い利己性の諸例は、子どもの得る利益が、兄弟姉妹への被害の形で彼がこうむる損失の二倍（訳注 ½が正しいと思う。巻末の訳者補注2を参照。）より大きくなる条件下でなら、数多くみられるにちがいないのである。その種のケースでは、離乳時期の例でみたように、親子間の利害が実際に対立するのである。

　親子間の争いで勝ち目の一番大きいのはだれだろうか。R・D・アリグザンダーは、彼の発表した興味深い論文の中でこの問いに一つの一般解があるはずだと主張している。彼によれば、常に親が勝つはずだというのである。*8-2 もしこの主張が正しいのなら、読者が本章を読まれたのは時間のむだ使いだったことになる。アリグザンダーが正鵠を得ていると仮定すると、興味ぶかい事項がたくさん派生してこよう。たとえば、利他的行動は、子ども自身の遺伝子が受けとる利益のゆえではなく、単に親の遺伝子の受けとる利益だけを理由としても、進化しうることとなる。この場合、利他的行動を進化させる原因となるのは、単純明快な血縁淘汰ではなく、アリグザンダーが「親による子の操作」と呼ぶ別の要因ということになるのである。さてそこでわれわれにとって重要なことは、アリグザンダーの議論を検討して、なぜ彼の主張が誤っているとわれわれが考えるのか、その点を確認しておくことである。本来この作業は数学的に扱われるべきものだが、本書では数学を前面に押し出すのをさけている。それでもアリグザンダーの主張のどこが誤っているかについて、直観的な説明を与えることは可能である。

彼の主張の基底にある遺伝的な論点を紹介するために、彼の文章を一部省略した形で引用しておく。「かりにある子どもが……親による利益配分を彼に有利なように偏らせてしまい、その結果、母親の繁殖成績を全体としては減少させてしまうとしよう。子どものときに、個体の適応度を先に述べた手段で上昇させるような遺伝子は、親になった際には、今度は先の上昇分以上に自分の適応度を減少させる羽目におちいるほかなかろう。そのような突然変異個体の子どもたちの中には、その突然変異遺伝子が一段と多数存在することとなるからである」。アリグザンダーが新たな突然変異遺伝子を考えている点は、ここでの論議にとって別に本質的な問題ではない。むしろ、両親の一方から伝達されるまれな遺伝子という形で考えたほうがよいとは思われる。「適応度」というのは、繁殖の成功度を指す、特殊な専門的意味をもった用語である。アリグザンダーの基本的な論旨は次のようなものである。子どもの時期に、親の繁殖成果の総量の足を引っぱる形で、公平な配分量以上の投資をわがものとするように仕向ける遺伝子は、確かに自己の生存確率を増すことができよう。しかし彼は自分が親になった際に、これをあがなわねばならなくなろう。なぜなら、同じ利己的な遺伝子は彼の子どもたちに伝えられ、そのことによって彼の繁殖成果は、全体として減少させられてしまうだろうからである。仕掛けたわなに自分が落ちるというわけだ。つまり、その利己的遺伝子は結局繁栄できず、したがってこの争いに勝つのは、常に親のほうにちがいないというわけなのである。

しかしわれわれは、この主張には即座に疑念を呼びおこされるはずだ。その論議が、ありもしない遺伝的非対称性を前提として組立てられているからである。アリグザンダーが「親」と「子ども」ということばを用いる際には、彼は両者の間にあたかも基本的な遺伝的差異があるかのように語っている。先にも見たように、親と子の間には、親のほうが子どもより年をとっているとか、子どもは親の体から産みだされるとか、事実上の差異は存在するというものの、基本的な遺伝的非対称性は本来存在しないのである。いずれの側から相手をみても、近縁度は五〇%なのである。私の主旨を明らかにするために、先にあげたアリグザンダーの文章を、その中の「親」、「子」その他いくつか関連したことばを置きかえてもう一度示してみよう。「かりにある親が、子に対する利益配分を均等にさせるように仕向ける遺伝子をもつとしよう。親のときに個体の適応度を先に述べた手段で上昇させるような遺伝子は、子どもだったときには、先の上昇分以上に自分の適応度を減少させる羽目におちいるほかなかったろう」。いかがだろうか。アリグザンダーとは正反対の結論がでてしまう。つまり、親子間のあらゆる争いにおいて、常に勝つのは子どものほうということになってしまうのだ。

明らかに何かがまちがっている。いずれの議論も単純すぎるのだ。私が裏返しの引用をしてみせたのは、アリグザンダーと逆の結論を証明するためではなく、単に、勝手な非対称性を仮定したこの手の論議が成立しえないことを示すためにほかならない。アリグザンダーの論議も、それをひっくり返してみせた私の論議も、いずれも一個体の視点から事態をながめている点で誤っているのである。アリグザンダーの場合は、それが親の視点、私の示した例では、それが子の視点となっていた。この種の誤りは、「適応度」という専門用語を使用する際に、きわめておこりやすいものなのだと私は信じている。私が本書でこの用語の使用を避けた理由も、そこにある。進化において、その視点が実際に重要な意味をもつ実体は、ただ一つしかない。それは利己的存在たる遺伝子である。子どもの体内にある遺伝子は、成体を打ち負かす能力の点で選択を受けるだろう。そして一方親の体内にある遺伝子は、子どもを圧倒する能力の点で選択を受けるだろう。同一の遺伝子が子どもの体と親の体を順に占拠するという事態に、なんら矛盾は存在しない。遺伝子は、利用できるあらゆる手がかりを最大限に活用する方向に淘汰されるのである。遺伝子というものは、現実に与えられた機会をそれぞれに利用するのである。遺伝子が子どもの体の中にあるときに利用しうる機会というのは、遺伝子が親の体の中にあるときに利用しうる機会とは異なっていよう。つまり、遺伝子の最適方策は、生活史の先にあげた二つの段階において、それぞれ異なることとなろう。アリグザンダーのように、親の段階における最適方策が、必然的に子どもの段階の最適方策を打ち負かすと想定すべき理由は何もないのである。

アリグザンダーへの反論は別の形で示すこともできる。彼は、一方では親子の関係に、そして他方では兄弟姉妹の関係に、ありもしない非対称性を暗黙のうちに仮定している。読者はトリヴァースの議論を覚えておられよう。彼によれば、ある子どもが公平な配分量以上の投資を手に入れようと利己的にふるまうと、これに応じた代価が彼に課せられることになる。すなわち遺伝子を半分ずつ分有する兄弟姉妹を死の危険にさらすことは、彼自身の代価となってしまうのであり、兄弟姉妹に対する横取り行為がある限度内にとどまる理由は、ここにあるのである。しかし、兄弟姉妹というのは、五〇％の近縁度をもつ血縁者の一つの特例にすぎない。当の利己的な子どもにとっては、彼自身の将来の子どもたちも、彼の兄弟姉妹とまったく同じ「値打ち」をもっているのである。そのため、公平な配分量以上の資源を横取りした場合に生ずる正味の全代価は、それによって失われる兄弟姉妹だけで測るわけにはゆかない。

利己的な個体の子どもたちは、兄弟姉妹間で親ゆずりの利己性を発揮するはずであり、このために失われることになる子どもの数も、実際には先にあげた代価の中にくみこまれねばならないのである。子どもも時代に利己性を発揮する個体は、その性格が子どもに引き継がれることによって、長い目でみた場合、繁殖成績を低下させることになるというアリグザンダーの見解は、こうしてみると、要点をついたものであることがわかる。ただし、彼の考察から結論されることは、方程式の代価の項には、子どもの損失も加えられねばならないというだけのことなのである。この点を考慮したとしても、利己的性格によって手に入れうる正味の利益が、それによって血縁者に生ずる正味の代価の少なくとも½に達するなら、特定の個体は十分利己的にふるまいうるのだ。この「血縁者」の中に、兄弟姉妹だけでなく、同様に当の個体の将来の子どもたちも含めればよいのである。個体は自分の福利を、兄弟のそれより二倍は厚く配慮するはずだ、というのがトリヴァースの設定した基本的前提だった。しかし同時に個体は、自分の将来の子ども一匹にくらべても、自分自身を二倍大切にするはずなのである。親子の利害対立に際しては、親の側が本来的に優勢だとアリグザンダーは結論したが、それは誤りである。

遺伝的関係に関する先の基本的な論点に加えて、アリグザンダーはもっと実際的な論議も展開している。それらは、親子関係にみられる疑問の余地のない非対称性を論拠としたものだ。親子の関係において積極的役割を演ずるのは、親である。食物を手に入れる努力その他を実際に担当するのは親のほうであり、したがって親は両者の関係を決定する立場にあるというのである。子は親にくらべれば小さく、親をやりこめるわけにはゆかない。そこで、もし親が仕事を放棄することにしてしまえば、子はそれに対して大方なすすべがなかろう。したがって、子が何を望もうが、親は自分の意向を子に強制しうる立場にあるというのだ。見たところこの議論に誤りはない。この場合、前提されている非対称性は実在するものだからである。親は子どもにくらべれば確かに体も大きく、頑強でしかも世知にたけていよう。切り札はすべて親が握っているかにみえる。しかし子どももじつは、ひそかにエースの切り札を何枚か隠しもっているのである。例をあげよう。食物を最も効率よく分配するために、親は、個々の子どもの空腹度をぜひとも知る必要がある。もちろんすべての子どもに、ちょうど等分に食物を分配するという手もありえよう。しかし、考えうる最も理想的な状態のもとでなら、食物を最も有効に利用しうる子どもに対しては他の子どもより少し余計に食物を与えるという方策のほうが、前述の方策より効率が高くなるはずである。個々の子どもが親に対して自分の空腹度を伝えるようにふるまうシステムは、親にとっては理想的なのである。そして先にもふれたように、どうやらこの種のシステムが進化したように思われる。しかし子どものほうからすると、彼らはうそをつくことが非常に有利な状態におかれることになる。なぜなら、子どもたち自身は自分の空腹度を正確に知っているわけだが、親のほうは、子どもたちが空腹度を正直に告げているのかうそをついているのか、推量で応ずるほか手はないからである。誇大なうそなら親も見抜くことができようが、小さなうそを探知することは、親にとってはきわめてむずかしいはずである。

　同時にまた、子どもはどんな様子のとき満足しているのかを知ることは、親にとって有利なことであり、子の側からしても、自分が満足したときにはそれを親に伝えることができるのは、よいことである。ほほえみや、のどをゴロゴロならすような信号が自然淘汰されたのは、どんな行為が子どもにとって最も有益なのかを親が学習するのを、これらの信号が可能にしたからかもしれない。赤ん坊がほほえんでいる様子や、子ネコがのどをならす音は、(人間やネコの)母親にとっては報酬である。これは、迷路の中のネズミにとって胃袋に収まる食物が報酬となるのと、まったく同じ意味における報酬なのである。しかし、にこやかなほほえみや、のどを大きくならす音がひとたび報酬としてのはたらきを確立してしまうと、子どもはこれを利己的に利用しうる立場にたつことになる。ほほえみや、のどをならす音を利用して親を操作することによって、子どもは、公正な配分量以上の保護投資を親から引きだそうとするだろう。

つまり、世代間の争いに当って、親と子のどちらに勝ち目が多いかという問いには、一般的な解答は存在しないのである。最終的には、子と親がそれぞれに期待する理想的状態の間のなんらかの妥協という形で決着がつけられることとなろう。この争いは、カッコウとその里親の間にみられる争いに類似したものなのである。親子の争いの場合、敵対者は互いにある程度の遺伝的利益を共有しており、したがってカッコウと里親の場合ほど対立が激しくないことは確かである。親と子は、一定の限度、あるいはまた一定の感受期間(巻末の訳者補注2(iii)参照)の間においてのみ、対立関係を形成するのである。しかしながら、子どもは、自分の親に対して、カッコウが採用しているのと同様な戦術や、詐欺の手法、そして利己的な労働の搾取の手法などを行使するだろう。もっとも、カッコウの場合には完璧な利己性の行使が予想されるのにひきかえ、子が自分の親に対する場合には、その利己性はカッコウほど徹底的にはならないだろう。

本章と、そして配偶者間の対立の問題を取り扱う次章は、現に子どもたちに対して、また互いに相手に対して献身している人間の親たちには、ひどく冷笑的で、それどころか彼らにみじめな感じを抱かせるようなものと受けとられるかもしれない。そこで、私はもう一度ここで、私が意識的な動機について語っているのではないことを強調しておかねばならない。私は、利己的な遺伝子のはたらきによって、子どもたちが意図的、意識的に親を欺くのだなどと主張しているわけではまったくない。もう一度念を押しておかねばならないことがある。「詐欺や……うそ、ぺてん、利己的な搾取……などを行使しうる好機を子どもは見逃すべきではない」などといった言い方を私がする場合、「すべき」ということばを私がある特殊な意味で使っているという点である。私はその種の行動が道徳的で望ましいものだなどと主張しているわけではない。私は単に、そのようにふるまう子どものほうが自然淘汰においては有利にちがいなく、それゆえ、野生の動物を観察した場合、家族の内部には詐欺行為や利己的行為がみられるだろうといっているにすぎない。「子どもはごまかし行為をすべきだ」という表現の真意も、子どもに詐欺行為をおこなわせる傾向をもつ遺伝子が、遺伝子プール内で有利さを示すということを指しているにすぎないのである。私の議論から人間的なモラルを引きだすとすれば、次のようなものとなろう。私たちは、子どもたちに利他主義を教えこまねばならないのだ、ということである。子どもたちの生物学的本性の一部に利他主義が組込まれていると期待するわけにはゆかないからである。

9 雄と雌の争い

互いに遺伝子の五〇%を共有しあっている親子の間にも利害の対立があるというなら、互いに血縁関係にない配偶者間の争いは、それをどれほど上まわる激しさを呈することになろうか。[*9-1] 配偶者が共有しているものといえば、同じ子どもたちに対して、互いに同じ五〇%の遺伝子を投資していることだけである。父親も母親も、同じ子どもたちに投資した五〇%分の遺伝子の福利に関心を向けており、互いに協力しあって子どもたちを育てることは、両者いずれにとってもあるていど有利なことといえよう。しかし、もし配偶者の一方が、個々の子どもに対する貴重な資源の投資量を、公平な割当量以下で済ますことができたとすると、当の配偶者にとってこれは好都合となる。なぜなら、これによって、別の配偶者との子作りにまわせる分が増え、したがって、自分の遺伝子をより多くの子孫に伝えられることになるからである。それゆえ、配偶者は相手にもっと多量な投資を強制しようと、互いに搾取（さくしゅ）しあうものと考えることができる。理論的にいうなら、個体というものは、可能な限り多数の異性と交尾して、しかもそのつど子育てはすべて相手に押しつけることを「望み」とするはずなのだ（これが生理的な喜びでもあるといっているのではない。ただしそんな可能性もたしかにありそうだが……）。後にみるように、動物の中には、実際に雄がそのような習性を示しているものもある。しかし、その他の動物では雄も雌と等分に子育ての重荷をしょわされている。性的なパートナーシップを、相互不信と相互搾取の関係として把握することをとくに強調したのは、トリヴァースであった。この種の視点はエソロジストには比較的新しいものである。性行動、交尾そしてこれに先行する求愛行動などは、相互利益あるいはさらに種の利益のために遂行される本質的に協同的な冒険なのだと考えることに、私たちエソロジストは慣れっこになっていたのである。

まずは基本にたちかえって、雄性、雌性の根本的な性質を考えてみよう。3章で私たちは、基本的な非対称性を強調しないままに性を論じてきた。私たちは、ある動物が雄と呼ばれ、別の動物が雌と呼ばれることを単純に受け入れただけで、これらのことばが本来何を意味するかは、不問に付していたのである。しかし雄性の本質とはいったい何なのか。根本において雌を定義する性質とは何なのだろうか。哺乳類であるわれわれは、ペニスの存在、妊娠、特殊な乳腺による授乳、染色体の様子などの諸特性の総計によって両性は定義されるものとみなしている。ある個体の性を判定するためのこれらの基準は、哺乳類に関してはいずれも十分役にたつ。しかし、動植物一般を対象とすると、今述べた基準は、ズボンをはく傾向をもって、ヒトの男女判定の基準とするのと同じくらい頼りないしろものになってしまう。たとえばカエルなどは、雌雄いずれにもペニスは存在しないのである。もしかすると雌雄ということばには一般的な意味はないということだろうか。結局のところそれらも単なる符牒（ふちょう）にすぎず、もしカエルを記載するのにそれらが役立たないというのであれば、それらのことばを放棄するのもまったく随意ということになるのか。もし望むなら、カエルに関しては性1と性2というような名称を勝手につけて、性を二つに分ければよい、というようなことなのだろうか。ところが、動植物を通じて、雄を雄、雌を雌と名づけるのに使用しうる基本的な特徴が一つ存在するのである。雄の性細胞すなわち「配偶子」は、雌の配偶子にくらべてはるかに小型で、しかも数が多いというのがその特徴だ。この点は、動植物いずれを扱う場合にも当てはまる。一方のグループに属する個体は大型の性細胞をもち、便利のために彼らを雌と呼ぶことにする。他方のグループは便利のために雄と呼ぶことにするが、こちらは小型の性細胞をもっているというわけである。両者の差異は、爬虫類や鳥においてとくに顕著である。これらの動物では、発育する赤ん坊に数週間にわたって十分な食物を供給できるだけの栄養分と大きさが、個々の卵細胞に備わっている。卵が顕微鏡的な大きさでしかない人間においてすら、卵細胞は精子よりなおはるかに大きいのである。あとで明らかになることであるが、他のすべての性差は、この一つの基本的差異から派生したと解釈できるのである。

たとえばカビの仲間に見出されるようにある原始的な生物では、ある種の有性生殖はみられるものの、雄性と雌性が存在しない。同型配偶と呼ばれるこのシステムでは、個体を雌雄に区別することが不可能なのだ。どの個体も他の任意の個体と交配できる。精子と卵子という二種類の配偶子はみられず、性細胞はすべて同じものであり、同型配偶子と呼ばれている。減数分裂によって造りだされた同型配偶子が二個合体することによって新個体ができるのである。A、B、Cという三個の同型配偶子があれば、AはB、Cいずれとも、またBはA、Cいずれとも合体することができる。通常の有性的なシステムではとてもこんな具合にはゆかない。もしAが精子で、これがBあるいはCと合体可能なら、BとCは卵子のはずであり、BとCの合体は不可能である。

同型配偶子の合体の場合には、両配偶子が新個体に寄与する遺伝子が同数なのはもちろん、両配偶子が寄与する備蓄食物の量も同量である。精子と卵子の場合も、遺伝子の寄与数は同じである。しかし備蓄食物に関しては、卵子の寄与量が精子のそれをはるかにしのいでいる。実際この点に関して、精子の寄与は無に等しい。精子の関心は遺伝子をできるだけ速く卵子に運びこむことに集中しているのである。したがって、父親が子に対して投資した資源量は、受胎の時点で、公平な分担量、つまり五〇%よりはるかに少ないのである。個々の精子は微小なので、雄は毎日莫大な数の精子をつくることができる。これは、別々の雌を相手にすれば、雄がきわめて短期間のうちに多大な数の子どもを作る潜在能力をもっていることを意味している。しかしこれも、個々の胚が、受精の際に母親から十分な食物を与えられているからこそ可能となるのである。胚に対する食物供給の必要から、雌が作れる子どもの数には一定の限度がある。一方雄が作りうる子どもの数には実質的に限界がない。雄による雌の搾取の出発点はここにあるのである。[*9-2]

　パーカーらは、同型接合的な状態を元にして、そこから前述のような非対称性がいかにして進化しえたかを説明している。すべての性細胞が合体の際の立場を交換することが可能で、しかもほぼ同じ大きさを示していた時代にあっても、中には他の細胞より偶然すこし大型の性細胞があったにちがいない。大型の同型配偶子は、平均的なサイズの他の配偶子にくらべてある点で有利だったと思われる。それに由来する胚は、出発点において他より多量の食物供給を得ることができ、したがって有利なスタートを切ることができたはずだからである。それゆえ、より大型の配偶子を産みだす方向に進化は傾いただろうと考えられる。しかしそこにわなが一つまちかまえていた。厳密な意味での必要度を超えた大きさをもつ同型配偶子が進化すると、それを利己的に利用する道が開かれることになったと思われるからである。平均以下の小型の配偶子をつくる個体は、もし彼らの小型の配偶子を確実に大型の配偶子と合体させることができるなら、有利な成果をあげることができたはずなのだ。小型の配偶子の運動性を高め、積極的に大型の配偶子を探索できるようにすれば、両者の合体を確実なものにすることができたろう。小型で活発に運動する配偶子を造る個体の有利な点は、それによって多量の配偶子の生産が可能になり、したがって子の数を増やしうることにある。自然淘汰は、小型で、しかも大型の配偶子を合体の相手として活発に探しまわるような性細胞の生産に有利にはたらいたのである。かくして私たちは二つのかけ離れた性の「戦略」の進化を想像することができる。まず大量投資的な、いいかえれば「実直な」戦略があった。この戦略は、投資量が少なく搾取的な戦略の進化に自ずから道を開くことになった。いったん両戦略の分離が始まると、この傾向は一方的に押し進められたろう。中間的なサイズの配偶子をつくる戦略は、大型の配偶子あるいは小型の配偶子をつくるもっと極端な戦略にたちうちできないために、淘汰上不利となった。搾取的な戦略からはますます小型ですばしこい運動性をもった配偶子が進化していった。実直な戦略の生み出す配偶子は、搾取的な側の配偶子の投資量がますます縮小してゆくのを埋め合わせるために、どんどん大型化する方向に進化し、しかも搾取的な配偶子のほうがいつも積極的に大型配偶子を追い求めるので、後者はやがて運動性を失ってしまった。個々の実直な配偶子は別の実直な配偶子との合体を「望んだ」にちがいない。しかし搾取的な配偶子を締め出そうとする淘汰圧（五〇頁）より、搾取的な配偶子にその障害をくぐりぬけさせるようにはたらく淘汰圧のほうが、強かったのだ。搾取的な戦略のほうがむだにしうる手持ちの配偶子が多いため、この進化の争いに勝ち残ってしまったのである。かくして、実直な配偶子が卵子となり、搾取的な配偶子が精子となったという次第である。

こうみてくると、雄というのはかなり値打ちの低いやからに思われてこよう。「種にとっての利益」という単純な考え方をとるなら、雄は雌より数が少なくなるはずと予想してしまいそうだ。理論的には一頭の雄は、雌百頭くらいのハーレムを相手にするくらいの精子を楽につくれるはずだから、動物集団中の雌の数は、雄の百倍くらいになってしかるべきではないかというわけだ。別の角度からこれを表現すると、種にとって雄はいっそう「消耗品的」な存在であり、雌はいっそう「貴重な」存在だということだ。種全体という観点から見れば、今述べた見解はもちろん完全に正当である。しかしここでちょっと極端な実例を引き合いに出しておこう。ゾウアザラシに関するある研究によれば、観察されたすべての交尾例の八八%は、たった四%の雄によって達成されたという。この例だけでなく、他の例においても、おそらく生涯交尾のチャンスはないと思われるあぶれものの独身雄が多数見られているのである。しかも、これらのあぶれ雄も他の点ではふつうの生活を送っており、個体群の食物資源を食う際の旺盛さでは、彼らも他の成獣には決してひけをとらない。「種にとっての利益」という観点から見れば、これは恐るべき浪費である。あぶれ雄たちは、社会の寄生者とみなされてしまいそうだ。しかし、たとえ雄のうちで実際に繁殖に参加するのが全体のごく一部にすぎぬ場合でも、雄雌の数は等しくなる傾向があるのである。ここにも、群淘汰理論が窮地に追いこまれるもう一つの例が見られる。しかし、遺伝子の利己性理論に従えば、これも難なく説明できる。今述べた場合でも雄雌の数が等しくなるという事実に初めて説明を与えたのは、R・A・フィッシャーであった。

雄と雌がそれぞれどれぐらいずつ生まれるかという問題は、親の戦略をめぐる問題の特殊ケースといえる。自己の遺伝子の生存を最大化しようとする親にとって、最適の子どもの数はどのくらいかという問題を先に論じたが、それとまったく同様に私たちは安定性比について論じることができる。大切な遺伝子は息子にゆだねるのが得か、それとも娘に託すのが得か。ある母親が彼女のもてる資源をすべて息子に投資してしまい、娘にまわす分はなくしてしまったと仮定した場合、ライバルの母親がすべてを娘に投資するとして、さて、将来の遺伝子プールに対する前記の母親の平均的な寄与は、ライバルのそれを上まわるだろうか。息子に対する投資を重く見る遺伝子と、娘に対する投資を重く見る遺伝子とではどちらが増加するだろうか。フィッシャーの結論によれば、ふつうの条件下では、安定性比は五〇対五〇になるという。どうしてこんなことになるだろうか。それを理解するためには、まず性決定の機構を少しばかり勉強しておく必要がある。

哺乳類の場合、性は遺伝的に次のようにして決定される。卵子はすべて、雄雌いずれにも成長しうる。性を決定する染色体をもちこむのは精子のほうなのだ。男性の造る精子の半分は女児をつくるX精子であり、他の半分は男児を作るY精子である。いずれの精子も同じような外観をしている。両者は、染色体を一つ異にしているだけなのだ。父親に娘だけを作らせようとする遺伝子は、彼がX精子しか造らぬように仕向けることで、その目的を達成しうるだろう。また、母親に娘だけを産ませようという遺伝子は、母親がY精子を選択的に殺す物質を分泌するように仕向けるか、あるいは男性胎児を流産するように仕向けることで、その目的を達成しえよう。私たちの課題は、進化的に安定な戦略（ＥＳＳ）に相当するものを性比に関する戦略において見出すことである。もちろんここでいう戦略という表現は、攻撃性を扱った章での場合にもまして、単なる比喩と考えてほしい。個体が文字通りに子どもの性別を選ぶことなどできはしない。しかし、今述べたように、いずれか一方の性別の子どもを作らせるようにはたらく遺伝子を想定することは可能である。今かりに、偏った性比の出現をうながすその種の遺伝子が存在したとする。さて、このような遺伝子のいずれかが、等しい性比の出現をうながす対立遺伝子よりも、遺伝子プール中で多数となる可能性はあるのだろうか。

先にふれたゾウアザラシに、ほとんど娘ばかりを作らせるような突然変異遺伝子が生じたと考えてみよう。個体群中の雄の数に不足はおこらないから、娘たちは難なく配偶者をみつけられるはずで、娘の生産をうながす問題の遺伝子は増加しえたにちがいない。これに応じて、集団の性比は雌が多くなる方向へ傾くこととなろう。先にも述べたように、たとえ雌が非常に多くなっても、それらが必要とする精子はごく少数の雄で十分まかなえるのだから、種にとっての利益という視点からみる限り、今述べた変化は歓迎すべき事柄であろう。それゆえ、単純に考えれば、娘の生産をうながす遺伝子はどんどん増加していって、ついには、性比が非常に偏ってしまい、わずかに残った雄が全力でやっと雌を扱い切れるといった事態が生ずると予測されそうだ。しかしここでちょっと見方を変えて、息子を作るごく少数の親アザラシが、とてつもない遺伝的利益を享受していることに注目していただきたい。息子に投資する個体は、数百頭にのぼるアザラシの祖父・祖母になる可能性を十分もっているからである。娘を専門に産む個体は、おそらく確実に幾頭かの孫を期待できよう。しかし、息子作りを専門とする個体の享受しうる絶大な遺伝的可能性にくらべれば、それは無に等しいといえる。そこで、息子を産ませる遺伝子は次第に増加する傾向を示し、振り子は反対方向に振られることになる。

事態を振り子の振れのように説明したのは、説明を簡単にするためである。実際には、雌の数が雄を圧倒するほど振り子が大きく振れることはできない。性比が偏ると同時に、息子を作ろうとする圧力がふたたびそれを押しもどすからである。雄雌を同数産む戦略は進化的に安定な戦略なのである。この戦略からのずれを生じさせるような遺伝子は、不利をこうむるからである。

これまで私は、息子と娘の数で話を進めてきた。これは話を単純にするためで、厳密な議論は、親による保護投資の量という尺度でおこなわねばならない。この量には、食物その他親が子に与えうるすべての資源が含まれており、その計量法は前章で論じてある。結論をいうと、親は息子と娘に同量の投資をすべきなのである。これは数の上でも同数の息子と娘を作るべきであることを意味するのがふつうである。しかし、息子と娘に対する投資資源量が不均等な場合には、偏った性比も進化的に安定となりうる。ゾウアザラシの例をとれば、娘の数を息子の三倍くらいにし、その代り個々の息子には娘の三倍くらいの食物その他の資源を投資して、彼をスーパー雄に育てるような方策が安定な戦略といえそうだ。食物をたくさん与えて息子を大きく頑強に育てることによって、親は自分の息子がハーレムというこの上ない賞品を獲得しうるチャンスを高めることができるはずなのだ。しかしこれはあくまで特殊な例である。息子に対する投資量は、個々の娘に対する投資量とほぼ同一なのがふつうであり、したがって数で見た性比もふつうは一対一になるのである。

そこで、平均的な遺伝子は、多数の世代を経過するうちに、経過時間の約半分を雄の体、残り半分を雌の体の中で過ごしたことになるだろう。遺伝子の効果の中には、一方の性においてのみ発現するものがあり、限性的な遺伝子効果と呼ばれている。ペニスの長さを支配する遺伝子などというものがあるとすれば、これは雄においてしか発現しないわけだが、この遺伝子は雌の体にも乗りこんでおり、そこではまったく別の効果を示すのかもしれない。長いペニスをもつ性質が母親から遺伝されるようなことがあってもおかしくはないのである。

雄雌いずれの体に入りこんだにしろ、遺伝子はそこで与えられた機会を最大限に活用するはずである。どんな機会が与えられるかは、雄雌いずれの体に入りこんだかによってかなり異なろう。便利な近似法として、ここでまた、個々の生物体は利己的な機械であり、その全遺伝子のために最善を尽くすものと仮定しよう。その種の利己的機械にとっての最善策は、自分が雄であるか雌であるかによってまったく異なることがあるものだ。簡潔にするため、個体に意識的な目標があるかのように想定する方法をここでも採用することにしよう。これまで同様、これは単なる比喩にすぎぬことをはっきり頭にとどめておいてほしい。実際の生物体は、利己的な遺伝子たちによって盲目的にプログラムされた機械なのだ。

本章の出だしの話題だった配偶関係を結んだペアの問題に立ち返ることにしよう。雌雄いずれも、利己的機械として、同数の息子と娘を「ほしがる」だろう。この点までは両者の利害は一致する。彼らに不一致が生ずるのは、子育ての苦労の矢面にどちらがたつことになるかという点である。どの個体も、生存する子どもの数をできるかぎり増やしたがっている。任意の子どもに対する投資量を少なく切りあげることができれば、その分だけ、彼あるいは彼女の作りうる子の数は増加する。この好都合な事態を作りだすのに利用できる明白な手段は、配偶者がどの子どもにもその公平な分担量以上の投資をおこなうように仕向け、自分のほうはそのすきに別のパートナーと新たな子をもうけるという手である。この戦略は雌雄いずれにとっても望ましいにちがいないのだが、雌がこれを実現するのは雄にくらべて困難である。雌は、大型で栄養をたっぷり含んだ卵子の形ではじめから雄より多量の投資をおこなっており、このため受胎時においてすでに母親は、どの子どもに対しても父親以上に深く「身を投じて」しまっているのである。当の子どもが死んだ場合、彼女は父親より多くのものを失う立場にある。さらにもう一つ、死んだ子の代りに将来新たに子どもを一頭育てるにしても、失った子どもと同じ段階までそれを育てるために彼女が投資せねばならない量は、父親のそれより多いにちがいない。母親が、子どもを父親のもとに残して別の雄のもとへ走るという戦術をとると、父親のほうも子を棄てるという形で報復しかねない。しかも子を棄てた場合、雄のこうむる損失は雌にくらべればわずかなのだ。このため、少なくとも子どもがまだ幼いうちは、配偶者の遺棄がおこるとすれば、父が母を棄てるのがふつうで、逆はまれなのである。同様にして雌は、最初ばかりではなく、子の成長の全期間にわたっても雄以上の投資をおこなうはずだと予想される。たとえば哺乳類の場合、自分の体内で胎児を育てるのも雌、生まれた子どもに乳を与えるのも雌、子の養育と保護の重荷をしょいこむのも雌という具合だ。雌性とは搾取される性であり、卵子のほうが精子より大きいという事実が、この搾取をうみだした基本的な進化的根拠なのである。

もちろん、父親が勤勉かつ忠実に子のめんどうをみるような動物もたくさんいるのは確かである。しかしそのような動物の場合でも、子に対する投資をやや少なめにさせ、別の雌とさらに余分な子どもを作ろうとさせるような進化的圧力が、ある程度雄に作用しているのはふつうとみるべきである。つまり、雄の体にのりこんだ際、ライバルの対立遺伝子の指示よりやや早めに配偶者を棄てて別の雌を追わせるように雄を仕向ける遺伝子のほうが、遺伝子プール内で成功する見込みが高かろうということである。

この進化的圧力が実際にどの程度の強さを示すかは種ごとで大幅に異なっている。ゴクラクチョウの仲間のように、雌が雄の援助をまったく受けず、単独で子育てをおこなう例はたくさんある。一方ミツユビカモメのように、模範的に忠実な一夫一婦的つがいを形成して、雄雌が協力して子育てに当るような例もある。後者のような場合にはなんらかの進化的な対抗圧が作用してきたものと考えねばならない。すなわち、配偶者の労働を搾取する戦略には利益と同時に不利益がつきまとっており、ミツユビカモメではこの不利益が利益を上まわっていると考えるわけである。そもそも、妻子を遺棄することが父親にとって有利になるのは、妻が単独で子育てに成功する可能性がある程度存在する場合に限られるのである。

トリヴァースは、配偶者に遺棄された母親がその後どんな行動をとりうるかを考察している。彼女にとって最も有利な手は、別の雄をだまして彼にその子どもを実子と「思いこませ」て養育させることである。子どもが胎児でまだ産まれていないうちであれば、この手もさほどむずかしくはないかもしれない。もちろん、当の子どもは、母親の遺伝子を半分ゆずりうけているが、だまされやすい義父の遺伝子は一切ゆずりうけていない。雄におけるこの種のだまされやすさは自然淘汰においては非常に不利である。実際自然淘汰は、新しい妻をめとった直後、継子(ままこ)の可能性のある子どもをすべて殺してしまうような手を打つ雄に有利にはたらきうるのである。いわゆるブルース効果は、これによって説明できる可能性が大いにある。この効果はマウスで知られているもので、雄の分泌するある化学物質を妊娠中の雌がかぐと、流産をおこすことがあるという現象である。雌が流産をおこすのは、以前の配偶者のものとは違う匂(にお)いをかいだときに限られている。雄のマウスは、この方法で継子の可能性のある胎児を殺し、しかも新しい妻が彼の求愛に応じられるようにしてしまうのである。ついでながら、アードリーは、このブルース効果を個体群調節のメカニズムの一つ(!)と考えていることを付記しておこう。ライオンにも似た例が知られている。群れに雄ライオンが新たに加わると、彼はそこにいる子どもをすべて殺してしまうことがあるという。おそらく、その子どもたちが彼自身の子でないためと思われる。

必ずしも継子を殺すことなしに、雄は同じ効果を達成することができる。雌との交尾に先だって、雄は雌に長い求愛期間を強要することができる。この間雄は他の雄が雌に近づくのを追い払い、しかも雌の逃亡を阻止するのだ。こうすることによって雄は、雌がおなかの中に小さな継子を宿しているかどうかを確かめることができる。もし継子がいれば雌を棄てればよいのである。交尾に先だって雌が長い「婚約期間」を要求したがる理由をあとで考えるが、雄もまた同様にそれを要求する一つの理由が、ここで明らかになったわけだ。もし他の雄との接触から雌を隔離することができるなら、長い婚約期間の存在は、雄が、知らずに他人の子どもに恩をほどこす羽目におちいるのを回避する助けにもなるのだ。

さて、遺棄された雌が、新しい雄をだまして継子を養育させるという手段を成功させえないと仮定したら、雌にはほかにどんな手が残っているだろうか。これは、子どもの大きさにかなり左右されるはずだ。子どもがまだ受胎直後の段階だったらどうだろうか。この場合ですら、すでに雌は子どもに対して卵子をまるまる一個投資してしまっているのが事実だし、おそらくそれ以上の投資もおこなわれてしまっているだろう。しかしそれにもかかわらず、この場合は、子を流産して大急ぎで新しい配偶者を探すほうが彼女にはまだしも有利かもしれない。雄をだまして継子を養育させうる可能性が雌にはないと仮定しているので、流産は、新郎候補者および当の雌の双方にとって互いに有利にちがいないのである。

これは、ブルース効果が雌の立場からみても有利だということの理由づけになるかもしれない。

棄てられた雌の選びうるもう一つの手は、あくまでがんばって単独で子どもを育てあげようと努力することである。もし子どもが十分大きくなっているなら、この選択はとくに有利であろう。子どもが大きければ大きいほど、すでに子に対して投資された分量は多いわけであり、したがってその子を育て切るために今後雌が投資せねばならない分量は、ますます少なくてすむことになるからである。たとえ子どもがまだとても小さくて、男手を失った雌が給餌のために今までの二倍も精を出してはたらかねばならなくなるような場合でも、初期の投資をむだにすまいとがんばることは、彼女にとってなお見返りのあることかもしれない。子どもには雄の遺伝子が半分入りこんでいるので、子を棄ててしまえば雄に対して仕返しができるわけだが、これも雌の慰めにはなりはしない。「意地悪」それ自身にはなんら利点はないからである。その子どもには彼女の遺伝子も半分伝えられているのである。雌はこのジレンマに、もはや独りで対処しなければならない。

逆説的に聞こえるかもしれないが、棄てられそうになった雌は、雄に見捨てられる前に、先に雄のほうを見棄ててしまうという対策をとることもできる。たとえ雌のほうがすでに雄より多量の投資を子どもに加えていた場合でも、この対策が雌に有利なことがあるのだ。不快と感じられるかもしれないが、ある種の状況下では、雄雌いずれにせよ先に相手を棄てたもののほうが有利なのである。トリヴァースの表現にしたがうなら、あとに残された配偶者は過酷な束縛を負わされてしまうのだ。この議論はちょっとおぞましいが、論旨はかなりうまくできている。雌雄いずれにせよ次のような判断を下しうる状況に至ると、相手を見捨てる可能性がある。「この子はもう十分大きくなったから私たちのどちらか一人

だけで育て切れそう
だ。そこで、相手が子どもを棄てないと確信できれば、ここでおさらばしてしまうほうが私には得にちがいない。もし私が今ここを去ってしまったとする。私のパートナーは彼（または彼女）の遺伝子にとって最善の手を打つほかない。すでに私はどこかへ去ってしまっているのだから、彼（または彼女）は今の私よりもっと苦しい決断をせまられることになるはずだ。私と同じようにどこかへ去ってしまえば、子どもは確実に死んでしまうことをパートナーは「承知」しているはずだ。彼（または彼女）は、自分の利己的な遺伝子にとって最善の道を選ぶにちがいない。それなら、先におさらばしてしまうのが私の最善策だ。確かにこの手がよさそうだ。相手も私とまったく同じことを「考えて」いるかもしれないし、そうだとすれば今にも先手を打って私のほうを棄てにかかるかもしれないのだから」。これまで同様、この独白は単に説明のために示したものにすぎない。後で子を棄てるようにうながす遺伝子は淘汰上有利になれない、というだけの理由から、初めに子を棄てるように仕向ける遺伝子が淘汰上有利になりうるという点が、今述べた議論の要点である。

配偶者に棄てられた場合に雌がとりうる手段をいくつか考えてみたが、これらはいずれも不利な事態に善処するという感じのものばかりだった。しかし、雌がその配偶者から加えられる搾取の程度を減らすために、自ら先手をとってなしうることが何かないのだろうか。彼女には強力な切り札が一枚ある。交尾を拒否できることだ。彼女は引く手あまたの立場にある。つまり売り手市場の立場にあるのだ。大きくて栄養たっぷりな卵子という持参金を彼女がもっていることが、その理由である。うまく交尾に成功した雄は、子どものための貴重な食物源を獲得できるのである。交尾前の雌は、取引にあたって難題をふきかけることのできる立場にある。しかしいったん交尾してしまえば、切り札は切られてしまう。

卵子が雄に提供されてしまうからだ。難題をふきかけた取引という形で雄に対する雌の立場をとらえるのは、大変結構なことなのだが、いかんせん私たちは、これも一つの比喩にすぎないことを知っている。難題つきの取引に相当するような事態が、自然淘汰によって進化しうる現実的な方途はあるのだろうか。私は代表的な可能性を二つ考えてみることにしたい。一つは、家庭第一の雄を選ぶ戦略、もう一つはたくましい雄を選ぶ戦略と呼んでおくことにしよう。

家庭第一の雄を選ぶ戦略の中で最も単純な例を考えよう。雌は雄をよく調べて、あらかじめ誠実さや家庭的性格をよく見定めるようにするのである。誠実な夫になるという性格に関して、雄集団の中には変異がみられるにちがいない。そんな性質を事前に識別する能力が雌にあれば、しかるべき性質をもつ雄を選ぶことで雌は有利になれるはずだ。これを達成する一つの手は、気むずかしくはにかみがちな雌を装うことである。雌が最終的に同意するまで交尾をがまんできないような雄は、誠実な夫になる見込みがない。長い婚約期間を強要することによって、雌はきまぐれな求婚者を除外し、誠実さと忍耐という性格を事前に示すことのできた雄とだけ、最終的に交尾すればよいのである。事実、雌のはにかみがちな性質は、長い求愛行動あるいは婚約期間とともに、動物たちの間ではきわめて一般的にみることができる。先にも述べたように、雄がだまされて他の雄の子を養育させられてしまう危険のある場合には、長い婚約期間は雄にとっても有利である。

求愛の儀式に際して、雄はしばしばかなりの量の婚前投資をおこなうことがある。雄が巣を完成するまで雌は交尾を拒むこともあろうし、あるいは、雄が雌にたっぷり食物を与えねばならないこともある。雌の立場からみて、これが大いに利益になることはもちろんであるが、さらにこれは家庭第一の雄を選ぶ戦略の一形態とも考えられる。雌は、交尾に応ずる前に雄が子どもに対して多量の投資をするように仕向け、そのため交尾後の雄はもはや妻子を棄ててもなんの利益も得られないようにしてしまうことができるのではないだろうか。この着想はおもしろい。はじらい屋の雌が交尾に応ずるのを待っている雄は、代価を支払っていることになる。彼は他の雌との交尾のチャンスを放棄しているわけであるし、求愛のために多大な時間とエネルギーを費しているからだ。特定の雌が最終的に交尾に応じるころまでには、彼は必然的に彼女に深く「かかわってしまう」ことになるのだ。別の雌も、交尾に応ずるに先だってこの雌と同様の引きのばし策を弄することがわかっていれば、雄は当の雌を棄てようなどという浮気心をおこさないのではなかろうか。

別の論文でも指摘したことだが、この問題に関するトリヴァースの議論にはじつは誤りがあった。彼は、過去の投資それ自体が、ある個体の将来の投資の仕方を拘束すると考えた。しかし、この経済学はまちがっている。実業家は、「(たとえばの話) コンコルド機にはずいぶん投資したのだからそれをスクラップに回すことはできない」などとは決していうべきでなかろう。彼は常に将来の利益を問題にしなければならない。たとえすでにそのプロジェクトに大量の投資をおこなってしまっているにしろ、ただちに投資を中止してその計画を放棄することが将来の利益につながるなら、そうすべきなのである。同様に、雄に自分への多大な投資を強要している雌は、もしも、そうすること自体で雄の遺棄行為を将来にわたってあきらめさせることができると思うなら、それはむだである。今述べた戦略が家庭第一の雄を選ぶ戦略の一つとして成立するためには、もう一つ決定的な前提が必要だからである。雌のほとんどが同じ戦略を採用する見込みがなければならないのである。もしも集団の中にふしだらな雌がいて、妻を棄ててきた雄をいつでも歓迎しているのなら、たとえ子どもに対してどれだけ多量の投資を加え済みであろうが、雄は妻を棄ててしまうほうが得になるだろう。

つまり、事の次第は雌の大半がどう行動するかにかかっているのである。雌たちの間で結託した共同行為が成立しうるなら、何ら支障はない。しかし、雌間の共同行為は、5章で考察したハト派の共同行為と同様、進化は不可能である。私たちは、進化的に安定な戦略を探求するほかないのである。そこで、メイナード＝スミスが攻撃的な争いの分析に用いた方法を、性の争いの問題に応用することにしよう。*9-3 ここでは、雌の戦略を二つ、雄の戦略も二つ考えに入れねばならないので、タカ派とハト派の問題を扱った際より事態は少しややこしくなりそうだ。

メイナード＝スミスの分析法にしたがって、ここでも「戦略」ということばは盲目的かつ無意識的な行動プログラムを指している。ここで雌の二つの戦略を、「はじらい」戦略と「尻軽（しりがる）」戦略、雄の二つの戦略を「誠実」戦略と「浮気」戦略と呼んでおくことにしよう。これら四型の行動規律は以下のとおりである。はじらい型の雌は、雄が数週間にわたる長くて高価な求愛を完了しなければ彼と交尾しない。尻軽型の雌は、だれとでもただちに交尾する。誠実型の雄は長期間求愛を続ける忍耐力があり、交尾後も雌のもとに留まって子育てを助ける。浮気型の雄は、雌がただちに交尾に応じなければたちまちしびれを切らせ、その雌を棄てて別の雌を探しにゆく。交尾後は雌のもとに留まってよき父親役を演ずることはなく、新しい雌を求めて去ってしまう。ハト派とタカ派の分析例と同様、考えうる戦略はなにもこれら四型に限られるわけではないが、これらの戦略の挙動を追ってみることは問題の解明に役だつのである。

メイナード＝スミスにしたがって、それぞれの代価と利得に適当な仮説的数値を与えておくことにしよう。もっと一般的な扱いのためには、それらに代数的な記号を与えておくべきなのだが、数値を使ったほうが理解しやすいと思う。子どもが無事に育った場合、それぞれの親の得る遺伝的利得を(＋)15単位としよう。子どもを育てるための代価、すなわち食物、世話に要する時間、子を守るために親のおかす危険のすべてを合計したものは(－)20単位とする。代価は親が支払わねばならぬものなので負の数で表現するのである。長い求愛で時間を浪費する代価も負になる。この代価を(－)3単位としておこう。

今、はじらい型の雌と誠実型の雄だけで構成される集団を考えよう。理想的な単婚社会というわけである。いずれの夫婦においても、子ども一頭を育てるごとに雄雌はともに同じ平均利得、すなわち(＋)15単位を手に入れる。子育ての代価(－)20は等分に分担されるので、雄雌それぞれについて平均(－)10単位になる。長い求愛に費された時間の代価(－)3単位がさらに雄雌それぞれに課せられる。そこで、雄雌それぞれについての最終的な平均利得は(＋)2単位となる（＋15－10－3＝＋2）。

さてこの集団に尻軽型の雌が一頭入りこんだとしてみよう。彼女の成績は抜群である。長い求愛にふけることがないので、その分の代価を払う必要がないからである。集団内の雄はすべて誠実型だから、だれと交尾しても相手は子煩悩(ぼんのう)な父親になると期待できる。子ども一頭当りの彼女の利得は(＋)5単位（＋15－10＝＋5）となり、はじらい型のライバルより3単位も成績がよい。そこで尻軽型の遺伝子は集団内に広がりはじめる。

尻軽型の雌が大成功を収めて集団中で優勢になると、雄側に事態の変化がおこってくる。これまでは、誠実型の雄の独壇場であった。しかしここで浮気型の雄が集団中に登場すると、彼は誠実型のライバルよりよい成績をあげはじめるのである。もし集団中の雌がすべて尻軽型であれば、浮気型の雄の成績はじつにめざましいものとなる。子どもが一頭無事に育てば彼は(+)15単位を手に入れ、しかも代価のほうは二種類とも払う必要がないからである。この代価のないことが彼に与える主要な利益は、そのおかげで彼が気ままに雌を棄てて新しい雌と交尾できる点にある。不運な妻たちは、いずれも独力で子育てに奮闘しなければならない。求愛時間の浪費のための代価を払う必要がないとはいえ、彼女は子育てのための代価(−)20をすべて自分で払わねばならないのである。尻軽型の雌が浮気型の雄に遭遇した場合、彼女の利得はさし引き(−)5（＋15－20＝－5）になってしまう。いっぽう浮気雄はそれによって(+)15単位も手に入れるのだ。雌がすべて尻軽型から成るような集団では、浮気型雄の遺伝子は燎原(りょうげん)の火の勢いで広がってゆくだろう。

浮気雄が大成功を収めて集団の雄の大部分を制するに至ると、もはや尻軽型の雌は風前のともしびとなってしまう。ここでは、はじらい型の雌が非常に有利になるのである。はじらい型の雌が浮気型の雄に遭遇しても交尾はおこらない。雌は長い求愛を要求し、雄はこれを拒否して別の雌を探しにいってしまう。つまり、両者とも時間浪費の代価は支払う必要がないのだ。しかし、子どもも生まれないのだから、両者とも何も利益を得ない。雄がすべて浮気型からなる集団では、はじらい型の雌の平均利得はゼロということになる。ゼロでは仕方がないではないかと思われるかもしれない。しかしこれは、尻軽型の雌の平均成績である(−)5よりはましである。尻軽型の雌が、浮気雄に棄てられた場合には子を放棄するという決意をしたとしても、彼女にはなお卵子の形で投資したかなりの代価が残ってしまう。かくして、はじらい型の遺伝子はふたたび集団中に広がりはじめるのである。

さてこの仮説的なサイクルもそろそろ完結する。はじらい型の雌が数を増して集団を制するようになると、これまで尻軽型の雌を相手にいい思いをしてきた浮気型の雄はピンチに立たされはじめる。雌という雌がいずれも長くて熱烈な求愛を要求するからだ。浮気型の雄は次から次へと雌を変えてみるが、いつも事態は同じである。もし雌がすべてはじらい型だと、浮気型の雄の利得はゼロになってしまう。ここで誠実型の雄が出現したとすると、彼こそは、はじらい型の雌が交尾しようとする唯一の雄となる。彼の利得は差し引き(+)2になるので、浮気型の雄より高成績である。かくして誠実型の雄の遺伝子が増加しはじめ、話はひとめぐりすることになる。

攻撃行動の分析の場合と同じく、私はあたかも限りなく振動が続くかのように事態を説明してきた。しかし前例と同様で、実際にはそんな振動などおこらぬはずであることが証明できる。このシステムはある安定状態に収斂(しゅうれん)してしまうのである。[*9-4] 計算をしてみると、雌の$5/6$がはじらい型、雄の$5/8$が誠実型からなる集団が進化的に安定になるという結果がでてくる。もちろんこの結果は、はじめに私たちが仮定した恣意(しい)的な数値に対応したものにすぎない。しかし、他の任意の数値の組についても、その場合の安定状態を与える各型の比率は容易に計算することができる。

メイナード＝スミスの分析例と同様で、必ずしも二型の雌と二型の雄があると考えなくてもよい。個個の雄がその$5/8$の時間を誠実型、残りの時間を浮気型として過ごし、一方個々の雌も$5/6$の時間をはじらい型、残りを尻軽型として過ごすなら、前記と同じく進化的に安定な戦略が達成されるはずなのだ。進化的に安定な戦略をどちらの形式で考えるにしろ意味するところは同様で、以下のようになる。雌雄いずれにせよ適当な安定比率からはずれるような傾向を示すと、異性側の戦略の相対比がこれに応じて変化することによってその変異傾向は押しもどされ、変異をおこした個体は不利になるということである。このおかげで当の進化的に安定な戦略が維持されるのである。

つまり、はじらい型の雌と誠実型の雄が大半を占めるような集団が進化しうる可能性は大いにあるといえるのである。このような集団においては、家庭第一の雄を選ぶという雌の戦略が実際に効力を発揮していると思われる。ここではもはや、はじらい型の雌の示し合わせた共同行為などを考える必要はない。はじらいという性格自体が、雌の利己的遺伝子に実際に利益をもたらすのである。

家庭第一の雄を選ぶ戦略を、雌が実際に行使する方法はいろいろある。先に指摘したように、彼女のための巣を雄が完成しないうち、あるいは少なくとも雄が巣作りを手伝わないうちは、その雄との交尾を拒否するというのも一つの方法である。実際に、多くの単婚型の鳥では、巣が完成するまで交尾はおこらない。その結果、雄は受精の時点においてすでに、安価な精子の分をはるかに上まわる投資を子どもに加えたことになるのである。

花婿(はなむこ)候補者に巣作りを要求するのは、彼をわなにはめるための雌の手段として確かに有効だろう。しかし、雄に対して多大な代価を課すものでありさえすれば、たとえその代価がまだ生まれていない子どもにとって利益になる形で支払われなくとも、理論的には同じ効果を発揮するのではあるまいか。集団中の雌が、雄との交尾に同意するに先だって、そろって何か困難でしかも代価の高くつく行為、たとえば竜を打ちとってくるとか、どこかの山に登ってくるとかいった行為を要求することになれば、これによって雌は、交尾後に雌を遺棄しようというような誘惑に雄が駆りたてられるのを、理論的にはかなり抑えることができるのではなかろうか。配偶者を棄てて別の雌を探してもっと遺伝子をふやしたいという誘惑にかられても、そうするにはもう一頭竜を打ちとってこなければならないのだと考えたら、雄は、きっと思いとどまるに違いない。しかし、実際には、竜退治や聖杯探しのような思いつき的な仕事を求婚者に要求するような雌はいまい。理由はこうである。同様に困難だが、しかし雌と子どものためにはるかに役に立つ仕事を雄に要求した雌がライバルだとすると、雄に無意味な恋の難問を要求したロマンチックな雌は不利になるからだ。竜退治やヘレスポントス海峡を泳ぎ渡ることにくらべると、巣作りというのは確かにあまりロマンチックではないが、こちらのほうがはるかに役にたつのである。

雌のとりうる方法として先に指摘したもう一つの例は、雄に求愛の給餌を要求することである。鳥類の場合、この行動は、雌がある種の退行をおこして雛の時期の行動を示しているのだとみなされるのがふつうである。雌は、雛が示すのと同様なしぐさをして、雄に餌をねだる。この種のしぐさは、女性のたどたどしい幼児的なしゃべり方や口をとがらせるしぐさを男性が愛らしく感ずるのと同様、雄鳥には抗しがたい魅力があるのだと考えられてきた。この時期の雌は大きな卵を造り出す仕事に必要な栄養をため込んでいる最中で、手に入る食物ならいくらでもほしいのだ。雄の求愛給餌は、おそらく、雄が卵自体に対して直接投資をおこなうことを意味しているのだろう。つまり求愛給餌は、雌と雄とが最初に子どもに対して加える投資量の、隔差を縮めるという効果をもっているのである。

昆虫やクモの中にも求愛給餌の現象を示すものがある。これらの中には別の解釈が当っていそうなことが非常にはっきりしている例がある。たとえばカマキリの場合などでは、雄は大型の雌に食われてしまう危険にさらされているので、雌の食欲を減らすのに役だつことなら、何ごとにせよ雄には有利なはずだろう。不運な雄カマキリは身をもって子どもに投資するといえるわけだが、ここにはなんとも気味の悪い感じが漂っている。彼の体は、食物として利用されて卵子の生産を助けるが、この卵は、彼の死後、雌の体内に貯えられていた彼の精子によって授精されることになるからである。

雌が家庭第一の雄を選ぶ戦略を行使する際に、雄の誠実さを単に外観だけで事前に見きわめようとすると、逆にだまされる可能性がある。非常に誠実な家庭第一型を装いながら、じつは衣の下に雌の遺棄や不誠実さへの強い傾向を隠し持った雄がきわめて有利になりうるからである。棄てられた前妻たちに子どもを育て上げうる可能性がある程度存在するなら、この不誠実型の雄は、まじめな夫であり、かつまじめな父親であるライバル雄より、多くの遺伝子を子孫に伝えることができる立場にある。したがってこのような場合には、雄がうまく雌をだますように仕向ける遺伝子は、遺伝子プール中で有利になる傾向を示すだろう。

しかしもう一方で自然淘汰は、この種の欺瞞（ぎまん）を上手に見抜く能力を身につけた雌に有利になるようにもはたらく。雌が雄の欺瞞を見抜く上で役だつ一つの手は、雄の最初の求愛の際には特別気むずかしくふるまっておいて、その後繁殖期を重ねるたびに、同じ雄の求愛に対しては次第に速やかに応じるようにしてゆくことだ。この手段が実行されると、初めて繁殖に参加できる年になった若雄は、彼が欺瞞屋であるか否かに関係なく、自動的に不利を強いられることになろう。もちろん、初めて繁殖に参加した若雌の産む子どもには、不誠実型の父親に由来した遺伝子が比較的多く含まれる傾向があるかもしれない。しかし次年度以降に雌が生む子どもに関しては、誠実型の父親の遺伝子が優勢である。誠実型の雄は、二回目以降は、初回と同じような時間とエネルギーの多大な消耗をともなう長々とした求愛儀式をもはやおこなわずにすむからである。集団中の個体の大半が、若雌ではなく繁殖経験のある母親の子どもだとするなら——寿命の長い動物ならこの仮定は妥当だろう——まじめなよき父親をつくりだす遺伝子が遺伝子プールを制することになるだろう。

話を単純化するために、雄には純粋な誠実型とまったくの欺瞞屋型の二型しかありえぬかのように説明してきた。しかし実際には、どの雄も（いや雄に限らずすべての個体が）少々欺瞞的性格をもっており、配偶者を搾取する機会を見逃さぬようプログラムされているのだとみたほうが当っていよう。パートナーの不誠実を見破る能力は自然淘汰によって鋭敏にとぎすまされているので、派手な欺瞞は影をひそめているのである。不誠実によって利益を得る度合は、雄のほうが雌より上である。したがって、雄が子に対してかなりの利他的保護行動を示す動物の場合であっても、雄の努力は雌のそれよりやや弱めで、しかも雄は逃亡の傾向を雌よりやや強く示すものと予測すべきだろう。これは、鳥や哺乳類にあっては確かにふつうにみられる事態である。

ところが、雌よりも雄のほうが実際に多大な努力を子の保護に向ける動物もいる。このように父親が子のために献身する例は鳥や哺乳類ではきわめてまれなのだが、魚ではそれがかなりふつうにみられるのである。これはいったいなぜだろうか。[*9-5] これは遺伝子の利己性理論にとっては一つの難題であり、私も長い間この疑問に悩まされてきた。しかし最近T・R・カーライル嬢が巧妙な解答を一つ私に個人教授して下さった。彼女は先にふれたトリヴァースの「過酷な束縛」のアイディアを援用して次のように考えたのである。

大半の魚類は交尾をせず、その代りに単に生殖細胞を水中に放出する手段をとる。受精はパートナーの体内でおこるわけではなく、水中でおこなわれるのである。有性生殖が初めて出現した際にも、たぶんこれに似たことがおきていただろう。鳥や哺乳類、爬虫類等の陸上動物はこんな形で体外受精をおこなうわけにはゆかない。彼らの生殖細胞は乾燥でまいってしまうからである。そこで運動能力をもった雄の配偶子、精子が、雌の湿った体内に送りこまれるのである。以上は単なる事実の確認である。カーライル嬢のアイディアはこれからだ。交尾の後、陸生動物の雌はしばらくのあいだ体内に胚(はい)をかかえることになる。たとえ雌が交尾直後に受精卵を産むとしても、雄には先に逃げ去って雌をトリヴァースの「過酷な束縛」におとしいれるに足りる時間が与えられている。つまり雄には、雌の選択を封じて先に雌を棄てる決断を下せる機会が必然的に与えられるのである。子どもを棄てて死に至らしめるか、それとも留まって子育てをおこなうか。この決断はすべて雌に押しつけられてしまう。陸生動物の子の保護が父親より母親の手でおこなわれるケースが多い理由はここにあるというわけである。

しかし、魚をはじめとする水生動物では、事情がまるでちがっている。雄が雌の体内に精子を送りこまないのなら、雌が「子をおなかにかかえて」とり残される必然性はない。受精したばかりの卵を相手にまかせて、さっさとおさらばを決めこむことが雌雄どちらにも可能になるのである。しかしこの場合しばしば雄のほうが棄てられる側にまわる羽目になる理由が一つ考えられる。どちらが先に生殖細胞を放出するかをめぐって、進化的な争いがおこる可能性がある。先に生殖細胞を放出した個体は、受精した胚を相手に押しつけることができる点で有利だが、しかし同時に、パートナーの候補者がもしかすると続いて求婚に応じてはくれないかもしれないという危険をおかすことになるからである。この点では雄のほうが危険が大きい。単に、精子のほうが卵子より軽くて拡散しやすいという点だけを考えてもそういえるのである。雌のほうは、雄の準備がまだ整わないうちにあせって卵を放出したとしても、大した問題にはならない。卵は比較的大きくて重いので、しばらくはちゃんとひと塊(かたま)りになってそこに留まっているにちがいないからである。したがって、雌魚のほうは、早めに産卵する「危険」をおかすことが可能である。雄魚はこの危険をあえておかすわけにはゆかない。雄があせって精子を放出してしまえば、雌がその気になる前に精子は散逸してしまうだろう。そうなればもはや雌は産卵すまい。卵を産んでもなんの益もないからである。散逸の問題があるために、雄はまず雌が産卵するのを待ち、しかるのちに卵に精子をふりかけるほかないのである。しかしそのおかげで雌は、実に貴重な数秒間を手に入れることができた。その間に姿をくらまして、子どもを雄に押しつけ、彼をトリヴァースのジレンマに突き落とすことができるのだ。ご覧の通りこの理論は、父親による子の保護がなぜ水中ではふつうにみられて、乾いた陸上でまれにしかみられないのかを手ぎわよく説明しているのである。

魚の話はこれまでにして、雌の採用しうるもう一つの主要な戦略である、たくましい雄を選ぶ戦略をとりあげることにしよう。この方策を採用している種では、雌は彼女の子どもたちの父親から援助を受けることを結果的にはあきらめてしまっており、その代り、よい遺伝子を得ることに全力を傾けている。ここでもまた雌の武器は交尾を許さないことである。彼女たちは相手かまわず交尾を許したりはしない。雄に交尾を許す前にあらゆる注意を集中して相手を選別しようとするのだ。雄の中には他の雄より明らかに多数のよい遺伝子をもった個体がいる。彼らのよい遺伝子は、息子と娘の双方の生存に利益をもたらすに違いない。外観上の手がかりを頼りにして、雌がなんらかの方法で雄のもつよい遺伝子を検出できるとするなら、彼女は自分の遺伝子に父親の良質な遺伝子を合体させることによって、自らの遺伝子を有利にすることができるはずである。3章で述べたボートチームの比喩を使って説明するなら、へたな選手といっしょにして自分の遺伝子の足が引っぱられるような羽目におちいる可能性を、雌は最小にすることができるのだ。彼女は自分の遺伝子にとって有利なクルーメイトを精選できるのである。

選択基準となる情報をすべての雌が共有する結果、どの雄が最高かという点でほとんどの雌が同じ結論に達してしまう可能性もある。おかげでごく少数の幸運な雄がほとんどの交尾に関与することになるかもしれない。個々の雌に対して雄が提供せねばならないのは、なにがしかの安価な精子にすぎないので、雄は楽にその仕事をこなすことができる。ゾウアザラシやゴクラクチョウでは、このような事態が生じているものと考えられる。雌は、ごく少数の雄にだけ、あらゆる雄の羨望の印である理想的な利己的搾取戦略の行使を許しているわけだが、同時に雌は、そのぜいたくが最良の雄にだけ許されるようにつねに注意しているのである。

自分の遺伝子の合体相手にすべき、優良遺伝子を見つけ出そうと努力している雌の立場を考えてみよう。彼女はいったい何を目印にそれを探しているのだろうか。彼女の探し求める目印の一つは生存能力の証しである。もちろん彼女に求愛する雄は、いずれも少なくとも成体に達するまでの生存能力はもっていることを明らかに証明しているわけだが、だからといってもっと長生きできることを証明できているとはいえない。そこで雌とすれば、年をとった雄を相手に選ぶのが大いに有利な策ということになるかもしれない。他にどんな欠点があろうと、とにかく彼らは長生きできることを証明しているのであるから、もしかすると、彼女は自分の遺伝子を長寿の遺伝子と組合わせようとするかもしれないのである。しかし、たとえ子どもたちが長生きしたとしても、孫をたくさん産んでくれぬことには、彼女の努力は水の泡（あわ）である。寿命そのものはなんら旺盛な生殖力の証しにはならないのである。それどころか、長寿の雄は逆に繁殖のための危険をおかさないからこそ長生きしてきたのかもしれないではないか。年をとった雄を配偶者にする雌と、よい遺伝子をもっていることをうかがわせる他の証拠のある若雄を配偶者にする雌とをくらべた場合、必ずしも前者が多くの子孫を残すとは限らないのである。

　では他の証拠とはいったいどんなものだろうか。いろいろな可能性がある。たとえば強い筋肉は食物を捕える能力の証しとなろうし、長い脚は捕食者から逃げ切る能力の証しかもしれない。これらの特性は息子、娘いずれにとっても有用な性質であろう。したがって雌は自分の遺伝子にそのような特性を組合わせることで、自分の遺伝子を有利にしうるかもしれない。さて、この種の議論を進めるに当っては、そもそも雌が中味に完全に忠実なラベルあるいは標識にしたがって、雄を選択しているものと想像する必要がある。すなわちそのラベルは、雄の体内にある優良な遺伝子の証しになっていると考えているわけである。しかしここできわめておもしろい問題が生じるのである。この問題にはダーウィンも気づいており、フィッシャーが明瞭な形で紹介している。雄が互いに競い合って、雌からたくましい雄の指名を受けようとする社会においては、母親が自分の遺伝子に対して加えうる最善策の一つは、魅力的なたくましい雄に成長するような息子を作ることである。成体に達した際に、集団中の交尾のほとんどを独占する少数の幸運な雄の一員に加われるような息子を確実に作り出せれば、雌の獲得しうる孫の数はとてつもないものとなろう。この結果次のような事態が生ずる。すなわち、雌の目から見た場合に雄の備えるべき最も望ましい性質の一つは、端的に、性的魅力そのものということになるのである。抜群に魅力的なたくましい雄と交尾した雌が産む息子は、次代の雌たちに対しても魅力的な雄となる可能性が高く、したがってこの息子たちは母親にたくさんの孫をもたらすこととなろう。もちろん、はじめは雌も、大きな筋肉のような明らかに有益な性質を基準にして雄を選別していたのだと考えられる。しかし、いったんその種の基準が同種の雌の間で魅力的なものとして広く受け入れられるようになると、それらの性質は、単に魅力的だというだけの理由で、自然淘汰において有利さを保持し続けうるのである。

　例をあげよう。ゴクラクチョウの雄の尾羽(おばね)のごとき途方もない形質は、ある種の不安定で一方的な過程[*9-6]を介して進化したものと考えられる。その昔、ゴクラクチョウの雌は、ふつうよりやや長めの尾羽をもつ雄を、望ましい性質の持主とみなして選択していたのかもしれない。それはおそらく丈夫で健康な体質の証拠だったのではなかろうか。雄の尾羽が短いのはビタミン不足の表われだったかもしれない。それは食物獲得能力が貧弱な証拠だ。あるいはもしかすると、尾の短い雄は捕食者から逃げ切るのがあまり上手でなくて、それで尾羽を食いちぎられたのかもしれない。ここでは別に、尾の短さそれ自身が遺伝されると仮定する必要はないことに注意していただきたい。単に尾の短さが何らかの遺伝的劣勢の一つの指標になっていると仮定すれば、それでよいのである。とにかく理由がなんであるにせよ、ゴクラクチョウの祖先だった鳥の雌は、平均より長い尾羽をもった雄を選択的に探し求めたのだと仮定しよう。雄の尾の長さの自然的変異になにがしかの遺伝的背景があったとすれば、集団中の雄の尾羽の平均長は雌のこうした選択によって長くなったにちがいない。雌が従った規則は単純である。すべての雄を見わたして、一番尾の長い個体を選ぶというのがそれだ。この規則からはずれた雌は不利になった。しかもあまりに尾が長くなってその持主の雄には実際に負担になったとしても、この事情はなおかつ当てはまっただろう。なぜなら、尾の長い息子を産むことのできなかった雌には、雌たちから魅力的と判定される息子を持てる公算がほとんどないからである。女性のファッションやアメリカの自動車のデザインと同様、より長い尾羽をもつ傾向は、かくして開始され、自ずから勢いを増したのである。尾羽があまりにもグロテスクな長さに達し、ついにそのための明白な不利が性的魅力という有利さを圧倒し始めるに至って、この傾向はやっと停止したのだ。

しかしこれは簡単には受け入れがたい考え方であり、ダーウィンが性淘汰という名でこの考え方を提唱して以来、たえず懐疑家の注目の的となってきた。8章で「キツネさん、キツネさん」理論の提唱者として紹介したA・ザハヴィも性淘汰の説明を信じない一人である。彼はそれに代る説明として、「ハンディキャップ原理」という、とてつもなくひねくれた考え方を主張しているのだ。*9-7 彼はまず次の点を指摘する。雌が雄の中から優良遺伝子の持主を選別しようとすること自体が、じつは雄による詐欺行為に道を開くことになるという点である。強い筋肉は、雌にとって選択の対象として掛値(かけね)なしによい性質だろう。しかしもしそうだとするなら、パットを詰めていからせた肩と同様の、まったく実質のない筋肉の模造品が雄に発達しない理由がどこにあるだろうか。本物の筋肉を発達させるより偽物をつくるほうが雄にとって安上りなら、性淘汰は偽物の筋肉をつくる遺伝子に有利になるはずだ。しかしこれも長続きはしない。対抗的な淘汰の働きで、遠からずこのインチキを見破る能力が雌の側に進化してしまうはずだからである。雄が性的なインチキ宣伝をしても最終的には雌に見破られてしまうはずだというのが、ザハヴィの基本的前提になっているのである。ここから彼は次のような結論を引き出す。すなわち、本当に成功する雄は、インチキ宣伝などおこなわず、むしろうそいつわりのないことをすぐ相手にわかるように示すような雄にちがいないというのである。かりに強い筋肉が問題だとすれば、単に視覚的に強そうに見えるだけの筋肉を誇示する雄は、すぐ雌に見破られてしまうだろう。これに対して、重量挙げに相当するような行為や、あるいは実際に重いものをこれ見よがしに持ちあげる行為によって実際に強力な筋肉の持主であることを証明してみせる雄のほうが、雌の信用を勝ちとることができるだろう。いいかえれば、ザハヴィは、たくましい雄は単に上等な雄のように見えるだけではだめで、ほんとうに上等な雄でなければならないと信じている。そうでなければ懐疑的な雌には受け入れてもらえない。したがって、誇示行動は、ほんとうにたくましい雄にしかこなせないような形に進化してゆくことになろうというのだ。

　ここまでの話は大変結構なのである。ザハヴィの理論のこの先に続く部分が非常にひっかかるのだ。ゴクラクチョウやクジャクの尾羽、シカの巨大な角などをはじめとする各種の性的に淘汰された形質は、当の持主にハンディキャップを与えているように見えるので、これまでは逆説的な存在とみなされるのがふつうだった。ところがザハヴィは、これらの形質は、まさにそれらがハンディキャップとなるがゆえに進化したのだと主張しているのである。長くて邪魔（じゃま）くさい尾羽をつけた雄鳥は、じつは雌鳥に対して、こんなしっぽをつけているにもかかわらずなおかつ生き残れるくらいぼくは頑強でたくましい雄なのです、と宣伝しているのだというのである。二人の男が駆（か）けっこをするのを女性が見守っていると想像していただこう。両者は同時にゴールインするのだが、一方の男は石炭のつまった袋を背負うという形で、わざと自分に負担を加えているとする。当然のことながらその女性は、荷をしょった男のほうが実際は足が速いのだと結論するにちがいなかろう。

　私はザハヴィの理論を信じていない。もっとも、私の懐疑に対しては、私自身、初めてこの理論を聞いたときほど確固たる自信をもっているわけではない。この理論を聞いたとき、私は、その考えをつきつめると、脚も一本、眼も一つしかないような雄が進化すべきだということにならないかと指摘した。イスラエル出身のザハヴィは即座に答えてこういったのだ。「わが国最良の将軍の一人は片眼です」。しかし、ハンディキャップ理論に、根本的な矛盾が含まれているようにみえるという問題は依然として残されている。もしハンディキャップが本物であれば——理論の本質上ハンディキャップは本物でなければ困るわけだが——それは、雌にとって魅力となりうるのと同じ確実さで子孫に対しては不利をもたらしうるはずだからである。いずれにせよ、そのハンディキャップが娘には伝わらないようにすることが肝心である。

ハンディキャップ理論を遺伝子のことばでいいかえると以下のようになろう。雄に、長い尾羽のようなハンディキャップを発達させる遺伝子は、雌がそのハンディキャップをもつ雄を選択することによって、遺伝子プール中で次第に増えてゆく。雌がハンディキャップをもった雄を選ぶのは、雌にそのような選択をさせる遺伝子が遺伝子プール中で頻度を増すからである。そんな遺伝子にどうして頻度増加がおこるのか。ハンディキャップを背負っているにもかかわらず成体に達しえた雄は、その他の形質に関してはよい遺伝子をもっているのにちがいなく、したがってハンディキャップを負った雄を好む雌は、自動的に別の面でよい遺伝子をもった雄を選びだすことになるといえるからである。これら優秀な「その他」の遺伝子は、子どもたちの体に有利にはたらき、かくして生き残った子どもたちが、ハンディキャップそのものの遺伝子とともに、雌にハンディキャップをもった雄を選ばせるような遺伝子を増殖させるというわけである。かりに、ハンディキャップを作り出す遺伝子が息子においてのみ効力を示し、一方ハンディキャップを負った個体に対する性的な好みをうながす遺伝子が、雌にだけ影響を与えるというのであれば、この理論もあるいは有効かと思われるかもしれない。しかし、ことばだけを使って定式化されている限りでは、この理論が有効であるか否か、はっきりしたことはいえない。このような理論がどの程度の可能性をもっているかをもっとよく検討するには、数学モデルで表現しなおす必要があるのである。現在までのところ、ハンディキャップ原理を有効なモデルにしようとする数理遺伝学者たちの試みは、いずれも失敗に終っている。これはそれが有効な原理でないためかもしれないし、あるいは挑戦した数理遺伝学者が十分聡明でないためかもしれない。ところがその数理遺伝学者の中にはメイナード＝スミスも含まれているのである。となると私には、なんとなく前者の可能性のほうが当っているような気がする。

わざわざ自分にハンディキャップを負わせるようなまねをせずに、ほかの方途で他の雄に対する優位を誇示できるとするなら、こちらの方法で雄が自分の遺伝上の成績をあげうることに疑問をさしはさむ余地はあるまい。たとえば、ハーレムを作り上げてそれを維持するゾウアザラシは、雌に向かって審美的な魅力を誇示することでそれを達成しているわけではなく、ハーレムに侵入しようとする雄をすべてたたきのめすという単純な手段に頼っているのである。ハーレムの所有者は、これまでも闘いに勝ってハーレム所有者であり続けてきたという明白な事実だけからしても、その地位をねらう侵入者たちとの闘いに今後も勝てる見込みがある。他方、侵入者のほうは勝ち目が少ない。たとえ勝てるだけの力があっても、これまで負けてきたというだけの理由で勝ちにくくなるのである。というわけで、ハーレム所有者とだけ交尾する雌は、多数の向こうみずな独身あぶれ雄の中からくりかえし登場する挑戦者を撃退しうるだけの頑強さをもった雄に、自分の遺伝子を縁組させることになる。父親にみられたハーレム所有能力は、運がよければ彼女の子どもにも遺伝するだろう。もっともゾウアザラシの雌には、実際にはあまり選択の自由はない。雌がハーレムを離れようとしようものなら、その所有者が彼女をひどい目にあわせるからである。しかし、闘いに勝つ雄を配偶者にすることで、雌は自分の遺伝子を有利にできているという原則に変わりはない。すでに見てきたように、雌がその配偶者として、なわばり所有者や、高い順位を占める雄を好んで選択する例はいくつも知られているのである。

本章のこれまでの部分を要約しておこう。動物界にみられる各種の多様な繁殖システム、たとえば一夫一妻制、乱婚、ハーレム制などは、いずれも雄雌間の利害対立の産物として理解することができる。雌雄のいずれの個体も、その生涯における繁殖上の総合成績を最大化することを「望んでいる」。精子と卵子の大きさおよび数にみられる根本的な相違が原因で、雄には一般に、乱婚と子の保護の欠如の傾向がみられる。これに対抗する対策として、雌には二つの代表的な戦略がみられる。一つは私がたくましい雄を選ぶ戦略と呼んだもの、もう一つは、家庭第一の雄を選ぶ戦略と呼んだものである。雌がこれら二つの対抗策のいずれをとる傾向を示すか、また雄がそれにどんな形で対応するかは、いずれも種をめぐる生態学的な状況が決定することであろう。もちろん実際には今あげた二つの戦略のあらゆる中間形がみられるし、さらにすでに述べたように父親のほうが母親より熱心に子の保護にあたる例も知られている。しかし、本書では特定の動物種の細部にはかかわり合わないことにしているので、ある種がどうしてある繁殖システムを示し、別のシステムを示さないのかといった要因論は扱わないことにする。その代り、以下では一般に雄と雌の間で広く観察される相違点をとりあげて、それらがどう解釈できるか考えることにしよう。このため、両性間にわずかな相違しかみられないような種、すなわち一般に雌が家庭第一の雄を選ぶ戦略を採用しがちな種には、あまり重点をおかないことにする。

まず第一に、雄が性的に魅力的で派手な色彩を示し、雌はかなり地味な色彩を示すという傾向がある。雄雌いずれの個体も捕食者に食われるのはごめんだ。となれば、両性とも単調な色彩を示す方向になんらかの進化的圧力を受けているはずである。鮮やかな色彩は、配偶者と同様、捕食者も誘引してしまうからだ。遺伝子のことばでいえば、地味な色彩を示させる遺伝子より鮮やかな色彩を示させる遺伝子のほうが、捕食者の胃袋の中で命を落とす可能性は高いのである。他方、次の世代に伝えられる可能性ということになると、地味な色彩を示させる遺伝子は、鮮やかな色彩を示させる遺伝子に劣るかもしれない。色の地味な個体は配偶者を誘惑しにくいだろうからである。つまり、ここには二つの互いに対立する淘汰圧がみられることになる。すなわち、捕食者は遺伝子プールから鮮やかな色彩の遺伝子を除去する作用を示し、他方、性的パートナーたちは地味な色彩を生み出す遺伝子を除去する作用を示すのである。他の多くの場合と同様、有能な生存機械は、対立する淘汰圧の妥協の産物とみなせる。ここで興味のあるのは、雄にとっての最適妥協点が雌にとってのそれとは異なっていると思われることだ。もちろんこの相違は、雄が大きな危険を賭けて大きなもうけをねらうギャンブラー的存在だとみる、われわれの見解とも完全に合致している。雌のつくる卵子一個に対応する分として雄がつくる精子は莫大な数にのぼるので、個体群中の精子の数は卵子をはるかに上まわっている。したがって、任意の一個の卵子が性的な合体をとげうる可能性は、任意の一個の精子のそれにくらべてはるかに高くなる。つまり、卵子は相対的に貴重な資源だということである。それゆえ、雌は、雄の場合ほど性的魅力が強くなくとも、自分の卵子の受精を保証できるのである。一頭の雄が、きわめて多数の雌に子を産ませることは十分可能である。派手な尾羽が捕食者を誘引したり、やぶにひっかかったりして雄が短命に終るとしても、死ぬまでに彼は多大な数の子どもをつくっているかもしれない。ところが、性的魅力に欠けた地味な色彩の雄は、雌と同じくらい長生きするかもしれないが、彼はほとんど子どもを作ることができず、したがって自分の遺伝子を次代に伝えられないかもしれない。不死身の遺伝子を絶やしてしまうことになるなら、たとえ世界を手に入れたところで、雄にはいったいなんの益があろうか。

両性間に広く見られるもう一つの差異は、だれを配偶者に選ぶかに関して雌のほうが雄より慎重だという点である。雌雄を問わず慎重さが必要とされる理由もある。その一つは、異種の個体との交尾を避けねばならないということである。このような交雑は各種の理由から不利である。人間とヒツジの間の交尾のように、交尾の結果が胚の形成に至らず、したがって損失もあまり多くないといった例もある。しかし、ウマとロバのような近縁の種間で交雑がおこると、その不利益は、少なくとも雌のパートナーにおいては、かなり多大なものとなりうる。交雑の結果ラバの胚が形成される可能性があり、そうなれば、その胚は十一ヶ月にわたって彼女の子宮を牛耳(ぎゅうじ)ってしまうのだ。ラバのために彼女の全保護投資の中からかなりの量が支出されてしまう。胎盤を通して吸収される食物や、後でミルクとして吸収される分ばかりではない。最も重大な損失は、他の子どもを育てるのに使えたはずの時間の形で失われる保護投資である。成体に達したラバは繁殖不能である。たぶん、ウマとロバの染色体はよく似ていて、互いに協同して、優秀で頑強なラバの体を作り上げるところまではやってゆけるのだが、減数分裂において適切な共同作業を遂行できるほどには似かよっていないのだろう。ほんとうの理由がなんであるにせよ、母親がラバを育てるために加えたかなりの投資そのものは、彼女の遺伝子の立場から見れば完全にむだになるわけである。雌馬は、交尾の相手がウマであってロバではないようによくよく注意しなければならない。遺伝子のことばでいうと次のようになる。ウマの体内にあって、「体よ、もしお前が雌なら相手がウマであれロバであれ、とにかく年のいった雄と交尾せよ」などという指令を発する遺伝子は、たちまちラバという袋小路の中に閉じこめられる羽目になるのだ。しかもこのラバのための保護投資の結果、繁殖可能な子ウマを育てるのにまわせる彼女の能力はかなり減少することになるのである。他方、雄のほうは、たとえ異種の個体と交尾しても失うものはわずかですむ。もちろん、それによって雄がなんの利益も受けないのは雌の場合と同じだが、配偶者の選択に当って、雄のほうが慎重さに欠ける傾向を示すという点は予想されるはずである。この点に関する観察がなされた例では、いずれもこの予想が当たっている。

同種の個体間においても、配偶者選びを慎重にすべき理由がいろいろある。たとえばインセスト（近親相姦）は、種間交雑と同様に、大きな遺伝的損失を産みだしやすい。これは、インセストによって、致死性あるいは亜致死性の劣性遺伝子のはたらきが表面にあらわれてくるためと考えられる。ここでもまた、雌のこうむる損失は雄より大きい。どの子どもに対してであれ、雌のほうが雄より大きな投資をおこなうからである。そこで、インセストタブーが存在する場合には、雌のほうが雄より厳格にこのタブーを守ろうとするはずだと予想できる。インセスト関係にある個体のうちで、積極的な役割を演ずるのは年上の個体のほうだと仮定すると、インセスト的結びつきは、雄が雌より年上の場合のほうが、その逆の場合より例が多いものと考えられる。たとえば父・娘間のインセストのほうが母・息子間のインセストより例が多く、兄・妹間のインセストの頻度が両者の中間くらいになるのではなかろうか。

一般に、雄は雌にくらべて相手かまわずに交尾する傾向が強い。雌は限られた卵子を比較的ゆっくりした速度でつくりだすので、異なる雄とやたらに多くの交尾を重ねても利益は何もないのである。一方雄のほうは、毎日莫大な数の精子をつくることができるので、相手かまわずできるだけ多くの交尾をおこなうことで大いに利益を上げることができる。過剰な交尾は、わずかな時間とエネルギーの損失をのぞけば、実際には雌にとってもたいした代価にはならないかもしれない。しかしそれは、雌にとってはなんら積極的利益につながらないのである。一方、雄には、もうこれ以上多くの雌と交尾を重ねなくともよいなどという限界はない。雄にとって過剰ということばは意味をもたないのである。

私はこれまで人間についてははっきりとはふれてこなかった。しかし、本章にとりあげたような進化論的な議論を進める場合、私たちの属する人間という種や、私たちの個人的経験について省察を加えずにすむはずはない。男性が将来にわたって誠実さを守ることをなんらかの形で証明しないうちは、女性は純潔を守るべきだという意見は常識的な感情に訴えるだろう。これは、人間の女性が、たくましい雄を選ぶ戦略ではなく、家庭第一の雄を選ぶ戦略のほうを採用していることを示唆しているのかもしれない。事実、ほとんどの人間社会は、一夫一妻制をとっている。私たちの属する社会でも、両親の保護投資はいずれもかなり大きく、男女間に明白な不均衡があるようにはみえない。たしかに母親は、子どもを直接相手にする仕事を父親以上におこなっている。しかし父親も子どもに与える物質的資源を手に入れるために、間接的な形で一生懸命はたらくのがふつうである。しかし、一方では、乱婚的な社会もあるし、ハーレム制にもとづいたような社会も多い。この驚くべき多様性は、人間の生活様式が、遺伝子ではなくむしろ文化によって大幅に決定されていることを示唆している。しかし、それでもなお、人間の男性には一般的に乱婚的傾向があり、女性には一夫一妻制的な傾向があるという、進化論的立場にもとづいた予想が当っている可能性はある。特定の社会において、この二つの傾向のいずれが他を圧倒するかは、文化的状況の細部に依存して決められる。これは、各種の動物においてそれが生態学的詳細に依存して決まるのと同じことである。

私たちが所属している社会の様相のうち、一つ決定的に破格なのは、両性の宣伝行為に関する事態である。すでに述べたように、性差が存在する場合には、進化論的な立場から次のようなことが強く予想される。すなわち、自分を誇示するのは雄のほうであり、雌は地味な色彩を示すはずなのである。ところが、現代の西欧人はこの点に関して疑いなく例外的存在なのである。もちろん華麗に着飾る男性や地味な装いの女性がいるのは事実である。しかし、平均的に見るならば、われわれの社会においてクジャクの尾羽に相当するものを誇示しているのは雌のほうであって、雄ではない。女性は顔に化粧をほどこし、ニセのまつ毛を貼りつける。俳優などを除けば、一般に男はそんなことをしないものだ。女性は自分の容姿にとても関心をもっており、新聞や雑誌がこれに拍車をかけている。男性向けの雑誌は男の性的魅力の問題にそれほど熱心になりはしない。自分の衣装や容姿に異常に関心のある男性は、男性仲間ばかりではなく女性にも敬遠されがちである。会話において女性が話題にされるときには、ほぼ決まって彼女の性的魅力やその欠如にことばが集中するものである。これは、話し手が男性であろうが女性であろうが変わりない。男性が話題にのぼる際に使用される形容詞は性とは関係がないことが多いはずだ。

こういった事実をまのあたりにすると、生物学者は、彼が見てきた人間の社会は、じつは雌が雄をめぐって競い合う社会であって、その逆ではないのではないかと考えざるをえなくなろう。ゴクラクチョウの場合に雌が地味な色彩を示すのは、彼女らが雄をめぐって競い合う必要がないからだと私たちは考えた。雌が引く手あまたで慎重に配偶者を選べる立場にあるから、雄は鮮やかで派手な色彩を示すのだ。ゴクラクチョウの雌が引く手あまたなのは、卵子のほうが精子より希少な資源だからである。現代の西欧人はいったいどうなっているのだろうか。ここでは実際に、男性が引っ張りだこの側の性、売り手市場の性、すなわち慎重に配偶者を選べる側の性になってしまったのだろうか。もしそうだとするなら、その理由はいったい何なのであろうか。

10 ぼくの背中を掻いておくれ、お返しに背中をふみつけてやろう

これまでの諸章で私たちは、同じ種に属する生存機械相互間の親子関係、および性的、攻撃的相互関係を考察してきた。しかし、動物の相互関係の中には、これらの見出しのもとにははっきり包括されえないような顕著な領域が他にいくつもある。その一つの例は、かなり多くの動物が示す群れ生活の傾向である。鳥が群れ、昆虫が群がり、魚やクジラも群れで泳ぎ、草原に生活する哺乳類たちは群れをつくったり、集団で狩りをおこなったりする。これらの集団はふつうは同一種の個体だけで構成されるが、例外もある。シマウマはしばしばヌーといっしょに群れをつくるし、鳥では複数種の混群がみられることもある。

利己的な存在である個体が群れで生活することによって手に入れることのできる利益については、さまざまな点が示唆されている。そのカタログをすべて紹介するつもりはないが、そのうちの二、三について だけはふれることにしよう。それらを論ずる際に、私は、1章で紹介したままになっていて、しかも説明すると約束しておいた現象的な利他的行動の諸例をまず引き合いに出すことにする。これについで社会性昆虫を考察する。それを抜きにしたら動物の利他主義の説明は中途半端になってしまうからで

ある。そして、やや多岐にわたる話題を扱う本章の締めくくりとして、互恵的利他主義という重要な概念、すなわち「ぼくの背中を掻いておくれ、ぼくは君の背中を掻いてあげる」という原理についてふれておくことにしたい。

もしも動物が群れで生活しているなら、他個体といっしょにいることによって、彼らの遺伝子は支出分以上の利益を得ているにちがいない。群れになったハイエナは、単独で倒せるよりはるかに大型の獲物を捕えることができる。それゆえ、たとえ食物を仲間で分配せねばならないとしても、群れによる狩りは個々の利己的個体にとって有利なのである。ある種のクモたちが協力して巨大な共同の網を張るのも、おそらく同様な理由からであろう。皇帝ペンギンは互いに寄り添い、塊りになることによって、熱量を節約している。一羽でいる場合より、風雨にさらされる体表面積が小さくてすむために、いずれの個体も利益を得ているのである。他個体の斜め後方を泳ぐ魚は、先行個体のつくる渦のおかげで流体力学的に有利になると思われる。これは、魚が群れで泳ぐ理由の一部かもしれない。空気の乱れを利用した同様なトリックが競輪選手に知られているし、鳥がV字形の編隊で飛行するのも同様な理由からかもしれない。もっとも、群れの先頭にたつのは不利なので、これをまぬがれようとする競争があるかもしれない。もちろん、鳥たちはいやなリーダー役を交替で引き受けている可能性もある。もしそうならばそれは、本章の末尾で論議する遅延性の互恵的利他主義の一形態ということになる。

集団生活の利点としてあげられている点の多くは、捕食者に食われるのをまぬがれることと関連がある。W・D・ハミルトンが、「利己的な群れの幾何学」という題の論文で発表した理論は、この種の利点を扱った理論の中でもエレガントな一例である。誤解のないように強調しておくが、ハミルトンの言う「利己的な群れ」とは、「利己的個体の群れ」という意味である。

ここでもまた、まず単純な「モデル」から議論を出発させよう。これはたしかに抽象的なしろものだが、現実の世界を理解する助けになるのだ。今、捕食者に狩られるある動物を考える。ここで、捕食者はいちばん身近にいる被食者個体を襲う傾向があるとする。捕食者の立場からすればこれは当然の戦略である。エネルギーの消耗が少なくてすむはずだからである。他方、被食者の側からすると、これが一つの興味深い結果をもたらすことになる。被食者個体は、捕食者にいちばん近い位置に置かれる羽目にならないように、それぞれたえず努力するだろう。もしも被食者が遠くから捕食者を見つけられれば、彼は遁走(とんそう)することで事足りる。しかし、もしも捕食者が、たとえば丈(たけ)の高い草に身を隠して行動することによって、なんの予告もなしに突然姿をあらわす傾向があるとしたらどうなるだろうか。この場合も、個々の個体には、捕食者にいちばん近い場所に置かれてしまう確率を最小化する手段があるのである。個々の被食者はいわば「危険領域」とでもいうべきものに囲まれているのだと想定することができる。この領域は、その範囲内の任意の点から当の個体までの距離が、その点から他のいずれの個体までの距離より短いような領域と定義されている。たとえば、被食者個体が規則的な幾何学的隊形をつくって行進しているとすると、それぞれの個体(外縁にいる個体は別にして)をとりまく危険領域は、ほぼ六角形を示すこととなろう。もしも、個体Aの六角形の危険領域内に捕食者が潜伏(せんぷく)していると、食われる可能性のあるのはA個体ということになるわけである。群れの外縁にいる個体はとくに危険が大きい。彼らの場合、危険領域は相対的に小面積な六角形とはならず、群れの外側の方向に広い範囲をもつ形になってしまうからである。

さて、賢明な個体が自分の危険領域をできるだけ狭くしようとしたがることははっきりしている。なによりもまず、彼は群れの外縁に位置しないように努力するはずだ。もし自分が外縁にいることに気づいたら、彼はただちに中心方向へ移動するだろう。不運なことに、だれかは外縁に位置せざるをえないわけだが、個々の個体に関していえば、だれもそんな役は引き受けたくない。そこで、集団の外縁から中心方向に向かってたえず個体の移動がみられることになる。問題の群れは、たとえ以前はばらばらに広がっていたとしても、中心方向への個体の移動によってたちまち密集した塊りになってしまうだろう。モデルの出発点の条件として、被食動物に集合傾向を仮定せず、さらに被食動物が初めはランダムに分散していると仮定しても、個々の個体は利己的衝動に駆りたてられて他個体の中間に位置を占め、自分の危険領域をせばめようとしはじめるだろう。その結果、たちまち集団が形成され、それがますます密集化してゆくことになるだろう。

もっとも、現実の場合では、密集化傾向はこれと拮抗する圧力によって制限されていることは明白である。もしそうでなければ、すべての個体が折り重なり、身もだえして参ってしまう羽目になるだろう。しかしそれにもかかわらず、ごく単純ないくつかの前提だけで集団形成を予測できることを示している点で、今述べたモデルは興味ぶかい。このモデルよりもっと手のこんだモデルもいくつか提案されている。しかし、それらのモデルのほうが現実的だという事実があるからといって、動物の集団形成の問題を考える上で手助けとなるハミルトンの単純なモデルの価値が、減少するわけではない。

利己的な群れのモデルには、協力的な相互関係が介入する余地はない。そこに利他主義はなく、個々の個体が他のすべての個体を利己的に利用することがあるだけである。しかし、実際の生活においては、同じ集団中の仲間を捕食者から守るために個体が積極的な行動をとるように見える場合がある。すぐ思い浮かぶのは鳥の警戒声である。これを聞いた鳥はただちに逃避行動を示すので、この意味では警戒声はたしかに警戒信号の機能を果たしている。しかし鳴き手が捕食者の攻撃を仲間からそらすように努めている気配はない。彼は単に捕食者がいることを知らせて、警告を発しているのだ。しかし、警戒声を発する行為は、少なくとも第一印象としては、利他的行為のようにみえる。それによって鳴き手は、捕食者の注意を自分に向けさせる「結果」になると思われるからである。P・R・マーラーの指摘した次のような事実から、われわれはこれを間接的に推論することができる。警戒声は、発信地点を決定しにくくする上で理想的な物理的特性を備えているというのである。捕食者が発信点に近づくのを困難にさせるような音を、音響技術者に依頼してつくらせたとすると、彼が考案する音は、多くの小鳥たちの実際の警戒声に非常に似たものとなるはずなのである。さて自然界で鳴き声をこのような形に作り上げたものは何かといえば、それは自然淘汰だったに違いない。これが何を意味するかは明らかである。不完全な警戒声を発したために死んだ個体がたくさんいたということだ。すなわち、警戒声を発する行為には危険がともなうものと思われるのである。遺伝子の利己性理論は、警戒声を発する行為に、こうした危険を上まわる説得的な利点があることを示してみせねばなるまい。

　これは、実際にはさほど困難なことではない。鳥の警戒声は、ダーウィン的理論にとって「説明しにくい」現象だとみなされることがかなり頻繁にあったので、それに対して説明をひねり出すことは一種のスポーツになってきた。おかげで、いまや立派な説明が山ほどあるありさまで、それらすべての論議の論点を思いだすことは困難である。まずはっきりしていることは、群れが近縁の血縁個体を含んでいる場合、警戒声を発するようにうながす遺伝子は、遺伝子プール内で成功する可能性があることである。警戒声によって救われる個体の中には、当の行為をうながす遺伝子を体内にもったものがいる可能性がかなりあるからである。捕食者の注意を自分に集めてしまうことによって、たとえ発信者がこの利他的行為に高価な代価を払うことになるとしても、警戒声を発するよううながす遺伝子は成功する可能性があるのである。

読者がもしこの血縁淘汰的な考え方に満足されないなら、ほかにも引き合いに出せる理論はたくさんある。仲間に対して警告を与えることによって、発信者自身が利己的利益を得ることができる可能性もいろいろあるのだ。たとえばトリヴァースは、この線に沿ったうまい考え方を五つ提案している。しかし私としては、以下に述べる私が考え出した二つの理論のほうがもっと説得的だと思っている。

第一の理論を私は「ケイヴィー（cave）」理論——来たぞっ！理論——と呼んでいる。ケイヴィーというのは「気をつけろ」という意味のラテン語から来たことばで、学校の生徒たちが、教師の接近を仲間に知らせるときに今でも使っている。この理論は、危険に見舞われたときに、草の陰にじっと身をひそめる習性をもつ迷彩色の鳥たちに当てはまる。そのような鳥の一群が草原で餌をとっていると想像していただきたい。遠くのほうにはタカが飛んでいる。タカはまだ草原の群れを目撃しておらず、こちらに向かってまっすぐ飛んでいるわけではないが、彼の鋭い目が群れを発見してたちまち攻撃をしかけてくる危険性はある。今、群れの中の一羽がタカをみつけたが、他の鳥はまだ気づいていないとしたらどうだろう。目のよいこの個体は、即座に草の中にじっと座りこんでしまうこともできる。しかし、そうしても役にはたたない。彼の仲間たちがまだまわりで派手に、しかも騒々しく歩きまわっているからだ。

彼らのうちの一羽でもタカの注意を引いてしまえば、群れ全体が危機におちいることになろう。純粋に利己的な見地からみた場合、最初にタカを発見した個体にとっての最善の策は、仲間に素早く小さな警告を与えて彼らを黙らせ、彼らが彼の近くへそれと知らずにタカをおびき寄せてしまう可能性をできるだけ減らすことである。

紹介しておきたいもう一つの理論は「隊を離れるな」理論とでも呼べるだろう。この理論は、捕食者が近づくと飛び上って、たとえば木の中に隠れるような鳥に適している。ここでもまた、採食中の群れの中の一羽が捕食者を発見した場合を想像してみよう。彼はどう行動すべきだろうか。彼は、仲間には警告せずに、一羽だけで飛び上がることもできる。しかし、こうしてしまうと彼は、一羽の独立した個体と化してしまう。もはや、匿名的な群れの一員ではなくなり、孤立無援の存在になってしまうのだ。タカは実際に群れを離れたハトを狙うことが知られているが、たとえそういった事態がないと仮定しても、群れを離れることが自殺行為につながるとみなしうる理論的根拠はたくさんある。たとえ後で仲間が彼に続くとしても、最初に地上から飛び上がる個体は、一時的に自分の危険領域を拡大することになろう。前掲のハミルトンの理論の当否にかかわらず、群れ生活にはなんらかの重要な利点があるにちがいない。そうでなければ鳥たちはわざわざ群れなど作るまい。その利点がなんであれ、最初に群れを離れる個体は、たとえ部分的にせよ、その利点を喪失することになるのだ。隊を離れてはならないということになると、では、群れに忠実な、しかしタカを見つけてしまった鳥は、いったいどうしたらよいのか。もしかすると、彼はあたかも何事もおこらなかったかのように、それまで通りの行動を続け、群れの一員だということが彼に与えている保護に身をゆだねるべきなのかもしれない。しかしこれには大きな危険がともなう。彼は依然として開けた場所に留まっており、非常に攻撃を受けやすい立場にあるからである。木の中に隠れることができれば彼にとってははるかに安全である。そして、最善策は、確かに飛び上がって木の中に隠れることなのである。ただしその際に、他の仲間もまちがいなく、すべて同様に飛び上がるように仕向ける必要があるのだ。こうすれば、彼は群れを離れた半端者になることも、またしたがって群集の一部であることの利点を喪失することもなく、しかも木という覆(おお)いの中に飛び込む利点を手に入れることができるのである。ここでもまた、警戒声を発する行為は、純粋な利己的利益をもたらすものとみなされるのである。E・L・チャーノフとJ・R・クレブスも同様な理論を提案しているが、そのなかで彼らは、警戒声を発する個体が群れの他の個体に対してとる行為を、「操作」ということばで表現しているほどである。純粋で無私な利他主義などとはおよそかけ離れた話になってしまった。

警戒声を発する個体は自分を危険にさらすのだという見解に、これらの理論は、一見矛盾すると思われるかもしれない。しかし実際には矛盾は存在しない。警戒声を上げなければ彼は、もっと大きな危険に身をさらすことになるだろうからである。警戒声を発したために命を落とした個体もたしかにいただろう。発信地点を決定しやすい音を出した個体はとくに命を落としやすかったに違いない。しかし警戒声を上げなかったために死んだ個体はもっとたくさんいたのである。その理由は多くの方法で説明できる。「来たぞっ!」理論と、「隊を離れるな」理論はそのうちのほんの二例にすぎない。

1章で紹介した、トムソンガゼルのストッティングはどう説明できるだろうか。アードリーはその行為が一見自殺的な利他行為にみえることから、それは群淘汰によってのみ説明できるのだと断言しているほどである。この例は、遺伝子の利己性理論にとって前記の例よりきびしい難問である。鳥の警戒声はたしかに機能を果たしているが、しかし、それは明らかに、可能な限り目立たずしかも用心深く発せられるように工夫されている。ストッティングのハイジャンプはこれとはわけが違う。それはあからさまな挑発といってよいほど派手なしろものなのだ。ガゼルたちはあたかも故意に捕食者の注意をひいているかのようにみえる。いやそれどころか捕食者をからかっているようにすらみえるのだ。こういった観察事実を根拠として、大胆で非常におもしろい理論が一つ提出された。この理論はそもそもN・スミスが先鞭（せんべん）をつけたものだが、その理論的な帰結をつきつめた形で示してみせたのは、まぎれもなくA・ザハヴィの仕事であった。

ザハヴィの理論は次のように示せる。ちょっとしたことだが、彼の水平思考（イギリスのデボノが唱えた思考法。自由で多面的に考えをめぐらして手掛りを得ようとする）の決定的産物は、ストッティングが他のガゼルに対する信号などとはまったく関係なく、実際に捕食者に向けておこなわれているのだと考える点にある。他のガゼルがそれに気づいて行動を変えることはあるが、それは付随的なことであり、そもそもそれは捕食者への信号として第一義的に淘汰されたものだというのである。われわれのことばに翻訳すると、ストッティングの伝える意味はほぼ次のようになるという。「ほら、ぼくはこんなに高く跳べるぞ。こんなに元気で健康なガゼルを捕まえるのは君には無理だ。ぼくほど高くは跳べない連中を追っかけたほうが利口だぞ」。擬人的でないことばを使おう。捕食者は、簡単に捕えられそうな獲物を選ぶ傾向がある。そのため、高くてしかも派手なジャンプを可能にする遺伝子は捕食者に食われにくい。とくに、多くの捕食性哺乳類は、年とった個体や不健康な個体を狙（ねら）うことが知られている。高くジャンプする個体は、彼が年寄りでも、また不健康でもない事実を、誇張された仕方で宣伝しているのだというわけだ。この理論によれば、ストッティングは、利他主義などとは関係がない。どちらかといえばこれは利己的な行為だ。なぜなら、捕食者が他の個体を追うようにうながすのがそのディスプレイの目的だからである。ある意味では、だれが一番高く跳べるかを確かめる競争があるということである。この競争の敗者は捕食者のえじきにされてしまうのだ。

あとでふたたびふれると約束しておいたもう一つの例は、神風的なミツバチの例である。ミツバチは、彼らは蜜泥棒を針で刺すが、その闘いのさいにほぼ確実に自殺することになってしまうのだ。ミツバチは、高度の「社会性」を示す昆虫の一例にすぎない。この他に、アシナガバチ・スズメバチの仲間、アリ類、そしてシロアリなどの社会性昆虫が知られている。以下では、自殺的な行為を示すミツバチの例に限定せず、社会性昆虫一般について論議することにしたい。社会性昆虫のめざましい行為は伝説的である。なかでもめだつのが、その驚くべき協力行動の能力と現象的な利他主義である。敵を刺すための自殺的な行為は、彼らの示す自己放棄の驚異的なありさまを象徴している。ミツアリでは、働きアリの一部に、蜜をいっぱいつめてグロテスクに膨らんだ腹をもつ者がいる。彼女らの生涯の仕事は、巣の天井から膨らんだ電球のようにじっとぶら下がり、他の働きアリたちの食物貯蔵所として利用されることなのだ。人間の感覚でいえば、彼らには個体としての生活などまったく存在しない。彼らの個体性は、明らかに社会の福利に従属させられているように見えるのである。アリやミツバチ、シロアリの社会は、いずれも、一段高いレベルで、ある種の個体性を達成しているのである。食物の分配が非常にゆきとどいているので、共同の胃袋などという表現もできる。化学信号や、ミツバチで有名な「ダンス」などによって、情報もきわめて効率的に共有されており、一つの社会は、あたかも独自の神経系と感覚器官をもった単位であるかのような挙動を示す。外部からの侵入者は、生体の免疫反応システムが示すのに似た正確さで識別され、そして排除される。個々のミツバチは「温血」動物ではないが、ミツバチの巣の内部はちょうど人間の体温ぐらいの比較的高い温度に調節されている。そしてもっとも重要なことは、このアナロジーが繁殖にまで及ぶということである。社会性昆虫のコロニー内のほとんどの個体は不妊のワーカー（働きアリ、働きバチ）である。「生殖系列」の細胞――不死身の遺伝子を連綿と伝える細胞系列――は、ごく少数の繁殖能力をもつ個体の体の中を流れてゆくのだ。繁殖能力をもつ少数の個体は、精巣や卵巣中に収まっているわれわれの生殖細胞の相似物なのである。一方の不妊のワーカーたちは、われわれの肝臓や筋肉、そして神経の細胞にたとえられる。

ワーカーたちが示す神風的な行為、およびその他の形態の利他主義や相互協力は、彼らが不妊であることが理解されれば、びっくりする事柄ではなくなる。ふつうの動物の体は、遺伝子の生存を確保するために、子作りや、あるいは同じ遺伝子を共有する他個体の世話に励むように仕向けられている。この場合、他個体を保護するために自殺行為をおこなってしまったのでは、将来自分の子どもを作ることはできなくなる。自殺的な自己犠牲がほとんど進化しえないのはこのためである。しかし働きバチは自分の子どもを作りはしない。彼らは、子どもではなく、近縁者を世話することに全力を注いで、自らの遺伝子を保存しようとしているのである。不妊の働きバチが一匹死ぬことは、その遺伝子にとってごく些細なことでしかない。それは、木の遺伝子にとって、秋に葉を一枚落とすことが、些細なことであるのとまったく同じことである。

社会性昆虫を神秘的なしろものに仕立てようとする誘惑があるが、実際にはそんな必要はまったくない。理解の足しになると思われるので、以下では、遺伝子の利己性理論が社会性昆虫をどう扱うか、少しくわしく見ておくことにしよう。とくに、遺伝子の利己性理論が、ワーカーの不妊性という異例な現象の進化的起源をどう説明するかに注目したい。その現象は、各種の問題の根源になっているからである。

社会性昆虫の一つのコロニーは巨大な家族であり、すべての個体は同じ母親に由来するのがふつうである。ワーカーは、自ら繁殖をおこなうことはほとんどあるいはまったくなく、しばしばいくつかのはっきりしたカーストに区別される。これらには、たとえば小型のワーカー、大型のワーカー、兵隊、そしてさらにミツアリの蜜壺（みつつぼ）役のような高度に特殊化したカーストもある。繁殖能力を示す雌は女王と呼ばれる。繁殖能力のある雄は、雄バチ（雄アリ）あるいは時に王バチ（王アリ）と呼ばれることがある。高度に発達した社会を示す種では、繁殖個体は子作り以外の仕事を一切おこなわない。食物や保護はワーカーに頼り切りだし、子どもの世話もワーカーの仕事である。しかし子作りにかけては彼（女）らの能力は驚くべきものである。ある種のアリやシロアリでは、女王は丸々と太って巨大な卵製造工場と化している。体の大きさは働きアリの数百倍に達し、ほとんど動くこともできず、これが昆虫だとは信じられないくらいである。彼女はたえずワーカーの世話を受けている。ワーカーは女王の体を掃除（そうじ）したり、女王に食物を与えたり、そしてさらには女王が止めどなく産みだす卵を共同の保育所へ運搬したりする。この巨大な女王が何かの都合で王室から移動しなければならないときには、彼女は苦役する多数の働きアリの背中にものものしく乗って運ばれるのである。

7章で私は、子作りと子育ての区別を導入したが、そのさい私は、子作りと子育てを結合させた混合戦略が進化するのがふつうだと指摘しておいた。5章では、混合戦略が進化的に安定となる場合に、二つの一般的なタイプが示されうると述べた。一つのタイプでは、個体群中の個々の個体が両戦略を混合した行動を示す。すなわちこの場合、各個体は子作りと子育てをうまく両立できているのがふつうである。もう一方のタイプでは、個体群が二種の異なるタイプの個体に分割される。ハト派とタカ派のあいだのバランスを例示するのにはじめに採用したのが、こちらの見方だった。子作りと子育てに関しても、後者のタイプに従って進化的に安定なバランスを達成することが、理論的には可能なはずである。子作りめには、子育て個体は、育てられる側の個体とごく近縁でなければならない。両者は少なくとも親と子の関係ぐらいの近縁関係をもたねばならないのである。進化がこの方向に進む可能性は理論的には存在するわけだが、それが実際におこったのは社会性昆虫においてのみだったようだ。[*10-1]

社会性昆虫では、個体は子作り要員と子育て要員の二つの主な階級に分かれている。子作りにあたるのは繁殖力のある雄と雌であり、子育てにあたるのはワーカーたちである。ワーカーは、シロアリ類の場合は雄雌の不妊虫であるが、その他のすべての社会性昆虫では不妊の雌である。子作りと子育てのいずれのタイプの個体も、自分の仕事だけに専念できるので、それに関してはとても効率のよい仕事ぶりを示す。しかしいったいだれの立場からみて効率がよいのか。ダーウィン的理論に投げかけられる疑問は、例の決まり文句である。「そんなことをして、ワーカーにいったい何の利益があるのか」。

ワーカーには「何の利益もない」と答える人々もいる。彼らの考えでは、女王は自分の利己的目的のためにワーカーに化学物質による操作を加え、彼女の産み出す莫大な数の子どもの世話をさせている。

こうして利益はすべて女王が手にしてしまうというのである。これは8章で紹介したアリグザンダーの「親による子の操作」理論の一形態である。しかし、これと正反対の考え方によれば、ワーカーのほうが繁殖虫を「自分の利益のために養っている」、いわば養殖業の対象にしているということになるのだ。彼女らは繁殖虫に操作を加えることによって、繁殖虫が彼女らワーカーの体内にある遺伝子のコピーをもっと大量に増殖するように仕向けているというのだ。少なくともアリ類、ハナバチ類、狩りバチ類では、女王と子どものあいだの近縁度より、ワーカーとその妹との近縁度のほうが実際に高くなりうる。みごとにこの点に気づいたのがハミルトンだった。この理解を基礎に、ハミルトン、そして後にトリヴァースとヘアは、遺伝子の利己性理論の最も華々しい凱歌(がいか)の一つを上げることになるのである。以下彼らの論議を追ってみることにしよう(巻末の訳者補注3参照)。

アリ類、ハナバチ類、狩りバチ類などを含むグループは膜翅目(まくしもく)と呼ばれている。この仲間の昆虫はきわめて特異な性決定システムをもっている。シロアリはこの仲間には含まれず、したがってこの特異な性決定様式を共有していない。膜翅目の典型的な巣には、成熟した女王が一匹しかいない。彼女は若いときに一度結婚飛行をしており、そのときに貯えられた精子で残りの全生涯——十年あるいはそれ以上——の子作りをまかなってゆける。この間雌は、精子を一定量ずつ放出して、輸卵管を通過する卵を受精させる。しかし、すべての卵が受精されるわけではない。未受精卵が発育すると雄になるのである。つまり雄には父親がいないのだ。雄の体のあらゆる細胞中には、われわれの場合のように二組の染色体(一組は母親、もう一組は父親から)が含まれているのではなく、ただ一組の染色体(すべて母親ゆずり)しか含まれていないのである。3章での比喩を使うなら、膜翅目の雄の個々の細胞の中には、それぞれの巻の「分冊（染色体）」が一冊ずつしか入っていないのである。もちろんふつうは二冊ずつ含まれているものなのだ。

一方、膜翅目の雌のほうは、ふつうの動物と変わりがない。彼女には父親があるし、彼女の体細胞それぞれの中には、ふつうどおり二組の染色体が入っているからである。ある雌が、ワーカーになるか女王になるかは、遺伝子ではなくて育てられ方によって決まる。つまり、どの雌も、女王をつくる遺伝子の完全なセットと同時に、ワーカーをつくる遺伝子の完全なセットももっているのである（後者については、ワーカー、兵隊など、個々の特殊化したカーストをつくりだす遺伝子といったほうがよいかもしれない）。どちらのセットの遺伝子に「スイッチが入る」かは、その雌がどのように育てられるか、とくにどんな食物を与えられるかによって決まるのである。

もっと複雑な事態もたくさんからんでいるが、膜翅目の性決定システムの本質的な様子は今述べたとおりである。どうしてこのように特異な有性生殖システムが進化したのかはまだわかっていない。立派な理由があることは確かだと思われるが、当面は、それを膜翅目が示す一つの奇妙な事実として扱うほかはない。この特異なシステムが何に由来するにせよ、その特異さのおかげで、6章で紹介した近縁度の簡単な計算法がここでは台無しになってしまうのである。たとえば、人間の場合なら一人の男に由来する精子はすべて異なった遺伝組成をもっているが、膜翅目のシステムでは、一匹の雄のつくる精子はすべてまったく同一の精子になってしまうのだ。膜翅目の雄の体の細胞は、二組ではなく、一組の遺伝子しかもっていない。このため、どの精子も細胞中の遺伝子セットから五〇％のサンプルを受けとるかわりにそれを一〇〇％まるごともらわねばならなくなる。したがって同一雄に由来する精子はすべて同一になってしまうのである。さてこのような条件のもとで、母親と息子の近縁度を計算してみることにしよう。まず、今、ある雄が遺伝子Aを保持していることがわかっているとして、母親がこれを共有する確率を求めてみる。雄に父親はなく、彼の全遺伝子は母ゆずりなのだから、答えは一〇〇%になる。しかし今度は逆に、女王が遺伝子Bを保持していることがわかっているとしたらどうか。息子は彼女の遺伝子の半分しかもっていないのだから、彼がB遺伝子を共有する確率は五〇%になる。なにか矛盾しているように思われるかもしれないが、そうではない。雄は自分の遺伝子をすべて母親からもらうが、母親のほうは自分の遺伝子の半分しか息子には提供していない。このみせかけのパラドックスを解く鍵は、雄がふつうの数の半分しか遺伝子を持ち合せていないという事実なのである。近縁度の「本当の」指標が½かあるいは1かなどということに頭を悩ましても益はない。この指標も単なる人工的な尺度であり、具体的な事例にこれを使って事態が解決しがたくなるのなら、それを放棄して第一原理に立ち帰るべきかもしれない。それはさておき、女王の体の中にある遺伝子Aの立場で問題を考えると、この遺伝子が息子に伝えられる確率は½で、娘に伝えられる確率と同じである。したがって、女王の立場からみると、彼女の子どもは、雄雌にかかわりなく、いずれも同じ濃さの血縁者だということになるのだ。この血縁関係の濃さは、人間において、母親から子どもを見た場合と同じである。

姉妹関係を相手にすると事態はさらにややこしくなる。同一父母に由来する姉妹は、単に父親を共有するにとどまらない。彼女らを受精させた二個の精子は、すべての遺伝子がまったく同じなのだ。すなわち、父親由来の遺伝子に関する限り彼女らは一卵性双生児と同じなのである。もし、雌個体が遺伝子Aをもっているとすれば、これは、父母いずれかに由来したはずだ。もし、その遺伝子が母ゆずりであれば、彼女の姉妹がそれを共有する確率は五〇％である。しかし、もしそれが父ゆずりだとすると、彼女の姉妹がそれを共有する確率は一〇〇％になってしまうのだ。したがって、膜翅目では、同一父母に由来する姉妹間の近縁度は、通常の有性生殖動物の場合の½にはならず、¾になってしまうのである。

以上から結論すると、膜翅目の雌の場合、父母を共有する姉妹に対する彼女の血縁の濃さは、自分の子ども（雄雌問わず）に対する彼女の血縁の濃さを上まわるということになる。[*10-2] ハミルトンが明らかにしたように、こうした事情は、効率のよい妹生産機械として利用するために母親を養う（いわば養殖業の対象とする）という傾向を、雌に発達させる素因になった可能性がある（もっともハミルトンは、ここで私が述べたのとまったく同じ説明法をとっているわけではない）。なぜなら、このばあい間接的な方法で妹をつくらせる遺伝子は、直接子どもをつくらせる遺伝子より急速に増殖するからである。ワーカーの不妊性はこうして進化したというわけだ。ワーカーの不妊性を伴う真性の社会性は、膜翅目では独立に少なくとも十一のグループで進化しており、残りの動物界全体ではただ一度シロアリで進化しただけだと思われる。これはおそらく偶然の出来事ではないにちがいない。

しかし、一つわながある。ワーカーが妹生産機械として母親を成功裏に利用する（養殖業の対象とする）ためには、妹と同時に同数の弟をワーカーに育てさせようとする母親の当然の傾向を、なんらかの方法で抑制しなければならないのである。ワーカーの立場から見ると、任意の弟が彼女の遺伝子の特定の一個を共有する確率は¼にすぎない。したがって、もし繁殖能力をもつ雄雌の子どもを同数ずつ産むのを女王に許してしまえば、ワーカーの立場から見る限り、女王を養うことにはなんの利益もなくなってしまうだろう。そんなことを許していたら、ワーカーは、自分たちの貴重な遺伝子の増殖を最大化することができないのだ（巻末の訳者補注3参照）。

ワーカーが、妹を増やす方向に性比を偏らせる努力をする必要があることに気づいたのは、トリヴァースとヘアであった。彼らは、安定性比（前章でふれた）に関するフィッシャーの計算法を応用して、膜翅目という特殊例について計算をし直したのである。その結果、母親にとっての安定投資比率は、通常どおりの一対一となったが、姉からみた妹弟への安定投資比率は妹三に対して弟一になったのである。かりに読者が膜翅目の雌だとすると、遺伝子を増やすのに最も有利な手は、自ら子を産むことは抑制し、その代りにあなたの母親にはたらきかけて、繁殖能力をもった妹と弟を三対一の比率で産んでもらうことである。ただし、読者が自分で子どもを産まねばならぬ羽目になったら、繁殖能力のある息子と娘を同数産むのが、あなたの遺伝子にとって最も有利な道である。

すでに述べたように、女王とワーカーの違いは遺伝的なものではない。遺伝子に注目する限り、雌の胚は、三対一の性比を「望む」ワーカーになるか、あるいは一対一の性比を「望む」女王になるか、いずれの道へもゆけるよう運命づけられている。では、ここでいう「望む」とはいったい何を意味しているのだろうか。それは次のようなことだ。ある遺伝子がかりに女王の体に収まることになったとする。この場合その遺伝子は、繁殖能力のある息子と娘に女王の体が一対一の比で投資を振りあてたとき、最大の効率で増殖することができるのだ。しかし、まったく同じ遺伝子がワーカーの体に収まったらどうなるか。この場合その遺伝子は、ワーカーの体を介してその母親にはたらきかけ、彼女が息子より娘を多く作りだすように仕向けることで自己の増殖を最大化しうるのである。ここにはパラドックスはまったく存在しない。遺伝子というものは、利用しうる所与の動力レバーを最大限に活用すべきなのである。

女王となるべき個体の発育を左右できる立場に置かれたならば、遺伝子はこれに応じた最適戦略を講じて、その制御力を自分の利益のために活用すればよい。また、かりにワーカーの体の発育を左右しうる立場に置かれることになれば、前者とは別の最適戦略をとって、その力を自分の利益のために活用すればよいのである。

以上の事情は、社会性膜翅目の巣という養殖場の中に利害対立があることを意味している。女王は、雄雌に等しい投資を「おこなおうとしている」。ワーカーは、繁殖虫の性比を雄一に対して雌三の方向へ移動させようとしている。ワーカーが農婦で、女王は彼女らの増殖用の雌馬だというわれわれの見方が正しければ、おそらくワーカーたちは、彼女らの望む三対一の性比をうまく達成できているはずである。もしわれわれの見方がまちがっていれば、すなわち、女王が実際にその名にふさわしい行動をとっており、ワーカーたちは彼女の奴隷で、王立保育所の従順な保育者なのだとすれば、繁殖虫の性比は女王の「お望みどおりの」一対一になっているはずであろう。この特殊な形態の世代間闘争に勝つのはいったいどちらだろうか。これは検定可能な問題であり、実際にトリヴァースとヘアは、多種類のアリを用いてそれをテストしてみせたのである。

問題の性比は、雄の繁殖虫と雌の繁殖虫の比である。繁殖虫は翅(はね)をもった大型の個体で、結婚飛行のために定期的にアリの巣から飛び出してくる。この結婚飛行ののち、若い女王は新しいコロニーづくりに着手するのである。今述べた性比の推定値を得るためには、これらの有翅虫を数える必要がある。ところが、多くの種においては、雄の繁殖虫と雌の繁殖虫のサイズに大きな差異があり、これが問題をかなり複雑にしてしまう。前章で述べたように、フィッシャーの最適性比の計算法は、厳密にいえば雄と雌の数に適用されるのではなく、雌雄それぞれに対する投資量に適用されるものだからである。この点を配慮するために、トリヴァースとヘアは、繁殖虫の性比に重量による重みづけをおこなった。彼らは二〇種類のアリを材料にして、雌雄の繁殖虫に対する投資量の比で示される性比を推定した。彼らの見出した値は、ワーカーが自分たちの利益のために巣を牛耳っていると見る理論から予測される、雌と雄三対一という比に、かなりの信頼度でよく適合するものであった[*10-3]。

研究対象とされた右に述べたアリ類では、ワーカーが利害対立に「勝っている」わけである。これはそれほど驚くべきことではない。ワーカーの体は保育場の管理者を務めているので、女王の体より実際上の権限が大きいからである。女王の体を媒介にして世界の操作を企てる遺伝子は、ワーカーの体を媒介にして世界を操作しようとする遺伝子に裏をかかれてしまうのだ。しかし、逆に女王のほうがワーカーより実際上も力をもちうるような状況はないだろうか。そのような特殊事例を探してみるのもおもしろかろう。トリヴァースとヘアは、彼らの理論の批判的検定に使えそうな、お誂え向きの状況が存在することに気づいたのである。

アリの仲間に奴隷を使役する種類がいるという事実が、事の発端である。奴隷使役種のワーカーは、通常の仕事をまったくおこなわないか、たとえおこなったとしてもかなり手際が悪い。彼女らの得意は奴隷狩りなのである。対立する大軍が死闘を展開する形の本物の戦争は、ヒトと社会性昆虫にしかみられない。多くのアリには兵アリと呼ばれる特殊なカーストの働きアリがみられる。彼女らは、闘争用の巨大な顎をもち、コロニーのために他のアリの軍隊と闘うことを仕事にしているのだ。奴隷狩りも戦闘行為の一つの特殊な形態といえる。奴隷使役アリは、他種のアリの巣に攻撃をかけ、巣の防衛にあたる相手方の働きアリや兵アリを殺し、羽化前のサナギを運び去る。サナギは捕獲者の巣内で羽化し、奴隷の身の上とは「気づかぬ」アリたちは、彼女らの神経系に組込まれたプログラムにしたがって仕事を始める。彼女らは、自種の巣内でふつうにおこなうはずのあらゆる仕事をこなすのである。奴隷アリが巣に留まって、掃除、採餌（さいじ）、子どもの世話など、アリの巣を維持するための日常的な作業に精を出しているあいだ、奴隷使役種の働きアリすなわち兵アリは、さらに奴隷狩りの遠征を重ねるのだ。

もちろん、奴隷たちは、自分たちの世話している女王や子どもが、赤の他人だなどとは金輪際（こんりんざい）気がつかない。知らぬ間に、彼女らは、奴隷使役種の新たな大軍を育て上げてしまうのである。奴隷種の遺伝子に作用する自然淘汰は、疑いなく、奴隷化に対抗する諸適応を促進する方向にはたらいているはずである。しかし、奴隷使役の現象は広範に見られており、対抗策が十分な効果を上げていないことは明白である。

奴隷使役という習性の必然的帰結で、われわれの当面の論点からみて興味があるのは次の点である。すなわち、奴隷使役種の女王は、彼女の「好む」方向に性比を傾けることができる立場にあるということだ。なぜなら、彼女の本当の子どもたち、すなわち奴隷の狩人たちは、もはや保育場の実権を握っていないからである。この力を握っているのはいまや奴隷たちである。もちろん奴隷アリたちは、自分の同胞を世話していると「思い込んでいる」はずだ。したがってたぶん彼女たちは、自種の巣内においてなら三対一という雌過剰型のお望みの性比を達成するのにたしかに役だちうるはずの各種の行為を、奴隷使役種の巣内でも実行するだろう。しかし奴隷使役種の女王はこれらに対する対抗手段を首尾よく行使することができるのだ。しかも、奴隷アリと彼女らの世話する子どもは赤の他人なので、今述べた対抗手段を相殺する淘汰が奴隷たちにはたらく余地はないのである。

たとえば、いずれかの種類のアリで、女王が、雄の卵に雌のような匂いをつけて擬装を「企てた」と考えてほしい。自然淘汰は、働きアリの示す傾向のうちで、この擬装を「見破る」のに役だつあらゆる傾向を促進させるのがふつうである。いわば、女王がたえず「暗号を変え」、働きアリがその「暗号を解読する」という、ある種の進化上の争いがあると想像できるわけだ。だれであれ、繁殖虫の体を媒介にして次代に自分の遺伝子をより多く伝ええたものがこの争いの勝者となる。すでに述べたように、ふつうは働きアリが勝者になる。しかし、奴隷使役種の場合には、女王が暗号を変えると、奴隷アリのほうにこの暗号を解読する能力が進化する可能性はない。たとえ奴隷アリの体に「暗号解読用」のなんらかの遺伝子が存在しても、その遺伝子はその巣から生まれるいずれの繁殖虫にも共有されず、したがって次代に伝えられることもないからである。その巣から生まれる繁殖虫はすべて当の奴隷使役種に属しており、したがって女王とは血縁関係があるが奴隷アリとは血縁関係がないのだ。奴隷アリの遺伝子がなんらかの繁殖虫に共有されるとすれば、その相手は、誘拐(ゆうかい)される前に彼女らが所属していた本来の巣から生まれる繁殖虫たちである。つまり奴隷の働きアリたちは、むしろ、奴隷使役種の女王が用いるのとは別の暗号を解読することに忙しいわけである。奴隷使役種の女王は、彼女の暗号を解読してしまう遺伝子が次代に伝えられることを心配する必要はまったくない。彼女は自由に暗号を変えてワーカーの対抗策をのがれることができるのである。

奴隷を使うアリでは、雌と雄の繁殖虫に対する投資の比率は三対一ではなく、むしろ一対一に近い値になるはずだというのが、以上のややこしい議論の結論である。この場合に限っては、女王の望みどおりになるというわけだ。そして、二種類の奴隷使役アリについてだけではあるが、トリヴァースとヘアは実際にこのような比率を見出しているのである。

　これまでの話は事態を理想化している点を強調しておかねばなるまい。現実の生活はそれほど整然と割り切れるものではない。たとえば、社会性昆虫の中で最もなじみの深いミツバチは、まったく「期待外れ」のしろもののように見える。ミツバチの場合、女王に向けられる分よりはるかに多量の投資が雄バチに対しておこなわれており、これは、働きバチ、母親である女王バチ、いずれの立場からみてもつじつまが合いそうにないのである。この難問に対してハミルトンは可能性のある解答を一つ提出している。彼は、分封（巣分かれ。新しい女王バチの出現で、旧女王バチと働きバチが新巣に移ること）の際に女王バチが働きバチの大群をともなって巣を離れ、この働きバチたちが新コロニー創設の手助けをする点に注目した。これらの働きバチは母巣から消えてしまうわけであり、したがって彼女らを作り上げるのに要した代価は、繁殖の代価の一部として勘定されねばならないというのだ。巣を離れる女王一匹ごとに、たくさんの余分の働きバチがつくられねばならない。これらの余分の働きバチに投資された分は、繁殖能力のある雌バチを作るための投資の一部とみなされるべきである。性比を計算する際、これらの余分の働きバチは、雄の反対側の皿にのせて重量を測らねばならないということである。というわけで、ミツバチの例も、前記の理論にとっては、結局さほど深刻な難題ではなかったのだ。

　しかし、ハミルトン流の理論のエレガントな活躍をはばむ、もっとやっかいな邪魔物がある。社会性膜翅目の中には、結婚飛行の際に、若い女王が二匹以上の雄と交尾する種があるという事実がそれである。このような例では、その女王の娘たちの間の平均近縁度は3/4未満になってしまい、極端な場合には

¼に近づいてしまうのだ。あまり論理的だとはいえないが、複数雄との交尾を、女王がワーカーに加える巧妙な一撃とみるのもおもしろそうだ。ついでながら、もしこのように考えるとすると、ワーカーは女王が一度以上交尾しないように、結婚飛行に付きそってゆくべきだというような話も出てきそうだ。しかし、そんなことをしてもワーカーは自分の遺伝子になんの手助けもできはしないはずだ。それによって救われる可能性があるのは次世代のワーカーの遺伝子である。同一の階級としてのワーカーたちの間には労働組合精神などないのである。それぞれの個体は自分の遺伝子の「心配」しかしないのだ。ワーカーは、できることなら自分の母親の結婚飛行のほうに付きそいたかったはずだ。しかし彼女にその機会はなかった。そのときにはまだ受精すらされていなかったのだから。これから結婚飛行に飛びたとうという若い女王は、その時点の世代のワーカーの姉妹であって、母親ではない。したがってその時点のワーカーたちは、彼女らの姪にすぎない次代のワーカーの味方ではなくて、若い女王の味方なのだ。なんだか私の頭もくらくらしてきた。そろそろこの話題を締めくくる潮時(しおどき)のようである。

膜翅目昆虫のワーカーが彼らの母親に加えているはたらきかけを、ここでは養殖業というアナロジーで示してきた。当の養殖場は遺伝子の養殖場である。自分たちの遺伝子のコピーの生産をめざすワーカーたちは、自らその役を引き受けるよりも遺伝子生産の効率がよいという理由から、母親を彼らの遺伝子コピーの生産者として利用している。問題の遺伝子は、繁殖虫という名のパッケージに包まれて流れ作業で作り出されてくるのだ。しかし次に述べるように、社会性昆虫はまったく別の意味でも養殖をおこなうといいうる。先に述べた養殖業の比喩をそれと混同しないでいただきたい。狩猟・採集生活より、定住的に食物の養殖をおこなったほうがはるかに高い効率を上げうる。社会性昆虫は、人間よりはるか以前にそれを発見したのである。

たとえば、アメリカ大陸の数種のアリや、そしてこれらとはまったく独立に、アフリカのシロアリたちが、「菌園」をつくる習性をもっている。最も有名なのは南米のハキリアリの仲間だ。この仲間は華々しい繁栄振りを示しており、一巣あたりの個体数が二百万を越すような例もみられている。彼らの巣は、地下に広がる通路や細長い部屋の巨大な複合体で、その深さは三メートルあるいはそれ以上に達し、そのために掘りだされる土の量は四〇トンにもなる。地下の部屋には菌園がある。植物の葉を細かくくだいて特殊な堆肥（たいひ）の苗床をつくり、アリたちはわざわざそこに特別な種類の菌類を植えつけるのである。働きアリは、すぐ食物となるものを採りに出かけるのではなく、堆肥をつくるのに必要な葉を集めにゆくのだ。ハキリアリのコロニーが葉をかき集めるときの「食欲」は恐ろしいもので、おかげで彼らは大きな経済被害を与える害虫とされている。集められた葉は彼ら自身の食物となるのではなく、彼らの育てる菌類の食物になるわけだ。やがて彼らはその菌類を収穫して食べ、子どもたちに与えるのである。アリの胃袋よりも、菌類のほうが高い効率で葉を分解する。菌園つくりがアリに利益を与えるのはそのためなのだ。一方、菌類のほうも、確かに穫り取られはするものの、前記の相互関係によって利益を得ている可能性がある。胞子（ほうし）の分散というメカニズムよりも、アリの手助けのほうが効率よく菌類を増殖させそうだからである。さらにアリたちは、菌園の「草取り」までしてくれる。他種の菌類が入りこまぬようにしてくれるのだ。競争がなくなることは、アリに栽培される菌類にとって有利なことだろう。アリと菌類のあいだには、一種の相互利他主義的な関係が存在するのだということもできよう。系統的に互いにまったくかけ離れた各種のシロアリたちの間で、非常によく似た菌類栽培システムが独立に進化している点も、注目に値する。

アリ類は、栽培用の植物と同様に、家畜動物まで所有している。たとえばアブラムシである。アブラムシ類は、植物の汁を吸うために高度に特殊化した昆虫である。彼らは、植物の師管からとても効率よく汁を吸い上げるので、その後消化が追いつかない。その結果、彼らは、栄養価を少し抜き取られただけの液体を分泌することになる。糖分をたっぷり含んだ「蜜のしずく」が、体の後端から大量にあふれ出てくるのである。自分自身の体重を超すほどの量の液滴を、毎時間分泌するような例もあるくらいだ。蜜のしずくは雨のように地上に降り注いでしまうのがふつうだ。神の賜わった食べ物として旧約聖書に登場する「マナ」は実はこのしずくだったのではないかと思われる。ところが、アリの中には、そのしずくがアブラムシの体を離れたとたんに、ただちにそれを失敬してしまう種類がいる。彼らは、触角や脚でアブラムシのおしりをこすって「ミルクをしぼる」。アブラムシもアリに反応する。アリがふれるまで液滴を出さずにいるように見える例もあるし、アリが受けとる体勢にないと液滴をおなかの中に戻してしまうような例もある。ある種のアブラムシには、うまくアリを引きつけるために、アリの顔面に似た外観と感触をもつおしりが進化しているといわれている。この相互関係によってアブラムシが得ているのは、明らかに天敵からの保護ということらしい。人間に飼われている牛たちのように、彼らも保護された生活を送っており、アリから大幅な世話を受けている種類などでは、正常な自己防衛機構が失われてしまっている。アリが、自分たちの地下の巣の中で、アブラムシの卵の世話をするような例もある。このような例では、アリはアブラムシの幼虫に食物を与え、彼らが成長すると、それらを優しくかかえて、保護のゆきとどいた牧場へ運び上げるのである。

異種の個体に相互利益をもたらすような関係は、相利共生と呼ばれている。異種の個体は、互いにちがった「技能」を持ち寄って協力することができるので、ときには互いに大きな利益を与えあうことがある。このような基本的な非対称性は、進化的に安定な相互協力戦略を生みだすことがあるのだ。アブラムシは植物の汁を吸うのには適した口器をもっているが、そのような吸引用の口器は自己防衛にはあまり適していない。一方のアリは、植物の汁を吸うのは下手だが、闘いは得意である。そこで、アリの体内にあって、アブラムシに対する世話や保護をうながす遺伝子は、アリの遺伝子プール中で有利になった。そして、アブラムシの体内にあって、アリとの協力をうながす遺伝子は、アブラムシの遺伝子プール中で有利になったという次第である。

相互利益をもたらす相利共生的関係は、動・植物界に広く見受けられる。たとえば地衣類は、一見ほかの植物と同様に、単独の植物体のように見える。しかし実際にはそれは、菌類と緑藻が密接な相利共生的結合を示した姿なのである。いずれの側も他方なしでは生きてゆけない。彼らの結びつきがさらにもう少し密接だったなら、地衣類が二重生物だなどとはとうてい判別できなかったにちがいない。もしそうだとすると、他にもわれわれがまだ気づいていない二重生物、多重生物がいるのかもしれない。もしかすると私たち自身もその一つかもしれないのだ。

われわれの細胞一つ一つの中には、ミトコンドリアと呼ばれる小さな粒がたくさん入っている。ミトコンドリアは、われわれが必要とするエネルギーのほとんどを生産する化学工場であり、もしミトコンドリアを失えば、われわれは即死してしまうに違いない。ところが最近、このミトコンドリアは、その起源をたどると、進化のずっと初期のころにわれわれの祖先型の細胞と連合した、共生バクテリアだったのだ、という議論が説得的に展開されているのである。同様な提案は、われわれの細胞中にある他の微小な構造物についてもおこなわれている。革命的な考え方というのは慣れるのに時間がかかるものだが、この説もそうした考え方の一つなのだ。ただし、この説に関しては、いまや認められる時がやってきている。私はやがて人々が、じつはわれわれの遺伝子一つ一つが共生単位体なのだという、もっと徹底的な考え方を受け入れるようになるだろうと考えている。私たちは、共生的な遺伝子たちの巨大なコロニーなのだ。この考え方を支持する「証拠」を実際にあげることはできない。しかし、本書の初めの諸章で私がお伝えしようとしたように、われわれが有性生殖生物における遺伝子のはたらきを考えるさいのまさにその考え方の中に、すでにこうした考え方が実際には内在しているのである。この考え方をひっくり返してみると、ウイルスは、私たちの体のような「遺伝子コロニー」から離脱した遺伝子なのかもしれないということになる。ウイルスは、純粋なDNA（あるいはこれに類似の別の自己複製分子――RNA）でできており、周囲にタンパク質の衣をまとっている。彼らは例外なく寄生性の存在である。こうした見解によれば、このようなウイルスは、逃亡した「反逆」遺伝子から進化したもので、いまや、精子や卵子といった通常の担体（ヴィークル）に媒介されることなく、生物の体から体へと直接空中を旅する身の上になってしまったというわけである。この見解が正しいなら、私たちは、われわれ自身をウイルスのコロニーとみなしてもよいのかもしれない。このウイルスたちの一部は互いに相利共生的協力関係を結び、精子や卵子に乗って体から体へと移動する。彼らが通常の「遺伝子」なのだというわけである。その他のものは寄生的な生活を送り、可能な各種の方法で体から体へと移動する。この寄生的なDNAがもしも精子や卵子に乗って移動するなら、たぶんそれらが3章で紹介した「パラドックス的な」余分のDNAになるのであろう。もしそれが、空中経由あるいはその他の直接的手段で移動するなら、通常の意味の「ウイルス」と呼ばれることになるのである。

以上は将来のための仮説である。当面は、生物体内部の問題を離れて、多細胞生物相互間の関係という高次のレベルで相利共生を考えることにしよう。相利共生ということばは、異種個体間の相互関係に適用されるのがふつうである。しかし、「種のための利益」という観点で進化を見るのを慎むことにした以上、異種個体間の交際を、同種個体間の交際ととくに別個のものとして区別する論理的根拠はないと思われる。一般に、交際する両個体がそれぞれ投入量以上の利益をその関係から得ることができるなら、相互利益的な交際関係が進化するはずである。これは、同じ群れの中のハイエナ個体間について語る場合も、あるいはアリとアブラムシ、花を咲かせる植物とミツバチといった互いにかけ離れた別の生物間について語る場合も、そのまま当てはまる。ただし本当に両方向的な相互利益をもたらす事例と、一方が他方を利己的に利用している事例とを、実際に判別するのはやっかいなことだろう。

地衣類を構成するパートナーたちの場合のように、両者が利益を同時に享受しているとすれば、相互利益的な交際関係の進化を想像するのは理論的には容易である。しかし、利益の提供とそれに対する返報の間に時間的ずれが介入する場合はちょっと問題である。なぜなら、初めに利益を受けとった個体は、相手をだまして、自分がお返しをする番がきてもそれを拒否しようという誘惑にかられかねないからだ。この問題にはどんな決着がつくだろうか。おもしろいのでくわしく論じておく値打ちがありそうだ。ここでも仮説的な例を引き合いに出して説明するのが一番わかりやすいと思う。

ある種類の鳥がいて、危険な病気を媒介する非常にたちの悪いダニが、それに寄生すると仮定しよう。

このダニにたかられたら、できるだけ速やかにそれを取りのぞくことが、その鳥にとってきわめて重要である。ふつうなら、体についたダニは、羽づくろいの際に自分で取り除くことができる。しかし、一ヶ所だけ、自分の嘴では届かぬところがある。頭のてっぺんだ。人間ならすぐに解決策を思いつく。本人の嘴では頭に届かないとしても、友だちが代りにつついてやるのはなんの雑作もないことではないか。この親切な鳥は、あとで自分がダニにたかられる羽目になったら、かつての親切のお返しをしてもらえるかもしれない。事実、鳥や哺乳類では、相互的な毛づくろいがごくふつうにみられているのだ。

これはすぐ直観的に納得できる解決策だ。意識的な先見能力をもつ者なら、相互に相手の背中を毛づくろいしてやる類いの関係を結ぶことが、賢明な解決策となることを理解できるはずだ。しかし、直観的に納得できそうなことには気をつけろ、ということを私たちは学んだはずだ。遺伝子に先見能力はないからである。親切行為とそれに対する恩返しの間に時間的ずれが介在する条件下で、遺伝子の利己性理論は、相互的な背中掻き関係、すなわち、「互恵的利他主義」の進化を説明できるのであろうか。ウィリアムズは、先に名前を上げておいた一九六六年の著書の中で、この問題を簡単に論じている。彼は、ダーウィンと同様な結論に到達した。すなわち、遅延性の互恵的利他主義は、互いを個体として識別し、かつ記憶できる種においてなら、進化することが可能だというのである。トリヴァースは、一九七一年の論文で、この問題をさらにくわしく論じている。この論文を書いたときに、メイナード＝スミスの進化的に安定な戦略（ＥＳＳ）の概念は、まだ彼の手元になかった。もしこれが利用できていたなら、彼は当然それを活用したはずだと私は考えている。それは、彼の理論を表現するのにぴったり合った方法を提供するからである。彼は、「囚人のジレンマ」――ゲームの理論の有名なパズル――に言及しているが、これは彼がすでにメイナード＝スミスと同じ線に沿って考えを進めていたことを示している。

Bという個体が頭のてっぺんにダニをつけているとする。Aという個体はそれを取りのぞいてやる。しばらくして、今度はAの頭にダニがたかってしまった。彼は当然のことBを探しにゆく。Bは、かつての親切のお返しをしてくれるかもしれないからだ。しかし、Bは Aを鼻先であしらって、立ち去ってしまった。Bはごまかし屋というわけだ。ここでいうごまかし屋とは、他個体の利他的行動の利益はちょうだいするが、相手にはお返しをしない個体、あるいは不十分なお返ししかしない個体のことである。代価を支払うことなしに利益を得ることができるわけだから、ごまかし屋は相手かまわずの利他主義者より有利である。危険なダニを取りのぞいてもらった利益にくらべれば、他個体の頭を毛づくろいしてやるための代価など、たしかにわずかなしろものに思えるが、しかしそれは無視できる量でもない。なにがしかの貴重なエネルギーと時間が費されねばならないからである。

集団を構成する個体が、二つの戦略のうちいずれか一方を採用すると考えよう。メイナード＝スミスの分析と同様、ここで使われる戦略ということばは、意識的な戦略ではなく、遺伝子の規定する無意識的な行動プログラムを指している。二つの戦略には、「お人よし」戦略と、「ごまかし屋」戦略という名前をつけることにする。お人よしは、必要とする相手には、だれかれかまわず毛づくろいをしてやる。ごまかし屋は、お人よしの利他行動は受け入れるが、他個体に対してはいっさい毛づくろいをせず、たとえ相手が以前彼を毛づくろいしてくれた個体でも無視するのだ。ハト派とタカ派の分析例と同様に、ここでもそれぞれの利得に適当な数値を与えるわけだが、毛づくろいを受けた場合の利益のほうが毛づくろいをおこなう際の代価より大きくしてあれば、それぞれの数値の実際の値はどう決めてもよい。ダニの寄生率が高い場合、お人よし集団の中の任意の個体は、自分が他個体に毛づくろいを加えるのと同じ頻度で自分も毛づくろいしてもらえると期待できる。したがって、お人よし集団中のお人よし個体の平均利得は正の値になる。この場合彼らは、一人残らず実際にうまくやってゆけているので、お人よしという呼称は不適切かもしれない。しかし、ここでごまかし屋が一匹集団中に出現したらどうなるだろうか。ごまかし屋は彼一匹なのだから、彼は他のすべての個体から毛づくろいしてもらえると期待でき、しかもお返しは一切しないでいいのだ。彼の平均利得は、お人よしの平均利得以上になるのである。かくして、ごまかし屋の遺伝子が集団中に広がりはじめ、お人よしの遺伝子は、たちまち絶滅に追いこまれることになるだろう。なぜなら、集団中の構成比にかかわりなく、ごまかし屋は常にお人よしより高い成績を上げるからである。たとえば、ごまかし屋とお人よしが五〇％ずつの場合を考えてみよう。お人よしの平均利得もごまかし屋の平均利得も、お人よしだけから成る集団の中の任意の個体の平均利得にくらべて、いずれも低い値になるはずだ。しかし、この条件下でもなお、ごまかし屋はお人よしより高い成績を上げているのだ。ごまかし屋は、その本性にしたがって、享受しうる利益をすべてわがものとしながら、一切代価を払うことがないからである。ごまかし屋の構成比が九〇％にも達すると、集団の中のどの個体の平均利得も非常に低い値になってしまうだろう。ダニの運ぶ病気のために、いずれのタイプとも、かなりの死亡者を出すことになるからである。しかし依然としてごまかし屋はお人よしより高い成績を上げている。たとえ集団全体が絶滅に向かっても、お人よしがだまし屋より高い成績を上げうる機会はまったくない。つまり、これら二つの戦略だけで考える限り、お人よし型の絶滅は避けようがないし、それどころか集団全体としての絶滅の可能性も非常に高いのである。

そこで、「恨み屋」と呼ぶ第三の戦略に登場してもらうことにしよう。「恨み屋」は、初対面の相手や、以前彼に毛づくろいをしてくれた個体に対しては毛づくろいをおこなう。しかし、だれかが彼をだまそうものなら、彼はその出来事を忘れず、相手に恨みをいだく。つまり、その後は、その個体の毛づくろいを拒否するのである。恨み屋型とお人よし型の個体で構成される集団の中では、両者の区別は不可能である。両タイプともすべての他個体に利他的にふるまい、しかも両タイプとも同じ得点の高成績を収めるからである。集団中の個体の大部分がごまかし屋の場合、孤立した恨み屋個体は大した成績を上げられない。集団中のすべてのごまかし屋に対して恨みを持つに至るまでには時間がかかるので、彼は遭遇する個体のほとんどに毛づくろいをしてやることになり、そのために多大なエネルギーを費やす羽目に陥るからである。しかも、この場合、お返しに彼の毛づくろいをしてくれる者は皆無なのだ。ごまかし屋にくらべて、恨み屋がまれな場合には、恨み屋の遺伝子は絶滅してしまうだろう。しかし、恨み屋の数が増して、集団中に占める彼らの割合がある臨界値に到達できれば、彼らどうしの出会う確率が十分高くなり、ごまかし屋を毛づくろいすることで浪費される努力量を相殺できるようになる。この臨界値に到達すると、恨み屋はごまかし屋より高い平均利得を上げるようになり、ごまかし屋はそれ以後加速度的な速さで絶滅に追いやられはじめる。しかし、ごまかし屋が絶滅寸前まで減少すると、彼らの減少率は低下しはじめ、かなり長期にわたって少数者として生存しつづけることになるだろう。少数になったごまかし屋個体が、同一の恨み屋に二度遭遇する確率はごく低いというのがその理由である。任意のごまかし屋に恨みをいだいている個体は、集団中のごく一部に限られてきてしまうからである。

以上三つの戦略に関して、私は、あたかもなにがおこるかは直観的に自明であるかのようにお話してきた。しかし実際はそれほど自明なわけではなく、私は事前にコンピュータでシミュレーションをおこなって、その直観が正しいことをちゃんと確認しておいたのである。恨み屋戦略は、お人よし戦略、ごまかし屋戦略に対して実際に進化的に安定な戦略としてふるまう。すなわち、大部分が恨み屋から成る集団には、ごまかし屋もお人よしも侵略できないということである。しかし、ごまかし屋もまた進化的に安定な戦略である。大部分がごまかし屋の集団は、恨み屋、お人よしのいずれの戦略にも侵略されないからだ。集団は、これら二つの進化的に安定な戦略のどちらかに落ち着くことになる。長期的に見れば、一方から他方への変化もおこりうる。それぞれの利得に実際にどんな数値を与えるかによって、これら二つの安定状態のどちらが大きな「誘引圏」をもつかが決まり、したがってどちらが達成されやすいかが決まる（先のコンピュータ・シミュレーションでも、利得の値はまったく恣意的に仮定されている）。ついでにちょっと注意しておきたい。ごまかし屋の集団は、恨み屋の集団より絶滅の可能性が大きくなりそうだが、だからといってごまかし屋が進化的に安定な戦略の地位を失うわけではまったくないということである。もしもある集団が、それ自体を絶滅に追いこむような進化的に安定な戦略に到達してしまえば、たしかに絶滅してしまうだろう。これはただもう運が悪いというほかないのである。[*10-4]

圧倒的多数のお人よし型個体、臨界頻度をわずかに越すだけの少数派の恨み屋型個体、そして、恨み屋とほぼ同数の少数派ごまかし屋型個体の組合わせを出発点として、コンピュータ・シミュレーションを実行し、その成り行きをながめると非常におもしろい。まず最初に、ごまかし屋の容赦（ようしゃ）ない搾取のために、お人よし集団が激しい減少を示す。だまし屋はめざましい個体数増加を享受し、最後のお人よしが姿を消す時点で彼らの数は頂点に達する。しかしごまかし屋はまだ恨み屋を相手にしなければならない。お人よし型の急激な減少の際、破竹の勢いのごまかし屋の攻勢を受けて、恨み屋の数もゆっくり減少していたのだが、彼らはなおかろうじて勢力を保持していたのだ。最後のお人よしが死んで、もはやだまし屋がこれまでのように簡単に他人の利己的搾取ができなくなると、今度は恨み屋がごまかし屋を犠牲にして徐々に増加しはじめる。彼らの個体数増加には次第にはずみがついてくる。そして、恨み屋の激しい増加がおこり、ごまかし屋の集団は絶滅寸前まで激減する。こののち、両者の個体数は横ばいになる。少数になったおかげで、恨みを抱かれる危険がかなり減少するという少数者特権を、ごまかし屋が享受できるようになるからである。しかし、ごまかし屋は徐々にではあるが容赦なく抹殺されてゆき、やがて恨み屋が集団全体を制圧する。一見矛盾しているようだが、お人よしの存在は、当初、恨み屋を危険にさらしている。彼らの存在がごまかし屋の一時的繁栄を可能にするからである。

ところで、今述べた仮説的な事例では、毛づくろいを受けないと個体は危険にさらされると仮定したわけであるが、実際にその可能性はかなりある。たとえば、マウスを単独で飼っておくと、頭部の、自分では届かぬ部分に不快なはれ物が生ずる傾向があるのだ。ある研究によれば、集団飼育されたマウスは互いに頭をなめあうため、そんなはれ物に苦しまずにすんだという。互恵的利他主義の理論を実験的に検証できればおもしろい。マウスはその種の研究に適した材料となろう。

トリヴァースは、掃除魚の示すめざましい相利共生についても論じている。大型の魚種の体表についている寄生虫をつまみとって生活している動物が、小型の魚種とエビ類で、合せて五〇種ほど知られているのだ。大型の魚は掃除されることで明らかに利益を得ているし、掃除屋はかなりの食物を得ることができている。つまりこの関係は相利共生的というわけだ。多くの場合、大型魚は口を大きく開き、掃除屋が口の中に入り込んで歯をつつき、掃除しながら鰓(えら)から外へ出るのを許している。大型魚は、十分掃除してもらうまでずる賢く待っていて、その後で掃除魚をパクリと食べてしまえばよいではないかと思われるかもしれない。しかし実際には、掃除魚は何の危害も受けることなく立ち去ることができるのがふつうである。これは、現象的な利他主義のすばらしい芸当である。なぜなら、多くの例で、掃除屋は大型魚の通常の餌動物とまさに同じ大きさだからである。

　掃除魚は特別な縦縞(たてじま)模様をまとい、しかも特別なダンスで誇示行動を示す。これらは掃除魚であることの目印なのである。大型の魚は、しかるべき縦縞をもち、しかるべきダンスを踊りながら近づく小魚に対して、捕食を抑制する傾向を示す。それどころか、そのような小魚に遭遇すると、彼らはある種の恍惚(こうこつ)状態に陥ってしまい、掃除魚が彼らの体表や口・鰓の中などに自由にふれるのを許してしまうのである。利己性という遺伝子の本性からすれば、このチャンスを利用して無慈悲にかせごうという詐欺師(さぎし)がいても不思議ではなかろう。事実、大型魚に安全に接近するために、掃除魚とそっくりの外見をもち、しかもまったく同じようなダンスを踊る小型の魚種がいるのである。この詐欺師は、大型の魚が掃除を期待して恍惚状態になるや、その鰭(ひれ)にかみついて肉片をもぎとり、一目散に遁走(とんそう)するのである。こんな詐欺師がいるにもかかわらず、掃除魚とそのお客さんたちの関係はおおむね友好的で安定している。掃除屋という職業は、サンゴ礁の生物群集の日常生活の中で重要な役割を演じている。掃除魚はそれぞれ自分のテリトリーをもっている。大型の魚たちはそこに列をつくって並び、ちょうど理髪店の客のように自分の番が来るのを待っているという。この事例で、遅延性の互恵的利他主義の進化を可能にしたのは、おそらく今述べたような特定地域への固執という性質であろう。大型魚にとって、たえず新しい掃除屋を捜す代りに、同じ「理髪店」にくりかえし寄れるということから生じる利益は、当の掃除魚を食べるのを自制することから生じる代価より大きいに違いない。掃除屋は小魚なのだから、食わなくても大した損はないはずで、この推定は十分信じることができよう。掃除魚に擬態した詐欺師の存在は、正直ものの掃除屋に、間接的な形で危険を加えているかもしれない。前者の存在によって、縦縞のダンサーを食わせてしまう圧力が、大型魚に少々加えられるだろうからである。一方、本物の掃除魚が示す特定地域への固執という性質は、お客たちが本物の掃除屋を見つけ、詐欺師を避けられるようにしているのである。

人間には、長期の記憶と、個体識別の能力がよく発達している。したがって、互恵的利他主義は、人間の進化においても重要な役割を果たしたことが予想される。トリヴァースは、他者をだます能力や、詐欺を見破る能力、だまし屋だと思われるのを回避する能力などを強化する方向にはたらいた自然淘汰が、人間に備わる各種の心理的特性——ねたみ、罪悪感、感謝の念、同情そのほか——を形成したのだと主張しているほどである。とくにおもしろいのは「狡猾なだまし屋」という存在だ。彼らは一見きちんと恩返しをしているように見えるが、実際は、いつも、受けとった分よりやや少な目のお返ししかしていないのである。ヒトの肥大した大脳や、数学的にものを考えることのできる素質は、より込み入った詐欺行為をおこない、同時に他人の詐欺行為をより徹底的に見破るためのメカニズムとして進化したのだという可能性すら考えられる。このような見方からすれば、金銭は、遅延性の互恵的利他主義の形式的象徴である。

互恵的利他主義の概念を、われわれ自身の属する種に適用した際に生じるこの種の魅力的な思弁には、果てしがない。たしかにそれはおもしろそうだが、この種の思弁に私がとくに才能をもっているわけでもないので、あとは、読者がご自分で楽しまれるにまかせることとしたい。

11

ミーム——新登場の自己複製子

これまで、人間について特別に多言を費してはこなかった。しかし、わざと人間を除外していたわけではない。私が、「生存機械」ということばを使ってきた理由も、「動物」といったのでは植物が除外されてしまうし、それどころか一部の人々の頭の中では人間さえも除外されてしまうからであった。私の展開してきた議論は、一応は、進化のあらゆる産物に当てはまるはずなのである。もしなんらかの種を例外として除外しようというなら、妥当な特別な根拠がなければならないのだ。われわれの属する人間という種を特異な存在とみなす妥当な根拠はあるのだろうか。私は、そのような根拠はたしかに存在すると信じている。

人間をめぐる特異性は、「文化」という一つのことばにほぼ要約できる。もちろん、私は、このことばを通俗的な意味でではなく、科学者が用いるさいの意味で使用しているのだ。基本的には保守的でありながら、ある種の進化を生じうる点で、文化的伝達は遺伝的伝達と類似している。ジェフリー・チョーサー（十四世紀の人物でカンタベリー物語の著者。「英詩の父」と呼ばれる。）は、連綿と続く約二〇世代ほどの英国人を仲立ちとして、現代英国人と結びつきをもっている。仲立ちとなっているそれぞれの世代の人々は、ごく身近な世代の人々となら、息子が父親と話をする場合のように互いに話ができたはずだ。しかし、チョーサーと現代英国人との間で会話を交すのは不可能にちがいない。言語は、非遺伝的な手段によって「進化」するように思われ、しかも、その速度は、遺伝的進化より格段に速いのである。

文化的伝達はなにも人間だけに見られるのではない。人間以外の動物に関するものとして、私が知っているいちばんよい例は、ニュージーランド沖の島に住むセアカホオダレムクドリという鳥のさえずりに見られる例で、ごく最近、P・F・ジェンキンスによって記録されている。彼の研究した島では、全部で約九つの異なるさえずり方がみられた。それぞれの雄は、これらのさえずりのうちの一つあるいは数種しか歌わない。ジェンキンスは、雄たちを方言のグループに分けることができた。たとえば、隣接したテリトリーをもつ八羽の雄からなるあるグループは、CCソングと名づけられた特定のさえずりをおこなった。他の方言グループはそれぞれ別のさえずりを示した。同じ方言グループに所属する個体が二つ以上の別のさえずり方を共有するような例もあったという。ジェンキンスは、父親と息子のさえずり方を比較することによって、さえずりのパターンが遺伝的に親から子へ伝わるのではないことを明らかにした。個々の若雄は、近所にテリトリーをもつ他個体のさえずりを、人間の言語の場合と同様に模倣という手段によって自分のものにするらしいのである。ジェンキンスの滞在期間中、島で聞かれるさえずりの数はほぼ決まっていた。それらが、いわば「さえずりプール」を形成し、若雄たちはそこから少数のさえずり方を自分のものにしていたのである。しかし、ジェンキンスは、若雄が古いさえずり方を模倣しそこねて、新しいさえずりを「発明」する現場に居合せる幸運に、何度かめぐまれた。彼は次のように述べている。「新しいさえずりは、鳴き声の高さの変化、同じ鳴き声の追加、鳴き声の脱落、あるいは他のさえずり方の部分的編入など各種の方法で生まれることが明らかとなった……。新しいさえずりの形式は唐突に出現するが、その後は数年にわたってきわめて安定した形で維持された。さらに、いくつかの例では、変異型のさえずりが、その新しい様式のままで新参の若雄たちに正確に伝達され、その結果、よく似た歌い手たちのグループが新たに他から識別できるほどになった」。新しいさえずりの出現を、ジェンキンスは「文化的突然変異」と表現している。

セアカホオダレムクドリのさえずりは、明らかに非遺伝的な方法で進化している。さらに、鳥類やサルの仲間にはこの他にも文化的進化の例が知られている。しかし、これらはいずれも風変わりでおもしろい特殊例にすぎないのだ。文化的進化の威力を本当にみせつけているのはわれわれの属する人間という種なのである。言語は、その多くの側面の一つにすぎない。衣服や食物の様式、儀式・習慣、芸術・建築、技術・工芸、これらすべては、歴史を通じてあたかもきわめて速度の速い遺伝的進化のような様式で進化するが、もちろん実際には遺伝的進化などとはまったく関係がない。しかし、遺伝的進化と同様、文化的な変化も進歩的でありうる。現代科学は実際に古代科学よりすぐれているといえる。すなわち、宇宙に関するわれわれの理解は、時代とともに変化するというだけではなく、実際に改善されてゆくものなのである。宇宙の理解に関して現在のような爆発的進歩が見られるようになったのは、たしかについ先ごろのルネサンス以後のことである。ルネサンス以前には、陰気な停滞期があり、ヨーロッパの科学文化はギリシャが達成した水準に凍結されてしまっていた。しかし、5章で述べたように、遺伝的進化でも似た現象が見られる。それは、安定した停滞期を間にはさみながら、一連の突発的変化を示して進行するらしいのだ。

文化的進化と遺伝的進化の類似性はしばしば指摘されるところである。ただし、ときとしてそれは、まったく不必要な神秘的含意のある文脈でとりあげられている。科学の進歩と、自然淘汰による遺伝的進化の類似性にかんしては、とくにカール・ポッパー卿が解明を加えている。ポッパー卿をはじめ、その他たとえば、遺伝学者、L・L・カヴァリ＝スフォルザ、人類学者F・T・クローク、比較行動学者J・M・カレンなどが探求している方向を、もっと押し進めてみたいというのが私の狙いである。

熱烈なダーウィン主義者として、私は、同僚の熱烈なダーウィン主義者たちが人間行動に加えている説明にずっと不満を感じていた。彼らは、人間の文明が示す各種の特性に、「生物学的有利さ」を見出そうと努力してきたのだ。たとえば、部族宗教は集団としての一体感を高めるための一つのメカニズムだとみなされてきた。群れで狩猟をおこなう動物の場合、各個体の生存は、大型で脚の速い獲物を捕えるための協力に依存しており、先のメカニズムはこのような種にとっては価値があるというわけなのだ。この種の理論を組み立てる際、その前提とされている進化論的な見解が、しばしば暗黙のうちに群淘汰主義者的なものになっていることがあるが、それらは正統的な遺伝子レベルの淘汰でいいかえることができる。確かに人間は、過去数百万年の大半を、小規模な血縁集団単位の生活で過ごしてきたようだ。したがって、われわれの基本的な心理的特性や傾向の多くは、われわれの遺伝子に対して血縁淘汰や、互恵的利他主義を促進する淘汰がはたらいた結果として作り出されたのだと考えることもできるかもしれない。こういった考え方も、それ自体としてはもっともらしい。しかし、文化や、文化的進化、さらに世界の人間文化が示すはかりしれない差異――コリン・ターンブルの記したウガンダのイク族の極限的な利己性と、マーガレット・ミードの報告したアラペシュ族の温和な利他主義がその両極である――

を説明するという途方もない難題は、まだ先に述べたような理論ではとても対処できないように、私には見受けられる。私の考えでは、われわれはもう一度やり直して、第一原理に立ちもどってみなければならないのである。これから私が展開しようとする議論は、現代人の進化を理解するためには、進化を考えるさいに遺伝子だけをその唯一の基礎とみなす立場を、まず放棄せねばならないというものだ。本書のこれまでの諸章の著者が、こんなことを言うとびっくりされるかもしれない。私は確かに熱烈なダーウィン主義者である。しかし私は、遺伝子という狭い文脈に閉じこめてしまうには、ダーウィニズムはあまりに大きな理論だと考えているのである。以下の私の主張においては、遺伝子は類推の対象としてしか登場してこないであろう。

そもそも遺伝子の特性とは何なのだろうか。自己複製子だということがその答えである。物理学の法則は、到達しうる全宇宙に妥当するとみなされている。生物学には、これに相当する普遍的妥当性をもちそうな原理があるのだろうか。宇宙飛行士がかなたの惑星に到達して生物を探せば、われわれには想像もつかないような奇妙、奇怪な生物に遭遇するかもしれない。しかし、どこに住んでいようが、どんな化学的基礎をもって生きていようが、あらゆる生物に必ず妥当するようなものが何かないのだろうか。たとえ炭素の代りに珪素を、あるいは水の代りにアンモニアを利用する化学的仕組をもつ生物が存在したとしても、またたとえマイナス百度でゆだって死んでしまう生物が発見されても、さらに、たとえ化学反応に一切頼らず、電子反響回路を基礎とした生物が見つかったとしても、なおこれらすべての生物に妥当する一般原理はないものだろうか。むろん私はその答えなど知らない。しかし、もし何かに賭けなければならないのであれば、私はある基本原理に自分のお金を賭けるだろう。すべての生物は、自己複製をおこなう実体の生存率の差にもとづいて進化する、というのがその原理である。[11-1] 自己複製をおこなう実体としてわれわれの惑星に勢力を張ったのが、たまたま、遺伝子、つまりDNA分子だったというわけだ。しかし、他のものがその実体となることもありえよう。かりにそのようなものが存在し、他のある種の諸条件が満たされれば、それがある種の進化過程の基礎になることはほとんど必然的であろう。

別種の自己複製子と、その必然的産物である別種の進化を見つけるためには、はるか遠方の世界へ出かける必要があるのだろうか。私の考えるところでは、新種の自己複製子が最近まさにこの惑星上に登場しているのである。私たちはそれと現に鼻をつき合せているのだ。それはまだ未発達な状態にあり、依然としてその原始スープの中に無器用に漂っている。しかしすでにそれはかなりの速度で進化的変化を達成しており、遺伝子という古参の自己複製子ははるか後方に遅れてあえいでいるありさまである。

新登場のスープは、人間の文化というスープである。新登場の自己複製子にも名前が必要だ。文化伝達の単位、あるいは模倣の単位という概念を伝える名詞である。模倣に相当するギリシャ語の語根をとれば〈mimeme〉ということになるが、私のほしいのは、〈ジーン（遺伝子）〉ということばと発音の似ている単音節の単語だ。そこで、このギリシャ語の語根を〈ミーム（meme）〉[11-2] と縮めてしまうことにする。私の友人の古典学者諸氏には御寛容を乞う次第だ。もし慰めがあるとすれば、ミームという単語は〈記憶（memory）〉、あるいはこれに相当するフランス語の〈même〉という単語に掛けることができるということだろう。なお、この単語は、「クリーム」と同じ韻を踏ませて発音していただきたい。

旋律や、観念、キャッチフレーズ、衣服のファッション、壺の作り方、あるいはアーチの建造法などはいずれもミームの例である。遺伝子が遺伝子プール内で繁殖するにさいして、精子や卵子を担体（たんたい）として体から体へと飛びまわるのと同様に、ミームがミームプール内で繁殖するさいには、広い意味で模倣と呼びうる過程を媒介として、脳から脳へと渡り歩くのである。科学者がよい考えを聞いたりあるいは読んだりすると、彼は同僚や学生にそれを伝えるだろう。彼は、論文や講演の中でもそれに言及するだろう。その考えが評価を得れば、脳から脳へと広がって自己複製するといえるわけである。私の同僚のN・K・ハンフリーが、本章の初期の原稿を手ぎわよく要約して指摘してくれているように、「……ミームは、比喩としてではなく、厳密な意味で生きた構造とみなされるべきである。[*11-3] 君がぼくの頭に繁殖力のあるミームを植えつけるということは、文字通り君がぼくの脳に寄生するということなのだ。ウイルスが寄生細胞の遺伝機構に寄生するのと似た方法で、ぼくの脳はそのミームの繁殖用の担体にされてしまうのだ。これは単なる比喩ではない。たとえば「死後の生命への信仰」というミームは、世界中の人々の神経系の一つの構造として、莫大な回数にわたって、肉体的に体現されているではないか」。

神という観念を考えてみよう。それがどのようにしてミーム・プールの中に発生したかは明らかでない。もしかすると、それは、独立した「突然変異」によって幾度も発生したのかもしれない。では、それはいかにして自己複製をおこなうのだろうか。語られることば、書かれた文字によってである。しかも偉大な音楽や偉大な芸術がその手助けをしている。しかし、そのミームはなぜこのように高い生存価を示すのだろうか。ここでいう「生存価」とは、遺伝子プールの中の遺伝子にとっての値ではなくて、ミーム・プールの中のミームにとっての値であることを忘れないでほしい。先の疑問の意味するところをきちんと表現すると次のようになる。神の観念に、文化環境中における安定性と浸透力を与えているのは、いったいその観念のもつどんな性質なのだろうか。ミーム・プールの中において神のミームが示す生存価は、それがもつ強力な心理的魅力にもとづいている。実存をめぐる深遠で心を悩ますもろもろの疑問に、それは表面的にはもっともらしい解答を与えてくれるのである。現世の不公正は来世において正されるとそれは主張する。われわれの不完全さに対しては、「神の御手」が救いを差しのべて下さるという。医師の用いる偽薬（プラセボ）と同様で、こんなものでも空想的な人々には効き目があるのだ。これらは、世代から世代へと、人々の脳がかくも容易に神の観念をコピーしてゆく理由の一部である。人間の文化が作り出す環境中では、たとえ高い生存価、あるいは感染力をもったミームという形でだけにせよ、神は実在するのである。

神のミームの生存価に関するこのような私の説明は、肝心の論点を避けているのではないかと指摘して下さった同僚がいた。最終的には、彼らはいつも決まって「生物学的有利さ」に立ちもどろうとするのだ。神の観念には「強力な心理的魅力」がある、といっただけでは彼らは不満なのである。彼らは、なぜそれが強力な心理的魅力をもつのかを知りたがるのだ。心理的魅力というのは脳に対する魅力ということだ。そして脳とは、遺伝子プールの中の遺伝子に対して自然淘汰が作用して作り上げたものだ。このような脳をもつことは何らかの方途で遺伝子の生存の促進につながっているのではないか。彼らはそのような方途を見つけたいのである。

私はこの種の態度には大いに共感をもっているし、また、現在のような脳をわれわれが所有していることには遺伝的な有利さがあるはずだという見解にもなんら疑問を抱いていない。しかしその上でなお私は、もしこれら同僚諸氏が彼ら自身の議論の諸前提をその根本のところでくわしく検討されるなら、彼ら自身が私とまったく同じだけ論点回避をされていることに気づかれるはずだと考えている。根本に立ち帰ってみよう。生物学的現象を遺伝子への利益という観点から説明することがうまい方法であるのは、遺伝子が自己複製子だからこそなのである。原始スープの中で、分子の自己複製を可能にするような条件が整うと、たちまち自己複製子が原始スープにとってかわることになった。そしてこの三〇億年以上というもの、地上において語る価値のある唯一の自己複製子はＤＮＡであった。しかし、ＤＮＡは、永遠にその専制支配権を確保できるとは限らない。新種の自己増殖子が自己のコピーをつくれる条件が生まれさえすれば、その新登場の自己複製子が勢いを得て、それ自体の新たな種類の進化を開始することになるのである。いったんこの新しい進化が開始されると、もはやそれが古いタイプの進化に従わねばならぬ必然性はないといえる。遺伝子を単位とする古い進化は、脳を作り出すことによって、最初のミームの発生しうる「スープ」を提供した。ついで自己複製能力のあるミームが登場すると、彼らは、古いタイプの進化よりはるかに速やかな、独自のタイプの進化を開始したのである。われわれ生物学者は遺伝子による進化の考え方にすっかりなじんでしまっているので、それがじつは、可能な多種類の進化のうちの一例にすぎぬことを、ともすると忘れてしまうのだ。

広義の意味での模倣が、ミームの自己複製を可能にする手段である。しかし自己複製子しうる遺伝子のすべてが成功を収めることができるわけではないのとまったく同様に、一部のミームはミーム・プール中で他のミーム以上の成功を収める。これは自然淘汰と相似な過程である。ミームに高い生存価を付与するような特性については、すでにいくつか特殊な例をあげた。しかし、一般化して考えると、その特性は、２章で自己複製子に関して論じられたものと同じものになるはずである。すなわち、寿命、多産性、そして複製の正確さの三つである。ミームのコピーが示す寿命は、遺伝子の場合にくらべると、さほど重要ではなさそうだ。私の頭の中にある「オールド・ラング・サイン*11-4（訳注　この曲のメロディを借用したのが日本の『ほたるの光』である）」の旋律は、私の余命の間しか生き長らえないだろう。私の手元にある「スコットランド学生歌曲集」に印刷された同じ旋律のコピーも、先のコピーにくらべてはるかに長生きできるというわけでもなさそうだ。しかし、それでも、同じ旋律のコピーは、紙に印刷され、人々の頭に刻まれて、今後幾百年にもわたって存在し続けるだろうと私は考えている。遺伝子の場合と同様、ここでも特定のコピーの寿命より、多産性のほうがはるかに重要なのである。問題のミームが科学的なアイディアである場合、その繁殖は、そのアイディアが科学者集団にどの程度受け入れられるかに依存するだろう。この場合は、発表後、科学雑誌にそのアイディアが引用される数を数えることによって、そのアイディアの生存価の大まかな尺度とみなすこともできよう*11-5。流行歌の旋律というミームの場合、ミーム・プールの中での繁殖の程度は、その曲を口笛でふきながら町をゆく人の数で測れるかもしれない。婦人靴のスタイルというミームが問題なら、集団ミーム学者は、靴屋の売上げ統計を利用することもできよう。遺伝子の場合と同様、ミームの中にも、急激な増殖によって目覚しい短期的成功を達成しながら、ミーム・プールの中に永くは留まれないようなものもある。流行歌や、やたらにかかとのとがったハイヒールなどがその例だ。一方ユダヤ教の律法のように、数千年にもわたって自己複製し続けるものもある。こういったミームは、書きしるされたことばのもっているきわだった潜在的永続性のおかげをこうむっているのがふつうである。

続いて、自己複製子が成功するための第三の一般的性質、すなわち複製の正確さの問題がある。この点に関して私は、私の議論の土台がやや頼りないことを認めねばならない。一見したところ、ミームという自己複製子は、複製上の高度の正確さをまったく欠いているように見えるからである。たとえば科学者があるアイディアを聞いてそれを他人に伝える場合、彼はそれをいくらか変化させてしまうだろう。本書の内容が、R・L・トリヴァースのアイディアに負うところのあることを私は隠してこなかったが、しかし、私は、彼のアイディアを彼のことばどおりに反復したわけではない。強調する点を変えたり、私自身のあるいは他の研究者のアイディアを混ぜ合わせたりして、私は、彼のアイディアを私の目的に沿うようにねじ曲げている。元のミームは変形されて読者に伝えられているのである。これは、粒子的で、全か無かといった性質をもつ遺伝子伝達とは、まったく似たところがないように見える。ミームの伝達は不断の突然変異、そしてさらには混合にさらされているかに見えるのである。

しかし、この一見非粒子的な性質もじつは錯覚で、遺伝子との相似性は崩れていないのだという可能性もある。そもそも、人間の身長や皮膚の色のような多くの遺伝形質の遺伝を見ると、それらが、分割不可能でかつ混合不可能な遺伝子の所産だなどとは思えない。黒人と白人が結婚した場合、彼らの子どもたちは黒色でも白色でもなく、その中間の皮膚の色を示す。しかしだからといってこれは、当該の遺伝子が粒子的でないことを意味しているわけではない。皮膚の色に関しては、微弱な効果を示す遺伝子が非常に多数関与しており、そのために一見それらが混合するように見えるということなのである。これまで私は、一つの単位ミームが何から構成されているかが、あたかも自明であるかのように話してきた。しかし、それが自明でないことははっきりしている。私は一つの旋律を一つのミームだといってきた。しかしでは一つの交響曲はどうなるのだ。それはいくつのミームからできているのか。それぞれの楽章がミームに相当するのか、メロディの上で識別できる楽句がミームに当るのか、それぞれのコードがミームなのか、いったいどうなるのだろう。

3章で使ったのと同じことばの手品に訴えることにしよう。3章で私は、「遺伝子の複合体」を大小の遺伝的単位に分割し、それをまたさらに細かい単位に分割した。そして私は「遺伝子」を、厳格な全か無か式にではなく、便宜的な単位として、すなわち、自然淘汰の単位として持続的にはたらきうるに足るだけの複製上の正確さを備えた、染色体上の部分として定義しておいた。さて、今、ベートーベンの第九交響曲の中に、交響曲全体の流れから抜き出すことができるくらい十分に目立ち、しかも覚えやすいある楽句があったとする。しかもそれは、腹の立つほど押しつけがましいヨーロッパのある放送局が、コール・サインとして使えるくらい目立って覚えやすい楽句だとする。この場合その楽句は、こうした事情にふさわしい範囲で、一つのミームと呼ぶことができるはずである。ついでながら、このミームのおかげで、元のシンフォニーを享受する私の能力は、大幅に減退させられてしまった。

この例と同様、たとえばわれわれが、「今日、生物学者はすべてダーウィンの理論を信じている」といったとしても、なにもすべての生物学者が、チャールズ・ダーウィンのことばを正確にそのまま頭の中に刻みつけているといっているわけではない。個々の学者は、ダーウィンの理論に関して彼独自の解釈を下しているのである。彼はもしかすると、ダーウィン自身の著作からそれを学んだのではなく、もっと最近の著者のものから学んだのかもしれない。それどころか、ダーウィンの述べたことには、くわしく言えばかなりの誤りがある。もしダーウィンが私のこの本を読んだとしたら、そこに彼自身のオリジナルな理論をほとんど見出すことができないに違いない。もっとも私は、彼が私の説明法については気に入ってくれるにちがいないと期待しているが……。さて、このような諸事情があるにもかかわらず、ダーウィニズムの本質とでもいうべきものは確かに存在し、この理論を理解しているすべての人々の頭の中にはそれが現存する。もしそういうことがありえなければ、二人の人間のあいだで互いに意見が一致するということに関するあらゆる言明は、無意味になってしまうだろう。「観念(アイディア)のミーム」は、脳と脳のあいだで伝達可能な実体として定義されうるはずなのである。つまり、ダーウィン理論のミームは、この理論を理解しているすべての脳が共有する、その理論の本質的原則のことなのである。したがって、人々がその理論を表現する際の手段上の相違は、定義によって、ダーウィン理論のミームには含まれない。さらにもしダーウィンの理論がAとBの二つの部分に分けられるとしたらどうなるだろうか。このとき、かりにある人々はAを信じるがBを信用せず、別の人々はBを信じてAを信じないといった状況があれば、AとBは別のミームとして区別されるべきだろう。しかし、Aを信ずる人はほとんどすべてBも信用する――つまり、遺伝学用語を使えば、二つのミームがしっかり「連鎖」している――とするなら、この場合は両者を合せて一つのミームとみなしたほうが便利である。

ミームと遺伝子の類似点をもっと調べてみることにしよう。本書の全体を通じて私は、遺伝子を、意識をもつ目的志向的な存在と考えてはならないと強調してきた。しかし、遺伝子は、盲目的な自然淘汰のはたらきによって、あたかも目的をもって行動する存在であるかのように仕立てられている。そこで、ことばの節約という立場からは、目的意識を前提にした表現を遺伝子に当てはめてしまったほうが便利だというわけだった。たとえば、「遺伝子は、将来の遺伝子プールの中における自分のコピーの数を増やそうと努力している」と表現した場合、実際の意味は「われわれが自然界においてその効果を目にすることができる遺伝子は、将来の遺伝子プール中における自分の数を結果的に増加させることのできるような挙動を示す遺伝子だろう」ということなのだ。自己の生存のために目的志向的にはたらく能動的な存在として遺伝子を考えることが便利だったのとまったく同様に、ミームに関しても同じように考えれば便利なのではあるまいか。いずれの場合も、表現を神秘的に解釈されては困る。目的の観念はいずれにおいても単なる比喩にすぎないのだ。しかし、遺伝子の場合にこの比喩がどんなに有用だったかはすでに見たとおりである。われわれは、それが単なる比喩であることを十分承知した上で、遺伝子に対して、「利己的な」とか、「残忍な」とかいう形容詞をさえ用いたほどである。これらの場合とまったく同じ心構えで、利己的なミームや残忍なミームを物色することができるだろうか。

ここで、競争の性質をめぐる問題を一つ考えておきたい。有性生殖の場合、個々の遺伝子は、対立遺伝子、すなわち染色体上の同じ場所を占めようとするライバル遺伝子、という特別な相手と競争している。ミームには、染色体に相当するものがあるとは思えず、したがって対立遺伝子に相当するものもないように見える。ごくささいな意味でなら、多くの観念には「対立する観念」があるともいえよう。しかし、一般にミームは、きちんと対をつくった多数の染色体の形で存在する今日の遺伝子とはあまり似ておらず、むしろそれは、かつて原始スープの中を無秩序きままに漂っていた初期の自己複製分子のほうに似ているのである。では、いったいどんな意味で、ミームは互いに競争しているのだろうか。対立ミームがないのに、ミームは「利己的」だったり、「残忍」だったりできるのか。おそらく可能だろうというのが私の答えである。ある意味で、彼らは互いに一種の競争をおこなわねばならないからである。

ディジタル・コンピュータを使用されたことのある読者は、コンピュータの演算時間や記憶容量がどんなに貴重なものかご存じだろう。多くの大規模な計算機センターでは、それらを文字どおり料金に換算しているか、あるいは使用者に、秒単位の使用時間と、「文字」の数であらわされた記憶容量をそれぞれ一定量ずつ割り当てている。人間の脳は、ミームの住みつくコンピュータである。[*11-6] そこでは、時間が、おそらくは貯蔵容量より重要な制限要因となっており、激しい競争の対象となっていよう。人間の脳と、その制御下にある体は、同時に一つあるいは数種類以上の仕事をこなすわけにはゆかないからである。あるミームがある人間の脳の注目を独占しているとすれば、「ライバル」のミームが犠牲になっているに違いないのである。ミームが競争の対象とする必需品は他にもある。たとえば、ラジオ、テレビの放送時間、掲示板のスペース、新聞記事の長さ、そして図書館の棚のスペース等々。

遺伝子の場合、遺伝子プールの中に、相互適応した遺伝子の複合体が発生しうることを3章で述べた。たとえば、チョウの擬態に関与する多数の遺伝子は、同一染色体上にきわめて密接に連鎖しており、それらすべてを一まとめにして一つの遺伝子として扱えるほどである。5章では、進化的に安定な遺伝子セットというさらに複雑な概念を持ち出した。たとえば肉食動物の遺伝子プールでは、互いに適合した、歯、爪、消化管、そして感覚器官が進化し、一方草食動物の遺伝子プールでは、これとは異なった諸特性が安定したセットを形成している。ミーム・プールでもこれらに似たことがおこるだろうか。たとえば、神のミームが他の特定のミームと結びついて、この結びつきが当のミームたちそれぞれの生存を促進するようなことがあるだろうか。もしかすると、独特の建築、儀式、律法、音楽、芸術、そして文字として書かれた伝統をともなった教会組織などは、互助的なミームの相互適応的安定セットの一例かもしれない。

具体的な例をあげよう。人々に宗教への恭順（きょうじゅん）を強いる上できわめて有効だった教義のひとつは、地獄の劫火（ごうか）という脅迫である。多くの子どもたちや、それどころか一部のおとなまでが、僧侶のいうことに従わないと死後にとてつもない苦痛を受けると信じている。これはきわめて陰険な説得技術であり、中世において、そして今日においてすら、多大な心理的苦痛を生み出している。しかしそれにもかかわらず、この技術は効果的なのだ。あるいは、深層心理学的な教化技術の訓練を受けた策謀的な聖職者が、意図的にたくらんでそんな技術を作り上げたのかもしれないとすら思えるほどだ。しかし、私には、僧侶たちがそれほど頭がよかったとは思えない。むしろ、それ自体は意識をもたないミームが、成功する遺伝子が示すのと同じ疑似的残忍性という特性をもったおかげで、自らの生存を確保できたのだというほうが当っているような気がする。地獄の劫火という観念は、まったく単純に、それ自体がもつ強烈な心理的衝撃力のおかげで、自己を永続化しえているのである。それが神のミームと連鎖したのは、両者が互いに強化しあって、ミーム・プールの中における互いの生存を促進できるからなのだ。

宗教というミーム複合体のもう一つのメンバーに信心というのがある。これは、証拠がなくとも、いやある場合には証拠を無視してでも、盲信するということである。不信のトマスのお話は、トマスをあがめるようにというお話ではなくて、彼と比較対照することによって、私たちが他の使徒たちをあがめることができるようにしようというお話なのだ。トマスは証拠を要求した。ある種のミームにとっては、証拠を求める傾向ほど致命的なものはない。他の使徒たちは、とても強い信心をもっていたので、証拠など必要でなかったのだ。彼らこそみならうべき価値のある人々として支持されているのである。盲信のミームは、理性的な問いをくじくという単純な無意識的手段を行使することによって、自己の永続を確保するのである。

盲信は一切を正当化できる。[*11-7] もし人が別の神を信じているなら、いや、もし人が同じ神をあがめるのに別の儀式を用いるなら、たったそれだけのことで、盲信は彼に死刑を宣告できるのだ。十字架にかける、火あぶりにする、十字軍の剣で串刺しにする、ベイルートの路上で射殺する、ベルファストの酒場に居るところを爆弾で吹きとばす。なんでもござれだ。盲信というミームは身に備わった残忍な方法で繁殖してゆくのである。愛国的、政治的盲信であろうが、宗教的盲信であろうがこの性質はまったく同じである。

ミームと遺伝子は、しばしば互いに強化しあうが、ときには相対立することもある。たとえば、独身主義の習慣などは、おそらく遺伝によって伝わるものではあるまい。社会性昆虫にみられるような非常に特殊な状況を除けば、独身主義を発現させる遺伝子は、遺伝子プール中での失敗を運命づけられているからだ。しかし、独身主義のミームには、ミーム・プールの中で成功しうる可能性がある。たとえば、ミームの成功は、それを積極的に他者に伝えるために人々がどのくらいの時間を費すかによって決定的に左右されると仮定してほしい。そのミームを伝達しようとすること以外に費されたすべての時間は、そのミームの立場からみれば時間のむだ使いとみなされよう。独身主義のミームは、聖職者たちから、まだ人生の目標を決めていない少年たちに伝えられる。伝達の媒体になるのは、各種の人間的影響力をもつもの、たとえば、話されることば、書かれた文字、人による手本等である。ここで、議論の都合上、大衆に対する聖職者の影響力が結婚によって弱められてしまうものと考えることにしよう。結婚が彼の時間と関心を大幅に牛耳ってしまうかもしれないからだ。事実これは、聖職者に独身生活が強要される際の公式的な理由として提示されていることでもある。もし万が一このような事態がありうるなら、独身主義のミームは、結婚をうながすミームより高い生存価を示しうるということになろう。もちろんのこと、独身主義をうながす遺伝子などというものがあるなら、それについては、独身主義のミームとはまったく逆の結果になるはずだ。僧侶がミームの生存機械であるとすれば、独身主義というのは彼に組込まれれば役に立つ属性である。独身主義は、多数の互助的な宗教的ミームの作り上げる巨大な複合体の、小さなパートナーなのである。

私は、相互適応した遺伝子群の複合体の進化と同様な方式で、相互適応したミームの複合体が進化すると推測している。淘汰は、自己の利益のために文化的環境を利用するようなミームに有利にはたらく。この文化的環境は、同様に淘汰を受けているミームたちで構成されている。したがって、ミーム・プールは進化的に安定なセットとしての特性を示すようになり、新しいミームはなかなか侵入できなくなるだろう。

少し、ミームの暗い面ばかり話してきたようだ。しかし、ミームには明るい面もあるのである。われわれが死後に残せるものが二つある。遺伝子とミームだ。われわれは、遺伝子を伝えるためにつくられた遺伝子機械である。しかし、遺伝子機械としてのわれわれは、三世代もたてば忘れ去られてしまうだろう。子どもや、あるいは孫も、われわれとどこか似た点をもってはいよう。たとえば顔の造作が似ているかもしれない、音楽の才能が似ているかもしれない、あるいは髪の毛の色が似ているかもしれない。しかし、世代が一つ進むごとに、われわれの遺伝子の寄与は半減してゆくのだ。その寄与率は遠からず無視しうる値になってしまう。われわれの遺伝子自体は不死身かもしれないが、特定の個人を形成する遺伝子の集まりは崩れ去る運命にあるのだ。エリザベス二世は、ウィリアム一世の直系の子孫である。

しかし彼女がいにしえの大王の遺伝子を一つももち合わせていない可能性は大いにあるのである。繁殖という過程の中に不死を求めるべきではないのである。

しかし、もしわれわれが世界の文化になにか寄与することができれば、たとえば立派な意見を作り出したり、音楽を作曲したり、発火式プラグを発明したり、詩を書いたりすれば、それらは、われわれの遺伝子が共通の遺伝子プールの中に解消し去ったのちも、長く、変わらずに生き続けるかもしれない。G・C・ウィリアムズが指摘したように、ソクラテスの遺伝子のうち今日の世界に生き残っているものが果たして一つか二つあるのかどうかわからない。しかしだれがそんなことを気にかけるだろうか。ソクラテス、ダ・ヴィンチ、コペルニクス、マルコーニ――彼らのミーム複合体はいまだ健在ではないか。

私の展開したミームの理論がいかに思弁的であったとしても、ここでもう一度強調しておきたい重要な論点が一つある。文化的特性の進化や生存価を問題にするときには、だれの生存を問題にしているかをはっきりさせておかねばならないということである。すでに見たように、生物学者たちは遺伝子のレベルでの有利さを探求することに慣れてしまっている（好みによっては、個体、集団あるいは種のレベルで有利さを探求したがる人々もいるが）。そこで、単にそれ自身にとって有利だというだけの理由で文化的な特性が進化しうる、そんな進化の様式がありうるなどとは、われわれはこれまで考えてもみなかったのである。

宗教、音楽、祭礼の踊りなどには、生物学的な生存価もあるのかもしれないが、しかしそれらに関して、必ずしも通常の生物学的生存価を探す必要はないのである。遺伝子が、その生存機械に、ひとたび、速やかな模倣能力をもつ脳を与えてしまうと、ミームたちが必然的に勢いを得る。模倣に遺伝的有利さがあれば確かに手助けにはなるが、そんな有利さの存在を仮定する必要すらないのである。唯一必要なことは、脳に模倣の能力がなければならないということだけである。これさえ満たされれば、その能力をフルに利用するミームが進化してゆくだろう。

新登場の自己複製子の話題もこれくらいにして、一言つつましい希望にふれて本章を閉じることにしたい。その進化がミームによってもたらされたのかどうか定かではないが、人間には、意識的な先見能力という一つの独自な特性がある。利己的存在たる遺伝子に（そして、読者が本章の思弁をお認めになるなら、ミームにも）先見能力はない。彼らは意識をもたない盲目の自己複製子なのである。彼らが自己複製するという事実と、ある種の付加的な諸条件とを組合わせて考えると、彼らは、利己的（本書で用いた特殊な意味で）と呼びうる諸性質を不可避的に進化させることになるのである。遺伝子であれミームであれ、無知な自己複製子というものは、目先の利己的利益を放棄することが長期的には利益につながる場合でも、それを放棄しないものなのである。われわれはその例を攻撃行動を扱った章で見てきた。どの個体をとってみても、進化的に安定な戦略よりは「ハト派の共同行為」をとったほうが有利なはずなのに、自然淘汰は必ず進化的に安定な戦略のほうに有利にはたらいてしまうのだ。

純粋で、私欲のない、本当の利他主義の能力が、人間のもう一つの独自な性質だという可能性もある。ぜひそうあってほしいものだが、この点に関して私は、肯定的にも否定的にも議論するつもりはないし、それをめぐるミーム的な進化の可能性をあれこれ思弁するつもりもない。私がここで強調しておきたいのは次の一点なのだ。われわれがたとえ暗いほうの側面に目を向けて、個々の人間は基本的には利己的な存在なのだと仮定したとしても、われわれの意識的な先見能力――想像力を駆使して将来の事態を先取り（シミュレート）する能力――には、盲目の自己複製子たちの引きおこす最悪の利己的暴挙から、われわれを救い出す能力があるはずだということである。少なくともわれわれには、単なる目先の利己的利益より、むしろ長期的な利己的利益のほうを促進させるくらいの知的能力はある。われわれは、「ハト派の共同行為」に参加することが長期的利益につながることを理解できる。われわれは、同じテーブルに座って、その共同行為をうまく実行する方法を話し合うこともできるはずなのだ。私たちには、私たちを産み出した利己的遺伝子に反抗し、さらにもし必要なら私たちを教化した利己的ミームにも反抗する力がある。純粋で、私欲のない利他主義は、自然界には安住の地のない、そして世界の全史を通じてかつて存在したためしのないものである。しかし私たちは、それを計画的に育成し、教育する方法を論じることさえできるのだ。われわれは遺伝子機械として組立てられ、ミーム機械として教化されてきた。しかしわれわれには、これらの創造者にはむかう力がある。この地上で、唯一われわれだけが、利己的な自己複製子たちの専制支配に反逆できるのである。[*11-8]

12 気のいい奴が一番になる

「気のいい奴はビリになる」。このフレーズは野球の世界で始まったもののように思われるのだが、ただし、一部の専門家は、それより先にもうひとつ別の意味で使われていたと主張している。アメリカの生物学者ギャレット・ハーディンはそれを、「社会生物学」ないしは「利己的遺伝子学（selfish genery）」とでも呼べるものの教えを要約するために用いている。それがいかにぴったりはまっているかは容易にわかる。もし「気のいい奴（ナイス・ガイ）」という口語的な意味をそれに対応するダーウィン主義的なことばに翻訳すれば、気のいい奴とは、自分と同じ種の他のメンバーたちを助け、自らの犠牲において、彼らの遺伝子を次世代に伝えさせるような個体である。したがって、気のいい奴の数は減るべき運命にあると思われる。気のよさ（ナイスネス）は、ダーウィン主義的な死を迎えるのだ。しかし、「ナイス」という口語的な単語には、もうひとつの専門用語としての解釈がある。この定義は会話における意味からそれほど離れているわけではないが、もしこちらを採用するならば、気のいい奴が一番になることはありうる。このより楽観主義的な結論が、本章でこれから述べようとするものである。

10章の「恨み屋」を思い出していただきたい。彼らは明らかに利他的なやり方でお互いに助けあうが、以前に自分を助けることを拒否した個体に対しては——恨みを抱いて——助けることを拒(こば)む鳥たちであった。恨み屋は集団の中で優勢を占めるようになった。なぜなら、「お人よし」（だれかれかまわず他の個体を助け、自らは利用された）と「ごまかし屋」（だれかれかまわず無慈悲に利用しようと試み、最後にはお互いに損害を与えあった）のいずれよりも、より多くの遺伝子を次世代に送り伝えることができるからだ。恨み屋の話は、ロバート・トリヴァースが「互恵的利他主義」と呼んだ重要な一般原理を例証している。掃除魚の例（二八七〜九頁）で見たように、互恵的利他主義は一つの種のメンバーに限定されない。それは、共生と呼ばれるあらゆる関係においてはたらいている——たとえば、アリは彼らのアブラムシという「家畜」から液をしぼる（二七八〜九頁）。10章が書かれたあと、アメリカの政治学者であるロバート・アクセルロッド（本書の多くの頁でその名があらわれるW・D・ハミルトンと一部、共同研究をしている）は、互恵的利他主義という考えを、刺激的な新しい方向に取り込んだ。私が冒頭の段落においてほのめかしたように、「ナイス」という単語に専門用語の意味を新しくもたせたのはアクセルロッドであった。

アクセルロッドは、多くの政治学者、経済学者、数学者、心理学者と同じように、囚人のジレンマと呼ばれる単純な賭博ゲームに魅了された。それはあまりにも単純なので、頭のいい人たちがそれをまったく誤解して、そこにもっと何かがあるにちがいないと考えている例を私は知っている。だが、その単純さはみせかけである。図書館のいくつもの棚が、この退屈しのぎのゲームから派生した問題に当てられている。多くの影響力のある人々が、それが戦略的な防衛計画の鍵を握っており、第三次世界大戦を阻止(そし)するためにそれを研究しなければならないと考えている。一生物学者として、私は、多くの野生の動植物が、進化的な時間の中で演じられる止むことのない囚人のジレンマというゲームにふけっているという、アクセルロッドとハミルトンの意見に同意する。

その本来の、人間がやる形式での、このゲームの遊び方を説明しよう。「胴元」(バンカー)が一人いて、二人のプレイヤーに判定を下し、利得を支払う。私があなたに対してプレイしていると考えてもらいたい(ただし、やがて見るように、「対して」というのは厳密には必ずしもそうである必要はない)。それぞれの手には、「協力」と「背信」と名づけられた二枚のカードしかない。プレイするときは、それぞれが手の内のカードの一枚を選んで、テーブルに伏せる。カードを伏せるにあたっては、どちらも相手の動きによって影響を受けないようにする。つまり実質的に双方が同時に動くのである。そして、じっと息をのんで胴元がカードを裏返すのを待つ。なぜ息をのむかといえば、勝敗は自分がどのカードを選んだかということだけでなく(それについては私もあなたも、それぞれわかっている)、相手のプレイヤーが何を選んだかにもよっても決まるからである(それについては、胴元が開くまでお互いにわからない)。

カードは二×二枚あるから、組合わせは四通り考えられる。それぞれの場合の利得は、以下の通りである(このゲームの北アメリカ起源を尊重してドルで示してある)。

結果I　私とあなたがともに「協力」を出した場合。胴元は両者に三〇〇ドルを支払う。この金額は、相互協力の報酬と呼ばれる。

結果II　私とあなたがともに「背信」を出した場合。胴元は罰として両者から一〇ドルを徴収する。

これは相互背信の罰金と呼ばれる。

結果Ⅲ　あなたが「協力」を出し、私が「背信」を出した場合。胴元は私に五〇〇ドルを支払い（背信への誘惑料）、あなた（だまされたお人よし、すなわちかも）から一〇〇ドルを徴収する。

結果Ⅳ　あなたが「背信」を出し、私が「協力」を出した場合。胴元はあなたに五〇〇ドルの誘惑料を支払い、かもである私から一〇〇ドルを徴収する。

結果のⅢとⅣは、明らかに鏡像関係にある。つまり、一方が非常に得をし、一方が非常に損をするのである。結果Ⅰ、Ⅱではお互いの損得は同じだが、ⅠのほうがⅡよりもわれわれの両方にとってより好ましい。正確な金額は問題ではない。それらのうちで何回がプラス（支給）で、何回かがかりにマイナス（徴収）であるかということすら、問題ではない。このゲームが真の囚人のジレンマとしての資格をもつうえで問題なのは、それらの序列なのである。背信への誘惑料は相互協力の報酬より高くなければならず、相互協力の報酬は相互背信の罰金よりも、そして、相互背信の罰金はかもの損失よりも、条件がよくなければならない（厳密にいえば、このゲームを真の囚人のジレンマたらしめるもう一つの条件がある。すなわち、誘惑料とかもの支払いの平均は相互協力の報酬を越えてはならないのだ。この付加的な条件の理由は、後ほど出てくる）。四つの場合の結果は図Aの収支表にまとめられる。

さて、なぜ「ジレンマ」なのだろうか？　これを理解するためには、この収支表を眺めて、あなたとゲームをしているときに私の頭の中をよぎる思考を想像していただかなければならない。あなたが出せるカードが「協力」と「背信」の二枚しかないことを私は知っている。順序よく考えてみよう。もしあ

私がすること ＼ あなたがすること	協　力	背　信
協　力	かなり良い **報　酬** （相互協力の） たとえば300ドル	非常に悪い **かもの支払い** たとえば100ドル徴収
背　信	非常に良い **誘惑料** （背信への） たとえば500ドル	かなり悪い **罰　金** （相互背信の） たとえば10ドル徴収

図A　囚人のジレンマ・ゲームにおいて、さまざまな結果から私が得る報酬と支払い。

なたが「背信」を出したならば（これは、この図Aの右の欄を見なければならないことを意味している）、私が出せた最良のカードも同じく「背信」ということになるだろう。相互背信によるペナルティを受けなければならないとしても、もし「協力」のカードを出していたら、私はかもの支払いをしなくてはならず、そちらのほうがもっと悪かっただろう。次に、あなたが別のことをした、つまり「協力」のカードを出した場合を考えてみよう（左の欄を見ていただきたい）。この場合もまた、「背信」が私のなしうる最善のことである。もし私が協力していれば、二人とも三〇〇ドルというかなり高い利得を得ることができただろう。しかし、もし背信すれば、さらに多く、五〇〇ドルを得ることができる。結論は、あなたがどのカードを出そうとも、それにかかわりなく、私の最善の動きは「常に背信」なのである。

　かくして私は、申し分のない論理によって、あなたがどうするかにかかわりなく、私は背信しなければならないという解答を出した。そしてあなたは、それに劣らず申し分のない論理によって、まったく同じ結論をだすことになるだろう。したがって、二人の理性的なプレイヤーが対すると、両者とも背信し、ともにわずかな、あるいは低額の利得で終ることになるだろう。しかし、二人とも、もし双方が「協力」を出しさえしていれば、相互協力のゆえに比較的高い報酬（われわれの例では三〇〇ドル）を得られたはずであることを、完全によく知っている。これこそ、このゲームがなぜジレンマと呼ばれるか、なぜそれが気の狂うほど逆説的に見えるのか、なぜそれに対抗する法則が存在するべきだと提案されてきたかの理由である。

「囚人」というのは、一つの特別な想像上の例に由来する。この場合の通貨は金でなくて、囚人の刑期である。ピータースンとモーリアティと呼ばれる二人の人物が、ある一つの犯罪における共犯の疑いで投獄されている。それぞれの囚人は、独房の中で、共犯者に対する不利益な証言をすることによって、仲間を裏切る（背信する）ように誘惑される。処分は二人の囚人が何をするかによってきまり、どちらも相手がどうしたかについて知らない。もし、ピータースンがモーリアティに一切の罪を着せ、モーリアティが黙秘することによって（裏切り者であることが判明したかつての友に協力して）、その話に信憑性を与えれば、モーリアティは重い刑期を受けるのに対して、ピータースンは無罪放免になり、背信に対する誘惑に屈服したことになる。もしそれぞれが裏切ると、両者とも罪に問われるが、証拠を与えた点で多少の信用を得て、まだ厳しいけれどもいくぶんかは軽減された刑期、すなわち相互背信の罰を得ることになる。もし、両者が協力して（お互いに関してで、当局に対してではない）、証言を拒否すると、主要な犯罪に関して二人のうちのどちらについても有罪にする十分な証拠が存在しないので、より軽微な罪に対する短い刑期、すなわち相互協力の報酬を受け取る。刑期を「報酬」と呼ぶのは奇妙に思われるかもしれないが、もうひとつの選択肢がより長く牢獄で過ごすことであれば、それを人がどう見るかということである。「支払い」がドルではなく、刑期であったけれども、このゲームの基本的な特徴が保存されていることに気がつくだろう（四つの場合の望ましさの順序を考察されたい）。もし、あなた自身をそれぞれの囚人の立場におき、両方とも合理的な自己利益に動機づけられて動くと想定し、お互いに協定するべく話し合いができないということを想起するならば、いずれの側も、お互いに裏切り、それによって両方ともが重い刑期を宣告される以外に選択の余地がないことがおわかりいただけるであろう。

このジレンマから逃れる方法はあるのだろうか？　両方のプレイヤーとも、相手がなにをしようとも、自分自身は「背信する」以上にうまい方策がないことをよく知っている。しかしまた、二人が協力しさえすれば、それぞれがより利益を得ることをも知っている。もし……しさえすれば、もし……しさえすれば、もし同意に達するなんらかの方法がありさえすれば、それぞれのプレイヤーが相手が利己的な大もうけに走らないと信じることができるように安心させられる方法がありさえすれば、協約を守らせるなんらかの方法がありさえすれば。

囚人のジレンマという単純なゲームにおいては、信頼を確認する方法はない。プレイヤーの少なくとも一方が、あまりにもお人よしで、本物の聖人のようなかもでもないかぎり、このゲームは最終的には双方のプレイヤーにとって逆説的に貧しい結果をともなう相互背信に終るべく運命づけられている。しかし、このゲームにはもう一つのヴァージョンがある。それは、「反復」あるいは「くりかえし」囚人のジレンマと呼ばれている。この反復ゲームはより手のこんだものであり、そして、その複雑さの中に希望が横たわっている。

この反復ゲームは、通常のゲームが同一のプレイヤーによって際限なくくりかえしおこなわれるだけのものである。またしても、私とあなたは向かい合い、その間に胴元がすわっている。またしても、お互いの手の内には、「協力」と「背信」と呼ばれる二枚のカードしかない。またしても、われわれは、これらのカードのどちらか一方を出すことによって勝負し、胴元は、先に示したルールに従って、金を支払い、あるいは罰金を徴収する。しかし今度は、それでゲームが終りになるかわりに、われわれはもう一度カードを拾いあげて、次の勝負に備える。何回か勝負を続けるうちに、われわれは信用ないしは不信を築き、恩返ししたり懐柔したり、許したり復讐したりする機会を与えられる。際限なく長いゲームにおいては、重要な点は、お互いに損害をかけあうことなく、胴元に損害を与えて両方が勝つことができるという点にある。

一〇回の勝負をしたあと、理論的には私は最大五〇〇〇ドル勝つことができるが、それはあなたがとてつもなく愚か（あるいは聖人のよう）で、私が常に背信を続けているにもかかわらず、毎回「協力」のカードを出し続けた場合だけである。より現実的には、両方が一〇回の勝負すべてにおいて「協力」のカードを出すことによって、胴元の金を三〇〇〇ドル巻き上げるほうが、われわれにとってずっと簡単である。そのために、われわれはとくに聖人的である必要はない。なぜなら、二人とも、相手の過去のカードの出し方から、相手が信用できることを見抜きうるからである。実際、われわれはお互いの行動を査察することができる。もうひとつ、きわめておこりうる可能性の高い事柄は、われわれのどちらもが相手を信用しないことである。つまり、両方がゲームの一〇回の勝負のすべてに「背信」を出し続け、胴元はわれわれのそれぞれから一〇〇ドルを得るのである。すべての中でいちばん可能性の高いのは、われわれがお互いに部分的に相手を信用し、「協力」と「背信」を多少とも入りまじった順序で出して、最終的に、中間のいずれかの金額を得るというものである。

10章で述べた、お互いの羽からダニを取り除いた鳥たちは、一種の反復囚人のジレンマ・ゲームをしていたのだ。どうしてそうなのだろうか？　鳥にとって、自らの体についたダニを引きはがすことは重要であるが、自分の頭のてっぺんには嘴が届かず、自分にかわってそれをやってくれる仲間を必要とすることを思い出していただきたい。後で彼がお返しをすべきだというのは、公平なことでしかないと思われる。しかしこのサービスは鳥に、それほどたいしたものではないにせよ、時間とエネルギーの出費を強いる。もし鳥がだましてーー自分のダニを取ってもらったあとで、お返しをすることを拒否することによってーー逃げることができれば、彼は、費用を払わずにあらゆる利益を得ることができる。おこりうる結果を順に並べてみれば、そこには実際、真の囚人のジレンマのゲームがあることがわかる。両者が（お互いにダニを取り合って）協力すればかなり得をするが、お返しするという代価を支払うことを拒否してもっと得をしようという誘惑も依然として存在する。両方が（ダニを取ることを拒否して）背信すれば、かなり損をするが、しかし、ほかの鳥のダニを取るための努力をしながら、自らは最終的にダニにたかられたままという場合ほどひどい損はしない。その収支表は図Bのようになる。

しかし、これはほんの一例にすぎない。それについて考えれば考えるほど、人間の生活だけでなく、動物や植物の生活さえもが、反復ジレンマ・ゲームに蝕（むしば）まれていることに気づかされる。植物の生活だって？　そう、なぜおかしいのか？　われわれが意識的な戦略（もっともわれわれ人間はときにそうで

私がすること ＼ あなたがすること	協　力	背　信
協　力	かなり良い **報　酬** 私はダニを取ってもらう。だが，私もあなたのダニを取るという出費をする。	非常に悪い **かもの支払い** 私はダニをつけたままで，あなたのダニを取るという出費をする。
背　信	非常に良い **誘惑料** 私はダニを取ってもらう。だが，私はあなたのダニを取るという出費をしない。	かなり悪い **罰　金** 私はダニをつけたままだが，あなたのダニを取らないというささやかな慰めをえる。

図B　鳥のダニ取りゲームにおいて、さまざまな結果から私が得る報酬と支払い。

あることもあるが）についてではなく、遺伝子があらかじめプログラムしているような類いの戦略について述べていることを思いおこしてほしい。後ほど、植物やさまざまな動物、そしてバクテリアでさえも、すべて反復囚人のジレンマのゲームをしていることを見ることになる。当面ここでは、反復に関してきわめて重要な事柄についてもっとくわしく検討してみよう。

「背信」が唯一の合理的な戦略であることがかなり予測しやすい単純なゲームとはちがって、反復方式のゲームは多数の戦略的な余地を提供する。単純なゲームでは、可能な戦略は「協力」と「背信」の二つしかない。しかしながら、反復方式では多数の戦略が考えられ、どれが最善であるかは決して明らかではない。たとえば、「たいていのときは協力するが、勝負のうち、ランダムに一〇％は背信を出す」という戦略は、何千ものうちのほんの一例にすぎない。あるいはゲームの過去の歴史による条件的な戦略になるかもしれない。私の「恨み屋」はその例である。それは顔つきについてすぐれた記憶力をもっており、基本的には協力的であるが、前に相手のプレイヤーが背信したことがあれば、背信するのである。ほかに、より寛大で、より短期の記憶力をもつという戦略もあるだろう。

明らかに、反復ゲームにおいて採りうる戦略を制限するのはわれわれの創意の才だけである。どれが最善であるかを解明することができるだろうか？　これこそ、アクセルロッドが自らに課した仕事である。彼はコンペを開くというおもしろいアイディアを思いつき、戦略を提出するようゲーム理論の専門家に求める広告を出した。この場合の戦略の意味は、あらかじめプログラムされた行動の規則のことであり、したがって、応募者は作品をコンピュータ言語で送付すればよかった。一四通りの戦略が提案された。おまけとして、アクセルロッドはランダムと名づける一五番目の戦略を付け加えた。これは「協力」と「背信」をでたらめに出すだけのことで、一種の基準となる「無戦略」の役割を果たした。もし、ある戦略がランダムより得でなければ、それは相当にできの悪いものであるにちがいない。

アクセルロッドは一五の戦略をすべて、一つの共通のプログラム言語に翻訳し、大型コンピュータでお互いに対戦させた。それぞれの戦略は、他のすべての戦略と（自分自身のコピーも含めて）順次、対に組合わされて、反復囚人のジレンマをプレイする。一五の戦略があったから、コンピュータでおこなわれるゲームは一五×一五、すなわち二二五通りある。それぞれの対戦で二〇〇回の勝負がすんだところで、得点を総計し、勝者を宣言する。

われわれは、どの戦略が、どの特定の相手に勝つかどうかに関心はない。問題は、どの戦略が一五回の対戦すべてを合計したときに最大の「金」を累積するかということである。「金」というのは単純に、以下に示す図式に従って与えられる「得点」を意味する。すなわち、相互協力は三点、背信への誘惑料は五点、相互背信の罰としては一点（先に述べたゲームにおける軽い罰金に対応する）、かもの支払いは〇点（先に述べたゲームにおける重い罰金に対応する）というわけである。

一つの戦略が達成しうる最高得点は一万五〇〇〇点（一ラウンド五点で二〇〇ラウンド、それを一五の相手すべてに対して得れば）である。最低得点は〇である。言うまでもないことだが、この二つの両極端は現実にはおこらなかった。一つの戦略が、一五回の対戦の平均値として獲得しうる点として現実的に望みうる最大値は六〇〇点を大きくこえることはないだろう。これは、二人のプレイヤーがたえず協力しあって、二〇〇ラウンドのゲームの各ラウンドに三点ずつ獲得していったときに、それぞれのプレイヤーが受け取る得点である。もし、どちらか一方が背信の誘惑に屈すれば、他のプレイヤーの報復（提案された戦略のほとんどは、そのなかになんらかの種類の報復行動を組みこんでいる）のゆえに、六〇〇点より少ない得点に終わる可能性がきわめて高い。われわれは、六〇〇点をゲームの一種の基準として用い、あらゆる得点をこの基準のパーセンテージであらわせる。この尺度では、理論的には最高一六六％（一〇〇〇点）になりうるが、実践的には、平均得点が六〇〇を越える戦略はない。

このトーナメント試合では「プレイヤー」が人間ではなく、コンピュータのプログラム、あらかじめプログラムされた戦略であることを思い出してほしい。そのプログラムを作成した者は、肉体をプログラムする遺伝子と同じ役割を演じたのである（4章のコンピュータのチェスとアンドロメダのコンピュータを考えていただきたい）。戦略をその作成者のミニチュアの「代理人」と考えられる。実際、一人の作成者が二つ以上の戦略を提案することもありえた（もっとも、一人の作成者が、競技に複数の戦略を「つめ込んで」、そのうちの一つが他の戦略から犠牲的な協力という利益を受けとるようにするのは、

私がすること ＼ あなたがすること	協　力	背　信
協　力	かなり良い **報　酬** （相互協力の） 3点	非常に悪い **かもの支払い** 0点
背　信	非常に良い **誘惑料** （背信の） 5点	かなり悪い **罰　金** （相互背信の） 1点

図C　アクセルロッドのコンピュータ・トーナメントにおいて、さまざまな結果から私が得る報酬と支払い。

不正行為になっただろう——アクセルロッドもおそらくそれを許さなかったはずだ）。

いくつか巧妙な戦略が提案されたが、ただし、当然のことながら、その作成者の巧妙さにくらべればはるかに劣る。勝利を収めた戦略は、驚くべきことに、もっとも単純で、表面的には全部の中でもっとも巧妙さに欠けるものであった。それは「やられたらやり返す（tit for tat——しっぺ返しとも訳される）」と呼ばれ、提案者は有名な心理学者で、ゲーム理論家であるトロント大学のアナトール・ラパポート教授であった。「やられたらやり返す」は最初の勝負は協力ではじめ、それ以後は単純に前の回に相手が引いた手をまねするだけである。

「やられたらやり返す」戦略が関与するゲームはどのように進行するだろうか。いつでも、何がおこるかは相手のプレイヤーしだいである。まず最初、相手のプレイヤーも「やられたやり返す」だと想定してみよう（各戦略は他の一四の戦略のほかに自分自身のコピーともプレイすることを想起していただきたい）。両方とも協力からはじめる。次の回には、それぞれは相手が前回引いた手をまねするが、それは「協力」であった。両者ともゲームの終りまで「協力」を引きつづけ、六〇〇点という「基準」の一〇〇%の得点を得ることになる。

さて次は、「やられたらやり返す」が「素朴な試し屋（naive prober）」と呼ばれる戦略とプレイする場合を考えてみよう。「素朴な試し屋」は実際にはアクセルロッドの競合には参加していないが、にもかかわらず有益なものである。これは基本的には「やられたらやり返す」と同じだが、たまに、いってみれば一〇回に一回の割で、でたらめに理由なく背信し、誘惑料としての高い得点を求める。「素朴な試し屋」がこの試しの背信を試みるまでは、プレイヤーは「やられたらやり返す」どうしと同じことであろう。長く、そして相互に利益のある協力の連続は、両方のプレイヤーにとって快適な、一〇〇%の基準点をともないながら、おのずと進行し始める。しかし突然、警告なしに、たとえば八回目の勝負で、「素朴な試し屋」が背信する。「やられたらやり返す」はもちろん、この勝負では「協力」を出していたので、〇点というかもの支払いを課せられる。「素朴な試し屋」は、その引きで五点を得たのであるから、得をしたようにみえる。しかし次の勝負では「やられたらやり返す」は「報復する」。それはただ、前の回の相手の手をまねするという規則にしたがって、「背信」を出すのである。一方「素朴な試し屋」は組込まれた自らの模倣の規則に盲目的に従って、敵の「協力」という手を模倣している。そこで、カモの得点である〇点を得るのに対して、「やられたらやり返す」は五点という高得点を得る。次の勝負では、「素朴な試し屋」は――どちらといえば公正さに欠けると考えられようが――、「やられたらやり返す」の背信に「報復する」。そしてまたその逆が交互に続く。この交互のやりとりが続くあいだ、両プレイヤーは一勝負あたり平均二・五点（五点と〇点の平均）を受け取る。これは、両プレイヤーが相互協力を続けて集めることができる着実な三点よりも低い（ついでながら、これが三一五頁で説明し残した「付加的な条件」の理由である）。したがって、「素朴な試し屋」が「やられたらやり返す」とプレイするときには、両者とも、「やられたらやり返す」どうしがプレイするより悪い点になる。そしても し、「素朴な試し屋」どうしがプレイすれば、両者とも、むしろ、もっと悪い結果になる傾向がある。なぜなら、背信のやり返し合いはもっと早くから始まる傾向があるからだ。

さて、次に「後悔する試し屋（remorseful prober）」というもう一つの戦略について考えてみよう。「後悔する試し屋」は「素朴な試し屋」と似ているが、ただ、交互にくりかえされるやり返し合いの連続を打破する積極的な方策を講じる点だけがちがっている。そうするためには、これは、「やられたらやり返す」と「素朴な試し屋」のどちらかより、ほんの少し長い記憶をもつ必要がある。「後悔する試し屋」は、自分がただ突発的に背信しただけなのかどうか、結果が即座の報復であったかどうかを記憶している。もしそうなら、それは「後悔の念をもって」、報復することなく「一回だけ自由に殴（なぐ）る」ことを敵に許す。これは、相互のやり返し合いの連続がまだ芽のうちに摘みとられるということを意味する。もし、ここで「後悔する試し屋」と「やられたらやり返す」の間でなされる想像上のゲームを続けてみれば、おこりえたであろう相互やり返し合いの連続が速やかに鎮圧されるのを見るだろう。ゲームの大半は相互協力に費やされ、両プレイヤーともその結果として、たくさんの得点を得ることができる。「後悔する試し屋」は、「やられたらやり返す」との対戦で「素朴な試し屋」よりもいい点をとれるが、「やられたらやり返す」が自分自身と対戦したときほどよい点ではない。

アクセルロッドのトーナメントで扱われている戦略のいくつかは、「後悔する試し屋」と「素朴な試し屋」のいずれかよりもずっと洗練されたものであったが、それらも、平均すれば、単純な「やられたらやり返す」よりも少ない得点に終る。実際、すべての戦略（「ランダム」を除く）の中で、もっとも成功率が低かったのは、もっとも手のこんだものである。それは「匿名氏」によって提案されたものであった――これは、楽しい憶測をかきたてる。この「匿名氏」はだれか？　ペンタゴンの黒幕か？　CIAの長官か？　ヘンリー・キッシンジャーか？　アクセルロッド自身か？　決して知りえないだろうとは思うのだが。

提出された特定の戦略の詳細を検討するのはそれほどおもしろいことではない。これは、コンピュータ・プログラマーたちの巧妙さについての本ではない。各戦略をある種のカテゴリーに従って分類し、それぞれの大きな区分ごとの成功度を検討するほうがもっとおもしろい。アクセルロッドが認めているもっとも重要なカテゴリーは「気がいい（ナイス）」である。「気がいい」戦略は、自分のほうから最初に背信することが決してないものと定義される。「やられたらやり返す」はその一例である。それは背信することができるが、報復としてしかそれをしない。「素朴な試し屋」と「後悔する試し屋」は、いかにまれであるとはいえ、挑発されていないときにときどき背信をするので、「意地悪（ナスティ）」戦略である。トーナメントに参加した一五の戦略のうち、八つは「気がいい」である。意味ぶかいことに、得点の高いほうから上位八位は、どれもまさに八つの「気がいい」戦略であった。「やられたらやり返す」は平均五〇四・五点を得るが、これはわれわれの基準点である六〇〇点の八四％で、かなりの高得点である。他の「気がいい」戦略も、これよりわずかに低いだけの、八三・四％から七八・六％の幅のあいだの得点を得る。この得点と、「意地悪」戦略の中でもっとも成功する「グラスキャンプ」が得る六六・八%の間には、大きなギャップがある。このゲームでは、「気がいい」戦略がうまくいくというのが、かなり有力なように思われる。

アクセルロッドのもう一つの専門用語は「寛容（forgiving）」である。「寛容」戦略というのは、報復することはあるが、短期の記憶しかもたないものである。それは古い悪事をすぐに見逃すのだ。「やられたらやり返す」は一つの寛容戦略である。背信者に対して即座にげんこつをお見舞いするが、その後は、過去を水に流す。10章の「恨み屋」は絶対に容赦しない。その記憶はゲームの全期間を通じて持続する。一度でも自分に背信したことのあるプレイヤーに対する恨みを決して忘れないのだ。形式の上で「恨み屋」と同じ戦略が、アクセルロッドのトーナメントでは、フリードマンという呼称で提出されているが、成績はとりわけてよくはない。すべての「気がいい」戦略（フリードマン戦略は、区分上は「気がいい」戦略であるのにまったく寛容さがないことに注意）の中で、「恨み屋／フリードマン」は二番目に悪い成績である。寛容でない戦略がそれほどうまくいかない理由は、敵が「後悔をする」戦略の場合でさえも、相互やり返し合いの連続を打開することができないという点にある。

「やられたらやり返す」よりももっと寛大なことさえありうる。「二発に一発返す（tit for two tat）」という戦略は、最終的に報復するまでに、敵が続けて二回背信することを許す。これは過度に聖人的で、度量が広いと思われるかもしれない。にもかかわらずアクセルロッドは、だれかがこのトーナメントに「二発に一発返す」を提案していたら、それが勝利を収めたであろうという計算をしている。その理由は、それが相互逆襲の連続を回避することにすぐれているからである。

かくして、われわれは勝利する戦略の二つの特徴を特定することができた。「気のよさ」と「寛容さ」である。このほとんどユートピア的な響きのする結論——すなわち、気のよさと寛容さが間尺に合うという結論——は、微妙に意地悪な戦略を提出することによってあまりにも巧妙にやろうと試みた専門家の多くを驚かせた。また一方、気がいい戦略を提出した人々でさえ、「二発に一発返す」というほどに寛容な戦略をあえて提出することはなかったのである。

アクセルロッドは第二回のトーナメントを広告した。彼は六二の応募を受けとり、またしてもこれに「ランダム」を付け加え、全部で六三にした。今度は一ゲーム当たりの勝負の正確な回数は二〇〇回に固定せず、未定にしておいたが、そのしかるべき理由については、後ほど論じる。今度もまだ、得点を「基準点」、すなわち「常に協力的」な得点のパーセンテージとしてあらわすことができる。ただし、その基準点はもっと複雑な計算を必要とし、もはや六〇〇点に固定されなくなるのだが。

二回目のトーナメントのプログラマーたちはすべて、なぜ「やられたらやり返す」やその他の「気がよくて」、「寛容な」戦略がそれほどうまくゆくかに関するアクセルロッドの分析を含めて、一回目の結果を提供されていた。競技者がこの背景の情報をいずれかの形で考慮に入れるだろうということは当然予想される。実際、彼らは二つの考え方の流派に分かれた。一方の流派は、気のよさと寛容さが明らかに、勝者となる特質であると考え、それに応じて「気がいい」、「寛容な」戦略を提出した。ジョン・メイナード＝スミスは、超寛容な「二発に一発返す」戦略を提出するところまでいった。もう一方の考え方の流派は、多数の彼らの同僚がアクセルロッドの論文を読んで、今度は「気がいい」、「寛容な」戦略を提出するだろうと考えて、意地悪戦略を提出し、これら予想される弱者たちを搾取しようと試みたのだ。

しかし、またしても意地悪は間尺に合わなかった。またしてもアナトール・ラパポートによって提出された「やられたらやり返す」が勝者となり、基準点のなんと九六％という立派な得点を記録した。またしても「気がいい」戦略は一般に「意地悪」戦略よりも成功した。上位一五位のうち一つをのぞいてすべて「気がいい」戦略であり、下から一五位の中で一つをのぞいて「意地悪」戦略だった。しかし、「二発に一発返す」はもし一回目のトーナメントに提出されていれば勝ったであろうが、二回目のトーナメントでは勝てなかった。その理由は、今度の戦場では、そのようなとことんまでの弱者を情け容赦なく餌食にできる、もっと微妙な意地悪戦略が含まれていたからだ！

このことは、こういったトーナメントにおける重要な問題点の一つを強調している。すなわち、戦略の成功は他にどんな戦略がたまたま提出されているかどうかにかかっているのである。それこそ、「二発に一発返す」が順位のかなり下位にランクされる二回目のトーナメントと、「二発に一発返す」が勝者となる一回目の差を説明する唯一の方法である。しかし、前にも述べたが、本書はコンピュータ・プログラマーの巧妙さについての本ではない。より一般的で、より恣意的でないという意味で、どれが真に最善の戦略であるかを判断する客観的な方法があるだろうか？　これまでの章を読まれた読者はすでに、進化的に安定な戦略という理論の中にその答えを見出そうとする準備ができていることだろう。

アクセルロッドは彼の初期の結果をいろいろの人に回覧して、二回目のトーナメントに戦略を提出するように招請したが、私もそのうちの一人だった。私はそれに応じなかったが、そのかわりに一つの示唆を与えた。アクセルロッドはすでにＥＳＳの用語で考えはじめていたが、私はその傾向はきわめて重要だと感じていたので、彼にW・D・ハミルトンと接触をとるように手紙ですすめたのである。ハミルトンは当時、アクセルロッドはそのことを知らなかったのだが、同じミシガン大学の別の学科にいたのである。アクセルロッドは実際にただちにハミルトンと接触をとり、その後におこなわれた二人の共同研究の成果が、一九八一年の「サイエンス」誌に発表されたすばらしい共著論文である。この論文は全米科学振興協会のニューコーム・クリーヴランド賞を獲得した。反復囚人のジレンマのうれしくなるほど奇抜な生物学的実例のいくつかについて論じることに加えて、アクセルロッドとハミルトンは、私がESS的アプローチの正当な認識とみなすものを与えている。

ESS的アプローチを、アクセルロッドの二回のトーナメントで適用された「総当たり」方式とくらべてみよう。総当たり戦というのはサッカーのリーグ戦のようなものである。それぞれの戦略が他の戦略のそれぞれと同じ回数だけ対戦する。一つの戦略の最終得点は、他の戦略すべてとの対戦で獲得した得点の総計である。したがって、総当たり戦のトーナメントで勝利するためには、人々がたまたま提出したほかのすべての戦略に対してうまく対抗できなくてはならない。幅広いほかの戦略に対してうまくゆく戦略に対してアクセルロッドがつけた名は「頑健（robust）」である。「やられたらやり返す」は「頑健な」戦略であることが判明した。しかし人々がたまたま提出した一連の戦略は恣意的なセットである。これこそ先にわれわれを悩ませた点である。そして、たまたまアクセルロッドの最初のトーナメントでは、参加者のほぼ半分が「気のいい」戦略だった。こういう場の中で「やられたらやり返す」が勝ち、また「二発に一発返す」がもし提出されていれば、この場の中では勝ったことだろう。しかしたまたま参加者のほとんどすべてが「意地悪」戦略だったと想像してみよう。これは簡単におこりうる可能性があった。結局のところ、提出された一四の戦略のうち六つは意地悪だったのだ。もし一三全部が意地悪だったとしたら、「やられたらやり返す」は勝つことがなかったであろう。この「場（クライメイト）」は「やられたらやり返す」にとって悪いものだろう。獲得賞金だけでなく、各戦略のあいだの成功度の順位も、たまたまどういう戦略が提出されていたかに依存する。言いかえれば、人間の気まぐれのように恣意的なものに依存しているのである。この恣意性をどうすれば減らすことができるのだろうか？ それは、「ESSを考える」ことによってである。

これまでの章から、読者は、進化的に安定な戦略（ESS）の重要な特徴が、もしそれがさまざまな戦略の集団の中ですでに多数を占めているときには、そのままうまくやりつづけられるということであるのを、思い出されるであろう。たとえば、「やられたらやり返す」がESSであるということは、「やられたらやり返す」が優位を占めている場の中では「やられたらやり返す」はうまくやっていけるだろうといっていることになる。これは特別な種類の「頑健さ」とみなすことができる。進化論者としてわれわれは、それこそ問題にすべき唯一の頑健さだとみなしたい。なぜそれがそれほど問題なのか。なぜなら、ダーウィン主義の世界においては、勝利は金で支払われず、子孫の数で支払われるからだ。ダーウィン主義者にとって、成功する戦略はさまざま戦略の集団の中で多数になったもののことである。ある一つの戦略が成功しつづけるためには、その戦略が多数になったときに、つまり自分自身のコピーたちが優勢になったときに、とくにうまくいくものでなければならない。

アクセルロッドは、事実問題として、第三ラウンドのトーナメントを、自然淘汰がおこなうような形で実施し、ESSを求めようとした。現実には彼はそれを第三ラウンドと呼ばなかった。というのも、彼は新しい参加者を勧誘せず、第二ラウンドと同じ六三通りを用いたからである。私がそれを第三ラウンドと呼んだほうが都合がいいと思ったのは、それと前二回の「総当たり」トーナメントとの相異は、二回の総当たりトーナメントどうしの相異よりももっと根本的だと考えたからである。

アクセルロッドは六三の戦略を取りあげ、それをまたもやコンピュータに放りこんで、進化的な継承の「第一世代」をつくらせた。したがって「第一世代」の「場」は、六三すべての戦略を均等に代表するものからなっていた。第一世代の終りに、各戦略の勝者は「金」や「得点」ではなく、その（無性生殖型の）親と同一の戦略をとる子どもの数で支払われる。世代が進むにつれて、ある戦略は数が少なくなっていき、最終的には絶滅する。別の戦略はますます数が多くなっていく。したがって、その比率が変わるにつれ、結果として、ゲームの将来の対戦がおこる「場」も変わったのである。

最終的に、およそ一〇〇〇世代を経過したあと、比率がそれ以降変わらず、場もそれ以降変わらなくなった。安定に到達したのである。ここまで、さまざまな戦略の運勢は、私が「ごまかし屋」と「お人よし」と「恨み屋」のコンピュータ・シミュレーションをやったときとまさに同じように上昇したり下降したりした。いくつかの戦略は最初から絶滅に向かい、ほとんどは二〇〇世代までに絶滅した。意地悪戦略のうち、一、二のものは頻度を増加させる方向に出発したが、私のシミュレーションにおける「ごまかし屋」と同じように、その繁栄は束の間だった。二〇〇世代以上生きのびた唯一の意地悪戦略は、「ハリントン」と呼ばれるものだった。「ハリントン」の運勢は最初の一五〇世代ほど急激に上昇した。そのあとかなりゆっくりと下降していき、一〇〇〇世代近辺で絶滅に近づいた。「ハリントン」は私のもとの「ごまかし屋」と同じ理由で一時的にうまくやることができた。それは「二発に一発返す」

(あまりに寛容にすぎる)などの軟弱な相手がまわりにいるあいだは、それらを搾取した。そのあと、軟弱な連中が絶滅させられてしまうと、「ハリントン」は簡単に利用できる獲物がいなくなって、彼らのあとを追って絶滅することになった。闘いの場は、「やられたらやり返す」のように「気はいい」が「憤慨できる」戦略の独壇場となった。

実際、「やられたらやり返す」は、第三ラウンドの六回の試算のうち五回において、第一、第二ラウンドと同じように第一位になった。気はいいが憤慨できるほかの五つの戦略も最終的に「やられたらやり返す」とほとんど同じように成功した(集団内の頻度に関して)。じつのところ、そのうちの一つは六回目の試算で勝ったのだ。すべての意地悪戦略が絶滅に追いこまれたとき、どんな気のいい戦略も、「やられたらやり返す」と、あるいはお互いどうしと区別する方法がなくなってしまう。なぜなら、それらはすべて気がいいから、お互いに協力のカードを引き合うだけなのだ。

この区別不能性の一つの帰結は、「やられたらやり返す」はESSに似ているけれども、厳密には真のESSではないということだ。ある戦略がESSであるためには、それが普遍的に見られるときに、希少な、突然変異の戦略に侵入されてはならないということを思い出していただきたい。さていまや、「やられたらやり返す」がいかなる意地悪戦略の侵入も受けないというのは真実であるが、ほかの気のいい戦略に対しては問題は別である。たったいま見たように、気のいい戦略の集団の中では、どれもがすべて相手と同じように見え、同じようにふるまう。そこで、まるっきり聖人のごとき「常に協力」のような、ほかのどんな気のいい戦略でさえも、「やられたらやり返す」に対して淘汰上の優位性が明らかでないにもかかわらず、なお気づかれることなく集団に入りこむことができる。それゆえ、専門的にいえば、「やられたらやり返す」はESSではないのである。

世界が気のいい状態にちょうどとどまっているのだから、「やられたらやり返す」をESSとみなすことができるのではないかといわれるかもしれない。だが、ああ、次に何がおこるかを見てほしい。「やられたらやり返す」とはちがって、「常に協力」は、「常に背信」のような意地悪戦略の侵入に安定ではない。「常に背信」は「常に協力」に対してはうまくやってのけることができる。毎回「誘惑料の」高得点を得るからである。「常に背信」のような意地悪戦略は、「常に協力」のようなあまりにも気のいい戦略の数を下落させることになる。

しかし、「やられたらやり返す」は真のESSではないものの、実践的には、基本的に気がよくて報復的な「やられたらやり返すと類似の」複数の戦略がなんらかの割合で混合しているものを、ほぼESSに対応するものとして扱うのは、おそらく公正であろう。そのような混合戦略は少量の意地悪な成分を含んでいるかもしれない。ロバート・ボイドとジェフリー・ローバーバウムは、アクセルロッドの仕事のとても興味ぶかい追跡研究の一つにおいて、「二発に一発返す」と「懐疑的なやられたらやり返す」と名づけた戦略の混合について考察している。「懐疑的なやられたらやり返す」は区分上は意地悪であるが、非常に意地悪ではない。それは最初の対戦以後は「やられたらやり返す」それ自身とまったく同じようにふるまうが、しかし——これこそ、それを区分上は意地悪戦略にするゆえんであるが——ゲームの最初の対戦では必ず背信する。「やられたらやり返す」が全面的に優位を占めるような場においては、「懐疑的なやられたらやり返す」は栄えることができない。なぜなら、その最初の背信が以後のとだえることなき相互逆襲の引き金を引いてしまうからである。一方もし出会った相手が「二発に一発返す」であれば、「二発に一発返す」の大きな寛容性がこの逆襲をまだ芽のうちに摘んでしまう。両プレイヤーとも、少なくとも「基準点」、つまりすべて協力の場合の得点をもってゲームを終え、「懐疑的なやられたらやり返す」は最初の背信分だけボーナス点をもらえる。ボイドとローバーバウムは、「やられたらやり返す」の集団は、進化的な言い方で、「二発に一発返す」と「懐疑的なやられたらやり返す」の混合に侵入され、この二つがお互いに友好的に栄えることを示した。この組合わせが、このような形で侵入しうる唯一の組合わせでないことはほぼ確実である。おそらく、わずかに意地悪な戦略と気がよくて非常に寛容な戦略との混合で、両者がいっしょになって侵入することができるような組合わせはたくさんあることだろう。なかには、これは人間生活におなじみの様相を映す鏡だとみなす人がいるかもしれない。

アクセルロッドは「やられたらやり返す」が厳密にはESSでないことを認識しており、したがって、それを説明するために「集団的に安定な戦略」という表現をつくった。真のESSの場合と同じように、同時に二つ以上の戦略が進化的に安定でありうる。そしてまたもや、どの戦略が一つの集団で優位を占めるかは運次第なのである。「常に背信」も、「やられたらやり返す」と同じように安定である。すでに「常に背信」が優位を占めるにいたった集団では、他のいかなる戦略もうまくやっていくことができない。われわれはこのシステムを双安定、つまり一方に「常に背信」という安定点があり、もう一方に「やられたらやり返す」（あるいは主として気がよく、報復的ないくつかの戦略の混合）という安定点のあるシステムとして扱うことができる。どちらであれ、先に集団内で優位を占めるようになった戦略が、そのまま優位にとどまる傾向がある。

しかし、「優位」とは、定量的な言い方で何を意味するのだろうか？　「やられたらやり返す」が「常に背信」よりうまくやっていくためには、どれだけの数がいなければならないのか？　それは、この特別なゲームにおいて胴元が支払う金額の詳細によって変わる。言えるのはただ、ナイフの刃のように鋭く運命を左右する臨界頻度が一般に存在するということだけである。ナイフの刃の片面では「やられたらやり返す」の臨界頻度を越えており、淘汰はますます「やられたらやり返す」に有利になるようにはたらく。ナイフの刃の反対側の面では「常に背信」の臨界頻度を越えていて、淘汰はますます「常に背信」に有利になるようはたらく。このナイフの刃に相当するものとして、すでにわれわれが10章の「恨み屋」と「ごまかし屋」の話で出会ったことが想起されるであろう。

　したがって、集団がナイフの刃のたまたまどち側でスタートするかが問題になるのは、明らかである。そして、われわれは、いかにして集団がときにナイフの刃の片側からもう一方の側へ渡りうるというようなことがおこるのか、を知る必要がある。すでに「常に背信」側に位置している集団でわれわれがスタートしたと考えてみよう。少数の「やられたらやり返す」個体は、互恵的な利益を得るだけの十分な頻度で出会うことがない。したがって自然淘汰は、集団をさらに極端な「常に背信」の側に押し進めることになる。もし機会的（ランダム）な浮動によって、この集団がなんとかナイフの刃を渡ることができる場合にのみ、斜面を「やられたらやり返す」の側に滑り降りることができ、だれもが胴元の（あるいは《自然》の）出費によって、もっとうまくやっていくことができるようになるだろう。しかし、当然のことながら、集団はグループとしての意志をもたないし、意図や目的ももっていない。ナイフの刃をよじのぼろうと努力することなどできはしない。方向性をもたない自然の力がたまたま刃を渡るように導いたときにのみ、彼らは渡るのである。

そういうことが、いかにしておこりうるのだろうか？　その答えをあらわす一つの方法は、たまたまの「偶然」によっておこるだろうというものである。しかし「偶然」というのは無知を述べているだけのことばにすぎない。それは、「何らかのいまだによくわからない、あるいは特定できない理由によって決定される」ということを意味している。われわれは、「偶然」よりはちょっとばかりましなことができる。つまり、われわれは、少数派の「やられたらやり返す」個体が臨界値に達するまで数が増えていく実際的なやり方について、試みに考えてみることができる。これは、どのようにして「やられたらやり返す」個体が十分な数だけ寄り集まって、すべからく胴元の出費によって利益を得られるようになりうるのか、その可能な方法の探求につながるものである。

このような線に沿って考えていくのは、見込みがありそうに思えるが、しかし、もうひとつ漠然としている。お互いによく似た個体どうしが、いったいどんなふうにして寄り集まって局地的な集合をつくりうるのだろうか？　自然界においては、遺伝的な近縁度すなわち血縁を通じてつくるのが、わかりやすい道筋である。たいていの動物は、集団のランダムなメンバーとよりは、自分の兄弟、姉妹、いとこの近くで暮らしていることが多いものだ。これは必ずしも選別を通じてそうなるわけではない。それは、集団の「粘性」から自動的に生じてくるのだ。粘性というのは、各個体が自分の生まれ落ちた場所の近くで暮らしつづける一切の傾向を意味する。たとえば、歴史のほとんどを通じて、また世界のほとんどの地域において（たまたま、われわれのすむ現代世界においてだけはちがうが）、個々の人間が自らの誕生の地から二、三マイル以上遠くまでさまよいでることはめったになかった。その結果、遺伝的に近縁なものの局地的な集合が築きあげられる傾向がある。私は、アイルランド西海岸沖の小さな離島を訪れたときのことを思い出す。そのとき私は、島のほとんどすべての人がジョッキの取っ手のようなとても大きな耳をしているという事実に驚いたのである。大きな耳がそこの気候に適しているからそうなったということはまずありえない（そこでは海に向かって強い風が吹く）。それは、島の住民の大半がお互いに密接な血縁関係にあるからなのである。

遺伝的な類縁は、単に容貌だけでなく、その他のあらゆる種類の事項に関しても似かよう傾向がある。たとえば、「やられたらやり返す」的にふるまう（あるいはふるまわない）遺伝的傾向についてお互いによく似る傾向をもつだろう。それゆえ、全体としての集団の中で「やられたらやり返す」がまれである場合でさえ、局地的にはなお数が多いということがありうる。局地においては、「やられたらやり返す」個体が相互協力のおかげで繁栄できるほど十分頻繁に出会えることがありうる。たとえ、集団全体の中での総体頻度のみを考慮に入れた計算が、彼らの頻度が「ナイフの刃の」臨界より低いと示唆していようともである。

もしこれがおこると、居心地のいい小さな地域集団をなしてお互いに協力しあう「やられたらやり返す」個体は、非常にうまく繁栄することができるだろうから、小さな地域集団からより大きな地域集団へと成長する。こういった地域集団が非常に大きくなり、ほかの地域へも広がっていくということがありうる。そういった地域はそれまで、数の上では、「常に背信」する個体によって支配されていたものである。こういった地域集団を考えるときには、私が述べたアイルランドの島は、物理的に遮断されているがゆえに、誤解を招く対比といえる。それよりむしろ、内部であまり移動がないため、地域全体にわたる交雑がたえず存在する場合でさえ、各個体は遠くにいる隣人とよりもすぐ近くにいる隣人と似かよう傾向をもつような大きな個体群を考えていただきたい。

そうして、「ナイフの刃」までもどってくれば、「やられたらやり返す」はそこを越えることができる。必要なのは、小さな地域集団を形成することだけであり、それは自然個体群で自然におこりがちな類いの出来事である。「やられたらやり返す」は、たとえ少数な場合でも、ナイフの刃を越えて自らの側に渡る生得的な能力をもっているのだ。あたかも、ナイフの刃の下を抜ける秘密の通路があるかのようである。しかしこの通路には一方向にしか通さない弁がある。つまり非対称なのだ。「やられたらやり返す」とちがって「常に背信」は、真のＥＳＳであるにもかかわらず、地域的な小集団になることを利用してナイフの刃を渡ることができない。話はまるで逆だ。「常に背信」の地域集団は、お互いの存在によって繁栄するにはほど遠く、お互いの存在によってとりわけ不都合をこうむる。お互いに平和に助けあって胴元に出費させるどころか、お互いにやっつけあうのだ。したがって、「常に背信」は、「やられたらやり返す」とはちがって、集団内で血縁あるいは粘性から助けを得ることができないのである。

だから、「やられたらやり返す」は疑問符つきでしかＥＳＳではないのだが、一種の高度の安定性をもっているということになる。これは何を意味しうるのだろうか？　たしかに、安定は安定なのである。さてここでは、われわれは長い展望を考えている。「常に背信」は比較的長期間にわたって侵入に抵抗する。しかし、もっと十分長く、おそらく何千年も待てば、「やられたらやり返す」は、ナイフの刃を向こう側へ乗り越えるに必要なだけの個体数を最終的に獲得して、その集団は全体が「やられたらやり返す」に転じることになるだろう。しかし逆はおこらない。「常に背信」は、すでに見たように、寄り集まることによって利益を得ることができず、この高度の安定性を享受できないのだ。

「やられたらやり返す」は、すでに見たごとく、「気のいい」戦略で、最初に背信することはないが、「寛容」でもない。そしてその非寛容は、過去の悪事に対する短期の記憶しかもっていない。さてここでアクセルロッドのもう一つの喚起力のある専門用語を紹介しよう。「やられたらやり返す」はまた「妬(ねた)み屋でもない」。アクセルロッドの用語法でいえば、妬み屋であるというのは、絶対的に多額の金を胴元からせしめることよりも、相手のプレイヤーよりも多くの金額を得ようと努力することを意味する。妬み屋ではないということは、たとえ相手のプレイヤーがあなたと同じだけの金を得たとしても、それによって二人ともがより多くの金額を胴元から得ることができるかぎりまったく満足するという意味だ。「やられたらやり返す」はけっして実際にゲームに「勝つ」ことはない。よく考えてみれば、それは報復の場合を除いて決して背信しないのだから、どの個別のゲームにおいても「敵」以上の得点を獲得しえないことがおわかりいただけるだろう。せいぜいうまくいって相手と引き分けることができるだけだ。しかし、それは引き分けによってともに高得点を達成する傾向がある。「やられたらやり返す」とほかの気のいい戦略を考える場合、「敵」ということばそのものが不適切である。しかし悲しいかな、心理学者たちが現実の人間のあいだで「反復囚人のジレンマ」ゲームを実施するときには、ほとんどすべてのプレイヤーが妬みの誘惑に屈し、そのため相対的にとぼしい金額しか得ることができない。多くの人人は、おそらくそういう可能性を考えることすらせずに、相手のプレイヤーと協力して胴元をやっつけることよりもむしろ相手のプレイヤーをやっつけようとする。アクセルロッドの研究はそれがどんな誤りであるかを示している。

それはある種のゲームにおける一つの誤りにすぎない。ゲーム理論家はゲームを「ゼロサム」と「ノンゼロサム」に分ける。ゼロサム・ゲームというのは、一方のプレイヤーの勝利がもう一方のプレイヤーの敗北となるものである。チェスはゼロサム・ゲームである。なぜなら、それぞれのプレイヤーの目的が相手に勝つことであり、それは他方の敗北を意味するからである。しかしながら、「囚人のジレンマ」はノンゼロサム・ゲームである。お金を支払う胴元がおり、したがって二人のプレイヤーは手を組んで、終始ずっと胴元をこけにしつづけることが可能である。

この、胴元をこけにするという言い方は、シェイクスピアの楽しい一句を思い起こさせる。

まず最初に我々がなすべきは、すべての法律家を殺すこと。

『ヘンリー六世』第二幕

民事「紛争」と呼ばれているものに、実際には大いなる協力の余地が残されていることがよくある。ゼロサム的な対立のごとくみえるものを、ほんのちょっとした善意によって、双方に利益をもたらすノンゼロサム・ゲームに変えてしまうことができるのだ。離婚について考えてみよう。いい結婚は明らかにノンゼロサム・ゲームであり、相互協力に満ちあふれている。しかし、それが破綻したときでさえ、二人が協力を継続して、離婚をもノンゼロサム・ゲームとして処理すれば、利益を得られることを示す理由が山ほどある。二人の弁護士に料金を払ってしまえば、まるで子どもの幸福など取るに足らない理由であるかのごとく、家族の財政に痛撃を与えるだろう。だから、良識と教養をもつカップルは、二人いっしょに一人の弁護士に相談にいくところからスタートするに決まっているはずなのだが……。

しかし、現実の答えはノーである。少なくともイギリスでは、そしてごく最近までアメリカ合衆国の五〇の州のすべてで、法律上の、あるいはより厳密には（そして意味ぶかいことに）、弁護士自体の職業上の規約が、それを許さないのである。弁護士は依頼人として夫婦のうちのどちらか一人しか受け入れることができない。もう一方はドアの前から追いかえされ、法律的なアドバイスをまったく受けられないか、別の弁護士のところへ行くことを強いられる。そしてこのときから、茶番がはじまる。別々の部屋で、しかし同じ声音で、二人の弁護士はただちに、「われわれ」と「彼ら」について語りはじめる。「われわれ」というのが、私と妻のことでないのはおわかりいただけるだろうか。それは、妻と妻の弁護士に対立する私と私の弁護士のことを意味しているのだ。この訴訟が法廷にもちだされると、現実に「スミス対スミス」という風に記載されるのである。その夫婦が敵対的だと感じていようがいまいが、思慮深く友好的であることに努めようと特別に同意していようといまいが、敵対するものと想定されているのだ。離婚を「私が勝ち、あなたが負ける」戦いとして扱うことによってだれが利益をえるのか。チャンスは弁護士たちにしかありえない。

不幸な夫婦はゼロサム・ゲームへ引きずりこまれてしまったのだ。しかしながら、弁護士たちにとっては、スミス対スミスの訴訟は、おいしいもうけのできるノンゼロサム・ゲームであって、スミス夫妻に支払いをもたせて、二人の弁護士は手のこんだ規定にしたがった協力によって、二人の依頼人の口座からしぼりとれるのである。彼らが協力する一つのやり方は、相手側が受け入れるはずがないと双方がわかっている提案をすることである。これは、やはり受け入れられっこないと双方がわかっている対案を相手側からも誘発することになる。そして、やりとりが続く。協力しあう「敵対者」のあいだでかわされるあらゆる手紙、電話代金が請求書にどっさりと書き加えられる。運よく、この手順を数ヶ月、いや数年にさえも引き延ばすことができれば、それに平行して料金もかさんでいく。双方の弁護士は、これらすべてのことをなすのに結託するわけではない。その逆に、なんとも皮肉ではあるが、依頼人の出費のもとになされる彼らの協力を実現する主たる手段は、彼らが良心的に連絡を断つことなのだ。弁護士たちは自分たちが何をしているかということに気づいてさえいないかもしれない。すぐこの後でふれることになるチスイコウモリと同じように、彼らは非常によく儀式化された規則にしたがってプレイをしているのだ。このシステムは一切の意識的な監督あるいは管理なしに作動する。それは、すべて歯車仕掛けによって、われわれをゼロサム・ゲームに向かわしめるのである。依頼人にとってはゼロサムであっても、弁護士にとってはきわめて強くノンゼロサムなのである。

どうすればいいのだろうか？　シェイクスピアの選択は混乱を生むだけだ。法律を変えるほうがすっきりするだろう。しかし大部分の国会議員たちは法律にかかわる職業の出で、ゼロサム的な心性をもっている。英国下院以上に敵対的な雰囲気を想像することはむずかしい（法廷は少なくともまだ論争の礼儀作法を保存している。それももっともで、なぜなら、「我が学識豊かな友と私」つまり法律家どうしは、終始ずっと胴元をこけにするべく、きわめて気のいい協力をしあっているからである）。多分、善意の立法府の議員や、それどころか悔恨の情をもつ弁護士はゲーム理論を少しばかり教えられるべきなのであろう。ちょっとばかり公正のために付け加えると、一部の弁護士はまさにこれと正反対の役割を演じて、ゼロサム的な戦いをしようといらだつ依頼人に、法定外でノンゼロサム的な解決にたどりついたほうがいいですよと説得するのである。

人間の生活におけるほかのゲームについてはどうだろうか？　どれがゼロサムでどれがノンゼロサムなのだろうか。一方で（事実と感じ方は別だから）人生のどういう側面をわれわれはゼロサム、あるいはノンゼロサムなものと感じているのだろうか？　人間の生活のどの側面が「妬み」を育み、どの側面が「胴元」に対する協力を育むのだろうか？　たとえば、賃金契約交渉と「差別賃金」について考えていただきたい。われわれが賃上げの交渉をするとき、「妬み」によって動機づけられるのだろうか？それとも実質収入を最大にするため協力するのだろうか。われわれは、心理学的な実験におけると同様に実生活においても、そうでない場合に自分がゼロサム・ゲームをプレイしていると想定するのだろうか。ここではただ、こういった困難な疑問を提出するだけにする。それに答えることは本書の範囲を越えることになってしまうだろう。

サッカーは一種のゼロサム・ゲームである。少なくとも通常はそうである。しかしときにはノンゼロサム・ゲームになることがありえる。それがたまたま、一九七七年の英国サッカー・リーグでおこった（サッカーは正式にはアソシエーション・フットボールと呼ばれる。ラグビー・フットボール、オーストラリアン・フットボール、アメリカン・フットボール、アイリッシュ・フットボールなど、フットボールと総称される他のゲームも、通常はゼロサム・ゲームである）。英国のサッカー・リーグは四部に分けられている。各クラブ・チームは自分の部内でほかのチームと試合をし、シーズンを通じて勝利ないし引き分けごとの得点を累計していく。一部に入ることはたいへんな名誉で、それは大勢の観衆を保証してくれるので、クラブにとってもうけにもなる。毎年シーズンが終ると、一部の下位の三チームは、次のシーズンには二部に降格させられる。降格はきわめて悲惨な運命とみなされたから、それをさけるためなら大きな努力を傾けるに値する。

一九七七年の五月一八日は、この年のサッカー・シーズンの最終日だった。一部から降格する三チームのうち二チームはすでに決まっていたが、三つ目のチームはまだ競り合っていた。それがサンダーランド、ブリストル、コヴェントリーの三チームのうちのどれか一つであることははっきりしていた。したがってこれら三チームはこの土曜日に、すべてをかけて戦わなければならなかった。サンダーランドは第四のチーム（このチームの一部残留は確実だった）と試合をしていた。ブリストルとコヴェントリーはたまたまぶつかりあって試合をしていた。もしサンダーランドが負ければ、ブリストルとコヴェントリーはお互いに引き分けさえすれば一部にとどまれることがわかっていた。しかしもしサンダーランドが勝てば、ブリストルとコヴェントリーの試合の結果どちらが勝つかによって、一方が陥落することになる。この二つの重大な試合は理論上は同時におこなわれた。しかし事実の問題としては、ブリストル＝コヴェントリー戦はたまたま五分間遅れていた。そのために、サンダーランド戦の結果が、ブリストル＝コヴェントリー戦の終了前にわかってしまうことになった。この点にこそ、このややこしい話のすべてがかかっている。

ブリストル＝コヴェントリー戦の大半は、当時の新聞の記事を引けば、そのプレイは「速くて、しばしば激しく」、一種のエキサイティングな（もしあなたがその手のものが好きならば）火花散る競り合いの熱戦であった。双方にすばらしいゴール・シュートが見られ、試合開始後八〇分の時点で得点は二対二だった。やがて、試合終了の二分前に、他のグラウンドからサンダーランド・チームが負けたというニュースがもたらされた。すぐにコヴェントリー・チームのマネージャーは、グラウンドの端にある巨大な電光掲示板でこのニュースを速報した。二二人すべてのプレイヤーが読みとれたらしく、全員がもはやどちら側も本気でプレイする必要のないことを了解した。引き分けは、降格をさけるために両チームが必要とすることのすべてだった。実際、得点をあげようと努力することはいまや積極的に悪い方策であった。なぜなら、それはプレイヤーを防御から遠ざけることによって、現実に負けてしまうという危険をもたらすからである。両チームとも引き分けを確保することに専念しはじめた。同じ新聞記事を引用すれば、「八〇分にドン・ギリーズがブリストルのために同点のゴールを決めたほんの数秒前までは激しいライバルどうしだったファンたちが、突然いっしょになって祝典の輪に加わったのだ。レフェリーのロン・チャイルズは、選手たちがボールをもっている人間にほとんどあるいはまったく攻めかかることなく、ボールを軽くけりながら回していくのを、なすすべもなく眺めていた」。それまではゼロサム・ゲームであったものが、外の世界からやってきた一片のニュースのせいで、突然にノンゼロサム・ゲームと化してしまったのだ。先に述べたわれわれの議論のことばでいえば、それはあたかも、外部の「胴元」が魔法のようにあらわれて、ブリストルとコヴェントリーの両チームが、引き分けという同じ結果から利益を得ることを可能にしたごとくである。

サッカーのように観客にみせるスポーツがふつうゼロサム・ゲームであることにはしかるべき理由がある。観衆にとって、選手たちが友好的に共謀するのを見るよりは、お互いに力いっぱい戦うのをみるほうがずっと興奮するからだ。しかし現実の生活は、人間も動植物の観衆の利益のためにお膳だてされているわけではない。事実の問題として、実生活の多くの側面はノンゼロサム・ゲームに対応するものである。自然がしばしば「胴元」の役割を果たし、したがって個々人（あるいは各個体）は、お互いの成功から利益を得ることができる。自分が利益を得るために必ずしもライバルを倒す必要はないのだ。利己的遺伝子の基本法則から逸脱することなく、基本的に利己的な世界においてさえ、協力や相互扶助がいかにして栄えうるのかを、われわれは理解することができる。アクセルロッドの言う意味で、なぜ「気のいい奴が一番になる」かを理解することができるのだ。

　しかし、ゲームがくりかえされないかぎり、こういったものは何ひとつとして作動しない。プレイヤーたちは今やっているゲームが最終回ではないということを知って（あるいは少なくとも「わかって」）いなければならない。アクセルロッドの常套句でいえば「未来の影」は長くなければならないのだ。だが、どれぐらい長くなければならないのか。無限に長いということはありえない。理論的な観点からはゲームがどれだけ長かろうが問題ではない。重要なのは、どちらのプレイヤーもゲームがいつ終りになるかを知っていてはならないということだ。私とあなたが対戦していて、ゲームの回数がきっかり一〇〇であることを知っていると想像してもらいたい。そうすると、われわれは二人とも、一〇〇回目が最終ラウンドであり、単純な一回かぎりの「囚人のジレンマ」ゲームに等しいことを理解している。したがって、われわれ二人のどちらにとっても第一〇〇ラウンドにおける唯一の合理的な戦略は「背信」ということになるだろう。そしてそれぞれ、相手のプレイヤーがそのことを計算して、最終ラウンドで背信するという決定を確実にくだすであろうと、考えることができる。こうして、最終ラウンドは予想可能なものとして片づけることができる。しかし、そうなれば九九ラウンドも一回かぎりのゲームに等しくなり、それぞれのプレイヤーにとって、この最後から二回目のゲームにおける唯一の合理的な選択は、やはり「背信」となるだろう。九八回目も同じ論理に屈することになり、そしてどんどんさかのぼっていく。二人の厳密に理性的なプレイヤーは、それぞれの相手も厳密に理性的であると想定すれば、もしゲームが何回目で終わるべく定められているかを両方が知っているなら、背信する以外になすすべがない。この理由によって、ゲームの理論家が「反復囚人のジレンマ」ゲームについて語るときには、彼らはつねに、ゲームの終りは予想不可能であるか、ないしは胴元しか知らないということを仮定している。

ゲームの正確なラウンド数が確実にわかっていなくても、現実の生活においては、そのゲームがどれくらい長く続くだろうかを統計的に推測することがしばしば可能である。この評価が戦略の重要な部分になることがありうる。もし胴元がそわそわし、時計を見やるのに気がつけば、私はゲームが終りに近づきつつあると十分に推測でき、したがって、背信への誘惑にかられることになるだろう。もし私が、あなたもまた胴元のそわそわに気づいたのではないかと疑えば、あなたもまた背信をもくろんでいるのではないかと不安になるだろう。きっと私は、自分のほうが先に背信したいと願うだろう。とりわけて、私は、あなたが私の背信を恐れているのではないかなどと恐れたりするかもしれないから。

一回限りの「囚人のジレンマ」ゲームと「反復囚人のジレンマ」ゲームのあいだに数学者がもうけている区別はあまりにも単純にすぎる。各プレイヤーがゲームがどれくらい長くつづきそうかについての、たえず更新される推測値をもっているかのようにふるまうと予想することもできるはずだ。その推測値が長ければ長いほど、彼は真の「反復囚人のジレンマ」ゲームに関する数学者の予測によりよく従う形でプレイするだろう。言いかえれば、より気がよく、より寛容で、より妬みを示さなくなる。ゲームの未来についての推測値が短ければ短いほど、彼は、一回限りのゲームに関する数学者の予測によりよく従う形でプレイする傾向をもつだろう。言いかえれば、より意地悪で、より妬み深くなるのである。

アクセルロッドは未来の影の重要性を示す感動的な実例を、第一次世界大戦中に生じた、いわゆる「われも生きる、他も生かせ」方式という注目すべき現象から引いている。彼がもとづいた資料は、歴史家で社会学者のトニー・アシュワースの研究である。クリスマスにイギリスとドイツの部隊が中間地帯で一時的に親しく交わりいっしょに酒を飲んだことは非常によく知られている。しかし、非公式で暗黙の不可侵協定、「われも生きる、他も生かせ」が、前線のあらゆるところで、一九一四年にはじまって少なくとも二年間は立派に通用していたという事実はあまり知られていないが、私の意見ではこっちのほうが興味ぶかい。塹壕(ざんごう)に巡視に訪れたとき、自軍の前線の背後のライフル射撃場内部をドイツ兵が歩きまわっているのをみてびっくりした一人の上級将校のことばが引かれている。「我がほうの兵はまったく気にとめてないようにみえた。我が軍が優勢になったあかつきには、この種のことを廃止しようと私は決意した。このようなことは許されるべきではない。こういった連中は明らかに戦争中だということがわかっていない。両陣営とも《われも生きる、他も生かせ》の原則を信じきっているように見えた」。

この時代にはまだ、ゲーム理論と囚人のジレンマは発明されていなかったが、後知恵をもってすれば、何がおこっていたかをかなり明瞭に理解することができ、アクセルロッドは鮮やかな分析を示している。当時の塹壕戦においては、個々の小隊にとっての未来の影は長かった。いってみれば、それぞれの塹壕にたてこもったイギリスの兵士は、同じドイツ兵の塹壕隊と何ヶ月も対峙することが予測できたのである。さらに、一般の兵士は、かりに部隊の移動がある場合でも、それがいつかを決して知らされなかった。軍の命令は周知のごとく、独断的で、気まぐれで、受け取った人間には理解しがたいものである。したがって、未来の影は「やられたらやり返す」タイプの協力を育むに足るだけ十分に長く、十分に漠然としていた。あとは、囚人のジレンマ・ゲームに対応するような条件がありさえすればよい。

真の囚人のジレンマとしての資格をもつためには、支払いが特定の優劣の順位に従っていなければならなかったことを思いだしていただきたい。両陣営とも相互協力（CC）が相互背信より望ましいとみなしていなければならない。相手の陣営が協力（DC）しているときの背信は、それで罰を受けることがなければそれよりもいい。相手の陣営が背信（CD）しているときの協力は最悪である。相互背信（DD）は幕僚たちがそうあって欲しいと願うものである。彼らは自分の兵隊たちが、非常に熱心に、機会があればいつでもドイツ兵（あるいはイギリス兵）をつかまえようとするのを見たいと願っている。

相互協力は将軍たちの観点からすれば望ましくない。なぜなら、それは戦争に勝つことに役立たないからである。しかし、両陣営の兵士の観点からすればきわめて望ましいことである。彼らは撃たれることを望んではいなかったからだ。だれもが認めるように（そしてまた、このことが、真の囚人のジレンマの状況をつくるために必要な他の支払い条件を満たすことになる）、兵士たちはおそらく、戦争に負けるよりは勝つほうがいいと思う点で将軍たちと一致する。しかし、それは一個の兵士が立ち向かえる選択ではない。戦争全体の帰結が、彼が個人として何をなすかによって実質的な影響を受けるということはありえない。一方、無人地帯をはさんだ向こう側であなたと対峙する特定の敵兵との相互協力は、あなた自身の運命にきわめてはっきりとした影響を与えるのであり、相互協力は相互背信よりもはるかに望ましい。たとえあなたが、もし罰を受けないですむのなら、愛国的あるいは規律上の理由から、ぎりぎりのところで背信（DC）のほうを好むということがあったとしてもである。この状況は真の囚人のジレンマであったと思われる。そうなれば、「やられたらやり返す」に似たものが生じてくることが予測できるが、それが実際にそうなったのである。

塹壕の前線のどこか任意の地点における局地的に安定な戦略は、必ずしも「やられたらやり返す」そのものとは限らない。「やられたらやり返す」は、気がよく、報復はするが寛容という一グループの戦略の中の一つにすぎず、これらの戦略はすべて、専門的に言えば安定ではないにせよ、少なくとも一度生じてしまえばそれに侵入するのは困難である。たとえば、当時の記事によれば、「一発に三発返す」がある地域に局地的に生じている。

われわれは夜に塹壕の前へ出かけた。……ドイツの作業班も外に出ていたので、発砲は礼儀にかなうとはみなされなかった。本当に意地の悪いのは小銃榴弾という代物だ。……塹壕の中に落ちれば八人から九人もの人間を殺すことができる。……だが我がほうはドイツ軍がよほどやかましく撃ってこないかぎりけっしてそれを使わない。なぜなら、彼らの報復のやり方では、こちらが一発撃つごとに三発返ってくるからだ。

「やられたらやり返す」グループのどの戦略にとっても、プレイヤーが背信によって罰を受けるということが重要である。つねに報復の脅威が存在しなければならない。報復能力の誇示は、「われも生きる、他も生かせ」方式の特筆すべき特徴である。両陣営からの銃撃は、敵の兵士に向けてではなく、敵兵のすぐ近くの動かない標的に向けられたもので、それによって彼らのおそるべき射撃の手並みを誇示するのである。このテクニックは西部劇映画でも用いられる（蠟燭の炎を撃って消すといった）。なぜ、最初の二個の実戦用原子爆弾が、鮮やかな手並みで蠟燭を撃ち消すのに匹敵するものとしては使用されず、二つの都市（広島と長崎）を破壊するために使用されたかについて、今までのところ満足のいく解答はなされていないように思われる（その開発に責任をもつ指導的な物理学者たちが強く反対したにもかかわらず）。

「やられたらやり返す」と類似の戦略の重要な特徴は、寛容だという点だ。これは、すでにみたように、そうでなければ長く傷つけあう相互逆襲のくりかえしになりかねない事態を鎮静させるのに役立つ。報復の鎮静の重要性は、次に示す一人のイギリス人将校の回想録に、劇的に示されている。

> 私が一人の仲間とお茶を飲んでいるとき、激しいわめき声が聞こえたので、調べに出かけた。すると、我が軍の兵士とドイツ兵たちがそれぞれの胸壁に立ち上がっているのが見えた。突然、一斉射撃に見まわれたが、損傷はなかった。当然ながら両陣営とも体をかがめ、我が軍の兵士たちはドイツ兵に毒づきはじめた。そのときまったく突然、一人の勇敢なドイツ兵が胸壁の上に立ち上がり、「大変申し訳ない。けが人がなければいいんだが。あれはわれわれの責任ではなくて、馬鹿なプロシア砲兵隊のせいなんだ」と叫んだのだ。

この弁明についてアクセルロッドは、「報復を阻止するための単なる手段としての努力をはるかに越えたものである。それは、信頼の状況が破られてしまったことに対する道徳的な後悔の念を反映しており、またたれかが負傷したのではないかという配慮を示している」とコメントしている。確かに称賛すべき、大変に勇敢なドイツ兵である。

アクセルロッドはまた、相互信頼の安定したパターンを維持する上で、予測可能性と儀式の重要性をも強調する。これについての楽しい実例は、イギリス軍の砲兵隊が前線の特定の部分へ時計のように正確に定期的におこなう「夕べの砲撃」である。ドイツ兵のことばによれば次のようなものであった。

それは七時にやってきた——あまりにも定期的だったので、それで時計を合わせることができた。……それはいつも同じ目標を狙い、射程は正確で、標的から横にそれたり、飛びすぎたり、短すぎたりすることはけっしてなかった。……なかには探求心旺盛な奴もいて、……七時ちょっと前に、その砲撃を見るために這い出していきさえした。

ドイツ軍の砲兵隊もまったく同じことをした。イギリス軍側から見た次の記述が示すとおりである。

彼ら〔ドイツ軍〕の標的の選択、銃撃の回数、発射される砲弾の数、その他があまりにも規則的だったので、……ジョーンズ大佐は……次の砲弾が落下する詳細な場所を知っていた。彼の計算は非常に正確で、その洗礼を受けていない参謀将校にとってはとても大きいと思われる危険をおかすことができた。いま標的となっている場所への砲撃が彼がつく前に止むことを知っているからであった。

アクセルロッドは、そのような「形式的で型どおりの発砲の儀式は二重のメッセージを送っている。首脳陣に対しては攻撃を、敵に対しては和平を伝えているのだ」と書いている。「われも生きる、他も生かせ」方式は、ことばによる交渉によって、またテーブルを囲んで駆け引きする意識的な戦略によっても、実現することもできたはずだ。しかし現実はそうではなかった。それは、人々がお互いのふるまいに反応することを通じて、一連の局地的な協定として出現したのだ。個々の兵士はおそらくそのような協定が生まれつつあることにほとんど気づいていなかった。そのことは驚くにあたらない。アクセルロッドのコンピュータに入っている戦略は明確に無意識なものであった。それらを定義するのは、気がいいか意地悪か、寛容か非寛容か、妬み深いかそうでないかといった、そのふるまいであった。それを設計したプログラマーはそういった条件のどれかに当てはまったかもしれないが、それは関係のないことだ。気がよく、寛容で、妬み深くない戦略を、きわめて意地の悪い人間が、簡単にプログラムすることができる。そしてその逆もまたしかりである。戦略の気のよさはそのふるまいによって識別されるのであり、その動機（もっていないのだから）でもなければ、その作者（そのプログラムがコンピュータで走らされるときには、背景の中に姿を消してしまっている）の性格でもない。コンピュータのプログラムは、その戦略に気づくことなく、いや、じつはどんなことにもいっさい気づいていなくとも、戦略的なやり方でふるまうことができるのだ。

もちろんわれわれは、無意識の戦略、あるいは少なくとも意識がいずれにせよ関係しないような戦略という考え方には、すっかりおなじみになっている。本書のさまざまなページには、無意識の戦略がふんだんに出てくる。アクセルロッドのプログラムは、われわれが本書を通じて、動物、植物、そしてじつは遺伝子について考えてきたやり方にとって、一つのみごとなモデルである。したがって、彼の楽観的な結論（妬み深くなく、寛容で、気のいい戦略の勝利）が、自然界にも適用できるかどうかと問うのは自然なことである。答えはイエスで、当然そうなるのである。唯一の条件は、自然がときどき「囚人のジレンマ」ゲームを設定しなければならないこと、未来の影が長くなければならないこと、そしてそのゲームがノンゼロサム・ゲームでなければならないことである。このような条件は、生物界のいたるところで確実に満たされている。

バクテリアが意識的な戦略家だなどといった人はだれもないだろうが、寄生性のバクテリアはおそらく、その寄主と終ることのない囚人のジレンマ・ゲームを戦っている。そして、彼らの戦略にアクセルロッド流の形容詞——寛容、妬み深くない、など——を当てはめてはいけないという理由は存在しない。アクセルロッドとハミルトンは、通常は無害で利益を与えてくれるバクテリアが、けがをした人間においては意地悪に変わり、致命的な敗血症を引きおこすことがあると指摘している。医者はその人の「自然抵抗力」が負傷によって低下したのだというかもしれない。しかしおそらく本当の理由は囚人のジレンマ・ゲームと関係しているだろう。バクテリアはたぶん利益を得ることがあるにもかかわらず、ふだんは抑制しているのではなかろうか。人間とバクテリアのあいだでおこなわれるゲームでは、「未来の影」はふつうは長い。なぜなら、ゲームをどこからはじめるにせよ当たり前の人間なら数年間は生きると予想されるからである。一方、重大な傷を負った人間は、寄生するバクテリアにとって潜在的にはるかに短い未来の影を与えることになる。「背信への誘惑」が「相互協力による報酬」よりも魅力的な選択肢にみえはじめてくる。いうまでもないことだが、バクテリアがこういったことを、その意地の悪いちっぽけな頭で導きだすということではこれっぽちもない。何世代をもかけた淘汰が、純粋に生化学的な手段によってはたらく無意識のヒッチハイクのルールを、おそらくはバクテリアの遺伝子に組込んだのであろう。

アクセルロッドとハミルトンによれば、またもや明らかに無意識な形でだが、植物が復讐することさえあるという。イチジクとイチジクコバチは密接な協力的関係を共有している。あなた方が食べているイチジクは、本当の果実ではない。さきっぽに小さな穴があり、もしその穴の中に入っていけば（そのためにはイチジクコバチほど体が小さくなければならない。イチジクコバチはとても小さく、あまり小さいおかげで、イチジクを食べるときに気がつかない）、まわりの壁に何百というちっちゃな花がならんでいるのを見ることができる。イチジクの実は花にとって、真っ暗な屋内温室であり、屋内授粉室である。そして授粉をおこないうる唯一の媒介者がイチジクコバチである。しかしこのハチにとってなんの利益があるのだろうか。彼らはちっちゃな花のいくつかに卵を産みつけ、幼虫はその花を食べる。彼らは同じイチジクの実の中の他の花を授粉させるのである。イチジクコバチにとって「背信」とは、一つのイチジクの実の中のあまりにもたくさんの花に卵を産みつけ、そのうちのあまりにもわずかしか授粉させないことである。しかし、どのようにしてイチジクの木は「報復」できるのだろうか。アクセルロッドとハミルトンによれば、「多くの例において、もし若いイチジクの実に入ったイチジクコバチが種子を結ぶにたるだけ十分な花を授粉させず、そのかわりにほとんどすべての花に卵を産みつけると、イチジクの木はそのイチジクの実の発育を早い時期に停止させる。すると、イチジクコバチのすべての子どもは死滅してしまう」。

自然界における「やられたらやり返す」協定のごとく見える突飛な例が、エリック・フィッシャーによって、雌雄同体のハタ科の魚で発見された。われわれとはちがって、これらの魚の性は受精の時点で染色体によって決定されてはいない。そのかわりに、どの個体も雌雄両方の機能を実現することができる。一回の放出では、卵か精子のどちらかを出す。一夫一妻的なつがいを形成し、つがいは雄と雌の役割を交代で演じる。さて、どの個体も、もしなんの罰も受けずにできるならば、ずっと雄の役割をするほうを「好む」だろうと推測することができる。なぜなら、雄の役割のほうが出費が小さいからである。別の言い方をすれば、パートナーにほとんどの時間を雌の役割を演じるように仕向けることに成功した個体は、「彼女」の卵への経済的投資の利益のすべてを得る一方で、「彼」には、たとえばほかの魚と交尾するといった、ほかの事柄に費やすことのできる資源を残されることになる。

じつのところ、フィッシャーが観察したものは、この魚たちがかなり厳密な交替システムを作動させているということである。それは、もし彼らが「やられたらやり返す」戦略をとっているとすれば予測される通りのものである。このゲームは多少込み入ってはいるが、実際に、真の囚人のジレンマのように見えるから、魚たちがそうするのももっともに思える。「協力」のカードを出すということは、自分の番がまわってきたときには雌の役割を演じることを意味する。自分が雌の役割を引き受けるべき順番になったときに雄を演じようとする誘惑は、「背信」のカードを出すことに相当する。「背信」は報復の対象になる。パートナーは次に「彼女」(彼？)がそうすべき順番がきたとき雌の役割を引き受けることを拒否できる。あるいは単純にすべての関係をおしまいにすることもできる。フィッシャーは実際に不平等な性役割の分担をしているつがいが崩壊する傾向をもつことを観察している。

社会学者や心理学者がときに発する疑問は、なぜ献血者(イギリスなどの国々では、金が支払われない)は血を提供するのだろうかというものである。私は、その答えがなんらかの単純な意味における互恵性ないしは擬装した利己性にあるとは信じがたいことに気がついた。定期的な献血者が輸血の必要が生じたときに優先的な取り扱いを受けるということはあるまい。小さな金の星章をもらうことさえ問題にならない。純真にすぎるかもしれないが、私はこれこそ、純粋な、利害にかかわりのない利他行動であるとみなしたい誘惑にかられている。それはともかくも、チスイコウモリにおける血液の分配は、アクセルロッドのモデルに非常によく当てはまるように思える。このことを、G・S・ウィルキンソンの研究から知ることができる。

よく知られている通り、チスイコウモリは夜に血を食べて生きている。彼らにとって食事にありつくのは簡単なことではないが、いったんありつけば、おそらくたっぷりと食べられる。夜明けが訪れると、運悪く、まったくの腹ぺこで帰ってくるものもいれば、なんとかして獲物を見つけることができた個体は余分の血までたっぷり吸いこんでくることだろう。次の夜には逆の運命になるかもしれない。そこで、これはちょっとした互恵的利他行動の存在が約束されている事例のように思われる。ウィルキンソンは、その夜に幸運に恵まれた個体が、ときどき実際に、その夜にあまり運のよくなかった仲間に対して吐きもどしによって献血することを発見した。ウィルキンソンが目撃した一一〇回の吐き戻しのうち、七七

私がすること ＼ あなたがすること	協　力	背　信
協　力	かなり良い **報　酬** 私は不運な夜に血をもらい，餓死から救われる。幸運な夜にはあなたに献血するが，それは私にとってささいな出費である。	非常に悪い **かもの支払い** 私は幸運な夜にあなたの命を救うという出費をするが，私が不運な夜にあなたは血をくれず，私は餓死の危険にさらされる。
背　信	非常に良い **誘惑料** あなたは私が不運な日に命を救ってくれる。しかし私は，私の幸運な夜にあなたに献血するというわずかな出費さえしない。	かなり悪い **罰　金** 私は幸運な夜にあなたに献血するというわずかな出費もしないが，不運な日には本物の餓死の危険にさらされる。

図D　チスイコウモリの献血の図式において、さまざまな結果から私が得る報酬と支払い。

回は母親が子どもに給餌したケースとして容易に理解することができた。これ以外の血液分配の事例の多くには、その他の遺伝的類縁性が関与していた。しかしながら、それでもなお血縁のないコウモリのあいだでの血液分配の例がいくつか残った。これらのケースでは「血は水よりも濃い」という説明は事実にそぐわない。おもしろいことに、ここで関与した個体はしばしば同じねぐら仲間であるという傾向が見られた。すなわち、彼らは反復囚人のジレンマに要求される、お互いにくりかえし相互作用しあう機会をまさしくもっているということだ。しかし、囚人のジレンマのためのそのほかの要件は満たされているだろうか。第D図に示した支払い表は、もしそうであるならば、当然こうなっていると推定してよいものである。

チスイコウモリの経済学は本当にこの表に従うのだろうか？　ウィルキンソンは飢えたコウモリが体重を減少させる比率を調べた。これから彼は、満腹したコウモリが飢え死にするまでに要する時間、空腹のコウモリが飢え死にするまでの時間、そしてあらゆる中間段階の時間を計算した。それによって彼は、血液を、引き延ばされる寿命の時間の通貨として利用することができるようになった。実際には驚くべきほどのことではないのだが、彼はこの通貨の交換のレートがコウモリがどれだけ飢えているかによって変わることを発見した。一定量の血液が、あまり飢えていないコウモリより極度に飢えているコウモリに対して、より長時間の延命効果を与える。言い換えれば、献血の行為は献血者が死ぬ確率を増加させるにもかかわらず、その増加は受血者が生き残る確率の増加とくらべればわずかである。そこで、経済学的な言い方をすれば、チスイコウモリの経済学は囚人のジレンマの規則に従っていると見るのが妥当なように思われる。献血者が与える血は彼女（チスイコウモリの社会集団は雌の集団である）にとって、受血者にとっての同量の血ほど貴重なものではない。自分が不運な夜には、彼女は血の贈り物によって途方もなく大きな恩恵を受けることだろう。しかし幸運な夜には、もしそれによって罰を受けないとしてだが、背信（献血することを拒否すること）からはわずかな利益しか得るところがないだろう。「罰を受けない」というのは、もちろん、コウモリたちがある種の「やられたらやり返す」戦略を採用していたときにだけ、なんらかの意味をもちうる。それでは、「やられたらやり返す」的な応酬が進化するための他の条件は満たされているだろうか？

とりわけて、これらのコウモリはお互いを個体として識別できるのだろうか？　ウィルキンソンは飼育したコウモリで実験して、それができることを証明した。一匹を一晩連れ去り、ほかの個体にはたっぷり食べさせるあいだ、飢えさせておくというのが実験の基本的発想である。そのあと不運にも飢えさせられたコウモリがねぐらへもどされ、ウィルキンソンはだれかがその個体に食べ物を与えるとすれば、だれが与えるかを観察した。実験は何回もくりかえされ、飢えさせられる個体も順番に取りかえていった。肝心な点は、この飼育群が何マイルも離れたところにある別の洞窟(どうくつ)から連れて来られた二つの別のグループの混群だったということだ。もしコウモリが自分の友だちを識別する能力があるとすれば、実験的に飢えさせられたコウモリは、自分の元の洞窟のコウモリからだけ餌をもらうと判明するはずだ。

これは実際におきたこととかなりよく合っている。献血は一三例観察された。その一三例のうち一二例では、献血したコウモリは飢えた犠牲者と同じ洞窟から連れて来られた「古い友人」であった。一三例のうちわずか一例においてだけ、飢えた犠牲者は同じ洞窟から連れてこられたのではない「新しい友人」に給餌された。もちろんこれが偶然の一致ということはありうるが、その確率はきわめて小さいと算定しうる。それは五〇〇分の一以下である。コウモリが実際に、異なる洞窟からきた見知らぬ個体よりも古い友人に給餌するほうを好むという偏りをもつと結論してもかなり安全といえる。

チスイコウモリはさまざまな神話を生み出している。ヴィクトリア朝風ゴシック様式の熱心な愛好者にとっては、チスイコウモリは夜にまぎれて恐怖をふりまき、生命体液を抜き取り、ただ渇(かわ)きを満たすためだけに罪もない命を犠牲にする邪悪な力であった。これに、「歯も爪も血まみれの自然」というもう一つのヴィクトリア時代の神話が結びついており、チスイコウモリこそ、利己的遺伝子の世界についてのもっとも深い畏(おそ)れを具現するものではなかろうか？　私に関していえば、あらゆる神話に懐疑的である。もし特定の事例においてどこに真実があるかを知りたいと思えば、よく見なければならない。ダーウィン主義の体系がわれわれに与えてくれるものは、特定の生物についての細かな予測などではない。それはもっと微妙で、もっと貴重な何かを与えてくれる。それは原理を理解することである。しかしわれわれが神話をもたねばならないとすれば、チスイコウモリに関するリアルな現実はまた別種の寓意物語を語ってくれるだろう。コウモリそれ自身にとって、血は単に水より濃いだけのものではない。彼らは血縁のきずなを乗り越えて、血の盃をかわした誠実な兄弟分としての永続的なきずなを形成するのだ。チスイコウモリは心地よい新しい神話、分配し、相互に協力しあうという神話の先陣となることができる。利己的な遺伝子に支配されていてさえ、気のいい奴が一番になることができるという慈悲深い考えの先触れをすることができるだろう。

13 遺伝子の長い腕

一つの落ち着かない緊張が、利己的遺伝子の理論の核心をかき乱している。それは遺伝子と、生命の根本的な担い手（エージェント）としての生物個体の体とのあいだの緊張である。われわれは一方で、独立したDNA自己複製子という心躍るイメージをもっている。それは、シャモアのように跳びはねながら、自由奔放に世代から世代へと移り、一時的に使い捨ての生存機械に寄せ集められるものであり、それぞれ別個の永遠の未来に向けて前進しつつ、死すべき生物体を次々と果てしなく脱ぎ捨ててゆく不滅のコイルである。もう一方では、生物個体の体そのものを見ているが、それぞれの体は明らかに、一つの緊密に結びつき、統合された、恐ろしくこみいった機械であり、はっきりとした目的の一致を伴っている。生物の体がじつは、精子や卵子に乗り込んで、知り合う間もなく巨大な遺伝的ディアスポラ（原義は離散して世界中を放浪するユダヤ人集団のコミュニティ。ここでは生物の体の比喩）の次の旅程に旅だつ互いに対抗的な遺伝的担い手（エージェント）たちの、ルーズで一時的な連合の産物だなどとはとても思えないだろう。それは、一つの目的を達成するために四肢と感覚器官の協調を調整する忠実なる脳をもっている。生物の体は、それ自体としてかなりみごとな主体のように見え、またそのようにふるまっている。

本書のいくつかの章では、実際に生物個体を、そのすべての遺伝子を未来の世代に最大限の成功度で伝えようと努める一つの担い手と考えてきた。われわれは、動物の個体がさまざまな行動方針について、複雑な経済学的「疑似」計算をするかのごとく想定してきた。しかし別の章では、根本的な理由づけは遺伝子の観点から提供された。遺伝子の目で見た生物観なしには、生物がなぜ、たとえば、自らの長生きよりも、自らやその血縁者の繁殖成功度に「心を配る」必要があるのか、特別な理由がなくなってしまう。

この二通りの生物の見方のパラドックスを、どのようにして解消すればよいのだろうか。それに関する私自身の試みは『延長された表現型』にくわしく書かれている。この本は、私の学者としての生涯において達成したほかのいかなる事柄よりも誇らしく、喜ばしいものである。この章は、その本の二、三のテーマの簡単なエッセンスであるが、本当はほとんど、今すぐ読むのをやめて『延長された表現型』に切り替えなさいと言いたいくらいなのだ。

いずれにせよ賢明な物の見方に立つならば、ダーウィニズム的な淘汰は遺伝子に直接作用することはない。DNAはタンパク質にくるまれ、膜に包まれて、世界から保護され、自然淘汰からは見えなくなっている。もし淘汰がDNA分子を直接に選びだそうと試みても、それをおこなうためのなんらかの基準をみつけるのはむずかしいだろう。すべての遺伝子は、磁気テープと同じように、どれもがみな同じように見える。遺伝子間の重要なちがいは、それが及ぼす効果にしかあらわれない。これは通常、胚発生の過程への、したがって体のつくりや行動への効果を意味する。成功する遺伝子とは、一つの共通の胚に属する他のすべての遺伝子から影響を受ける環境において、その胚に有利な効果を及ぼすような遺伝子のことである。有利とは、成功しそうなおとな、すなわちうまく繁殖しそれとまったく同じ遺伝子を未来の世代に送りわたしそうなおとなになるように、胚を発生させることを意味する。表現型という専門用語は、一つの遺伝子の身体的なあらわれ、つまり、遺伝子が発生を通じてその対立遺伝子との比較において身体に及ぼす効果に対して用いられる。いくつかの特定の遺伝子の表現型効果は、たとえば、緑色の眼をつくることかもしれない。実際には、ほとんどの遺伝子は、たとえば緑色の眼と巻毛といった、二つ以上の表現型効果をもっている。自然淘汰は、遺伝子そのものの性質のゆえではなく、その帰結――その表現型効果――のゆえに、ある遺伝子を他の遺伝子よりも優遇する。

ダーウィニストはふつう、表現型効果が生物体全体の生存と繁殖に有利あるいは不利にはたらく遺伝子について論じることを好んできた。彼らは遺伝子そのものの利益を考慮しない傾向があったのだ。これこそ、この理論の核心におけるパラドックスがなぜ通常は自覚されないかということの理由の一部である。たとえば、ある遺伝子は捕食者の走るスピードを改善することによって成功することができるかもしれない。捕食者の体の全体は、そのすべての遺伝子を含めて、速く走れるがゆえに、より成功しやすい。そのスピードは、それが子どもをもつ年まで生きのびることを助け、したがって、速く走る遺伝子をも含めてその遺伝子すべてのコピーがより多く伝えられていくことになる。一つの遺伝子にとっての善はすべての遺伝子にとっての善であるがゆえに、ここでパラドックスはうまい具合に解消される。

しかし、もし一つの遺伝子がそれ自身にとっては善であるが、体の中の残りの遺伝子にとっては悪であるような表現型効果を及ぼすとしたら、どうだろうか。これは決して単なる空想などではない。そういった事例は、たとえば、マイオティック・ドライヴ（減数分裂駆動）と呼ばれる興味ぶかい現象で知られている。減数分裂とは、染色体の数が半分になり、卵細胞や精細胞を生じる特別な細胞分裂であることを思い出していただきたい。正常な減数分裂は完璧に公正なくじ引きである。対立遺伝子のすべてのペアのうちで、運よく精子あるいは卵に入ることができるのは、そのうちの一方だけである。しかし、一つのペアのうちのどちらも、入る確率はまったく平等で、もし多数の精子（あるいは卵）を平均すれば、そのうちの半分が対立遺伝子の一方を、半分がもう一方を含むことが明らかになるだろう。減数分裂は、コイン投げと同じように公正である。ことわざになるほどに、われわれはコイン投げはランダムなものと考えているのだが、しかしこれでさえ、風や、厳密にどれほど強くコインをはじくかなど、多数の事情によって影響される物理的な過程である。減数分裂もまた、物理的な過程で、遺伝子によって影響されうる。もし、眼の色や毛の巻き方といった目に見えるものに対してではなく、減数分裂そのものにたまたま効果を及ぼすような突然変異遺伝子が生じたらどうだろうか。それがたまたま、突然変異遺伝子そのものが、その対立遺伝子のパートナーよりも最終的に卵に入りやすいような偏りを減数分裂に与えると仮定してみよう。そのような遺伝子は実際にあり、分離歪曲（わいきょく）因子と呼ばれている。それは悪魔的な単純さをもっていて、突然変異によって分離歪曲因子が生じると、対立遺伝子を犠牲にして集団内に容赦なくひろがっていく。マイオティック・ドライヴと呼ばれるのはこのことである。体の繁栄、体の中の他のすべての遺伝子の繁栄に及ぼすその効果が悲惨なものである場合にさえ、それはおこる。

　本書を通じて、われわれは、生物個体が微妙なやり方によって自らの社会的な仲間を「ごまかす」可能性について注意を喚起してきた。ここではわれわれは、単一の遺伝子による一つの生物体を共有する他の遺伝子へのごまかしについて述べようとしているのである。遺伝学者のジェームズ・クロウはそれを「システムを出し抜く遺伝子」と呼んでいる。もっともよく知られている分離歪曲因子の一つは、マウスのいわゆるt遺伝子である。一匹のマウスが二つのt遺伝子をもっていると子どもは死ぬか不妊になるかのいずれかである。したがってtはホモ接合の状態では「致死的」であるといわれる。もし雄のマウスがt遺伝子を一つだけもっている場合には、一つの注目すべき点を除いては正常で健康なマウスである。もし、そのような雄の精子を調べてみると、その九五％もがt遺伝子で、わずか五％だけがその対立遺伝子であることがわかるだろう。これは明らかに予測値からほぼ五〇％もの歪曲である。野生の個体群で、t遺伝子が突然変異によってたまたま生じれば、それはたちまち燎原(りょうげん)の火のように広がっていく。減数分裂のくじ引きにおいて、そのようなはなはだしく不公平な有利さがあるとすれば、そうならないわけがありえようか？　それはあまりにも速く広がっていくので、やがてまもなく、集団内の大多数の個体はt遺伝子を二つ受け継ぐことになる（すなわち、両親からそれぞれ）。こういった個体は死ぬか不妊になるので、やがてその地域個体群全体が絶滅に追いやられることになるだろう。いくつかのマウスの野生の個体群が、過去において、t遺伝子の流行を通じて絶滅したことがあったという証拠がいくつか存在する。

　必ずしもすべての分離歪曲因子がtのような破壊的な副次効果をもつわけではない。にもかかわらず、その大部分は少なくともなんらかの不幸な帰結をもたらす（ほとんどすべての遺伝的副次効果は不利なもので、新しい突然変異は通常、その有利な効果が不利な効果をしのぐものであるときにのみ広がる。もし不利な効果と有利な効果がともに生物体全体に適用されるのであれば、差し引きの効果はまだ生物体にとって有利でありうる。しかし、不利な効果は生物体に、有利な効果は遺伝子だけにはたらくとすれば、生物体の立場からみたときの差し引きの効果はまるっきりの不利になる)。その有害な副次効果にもかかわらず、もし分離歪曲因子が突然変異によって生じれば、それは確実に集団内に広がることになるだろう。自然淘汰(これは、結局のところ遺伝子のレベルにはたらく)は、たとえその効果が生物個体のレベルで不利になりそうだとしても、分離歪曲因子を選ぶのである。

ただし、分離歪曲因子はそれほど頻繁には存在しない。なぜもっと頻繁に見られないのかと問いを続けることもできる。それは、なぜ減数分裂の過程が通常、バランスの正確なコインを投げる場合のように実直に公平なのかを別の形で問うことである。その答えは、そもそもなぜ生物体が存在するのかを理解したとたんに消滅することがわかるだろう。

生物個体の存在は、たいていの生物学者が疑問の余地のないものとみなしているものである。その理由はおそらく、その各部分がきわめて一体化し統合されたやり方で、協調しあうからであろう。生物に関する問いは、ふつうは生物個体に関する問いである。生物学者は、生物個体がなぜこれをなし、またなぜあれをなすかと問う。彼らはしばしば生物個体がなぜ集まって社会をつくるかと問う。彼らは――本来そう問うべきはずなのに――なぜ、そもそも生命物質が集まって生物個体をなすのかとは問わない。なぜ海はいまだに、自由で独立した自己複製子たちの原初的な闘争の場ではないのだろうか? なぜ太古の自己複製子たちは寄り集まって、重々しく動くロボットをつくって、その中にすんだのであろうか? そしてなぜ、そういったロボット――生物個体の体、あなたや私――は、これほど大きく込み入ったつくりをしているのだろうか?

多くの生物学者は、そもそもここに問いがあることさえ理解できない。それは、問題を生物個体のレベルで提起することが彼らの第二の天性になっているからだ。一部の生物学者はもっと先まで行って、DNAを、ちょうど眼が物を見るために生物個体によって用いられる道具であるのと同じように、生物個体が繁殖のために用いる道具であると見ている！　本書の読者は、この態度がとんでもなく大きな誤りであることを認められるであろう。それは、まるっきり逆立ちにした真実である。読者はまた、それに代わる態度、すなわち利己的遺伝子という生命観が、それ自体の深刻な問題をもつことをも認められるであろう。その問題——ほとんど正反対の——とは、そもそも生物個体がなぜ存在するのか、とくに、生物学者が真実をあべこべに転倒させてしまうほど大きくて、緊密な目的性をもつ形で存在するのかということだ。われわれの問題を解決するためには、暗黙のうちに生物個体を疑問の余地のないものとみなすような古い態度をわれわれの精神から取りのぞくことからはじめなければならない。そうしなければ、問題の要点を回避してしまうことになるだろう。精神を掃除するために私たちが用いる装置は、私が延長された表現型とよぶ考え方である。この考え方について、そしてそれが意味する内容について、次に述べることにしたい。

一つの遺伝子の表現型効果は、通常、それが属する生物体に及ぼす効果のすべてとみなされる。これが従来の定義である。しかしわれわれは今や、一つの遺伝子の表現型効果はそれが世界に及ぼすあらゆる効果として考える必要があると思う。ある一つの遺伝子の効果が、事実の問題として、その遺伝子が代々属していく体に限定されるということはあるかもしれない。しかし、もしそうだとしても、それは単に事実の問題にすぎないだろう。それは、われわれの定義そのものの一部であるべき事柄ではないだろう。いずれの場合においても、一つの遺伝子の表現型効果というものは、その遺伝子が次の世代に自らを送りこむための道具であったことを思い出してほしい。私がここで付け加えようとしているのは、この道具が生物個体の体壁の外側まで届きうるということだけである。遺伝子を、それが属する生物体の外側の世界にまで及ぶ表現型効果をもつものとして語ることは、実際的には何を意味するのだろうか？　心に思い浮かぶ実例は、ビーバーのダムや、鳥の巣や、トビケラの幼虫の巣といった造作（構築物）である。

トビケラは、どちらかといえば特徴のない淡褐色の昆虫で、川の水面上をかなり無器用に飛ぶために、たいていの人はなかなか気がつかない。これは成虫のときのことで、成虫としてあらわれるまでには、川の底を歩きまわる幼虫としてのかなり長い前世がある。そのトビケラの幼虫を、特徴がないなどというのはとんでもない。彼らは地球上でもっとも驚くべき動物の一つである。自分自身でつくりだした接着物質を用いて、川の底から拾いあげた材料から筒状の巣を巧みに造る。この巣は持ち運び自由な家で、巻貝やヤドカリの殻と同じようにかついだまま歩く。ただ一つちがうのは、その殻を自分で分泌したり、見つけたりするのではなく、自分で構築するという点だけである。トビケラのいくつかの種は巣材として棒切れを用い、ほかの種は枯れ葉の切れ端を、また別の種は小型の巻貝の殻を使う。しかしおそらくもっとも目を見張るトビケラの巣はその土地の石で造るものだろう。トビケラは石を注意ぶかく選んで、壁の当面のすきまに大きすぎたり小さすぎたりする石を取りのぞき、ぴったりとはまるようになるまで、それぞれの石を回しさえする。

ついでながら、なぜこれがそれほど強い印象を与えるのだろうか。もしわれわれが、虚心な物の見方を余儀なくされるならば、このトビケラの巣という比較的つつましい構築物よりも、その眼あるいは肘の関節の構造のほうにより強い印象を受けるべきことは確かである。結局のところ、眼と肘の関節は、巣よりもはるかに複雑で「設計された」ものなのである。しかし、たぶん眼と肘の関節は、われわれ人間の眼と肘の関節と同じような形で発生し、その構築過程については、母親の胎内にあるわれわれは何の自慢もすることができないという理由で、私たちは不合理にも、巣のほうにいっそう強い感銘を受けるのである。

ここまで脱線したのだから、もう少し先まで進まないわけにはいかない。われわれはトビケラの巣に感銘を受けるかもしれないが、それにもかかわらず逆説的なことに、われわれと近縁な動物のそれに匹敵する達成に対して感じるであろうほどには強い感銘を受けないのだ。もし海洋生物学者が、自分の体長の二〇倍もの直径をもつ大きくて、複雑な漁網を編むイルカの種を発見したとすれば、新聞に全段抜きのどんな大見出しがでるかを、ちょっと想像していただきたい！　しかしわれわれは、クモの巣を当然のことと考え、世界の驚異の一つとしてよりは家の中の厄介物とみなしている。また、ジェーン・グドールがゴンベ・ストリームから、丹念に選り分けた石をびっしりと積み、あいだに漆喰(しっくい)を詰め、立派な屋根と囲いをもつ家を建造中の野生のチンパンジーの写真をもって帰ったとしたら、どういう熱狂が待ち受けているかを考えていただきたい！　しかしトビケラの幼虫は、まさにそのことをしているにもかかわらず、気まぐれな関心しか引くことがない。ときには、このような差別的な基準を擁護するかのように、クモやトビケラはその建築の偉業を「本能」によって達成するということが言われる。しかし、だからどうだというのだ？　ある意味では、そのことがそれをいっそう印象的なものにしているのだ。

さて本論にもどろう。トビケラの巣がダーウィニズム的な淘汰によって進化してきた一つの適応であることは、だれも疑わないだろう。それは、たとえばロブスターの硬い殻がそうであったのとまったく同じやり方で、淘汰によって選ばれてきたにちがいない。それは体を保護するおいである。そういうものとして、生物個体およびすべての遺伝子にとって利益をもたらす。しかしいまやわれわれは、自然淘汰に関する限り、生物個体にとっての利益は付随的なものとみなすべきことを教えられている。現実に考慮に値する利益は、殻に保護的な性質を与える遺伝子にとっての利益である。ロブスターの場合には、それはごく当たり前の話になる。ロブスターの殻は明らかに体の一部であるからだ。だが、トビケラの巣についてはどうだろうか？

自然淘汰は、保有者に効果的な巣を造るように仕向ける祖先のトビケラの遺伝子を選んだ。これらの遺伝子は、おそらく神経系の発生に影響を及ぼすことによって行動に作用した。しかし、遺伝学者が現実に見るのは巣の形状その他の性質に及ぼす遺伝子の効果である。遺伝学者は巣の形状「のための」遺伝子を、たとえば脚の形状のための遺伝子が存在するというのと厳密に同じ意味で、認めなければならない。もっとも、実際にトビケラの巣の遺伝学をやっている人間など一人もいない。それをするためには、飼育下で繁殖させたトビケラの細心な家系の記録をとりつづけなければならないが、トビケラの繁殖はむずかしいのだ。しかし、トビケラの巣にみられる相異に影響を与える遺伝子が存在する、あるいはかつては存在したということを確かめるのに、遺伝学を研究しなければならないことはない。必要なのは、トビケラの巣がダーウィニズム的な適応であるという正当な理由だけである。この場合には、トビケラの巣の変異をコントロールしている遺伝子が存在するにちがいない。なぜなら、自然淘汰は、選択するものの間に遺伝的な相異がないかぎり適応をつくりだすことができないからである。

　したがって、遺伝学者はそれを奇妙な考えだと思うかもしれないが、われわれが石の形状、石の大きさ、石の硬さなどの「ための」遺伝子について語るのは理に適ったことなのである。このことば使いに反対するいかなる遺伝学者も、首尾一貫のための、眼の色のための遺伝子や、豆のしわのための遺伝子などについて語ることにも、反対しなければならない。石の場合にこの考え方が奇妙に思えるだろう理由の一つは、石が生きたものではないということである。さらに、石の性質に対する遺伝子の影響は、とりわけて間接的なものに思える。遺伝学者は、遺伝子の直接的な影響は、石そのものにではなく、石を選ぶ行動を仲介する神経系へのものであると主張したいかもしれない。しかし私は、そういう遺伝学者に、神経系に影響を及ぼす遺伝子について語るとき、それがいったい何を意味しうるのかを慎重に考察するよう要望したい。遺伝子が現実に直接の影響を及ぼすことができるのは、タンパク質合成だけである。神経系に及ぼす遺伝子の影響は、あるいはついでにいえば、眼の色や豆のしわに及ぼす影響も、つねに間接的なのである。遺伝子は、一つのタンパク質のアミノ酸配列を決定し、それがXに影響を及ぼし、それがまたYに影響を及ぼし、それがまたまたZに影響を及ぼし、そして最終的に種子のしわや神経系の細胞の配線に影響を及ぼすというわけである。トビケラの巣はこういった因果の系列をさらに先まで延ばしていっただけにすぎない。石の硬さは、トビケラの遺伝子の延長された表現型効果なのである。もし、豆のしわや動物の神経系に影響を及ぼす遺伝子について語ることが正当ならば（すべての遺伝学者はそう考えている）、トビケラの巣の石の硬さに影響を及ぼす遺伝子について語るのもまた正当でなければならない。これはとんでもない考え方ではないか！　しかし、このような推論からのがれることはできないのだ。

これで議論の次の段階に進む用意ができた。すなわち、一つの生物個体中の遺伝子が他の生物個体の体に延長された表現型効果をもつことがありうるという点である。ここまでの段階に進むのに、トビケラの巣が助けになった。今度はカタツムリの殻がその助けになってくれるだろう。殻は、カタツムリにとって、トビケラの幼虫の石の巣と同じ役割を果たしている。それはカタツムリ自身の細胞によって分泌されるので、慣習に忠実な遺伝学者たちも幸いに、厚さなどの殻の性質の「ための」遺伝子について語ることができるだろう。しかし、ある種の吸虫類に寄生されたカタツムリは特別に厚い殻をもっていることがわかっている。この厚さは何を意味しうるのだろうか？　もし、寄生されたカタツムリが特別に薄い殻をもっているのなら、われわれは喜んで、それをカタツムリの体質に対する明白なる劣悪化効果として説明することができただろう。しかし、厚い殻だって？　厚い殻はたぶんカタツムリをよりよく保護するであろう。それはまるで、寄生者が寄主に対してその殻を改良することによって実際に手助けをしているかのようにみえる。だが本当にそうなのだろうか？

もう少し慎重に考えなければならない。もし厚い殻が本当にカタツムリにとって有利ならば、なぜ彼らはそもそも厚い殻をもってはいないのだろうか？　その答えはおそらく経済にあるのだろう。殻をつくることはカタツムリにとって出費を要するものである。それはエネルギーを必要とする。それは、容易に得がたい食べ物から摂取しなければならないカルシウムやその他の化学物質を必要とする。これらの資源のすべては、もし殻の物質をつくるために費やさなければ、もっとたくさんの子どもをつくるとかいった何か他のことに費やすことができるだろう。余分に厚い殻をつくるために多量の資源を費やすカタツムリは、自分の体のための安全を買ったことにはなる。しかし、どれほどの出費を要するのだろうか？　そのカタツムリは長生きするかもしれないが、繁殖ではそれほど成功せず、その遺伝子を伝えていくことに失敗するかもしれない。伝えることに失敗する遺伝子の中には、余分に厚い殻をつくる遺伝子もあるだろう。言いかえれば、殻にとって、厚すぎるのは薄すぎるのと同じだという（より歴然とした）可能性がある。そこで、吸虫がカタツムリに余分の殻を分泌させるようにするとき、もし殻を厚くする経済的費用を吸虫が負担するのでないかぎり、カタツムリに親切な行為をしていることにはならない。そしてわれわれは、吸虫がそんなに気前のよい生きものではないことを、かなり確実に請け合うことができる。吸虫はカタツムリになんらかの隠された化学的影響を及ぼし、カタツムリが自らの「好ましい」殻の厚さから移行するように強いているのである。それはカタツムリの寿命を延ばすかもしれないが、カタツムリの遺伝子の手助けをしてはいないのである。

吸虫にとってどういう利益があるのだろうか？　なぜそんなことをするのだろうか？　他のすべての事情が同じであれば、カタツムリの遺伝子も吸虫の遺伝子もともに、カタツムリの体の生き残りによって利益を得る立場にある。しかし、生存は繁殖と同じことではなく、たぶん一種の交換取引（トレード・オフ）があるだろう。カタツムリの遺伝子はカタツムリの繁殖によって利益を得る立場にあるのに対して、吸虫の遺伝子はそうではない。なぜかといえば、どんな吸虫も、自らの遺伝子が現在の寄主の子孫の体にすめるということについて特別な期待をもちえないからである。あるいはすめるかもしれないが、しかしどのライバルの吸虫遺伝子についても同じことだろう。カタツムリの寿命が、その繁殖成功度の多少の損失という出費によってあがなわねばならないものだと仮定すれば、吸虫の遺伝子は「喜んで」カタツムリに費用を支払わせる。なぜなら、彼らはカタツムリの繁殖それ自体にはなんの関心もないからである。カタツムリの遺伝子はその費用の支払いを喜ばない。なぜなら、彼らの長期的な意味での将来は自らの繁殖にかかっているからである。したがって私は、吸虫の遺伝子が自らには利益を与えるがカタツムリの遺伝子には出費を強いるような影響を、カタツムリの殻を分泌する細胞に及ぼしていると主張したい。この理論はいまだに検証はされていないけれど、検証可能である。

さていまやわれわれは、トビケラの教訓を一般化すべき状況にある。もし吸虫のやっていることについての私の仮説が正しければ、その合理的な帰結として、われわれは、カタツムリの遺伝子がカタツムリの体に影響を及ぼすというのとまったく同じ意味で、吸虫の遺伝子をカタツムリの体に影響を及ぼすものとして語ることができる。それはあたかも、遺伝子が「自らの」体の外側まで達して、外界を操作しているかのようである。トビケラの場合と同じように、このことばも遺伝学者たちを落ち着かなくさせるかもしれない。彼らは、それが属する体の内部に限られた遺伝子の効果に慣れているのだ。しかし、またしてもトビケラの場合と同じく、遺伝学者が「効果」をもつ遺伝子ということに何を意味しているかをつぶさに考察してみれば、そのような落ち着かなさが誤ったものであることが示される。われわれとしては、カタツムリの殻の変化が吸虫の適応であるということを認められさえすればいいのだ。もしそうなら、それは吸虫のダーウィニズム的淘汰によって生じたにちがいない。われわれは、一つの遺伝子の表現型効果が、石のような生命をもたない対象だけでなく、「ほかの」生物体へも延長しうるものであることを示しえたのである。

カタツムリと吸虫の話はほんのはじまりにすぎない。あらゆるタイプの寄生者は、その寄主に対して驚くほど狡猾（こうかつ）な影響を及ぼすことが久しい以前から知られていた。顕微鏡でしか見えない大きさの寄生原生動物である胞子虫の一種（*Nosema*）は、コクヌストモドキ属の甲虫に感染するが、この原生動物は、この甲虫にきわめて特異的な化学物質の製造法を「発見」した。ほかの昆虫と同じように、この甲虫は幼虫を幼虫のままに保つ幼若ホルモンと呼ばれるホルモンをもっている。幼虫から成虫への正常な変化は、幼虫が幼若ホルモンの産生を停止することが引き金になる。寄生者である胞子虫は、このホルモン（に非常によく似た化合物）を合成することに成功したのだ。何百万という胞子虫が力を合わせて、この甲虫の体の中で幼若ホルモンを大量生産し、それによって、それが成虫になるのを阻止しているのである。甲虫は成長を続けるかわりに、最後には、正常な成虫の二倍以上もの体重のある巨大な幼虫になってしまう。それは甲虫の遺伝子の増殖にとって好ましいことではないが、寄生者たる胞子虫にとっては豊饒（ほうじょう）の角である。甲虫の幼虫の巨大化は、原生動物の遺伝子の延長された表現型効果の一つなのだ。

そしてここに、このピーターパン的甲虫よりももっと強くフロイト的不安を引きおこす一つの事例がある——寄生去勢だ！　カニはフクロムシ（*Sacculina*）と呼ばれる動物に寄生される。フクロムシはフジツボに近縁であるが、もし実物をみれば、寄生植物だと思ってしまうだろう。それは、不運なカニの組織に複雑な根系を深く潜りこませ、その体から栄養を吸いとる。それが最初に攻撃する器官の一つがカニの精巣あるいは卵巣だというのは、おそらく偶然ではないだろう。それはカニがずっと後まで生き残るのに必要な——繁殖にとってとは対照的に——器官には危害を加えない。カニはこの寄生によって実質的に去勢される。肥った去勢牛のように、去勢されたカニは繁殖にあてるべきエネルギーと資源を自らの体へ振り向ける——寄生者にとっては、カニの繁殖の犠牲の上に立つ豊かな利得だ。私がコクヌストモドキにおける胞子虫、およびカタツムリにおける吸虫について推測したのと、まったく同じ話である。これら三つのすべての例において、寄主における変化は、もし、それらが寄生者の利益となるダーウィニズム的適応であるということを認めるならば、寄生者の遺伝子の延長された表現型とみなさなければならない。したがって、遺伝子は自らの「体」の外まで手を伸ばして、ほかの生物体の表現型に影響を及ぼすのである。

　寄生者の遺伝子と寄主の遺伝子の利害は、かなり大きな程度まで一致しているかもしれない。利己的遺伝子という生物の見方からすると、吸虫の遺伝子もカタツムリの遺伝子もともに、カタツムリの体に寄生していると考えることができる。両者とも、同じ保護的な殻にかこまれていることから利益を得る。ただ、彼らが「好む」殻の正確な厚さに関しては互いに利害が異なる。この分岐は根本的には、このカタツムリの体から去り、別の個体の体に入る彼らの方法が異なっているという事実から生じるものである。カタツムリの遺伝子にとって、去る方法はカタツムリの精子か卵を通じてである。吸虫の遺伝子にとっては、それはまったく異なる。詳細（気がめいるほど込み入っている）に立ち入ることはしないが、問題は、彼らの遺伝子がカタツムリの精子または卵の中に入ってカタツムリの体を去りはしないということである。

　いかなる寄生者についても問わなければならないもっとも重要な問いは次のものであると、私は言いたい。すなわち、「その遺伝子は、寄主の遺伝子と同じ乗り物（ヴィークル）を通じて未来の世代へ伝えられるのか？」という問いである。もし「ノー」であれば、それはなんらかの形で寄主に損害を与えると予測することができる。もし「イエス」であれば、寄生者は寄主が単に生きのびるだけでなく、繁殖もできるように、全力をあげて助けるであろう。長い進化的な時間のうちに、それは寄生者であることを止め、寄主と協力し、最終的には寄主の組織に合体し、もはや寄生者とは認められなくなってしまうだろう。ひょっとしたら、二八〇頁で示唆したように、われわれの細胞もまた、この進化的なスペクトルから生じてきたものかもしれない。つまりわれわれはすべて、太古における寄生者たちの合併の名残りということになる。

寄生者の遺伝子と寄主の遺伝子が共通の退出口を共有するとき、どういうことがおこりうるかを考えていただきたい。木に穴を穿(うが)つキクイムシ(*Xyleborus ferrugineus* という種)はバクテリア(アンプロシア菌)に寄生されるが、このバクテリアは寄主の体にすむだけではなく、自らを新しい寄主まで運んでもらう手段として寄主の卵を利用する。そのような寄生者の遺伝子はしたがって、彼らの寄主の遺伝子とほとんど正確に同じ状況から利益を得ることができる。二組の遺伝子は、一つの生物個体中のすべての遺伝子が通常協調しあうのとまさに同じ理由によって、「協調する」と予測することができる。そのうちのいくつかがたまたま「キクイムシの遺伝子」で、ほかのものがたまたま「バクテリアの遺伝子」であるというのはこの場合本質的なことではない。両方の組の遺伝子がキクイムシの生き残りと、その卵の増殖に「関心」を抱いている。なぜなら、両者ともキクイムシの卵を自分たちの将来へのパスポートだと「みなしている」からである。そこで、バクテリアの遺伝子は寄主の遺伝子と共通の運命を共有し、私の解釈によれば、バクテリアはその生活のあらゆる側面において、キクイムシに協力すると、予測すべきなのである。

「協力」というのが控え目な言い方であることがわかる。彼らがキクイムシのためにおこなうことは、これ以上ありえないというほど親切である。キクイムシ類はたまたま、ハチやアリと同じように単・二倍数体（haploidploid）である（10章を参照）。もし卵が雄によって受精されると、必ず雌が発生し、未受精卵からは雄が発生する。いいかえれば、雄には父親がいない。雄を生じる卵は精子に侵入されることなしに、自発的に発生する。しかし、ハチやアリの卵とちがって、キクイムシの卵は実際に何物か﹅に﹅よって侵入される必要がある。そこにバクテリアが登場するのである。バクテリアが未受精卵を突き刺して活動を開始させ、雄のキクイムシになるよう発生をうながすのである。これらのバクテリアは、もちろん、寄生的であることを止めて互恵的になるはずだと私が主張するまさしくそういう類いの寄生者である。なぜなら、それらはまさしく、寄主の卵の中へ、寄主「自身」の遺伝子といっしょに伝えられるからである。究極的には、彼ら「自身」の体はおそらく消失し、「寄主」の体に完全に合体してしまうだろう。

ヒドラの種のあいだでは、今日でもなお、一つの啓発的なスペクトルを見出すことができる。ヒドラは淡水のイソギンチャクのような、触手をもつ小型で定着性の動物であるが、その組織は藻類（algae）（この“g”はが行で発音されなければならない。というのも、なぜだかよくわからないが、一部のアメリカでは少なからぬ生物学者が、近年、Algernon を略すときの Algy と同様に発音するようになっているからだ。複数形の“algae”――こっちはまだ許せるが――だけでなく単数形の“alga”についてもそうで、こっちは許せない）に寄生される傾向がある。*Hydra vulgaris* と *Hydra attenuata* という種では、藻類はヒドラにとって本物の寄生者で、ヒドラを病気にする。これにたいして、*Chlorohydra viridissima* という種では、ヒドラの組織から藻類がいなくなることはけっしてなく、ヒドラに酸素を供給することによって、ヒドラの繁栄にとって有益な貢献をしている。さて、ここに興味ぶかい点がある。*Chlorohydra* においては、まさにわれわれの予想どおり、この藻類はヒドラの卵を介して自らを次の世代に伝えるのである。先の二種ではそうではない。藻類の遺伝子と *Chlorohydra* の遺伝子の利害は一致している。両者とも、*Chlorohydra* の卵の増産のために全力を傾けることに関心をもっている。しかし、他の二種のヒドラの遺伝子は、自らに寄生する藻類の遺伝子と「意見が一致」しない。いずれにせよ同じ程度に一致することはない。両方の遺伝子の組はともに、ヒドラの体の存続に利害をもっているかもしれない。しかし、ヒドラの遺伝子だけがヒドラの繁殖を気にかける。それゆえ、藻類は親切な協力に向かって進化するよりもむしろ、相手を弱らせる寄生者のままにとどまる。肝心な点をもう一度くりかえせば、自らの遺伝子がその寄主の遺伝子と同じ運命を切望する寄生者は、あらゆる利害を寄主と共有し、最終的には寄生的に作用することをやめるだろうということである。

この場合、運命とは未来の世代を意味する。*Chlorohydra* の遺伝子と藻類の遺伝子、そしてキクイムシの遺伝子とバクテリアの遺伝子は、寄主の卵を介してのみ未来に入ることができる。したがって、あらゆる生活分野の最適政策について寄生者がおこなうあらゆる「計算」は、寄主の遺伝子が同様な「計算」によってひきだす最適政策と同一の、あるいはほとんど同一のものに収束するであろう。カタツムリとその寄生者である吸虫の場合、それぞれの好む殻の厚さは相違するとわれわれは結論した。キクイムシとそのバクテリアの場合には、寄主と寄生者は翅(はね)の長さ、その他のキクイムシのあらゆる体の特徴に関して同じ好みをもつことで一致するだろう。このことは、この昆虫がその翅あるいはそのほかのなにかをどのように使うかについての詳細をまるで知らなくとも、予測することができる。われわれは、キクイムシの遺伝子とバクテリアの遺伝子がともに、同じ将来の出来事——キクイムシの卵の増殖にとって好ましい出来事——をたくらむ上で彼らの能力のうちにあるあらゆる手だてを講じるであろうという推論から、単純にそう予測できるのである。

われわれはこの議論を、その論理的な結論まで押し進め、正常な「われわれ」の遺伝子に応用することができる。われわれ自身の遺伝子は互いに協力しあうが、それはそれらがわれわれ自身のものであるからではなく、未来への同じ退出口——卵子か精子——を共有しているからである。たとえば一人の人間といった、一個の生物体に含まれるいかなる遺伝子も、もし精子あるいは卵子という在来の経路に依存せずに自らを広めるような方法が発見できれば、その方法をとり、より協力をしなくなるだろう。なぜかといえば、体の中の他の遺伝子からもたらされるちがった形の将来の帰結から利益を得ることができるだろうからである。すでにわれわれは、自分に有利になるように減数分裂を偏らせる遺伝子の実例をみた。たぶん、精子ないしは卵子という「適切なチャンネル」をすっかりぶちこわし、横道を開拓した遺伝子が、すでに存在しているであろう。

染色体の中に含まれず、細胞の、とりわけてバクテリアの細胞の、液性成分の中を自由に漂い増殖するDNAの断片が存在する。それらの断片はウイロイドとかプラスミドとか、さまざまな名で呼ばれている。プラスミドはウイルスよりも小さく、通常はごく少数の遺伝子からなっている。一部のプラスミドは自らを継ぎ目なく染色体につなぎ合わせることができる。つなぎ合わせがあまりにもスムーズなので継ぎ目がわからない。つまり、このようなプラスミドは染色体の他のいかなる部分とも区別がつかないのである。同じプラスミドがもういちど自らを切り離すこともできる。合図とともに、切り離し、つなぎ合わせる、染色体から飛び降り、飛び乗れるというこのDNAの能力は、本書の初版が出て以後に明らかになったきわめて興味ぶかい事実の一つである。実際、プラスミドに関する最近の証拠は、本書の二八〇頁の終りのほうで述べた推測（この当時にはまだいささか乱暴な推測と思われた）を支持するじつにきれいな証拠とみることができる。いくつかの観点からすると、これらの断片が侵入した寄生者に由来するか、それとも離脱した反乱者に由来するかは本当のところ問題ではない。それらの断片のふるまいはたぶん同じになるだろう。私は自分の観点を強調するために、離脱した断片について語ることにする。

次のようなことができる人間のDNAの反乱分子を考えていただきたい。それは、自らをその染色体から切り離し、細胞内を自由に浮遊し、おそらくは増殖して多数のコピーを生み出し、やがて自らを別の染色体につなぎ合わせることができるのである。未来に向かういかなる例外的な代替ルートが、そのような反乱自己複製子を促進しえるのだろうか。われわれはたえず皮膚から細胞を失っている。家庭内のほこりの大部分はわれわれの剝落（はくらく）した細胞からなっているのだ。われわれはお互いの細胞をいつも吸っているにちがいない。もしあなたが口の内側を指の爪で引っかけば、何百という生きた細胞がはがれる。恋人たちのキスや愛撫（あいぶ）はお互いに多数の細胞をやりとりさせているにちがいない。反乱DNA分子は、こういった細胞のどれかにヒッチハイクすることができるだろう。もし遺伝子が別の体に通じる例外的なルートのすきま（通常の精子あるいは卵子というルートと並んで、あるいはそれに代わって）を発見することができれば、自然淘汰がそのご都合主義を優遇し、それを改善すると予測することができる。彼らの用いる正確な方法については、それがウイルスの策動――利己的遺伝子／延長された表現型理論を奉じる人間にとっては完全に予想可能な——と、どこかちがったところがなければならないという理由は存在しない。

寒気がしたり、せきが出たりすると、ふつうわれわれはその症候をウイルスの活動の迷惑な副産物だと考える。しかし、いくつかの場合には、一人の寄主から別の寄主へ移りわたるための一助としてウイルスによって意図的に工作されたものである可能性のほうがずっと高そうに思える。単純に空気中に息から吐き出されることに満足せず、ウイルスはわれわれにクシャミやせきをさせて、ぱっと勢いよく吐き出させるのである。狂犬病ウイルスは、ある動物が他の動物を咬んだときに唾液に混じって感染される。イヌでは、この病気の症候の一つは、通常はおとなしくて友好的な個体が凶暴な咬みつき屋になり、口から泡を吹き出すようになる。さらにまた不穏なことに、ふつうのイヌのように一マイルかそこらの行動圏の中にとどまる代わりに、休みなくうろつきまわって、ウイルスを広範囲にまき散らすようになる。よく知られている水を怖がるという症候も、イヌが口から湿った泡を——それに伴ってウイルスそのものをも——振り落とすのをうながすようにしているのではないかという示唆さえなされている。性的に伝染する病気が感染者の性衝動を高めるということを示す直接の証拠は私はなにも知らないが、それは調査に値するだろうと思う。少なくとも、媚薬と称されているものの一つスパニッシュ・フライ（マメハンミョウ類の甲虫からとり、カンタリジンという物質を含む）が、むずがゆさを生じさせることによって作用をあらわすと言われているのは確かである。……そして、人々をむずがゆくさせることはまさしくウイルスが得意とする類いの事柄なのである。

反逆したヒトDNAと侵入した寄生的なウイルスを比較するポイントは、両者の間にいかなる重要な相異も現実には存在しないということである。じつのところ、ウイルスは断片になった遺伝子の集まりから生じた可能性も十分ありうるのだ。もしなんらかの区別をたてたいと思うなら、それは、精子ないしは卵という正統的なルートを経て体から体へ移る遺伝子と、非正統的な「横道」ルートを経て体から体へ移る遺伝子の間の区別でなければならない。両方の部類とも、「自身の」染色体遺伝子として生じた遺伝子を含んでいるかもしれない。そしてまた、両方の部類とも、外部から侵入した寄生者に由来する遺伝子を含んでいるかもしれない。あるいはたぶん、本書の二八〇頁で私が憶測したように、すべてのわれわれ「自身の」染色体遺伝子はお互いに寄生しあっているものとみなすべきなのかもしれない。私のいう二つの部類の遺伝子のあいだの重要な違いは、それらが将来に利益を得ることになる状況の違いの中にある。風邪のウイルスの遺伝子と断片化した人間の染色体遺伝子は、お互いに自分たちの寄主がくしゃみをするのを「望んでいる」点では一致する。正統的な染色体遺伝子と性交によって伝えられるウイルスとは、自分たちの寄主が性交することを待ち望む点でお互いに一致する。両方とも寄主が性的魅力をもつことを望むだろうというのは、なかなかおもしろい考えである。さらに、正統的な染色体遺伝子と寄主の卵の中に入って伝えられるウイルスは、寄主が単に求愛に成功するだけでなく、誠実で、子を溺愛(できあい)する親あるいは孫を溺愛する祖父母になるまで、人生の細かな側面のすべてにおいて成功することを望む点で、意見が一致するだろう。

トビケラはその巣の中で暮らし、ここまで私が論じてきた寄生者たちは寄主の体の中で生きてきた。したがって、これらの遺伝子は、遺伝子がふつうその通常の表現型に近いところにあるのと同じくらい、それぞれの延長された表現型効果と物理的に近いところにある。しかし遺伝子は距離が離れていても作用することができる。つまり延長された表現型はずっと遠くまで延長することができる。私が考えうる最長の範囲は一つの湖である。クモの巣やトビケラの巣と同じようにビーバーのダムは世界の真の驚異の一つである。そのダーウィニズム的な目的は完全に明らかというわけではないが、しかし目的をもっているにちがいないことは確かである。なぜなら、ビーバーはそれを築くために多大の時間とエネルギーを費やすからである。それがつくりだす湖はおそらくビーバーの家を捕食者から守るという役割を果たしているのだろう。それはまた、移動したり丸太を運んだりするのに都合のいい水路をも提供してくれる。ビーバーは、カナダ木材会社が河川を利用し、一八世紀の石炭業者が運河を利用したのとまったく同じ理由で液体の浮力を利用する。それがもたらす利益がどのようなものであれ、ビーバーの湖は景観の中でよく目立つ特徴的な風物である。それはビーバーの歯や尾っぽに劣らず、一つの表現型であり、ダーウィニズム的な自然淘汰の影響のもとに進化してきたのだ。ダーウィニズム的な自然淘汰がはたらくためには遺伝的な変異がなければならない。ここでは選択はよい湖とそれほどよくない湖のあいだでなされたにちがいない。淘汰は木を運ぶのに適した湖をつくるようなビーバーの遺伝子を選ぶだろう。それはちょうど、木を切り倒すのに適した歯をつくる遺伝子が選ばれるのと同じことだ。ビーバーの湖はビーバーの遺伝子の延長された表現型効果であり、これらは何百ヤード（一ヤードは九一・四四センチメートル）も延長することができる。なんと長い腕（リーチ）であることか。

　寄生者もまた、必ずしも寄主の体内にすんでいる必要はない。彼らの遺伝子は遠く離れたところの寄主の中に自らを表現することができる。カッコウの雛はロビンやヨシキリの体内で生きてはいない。彼らはロビンやヨシキリの血を吸ったり組織をむさぼり食ったりはしないが、しかしわれわれは彼らに寄生者というレッテルを貼ることにためらいをまったく感じない。里親の行動の操作に向けてのカッコウの適応は、カッコウの遺伝子による延長された表現型の遠隔作用とみなすことができるのだ。

カッコウの卵を温めるようにだまされた里親に感情移入するのはやさしい。人間の卵採集人もまた、カッコウの卵の、たとえばマキバタヒバリの卵やヨーロッパヨシキリの卵との並外れた類似にだまされてきた(雌のカッコウは品種ごとに、それぞれ違った寄主の種に特殊化している)。理解しがたいのは、繁殖期の後期における里親の、ほとんど巣立ち寸前のカッコウの雛に対する行動である。カッコウはふつう「親」よりもずっと体が大きく、場合によってはグロテスクなほど大きい。私は今ヨーロッパカヤクグリの成鳥の写真を見ているが、その怪物のような里子にくらべてあまりにも小さいために、餌を与えるためにはその背中に乗らなければならないのだ。ここではわれわれは寄主にあまり同情を感じない。その愚かさ、だまされやすさにあきれ果てる。まちがいなく、どんな馬鹿な動物でも、そんな子どもはどこかおかしいと見抜くことはできるはずではないか。

カッコウの雛はむしろ、その寄主を単に「だます」以上のことを、単に本当の自分ではない何かの振りをする以上のことをしているにちがいないと私は考える。彼らは寄主の神経系に常習性の麻薬と同じような形ではたらきかけているように思われる。これは、たとえ麻薬をやった経験がない人にとってさえ、共感するのがそれほどむずかしくはない。男は、女性の肉体の写真で注意を魅きつけられ、勃起さえする。彼はけっして印刷されたインクのパターンが本物の女性であると思い込むように「だまされて」いるわけではない。彼は自分が紙の上のインクを見ているにすぎないことを知っているが、なのに、彼の神経系は本物の女性に反応するのと同じようなやり方で反応してしまうのだ。われわれは、たとえその相手との関係が長期的にみてだれの利益にもならないことを良心の正しい判断が告げる場合でさえ、特定の異性の魅力に抗しがたいことがある。不健康な食べ物の抗しがたい魅力にも同じことがある。ヨーロッパカヤクグリはたぶん、長期的にみた自らの最善の利益に対してはっきりとした自覚はもっていないだろう。したがって、その神経系がある特定の種類の刺激を抗しがたいものとみなすのは、ずっと簡単なことでさえある。

カッコウの雛の大きく開けた赤い口はあまりにも誘惑的であるから、鳥類学者が、ほかの鳥の巣にすわっているカッコウの赤ん坊の口の中に食べ物を落としている鳥の姿を見かけるのは珍しいことではない。この鳥は自分の子どもに餌を運んで巣にもどる途中だったかもしれない。突然、目の片隅に、まったくちがう種類の鳥の巣の中にいるカッコウの雛の特別大きく開けられた真っ赤な口が飛びこんでくる。鳥はこのよそ者の巣に向かって方向を転じ、そこで自らの子どもの口に入るべき運命にあった食べ物をカッコウの口の中に落とす。「抗しがたさ説」は、里親が「麻薬中毒者」のようにふるまい、カッコウの雛が彼らにとっての「悪癖」としてふるまうと述べた初期のドイツの鳥類学者たちの見解と一致する。この類いのことばづかいが最近の実験家の一部からはあまり好まれないということを付け加えておくのは公正であろう。しかし、カッコウの開いた口が麻薬のような強力な超刺激であると想定すれば、何がおこっているかがはるかに説明しやすくなるのはまちがいない。怪物のような子どもの背中に乗ったちっぽけな親の行動にずっと共感をもちやすくなる。それはけっして馬鹿になったわけではない。「だまされる」というのは誤ったことばづかいである。その神経系は、あたかもそれが無力な麻薬中毒患者であり、あるいはあたかもそのカッコウが里親の脳に電極を差し込む科学者でもあるがごとき状況のもとで、抗しがたくコントロールされているのである。

しかし、たとえ操作される里親にいまやわれわれがいっそうの個人的共感をもつようになったとしても、カッコウがそれによって罰を受けないでいることをなぜ自然淘汰が許してきたのかを、なお問わねばならない。なぜ寄主の神経系は赤い口という麻薬に対する抵抗性を進化させなかったのか？　ひょっとしたらそれがはたらくだけの時間がまだ足りないのかもしれない。もしかしたらカッコウはせいぜい数百年前から、現代の里親への寄生を開始したのであり、ここ二、三百年のうちにはそれらを諦めて、別の種類の犠牲者を求めることを余儀なくされるのかもしれない。この理論を支持する証拠はいくつか存在するが、私は、ここにはそれよりも重要な何かがあるという思いを禁じえない。

カッコウとその寄主となる任意の種とのあいだの進化的な「軍拡競争」においては、失敗の出費の不平等に起因する一種の生来的な不公正が存在する。個々のカッコウの雛は、祖先のカッコウの雛たちの連綿たる系列に由来するもので、この系列に属するすべての個体は、その里親を操作することに成功してきたにちがいない。里親に対する支配力を、たとえ一時でも失ったカッコウの雛は、死ぬほかなかったのだ。しかし、個々の里親は、その多くが生涯に一度もカッコウに出会ったことがないような連綿たる祖先の系列に由来する。そして、巣の中に実際にカッコウを産み込まれた親鳥も、それに打ち負かされながらも生きながらえて、次の繁殖期には別の一腹の雛を育てることができただろう。問題は、失敗の出費に非対称性があるという点だ。カッコウの奴隷になることに抵抗しそこなう遺伝子は、ロビンやヨーロッパカヤクグリの世代から世代へ簡単に伝わりうる。これこそ私が「生来的な不公正」および「失敗の出費の非対称性」ということばでいわんとするところである。この点は、次のイソップ寓話に要約されている。すなわち「ウサギはキツネより速く走れる。なぜなら、ウサギは命がけで走っているが、キツネは御馳走のためにのみ走っているからだ」。わが同僚のジョン・クレブスと私はこれを「命／御馳走原理」と名づけた。

命／御馳走原理のゆえに、ときには動物が、自らにとって最善ではないような形でふるまい、他のいずれかの動物によって操作されることがありうる。だが実際には、彼らはある意味で自らにとって最大の利益になるように行動しているのだ。命／御馳走原理の全体的な要点は、理論上は操作に抵抗することができるが、そうすることはあまりにも費用がかかりすぎるということだ。たぶん、カッコウによる操作に抵抗するためには、より大きな眼あるいは脳をもたなければならないが、それには間接的な出費をともなうだろう。操作に抵抗する遺伝的性向をもつライバルは、抵抗に要する経済的出費のゆえに、現実には子孫に遺伝子を伝えることにあまり成功しないだろう。

しかし、またしてもわれわれは、生物をその遺伝子よりも生物個体という観点から見ることに、ついうっかりと後退してしまった。吸虫とカタツムリについて語った際、寄生者の遺伝子は寄主の体に対して、あらゆる動物の遺伝子がそれ「自身の」体の表現型効果を及ぼすのと正確に同じ形で、表現型効果を及ぼしうるという考え方に慣れたと思う。われわれは、「自身の」体という考えそのものが、偏見を背負った仮定であることを示したはずなのだ。ある意味で、一つの体の中にあるすべての遺伝子は、われわれがそれを体「自身の」遺伝子と呼ぶことを好むか好まないかにかかわりなく、「寄生的」遺伝子なのだ。カッコウは、寄主の体の内部に生きてはいない寄生者の一例としてこの議論に登場した。しかし彼らは内部寄生者とまったく同じように、寄主を操作し、その操作は、先に見てきたように、体内の薬物やホルモンのように強力で抵抗しがたいものでありうる。内部寄生者の場合と同じように、われわれはいまや、すべての事柄を遺伝子と延長された表現型という観点から述べなおさなければならない。

カッコウと寄主とのあいだの軍拡競争においては、いずれの側の進展も、自然に生じ、自然淘汰によって選ばれる遺伝的突然変異という形をとる。カッコウの開いた口において寄主の神経系に麻薬のように作用するものがなんであれ、それは遺伝的な変異として生じたものにちがいない。この突然変異は、カッコウの雛の開いた口の、たとえば色や形状などに対する効果を通じて、はたらきかけた。しかしこれでさえ、そのもっとも直接的な効果ではない。そのもっとも直接的な効果は、細胞内部における目に見えない化学的な現象に及ぼされるものであった。開いた口の色や形状に対する遺伝子の効果それ自体は間接的なものである。そして、ここに問題の要点がある。それよりほんのわずか間接的なものは、同じカッコウの遺伝子が正気を失わされた寄主の行動に及ぼす効果である。カッコウの遺伝子がカッコウの開いた口の色や形状に(表現型)効果をもっているというのと、厳密に同じ意味で、われわれは、カッコウの遺伝子が寄主の行動に(延長された表現型)効果をもっていると語ることができる。寄生者の遺伝子は、単に寄生者が寄主の体内にいて直接的な化学的手段によって操作できる場合だけでなく、寄生者が寄主から遠く離れて、遠隔操作する場合にも、寄主の体に効果を及ぼすことができる。実際、これからみるように、化学的な影響でさえ、体の外側から作用しうるのである。

カッコウは驚くべき、しかも教えられるところの多い生きものである。しかし脊椎動物のあいだに見られるほとんどどんな驚異でさえ、昆虫にくらべれば負けてしまう。昆虫にはきわめてたくさんの仲間がいるという利点がある。私の同僚のロバート・メイは、適切にも「大ざっぱな近似でいえば、あらゆる種は昆虫である」と述べている。昆虫の「カッコウ」のリストはとてもあげきれない。あまりにもたくさんあり、それらの習性はあまりにも頻繁に再発明されてきた。これから見るいくつかの実例は、おなじみのカッコウ主義を通り越して、『延長された表現型』が喚起しうるであろうもっとも激烈な幻想を満たしている。

鳥のカッコウは卵を産みつけて姿を消す。アリのカッコウの中には、雌がその存在をもっと劇的な形で気づかせるものがある。私はラテン語の学名はめったに出さないのだが、ここでは、コヌカアリ族の *Botryiomyrmex regicidus* と *B. decapitans* が話の主である。この二種は両方ともほかの種類のアリに寄生する。当然ながら、すべてのアリにおいて、子はふつう親によってではなくワーカーによって養われるから、カッコウたらんとするものがだまし、あるいは操作しなければならないのはワーカーである。有効な最初の第一歩は、競合する子をつくりだす性向をもつワーカー自身の母親を抹殺（まっさつ）することである。この二種では、寄生者である女王がたった一匹で別の種類のアリの巣に忍び込む。この女王は寄主の女王を捜し出すと、その背中に馬乗りになり、そして、そっとあることをおこなう。ウィルソンのなんとも不気味に抑えた表現を引用すれば、「この行為のために、彼女は比類のない特殊化をとげている。すなわち犠牲者の頭をゆっくりと切り落とすのだ」。そのあと、この殺害者は孤児となったワーカーたちによって受け入れられ、ワーカーたちはなんの疑いも感じずに、彼女の卵や幼虫の世話をする。一部のものは育てられてワーカーそのものになり、それらが徐々に巣の中のもとの種類に置きかわっていく。他のものは女王となって、新しい牧草地とまだちょん切られていない新しい女王の頭を探しに飛び出していく。

しかし、頭をちょん切ることは、少しばかりいやな仕事である。寄生者はもし身代わりを思いのままに動かせるのなら、自分でそんなことをしたくはないのである。ウィルソンの『昆虫の社会』の中で私が気に入っているキャラクターは、ヒメアリの一種 *Monomorium santschii* である。この種は、長い進化の過程で、ワーカーというカーストを完全に失ってしまった。寄主のワーカーが寄生者のためにあらゆることをし、あらゆる仕事のうちでもっとも恐ろしいことさえやるのだ。侵入した女王の命令によって、ワーカーたちは自分たち自身の母親を殺すという所業を実際におこなうのである。王位強奪者は自らの顎を使う必要がない。マインド・コントロールを用いるのだ。どうやってそうするのかは謎である。おそらく女王は化学物質を採用しているのだろう。なぜなら、アリの神経系は一般に化学物質に高度に適合しているからである。もしも彼女の武器が本当に化学物質ならば、それは科学的に知られているあらゆる麻薬と同様に狡猾なものである。それがやりとげることを考えてもいただきたい。それはワーカーのアリの脳を満たし、筋肉の手綱を握り、その深く植えつけられた義務を放棄するよう迫り、ワーカーをワーカー自身の母親に敵対せしめる。アリにとって、母殺しは特殊な遺伝的狂気の行為であり、ワーカーをそれに駆りたてる麻薬はまことに恐るべきしろものにちがいない。延長された表現型の世界では、動物の行動はいかにしてその遺伝子に利益を与えるかを問うのではなく、それが利益を与えているのはだれの遺伝子なのかを問わなければならない。

アリが寄生者、それも単にほかのアリだけではなく、まるで動物園のように驚くほど多様なスペシャリストのとりまきたちによって搾取されているとしてもほとんど驚くにあたらない。ワーカーたちは広い範囲から集めた食物の豊かな流れをしずしずと中央の貯蔵所に運び込むが、そこはたかり屋たちが腰を落ちつける絶好の標的になる。アリはまたすぐれた保護を与えることもできる。立派に武装している数もたくさんいる。10章のアブラムシは本職のボディガードを雇うために蜜を支払っているとみなすことができる。何種類かのチョウは幼虫時代をアリの巣の中で暮らす。一部はまぎれもない略奪者である。そのほかのものは保護の見返りにアリに何かを与える。しばしばこれらのチョウには、保護者を操作するための装備がいっぱいある。*Thisbe irenea* というチョウの幼虫は、頭にアリを呼び集めるための発音器官をもち、お尻のさきっぽ近くには誘惑する蜜をにじみ出させる一対の伸縮自在の噴出口をもっている。肩にはもう一対の噴射口があり、こちらはまるっきりちがったもっと微妙な魔法をかける。その分泌物は食べ物ではなく、アリの行動に劇的な影響を与える揮発性の薬物であると思われる。その影響のもとに入ったアリは、はっきりと態度が急変する。顎を大きく開けて、攻撃的になり、いかなる動く対象に対しても、ふだんよりもはるかに真剣にかかっていき、嚙(か)み、刺すようになる。興味ぶかいことに、薬物を投与しているチョウの幼虫だけは例外である。そのうえ、麻薬をふりまく幼虫の影響下に入ったアリはついには「執着」状態に入る。こうなるとアリは何日ものあいだ幼虫から離れられなくなる。やがてアブラムシと同じように、幼虫はアリをボディガードとして雇うわけだが、こちらはもう一つ先へ行く。アブラムシは捕食者に対するアリの正常な攻撃性に頼るのに対して、チョウの幼虫のほうは攻撃性をよびさます麻薬を投与し、なにか中毒性の執着状態にまで持っていくように思われるのだ。

私は極端な例を選んできた。しかし、もっと穏やかなやり方ではあるが、自然界には、同種あるいは別種の他の個体を操作する動物や植物がいっぱいいる。自然淘汰によって操作をする遺伝子が選ばれたすべての場合において、それらの遺伝子を、操作される生物の体に（延長された表現型）効果を及ぼすものとして語るのは理にかなっている。遺伝子が物理的にどの生物の体内に位置するかは問題ではない。その操作の標的は同じ体かもしれないし、別の体かもしれない。自然淘汰は自らの増殖を確実にするように世界を操作する遺伝子を選ぶ。これこそが、私が「延長された表現型の中心定理」と呼ぶものにつながる。すなわち、動物の行動は、それらの遺伝子がその行動をおこなっている当の動物の体の内部にたまたまあってもなくても、その行動の「ための」遺伝子の生存を最大にする傾向をもつ。私は動物の行動という文脈で書いているが、しかしもちろんこの定理は、色、大きさ、形状、そのほかなんにでも応用できる。

そこでようやく、最初にわれわれが持ちだした問題、自然淘汰における中心的な役割を演じているもののの候補者としてライバル関係にある生物個体と遺伝子のあいだの緊張に、立ちもどる時がきた。これまでの章で私は、個体の繁殖は遺伝子の生存と等しいから、両者の間にはなんの問題もないと仮定してきた。そこで私は、「生物個体はそのすべての遺伝子を増殖させるようにはたらく」といってもいいし、「遺伝子は累代の生物個体に自らを増殖せしめるようにはたらく」といってもいいと仮定したのである。これは、同じことについての二通りの対等な言い方で、どちらの表現を選ぶかは好みの問題であると思われた。しかし、緊張は残っていたのだ。

この問題の全体を整理する一つの方法は、「自己複製子」と「乗り物（担体）」という用語を使うことである。自然淘汰の根本的な単位で、生存に成功あるいは失敗する基本的なもの、そして、ときどきランダムな突然変異をともないながら同一のコピーの系列を形成するものが、自己複製子と呼ばれる。DNA分子は自己複製子である。自己複製子は一般に、これから述べるような理由によって、巨大な共同の生存機械、すなわちヴィークルの中に寄り集まる。われわれがいちばんよく知っているヴィークルは、われわれ自身のような個体の体である。したがって体は自己複製子ではない。それはヴィークルなのだ。この点はこれまで誤解されてきたから、とくに強調しておかなければならない。ヴィークルはそれ自身では複製しない。その自己複製子を増殖させるようにはたらく。自己複製子は行動せず、世界を知覚せず、獲物を捕らえたりあるいは捕食者から逃走したりしない。自己複製子はヴィークルがそういったことすべてをするように仕向ける。多くの目的にとっては、生物学者がその関心をヴィークルのレベルに集中するほうが便利である。しかし別の目的にとっては、生物学者は自己複製子のレベルに関心を集中するのが便利である。遺伝子と生物個体はダーウィンのドラマにおいて同じ主役の座を争うライバルではない。両者は異なったキャストであり、多くの点で同等に重要な、お互いに補いあう役割、すなわち自己複製子という役割とヴィークルという役割である。

自己複製子／ヴィークルという用語法は、さまざまな面で役に立つ。たとえば、自然淘汰の作用するレベルについてのうんざりするような論争を解決してくれる。表面的には、淘汰のレベルをあらわす一種の階梯(かいてい)において、「個体淘汰」は、3章で主張した「遺伝子淘汰」と、7章で批判した「群淘汰」の中間に置くのが論理的なように思われるかもしれない。「個体淘汰」は漠然と二つの両極端の中間にあるように見え、多くの生物学者と哲学者がこの誤った道へ誘い込まれ、そのようなものとして扱ってきた。しかしいまやわれわれは、それがまったくそういうものではないことを知っている。われわれはいまや、生物個体と個体群はこの物語におけるヴィークルの役割をめぐっての真のライバルではあるが、そのいずれもが自己複製子の役割の候補者でさえないということを知っている。「個体淘汰」と「群淘汰」のあいだの論争は、真に異なるヴィークル間の論争である。個体淘汰と遺伝子淘汰のあいだの論争は結局のところ論争ではない。なぜなら、遺伝子と生物個体は、この物語における異なった、相補いあう役割、自己複製子とヴィークルという役の候補者なのである。

ヴィークル役としての個体と個体群のライバル争いは、真の争いであるが、これについては決着をつけることができる。あいにく、私の見解によれば、その結論は生物個体の決定的な勝利である。個体群は一つの実体としてはあまりにもはかない。シカ、ライオン、あるいはオオカミの群れは、ある種の萌（ほう）芽（が）的な調和と目的の統一性をもっている。しかしこれは、一頭のライオン、オオカミ、シカの体における調和と目的の統一性にくらべればいいかげんなものだ。これが真実であることはいまや広く受け入れられているが、なぜそれが真実なのか。延長された表現型と寄生者が、またしても助けてくれる。

寄生者の遺伝子がお互いにいっしょになって、しかし寄主の遺伝子（こちらもお互いがいっしょになってはたらく）とは対立的にはたらくとき、われわれはその理由を、二組の遺伝子が共通のヴィークル、すなわち寄主の体から退出する方法が異なるからだと考えた。カタツムリの遺伝子はカタツムリの精子あるいは卵を通じて共通のヴィークルを離れる。カタツムリのすべての遺伝子は、どの精子、どの卵に対しても等しい利害関係をもっているがゆえに、すべての遺伝子が同一の党派性（パルチザン）のない減数分裂に参加するがゆえに、共通の利益のためにともにはたらき、したがって、カタツムリの体を結束させ、目的をもったヴィークルにする傾向をもつのだ。吸虫がその寄主から明瞭に分離しうる真の理由、その目的およびアイデンティティを、寄主のそれと合体させない理由は、吸虫の遺伝子が共通のヴィークルから退出する方法をカタツムリの遺伝子と共有しておらず、カタツムリの減数分裂のくじ引きに参加していないからである――彼らは自分たち独自のくじ引きをもっている。したがって、その限りでは、そしてその限りにおいてのみ、二つのヴィークルはカタツムリとその体内のはっきり異なる吸虫として分離されたままにとどまる。もし吸虫の遺伝子がカタツムリの卵や精子の中に入って伝えられるとしたら、二つの体は一つの肉体となるよう進化するだろう。そうなれば、二つのヴィークルがあったということさえいえなくなるだろう。

われわれのような「単一の」生物個体は、そういった数多くの吸収合併の究極的な統合体である。個体の群れ――鳥の群れ（フロック）、オオカミの一隊（パック）――は、単一のヴィークルに合併されることはない。それはまさに、群れの中の遺伝子は現にあるヴィークルを脱出する共通の方法をもっていないからである。たしかにオオカミの群れから出芽（しゅつが）のような形で娘群が分離することもある。しかし、親群の中にあった遺伝子は、すべての遺伝子が等しい分け前にあずかるような単一の容器で娘群に伝えられるわけではない。ある一つのオオカミの群れの遺伝子がすべて、将来における同じ一連の出来事からの利得を約束されているわけではない。一つの遺伝子は、自らがいるオオカミの個体を、他の個体を犠牲にして優遇することによって、自らの将来の繁栄を促進しうる。したがって、一頭のオオカミはヴィークルの名に値するものである。だが、オオカミの群れはちがう。遺伝的に言って、この理由は、一頭のオオカミの体の中の生殖細胞を除くすべての細胞が同じ遺伝子をもっており、一方、生殖細胞については、すべての遺伝子がその中の一つに入る均等なチャンスをもっていることにある。しかし、オオカミの一つの群れに属する細胞群は同じ遺伝子をもっていないし、それから分かれた娘群の細胞に入るチャンスも同じではない。彼らはすべてを、他のオオカミの体の中にいるライバルの細胞と闘争することによって勝ち取らねばならない（もっとも、オオカミの群れが血縁集団であるらしいという事実によってこの闘争は緩和されるだろうが）。

ある物が、実質的な遺伝子のヴィークルとなるためには、次の点が不可欠な属性である。すなわち、それは、内部のすべての遺伝子にとって公平な、未来に向けての退出経路をもたなければならないということだ。これは一頭のオオカミについては真実である。この経路は、減数分裂によってつくられる精子あるいは卵子という細い流れである。これはオオカミの群れについては真実ではない。遺伝子は、オオカミの群れの他の遺伝子を犠牲にして、自分自身の個体の繁栄を利己的に促進することによって得られるなにかをもっている。ミツバチの一つの巣は、分封するとき、オオカミの群れと同じように異なる個体の集合した出芽によって繁殖するように思われる。しかし、もっと注意ぶかくみてみると、遺伝子に関するかぎり、彼らの運命はおおむね共通であることがわかる。ミツバチの分封群の遺伝子の未来は、少なくとも大部分は、一匹の女王の卵巣の中に潜んでいる。これこそ、ハチのコロニーが真に統合された単一のヴィークルのようにみえ、そのようにふるまう理由である。これは、これまでの章のメッセージを表明するもうひとつの方式にすぎないが。

事実の問題として、われわれは、生命がいたるところで、オオカミの個体やミツバチの巣のような、はっきりと分かれ、個々に別々の目的をもつヴィークルに束ねられているのを見る。しかし、延長された表現型の学説は、それが必ずしもそうである必要のないことを教えてくれる。基本的には、われわれの理論が予想しうるすべては、遺伝的な未来をめぐって、押し合い、だまし合い、戦い合う自己複製子たちの戦場ということに尽きる。戦いにおける武器は表現型効果で、当初は細胞への直接的な化学的効果であるが、最終的には羽、牙、そしてさらにもっと遠隔の効果にさえなる。こういった表現型諸効果が別々のヴィークルに分かれて束ねられるようになるケースがたまたまおこるというのは否定しがたい。それぞれのヴィークルは、未来へ送りこむ精子あるいは卵子という共通のボトルネック（この用語には「瓶の首」と「狭い通路」の意味がある）をもつという見通しによって、規制され秩序だてられた遺伝子をもっている。しかしこれは、当然のこととみなされるべき事実ではない。それはそれ自体として疑問を投げかけられ、驚嘆されるべき事実である。なぜ遺伝子は、それぞれ単一の遺伝的な脱出ルートをもつ大きなヴィークルに寄り集まったのだろうか？　なぜ遺伝子は、徒党を組んで、自分たちが暮らすための大きな体をつくるという選択をしたのだろうか？　『延長された表現型』において、この困難な問題に対する解答を出そうと試みた。ここでは、その答えのごく一部だけしか概説できない——もっとも、あれから七年がたっていることから予想できるとおり、今ではほんの少し先へ進むこともできる。

問題を三つに分けることにしよう。なぜ遺伝子は細胞の中に徒党を組んだのか？　細胞はなぜ徒党を組んで多細胞体をつくったのか？　そしてなぜ、生物体は私が「ボトルネックをもつ型」と呼ぶ生活環（生殖細胞の視点から見た生活史。生物学用語）を採用したのか？

まず最初に、なぜ遺伝子は細胞の中に徒党を組んだのだろうか？　なぜ太古の自己複製子は原始のスープの気ままな自由を放棄し、巨大なコロニーにひしめきあうことにしたのか？　なぜ彼らは協力しあうのか？　今日のＤＮＡ分子が、生きた細胞である化学的な工場においてどのように協力しあうかを見ることによって、われわれは答えの一部を理解することができる。ＤＮＡ分子はタンパク質をつくる。タンパク質は酵素としてはたらき、特定の化学反応を触媒する。しばしば一つの化学反応では有効な最終産物を合成するのに十分ではない。人間が造った製薬工場においては、一つの有効な化学物質を合成するのに生産ラインが必要である。出発点となる化学物質を望みの最終産物へとただちに変換することはできない。一連の中間産物が厳密な順序で合成されなければならないのだ。化学研究者の創意のほとんどは、出発点の化学物質と望みの最終産物のあいだにありうべき中間的な反応経路を工夫することに向けられてきた。これと同じように、生きた細胞の中の単一の酵素はふつうそれ単独では、与えられた出発点となる化学物質から有効な最終産物の合成を達成することができない。一つは原材料から最初の中間産物への変換を触媒し、もう一つは最初の中間産物から第二の中間産物への変換を触媒し、次はまたというように、完全なセットとなる酵素が必要なのである。

これらの酵素のそれぞれは一つの遺伝子でつくられる。もし特定の合成経路において六つの酵素の系列が必要だとすると、それらの酵素をつくるすべての遺伝子が存在しなければならない。さて、同じ最終産物に到達するのに二つの相異なる経路が存在し、それぞれが六つの異なる酵素を必要とするが、二つの経路のあいだにはなんら選ぶべき差がないという事態がおこりうる可能性はきわめて高い。こういった類いのことは化学工場においてもおこる。どちらの経路が選ばれるかは歴史的な偶然であるか、さもなくば、化学者のより意図的な計画の問題であろう。自然の化学過程においては、もちろん、選択が意図的なものではけっしてありえないだろう。それは、自然淘汰を通じて生じることになろう。しかし、いかにして自然淘汰は、二つの経路が混線せず、適合した遺伝子のグループが出現するように取り計らうことができるのか？　ドイツ人とイギリス人のボート選手のアナロジーで私が示唆したのと（5章）まさに同じやり方によってだ。重要なのは、経路1のある段階のための遺伝子は、経路1の他の段階のための遺伝子群の存在するところでは繁栄するだろうが、経路2の遺伝子群の存在下では繁栄しないという点である。もし、たまたまその集団がすでに経路1のための遺伝子によって優位を占められているとすれば、淘汰は経路1のためのほかの遺伝子には有利に、経路2のための遺伝子には不利にはたらくだろう。逆の場合も同じことである。経路2の六つの酵素のための遺伝子が「グループとして」淘汰されていると、いいたくなるところではあるが、それはまったく誤った言い方である。それぞれは別個の利己的な遺伝子として淘汰されるのだが、他の遺伝子の正しいセットの存在下でしか繁栄しないだけなのだ。

今日ではこの遺伝子間の協力が細胞内にまで及んでいる。それは、原始のスープ（あるいは何であれかつて存在した原始的な生活条件）の中での萌芽的な協力から出発したにちがいない。細胞壁はおそらく有効な化学物質をまとめて保持し、こぼれでることを阻止するための装置として生じたものであろう。細胞内の化学反応の多くは、実際には内部の膜状の構造物の上で進行する。膜がコンベアー・ベルトに試験管の台（ラック）を組合わせたもののようなはたらきをするのだ。しかし、遺伝子間の協力は細胞生化学の範囲にとどまらなかった。細胞は寄り集まって（あるいは細胞分裂のあと分離に失敗して）、多細胞の体をつくるようになった。

これが、私の三つの疑問のうちの第二のものに導いてくれる。なぜ細胞は徒党を組むのか、なぜがたがたと動くロボットになったのか？　これは協力に関するもう一つの疑問である。しかし、ここで領域は分子の世界からより大きな規模へ移動する。多細胞生物の体は顕微鏡をはみだす大きさにまで成長する。ゾウやクジラにさえなることができる。大きいということは必ずしもいいことではない。大半の生物はバクテリアであり、ゾウはごくわずかしかいない。しかし、小さな生物のために開かれている生活の道がすべて満杯であっても、大型の生物にとって好都合な生活の道は残っているものだ。たとえば、大型の生物は小型の生物を食べることができるし、彼らに食べられるのを避けることもできる。

細胞がクラブをつくる特典は体の大きさにとどまらない。クラブの中の細胞は特殊化し、それによって、それぞれの特異的な任務をより効率よく果たすことができるようになる。特殊化した細胞はクラブの中のほかの細胞の役に立ち、同時に、ほかの専門家の能率的な仕事から利益をも得る。もしたくさんの細胞があれば、ある細胞は獲物を見つけるセンサーとして特殊化し、別の細胞はメッセージを伝える神経として、また別の細胞は触手を動かし獲物をつかまえるための筋肉細胞として、獲物を分解する分泌細胞として、さらにはその消化された液を吸収する細胞として特殊化することができる。少なくともわれわれ人類のような現代の生物の体においては、これらの細胞がクローンであることを忘れてはならない。すべて同じ遺伝子を含んでいるが、ただ、特殊化したそれぞれの細胞ごとにちがった遺伝子のスイッチが入るだけなのだ。それぞれのタイプの細胞の遺伝子は、繁殖のために特殊化した少数派の細胞、不死の生殖系列の細胞内にある自らの遺伝子のコピーに直接の利益を与えているのである。

そこで、第三の疑問だ。なぜ生物体は「ボトルネックをもつ型」の生活環に参加するのだろうか？

そもそも、ボトルネック型ということばで私は何を意味しているのだろうか？　一頭のゾウの体にどれだけ多くの細胞があるかにかかわりなく、ゾウはその生涯を単一の細胞、受精卵から始める。この受精卵こそがひとつの狭いボトルネックであり、これが胚発生の過程を通じて、一頭のおとなのゾウの何兆、何京（けい）もの細胞に増えていくのである。そして、どれだけ多くの細胞が、どれだけ多くの特殊化した細胞が、協力して、おとなのゾウを走らせるという、想像もつかないほどこみいった仕事をおこなおうとも、これらすべての細胞の努力は、たった一種の単一細胞（精子または卵子）をふたたび生産するという最終目標に収斂（しゅうれん）する。ゾウはそのはじまりにおいて単一細胞、すなわち受精卵であるだけではない。その目標あるいは最終産物を意味するその目的も、次の世代の受精卵という単一細胞の生産にある。ゾウの幅広く巨大な生活環は、はじまりにもおわりにも狭いボトルネックがあるのだ。このボトルネックはすべての多細胞動物とほとんどの植物の生活環の特徴である。なぜ？　そしてどういう意味があるのか？　もし、それがなかったとしたら生命がどのようにみえるだろうかという考察なしに、この疑問に答えることはできない。

　ボトルラックとスプラージュウィードと呼ばれる二種の仮想的な海草を想像していただくとわかりやすいだろう。スプラージュウィードは海中に不定形の枝をもじゃもじゃと伸ばすことによって成長する。ときどき、枝はちぎれて漂流する。こういった離切は植物体のどんな場所でもおこりうるし、断片は大きいことも小さいこともありうる。庭の挿（さ）し木と同じように、これらの断片はもとの植物とそっくり同じように成長することができる。このような体の一部の離切がこの植物の繁殖法なのである。お気づきのように、これは成長と現実にはなんら異なるところがなく、ただ、成長部がお互いに物理的に離れているというちがいがあるにすぎない。

　ボトルラックも外見はよく似ていて、同じくもじゃもじゃと成長する。しかしながら一つだけ決定的なちがいがある。これは単細胞の繁殖子を放出することによって繁殖するのだ。繁殖子は海の中を漂い、成長して新しい植物体となる。これらの繁殖子は、この植物体のほかの細胞と同じ細胞にすぎない。スプラージュウィードの場合と同じように、性は介在しない。娘植物体は、親植物の細胞とクローン仲間の細胞からなっている。この二種の唯一のちがいは、スプラージュウィードは不特定多数の細胞からなる自らのかけらを分離独立させることによって繁殖するのにたいして、ボトルラックはつねに一個の細胞からなる自らのかけらを分離独立させることによって繁殖するということである。

この二種類の植物を想像することによって、ボトルネックをもつ生活環とボトルネックをもたない生活環のあいだの決定的な差に照準を合わせることができた。スプラージュウィードはただ成長して二つに割れるだけである。ボトルラックは単一の細胞というボトルネックを、世代ごとにくぐりぬける。スプラージュウィードは成長して二つに割れるだけである。別個の「世代」をもっているとか、あるいは別個の「生物体」をなしているとはとうてい言えない。ボトルラックについてはどうだろうか？　これからくわしく説明するつもりだが、すでに答えをうすうす理解することはできる。ボトルラックはより明確な「個体らしさ」の感触をもっているようには思えないだろうか？

すでにみたように、スプラージュウィードは成長と同じ過程によって繁殖する。実際、それは繁殖するなどとはほとんど言うことができない。一方のボトルラックでは、成長と繁殖は明瞭に区別されている。このちがいに照準を合わせることもできたかもしれないが、だからどうだというのだろう。その意味は何なのか？　どうしてそれが問題なのか？　私はこのことについて長らく考えてきており、自分ではその答えを知っていると考えている（ついでながら、問題が存在するとわかるほうが、答えを考えるよりずっとむずかしい）。答えは三つの部分に分けることができる。そのうちの最初の二つは、進化と胚発生の関係にかかわりがある。

まず最初に、単純な器官から複雑な器官への進化の問題を考えてみよう。いつまでも植物にとどまっている必要はない。動物のほうが明らかに複雑な器官をもっているのだから、議論がこの段階にくれば、植物から動物に切り替えるほうがいいだろう。ここでもまた、性という観点から考える必要はない。有性生殖と無性生殖は、ここでは注意を本題からそらす欺(あざむ)きの餌(えさ)である。われわれは非性的な繁殖子を送り出すことによって繁殖する動物を想像することができる。この繁殖子は単一の細胞で、突然変異を別にすれば、お互いどうし、そして体の中のほかのすべての細胞と遺伝的に同一である。

人間やワラジムシ（ダンゴムシに似ているが、小判形で扁平。石下や床下の湿った所に住む。甲殻類）のような進んだ動物の複雑な器官は祖先たちの単純な器官から徐々に段階的に進化してきた。しかし、祖先の器官は、刀を打って鍬(くわ)の刃にするように、文字通りの意味で子孫の器官に変化していったのではない。単にそうではなかった、というだけではない。私が明らかにしたいと思う点は、たいていの場合はそうできなかったということだ。「刀から鍬の刃へ」という方式による直接の変換によって達成しうる変化の量はごく限られたものでしかない。本当の意味で根本的な変化は「製図板に戻り」、以前の設計を放棄して新たに出発することによってのみ達成しうる。技師が製図板にもどり、新しい設計を創造するとき、必ずしも、古い設計からの発想を放棄することはない。しかし、彼らは古い物体を文字通り新しいものに変形させようとは試みない。古い物体は、あまりにも重く歴史の混乱を背負わされている。刀を打って鍬の刃に変えることはできるかもしれないが、プロペラ・エンジンを「打って」ジェット・エンジンにしようと試みてもみよ！　そんなことはできはしない。プロペラ・エンジンは廃棄して、製図板にもどらなければならないのだ。

もちろん、生きものは、決して製図板の上で設計されたりはしなかった。しかし生きものも実際に、新たな出発点にもどるのである。彼らは世代がかわるごとに新たなスタートを切るのである。あらゆる新しい世代は単細胞として始まり、新しく成長する。それは祖先の設計の理念をDNAのプログラムの形で引きつぐが、その祖先の肉体的な器官を引きつがない。それは親の心臓を引きつがず、それを新しい（そして可能なら改良された）心臓につくりなおす。それは単一の細胞として再出発し、親の心臓と同じ設計プログラムを用いて成長し、そこに新しい改善を加えるかもしれない。私が導こうとしている結論がおわかりだろう。「ボトルネック型の」生活環の重要な一事は、製図板にもどるのと同等のことを可能にしたという点なのだ。

生活環のボトルネック化は、第二の、関連した帰結をもたらす。それは、発生の過程の制御に利用可能な「暦（カレンダー）」を提供するのだ。ボトルネックをもつ生活環においては、新たな世代は、そのたびごとに、ほぼ同じ一連の出来事を経ていく。それは単細胞としてはじまり、細胞分裂によって成長する。そしてそれは、娘細胞を送りだすことによって繁殖する。おそらくそれは最終的には死ぬだろうが、そのことは、われわれ死すべきものがそう思うほどには重要なことではない。この議論に関するかぎり、この生活環は、現在の生物が繁殖し、新しい世代の生活環が始まったときに終わるのである。理論的には、生物はその成長期のいついかなるときにも繁殖できるのだが、最終的には繁殖に最適な時期が定まると予測できる。あまりにも若すぎたり、年寄りになってから繁殖子を放出する生物は、力を貯えて人生の最盛期に膨大な数の繁殖子を放出するライバルにくらべて、結局はより少ない子孫しかもてないであろう。

議論は、規則的にくりかえす定型的な生活環の問題に移りつつある。それぞれの世代は単細胞のボトルネックとともに始まるだけではない。それは、一定の期間にわたる成長期、つまり「子ども期」をもつ。成長期間の一定性、定型性は、あたかも厳密に守られる暦に従うような形で、胚発生の特定の時期に特定の事態が生ずることを可能にする。生物種によって程度は異なるが、発生中の細胞分裂はきっちりと決まった順序でおこり、この順序は生活環のくりかえしごとに再現される。それぞれの細胞は細胞分裂において決まった位置と時間を占めて登場する。ついでながら、いくつかの場合には、それがあまりにも厳密なため、発生学者はそれぞれの細胞に名前をつけることができ、ある個体の任意の細胞について、別の個体の正確に対応する細胞を言い当てることができる。

つまり、定型的な成長周期は、発生学的な出来事の引き金を引くための時計あるいは暦を提供する。地球の日々の自転の周期と一年の公転の周期を、私たちの生活を組み立て秩序だたせるために、われわれ自身がどんなにたやすく利用しているかを考えてもいただきたい。同じようにして、ボトルネックをもつ生活環によって強いられた果てしなくくりかえされる成長のリズムは——それはほとんど必然的なことのように思える——発生を構築し秩序だてるのに利用されるであろう。特定の遺伝子のスイッチを特定の時期に入れたり切ったりすることができる。なぜなら、ボトルネック／成長周期の暦が、特定の時期というしろものの存在そのものを保証するからである。遺伝子の活性のそのような、よく加減された調整は、複雑な組織や器官をつくりだすことのできる発生過程の進化にとって不可欠な前提である。ワシの眼やツバメの翼の精密さや複雑さも、いつなにをつくるかをきめる時計仕掛けの規則なしには出現しえない。

ボトルネックをもつ生活史の第三の帰結は遺伝的なものである。ここでは、ボトルラックとスプラージュウィードの例がふたたび役にたつ。またしても話を単純にするために、両種とも無性的に増殖すると仮定して、どのようにして進化するかを考えてみよう。進化は遺伝的な変化、つまり突然変異を必要とする。突然変異はどんな細胞分裂期間中にも偶然におこりうる。スプラージュウィードでは、細胞の系列の先端は幅が広く、ボトルネックとは正反対である。離切し、漂い去るそれぞれの枝は、多数の細胞でできている。したがって、娘個体中の二つの細胞の親族関係のへだたりが、それぞれの細胞と親植物中の細胞群との親族関係のへだたりのいずれよりも遠いということさえ十分におこりうる（「親族」ということばで、私は文字通りの、いとこ、孫、等々のことを指している。細胞はきっちりとした由来の系列をもっており、この系列はしだいに枝分かれしていく。したがって、体の中の細胞についても、別に弁明なしに〝またいとこ〟といったことばを使うことができる）。この点で、ボトルラックはスプラージュウィードと画然と異なる。娘植物中のすべての細胞は単一の繁殖子細胞に由来するものであり、それゆえ、一個体中のすべての細胞はお互いに、他個体のどの細胞とよりも密接な親戚関係（いとこ、あるいはそのほかのなんであれ）にあるのである。

二種のあいだのこの相異は、重大な遺伝的帰結をもたらす。新たな突然変異遺伝子の運命をまずスプラージュウィードについて、その後でボトルラックについて考えてみよう。スプラージュウィードの新しい突然変異は、植物体のどの細胞、どの枝にも生じうる。娘植物は、多細胞の出芽によってつくられるから、突然変異細胞の直系の子孫たちは、比較的遠い親戚にあたる非突然変異細胞と、娘植物体や孫植物体を共有することがありうる。一方、ボトルラックにおいては、一つの植物体のすべての細胞のもっとも最近の共通の祖先は、その植物体のボトルネックの発端を提供した繁殖子より古いものではありえない。もし、その繁殖子が突然変異遺伝子を含んでいれば、新しい植物体のすべての細胞は、突然変異遺伝子を含むことになるだろう。もし繁殖子がそれを含んでいなければ、すべての細胞が含まないだろう。ボトルラックの細胞は、スプラージュウィードの細胞よりも一個体中ではより遺伝的に均一であろう（ときどき、逆突然変異があるにせよ）。ボトルラックでは、植物個体は遺伝的な同一性をもつ一つの単位となり、個体の名にふさわしいものとなろう。スプラージュウィードの植物体はより小さな遺伝的同一性しかもたず、ボトルラックの植物体よりも「個体」の名に値しないものとなろう。

これは単なる用語法の問題ではない。突然変異が生ずるのでスプラージュウィードの植物体内のすべての細胞は、根底ではけっして同じ遺伝的利害をもつことはないだろう。スプラージュウィードの細胞内の遺伝子は、その細胞の繁殖を促進することによって利益を得ようとする。それは必ずしも、その植物「個体」の繁殖を促進することによって利益を得ようとはしないだろう。突然変異のため、一植物体内の細胞は遺伝的に同一ではなくなるから、器官や新しい植物体の製造においてお互いに心から協力しあうことはないだろう。自然淘汰は「植物体」よりもむしろ細胞のあいだで選択を生ぜしめるだろう。これに対して、ボトルラックでは、一植物体内のすべての細胞がおそらく同じ遺伝子をもっている。なぜなら、ごくごく最近の突然変異のみが差異をもたらしうるからだ。したがって、彼らは効率的な生存機械の製造に喜んで協力するだろう。異なった植物体内の細胞は異なった遺伝子をもっている可能性が大きい。つまり、異なったボトルネックをくぐりぬけた細胞群は、もっとも最近に生じた突然変異を除く他のすべての細胞、すなわち大多数の細胞で異なっているということである。だからこそ、淘汰はスプラージュウィードの場合のようにライバルの細胞間に作用するのではなく、ライバルの植物体のあいだで判定を下すことになるのである。かくしてわれわれは、植物体全体に役立つような器官や工夫の進化を期待できるのである。

ついでながら、厳密に専門的な関心をもつ人々にとってだけではあるが、ここには、群淘汰をめぐる論議とのアナロジーがある。われわれは生物個体を細胞の「群れ」と考えることができる。群内変異に対する群間変異の比率を増加させる方途があれば、一種の群淘汰が作用しうる。ボトルラックの繁殖習性は、まさしくこの比率を増加させる効果をもっている。そしてスプラージュウィードの習性はまさにその正反対の効果をもっている。ほかにも、「ボトルネックをもつこと」と本章を特徴づける他の二つの考え方のあいだには、類似点があるが、それらは啓発的かもしれないが、ここでは詮索しない。一つは、寄生者は、その遺伝子が寄主の遺伝子と同じ生殖細胞に入って（同じボトルネックをくぐりぬけて）次の世代へ伝えられるかぎりにおいて、寄主と協力するだろうという考えである。第二の点は、有性的に繁殖する生物体の細胞は、減数分裂が実直に公正であるという限りにおいてのみお互いに協力しあうという考えである。

要約すれば、ボトルネック型の生活史がなぜ、はっきり区別された単一のヴィークルとしての生物個体の進化を促進するかという三つの理由を見てきたことになる。この三つはそれぞれ、「製図板に戻る」、「秩序正しく時間の決まった周期」、「細胞の均一性」というラベルをはることができよう。ボトルネックのある生活環と、はっきり区別される生物個体は、どちらが先にやってきたのだろうか？　私としては、両者はいっしょに進化したものと考えたい。じつのところ私は、生物個体を本質的に定義する特徴は、はじめとおわりに単細胞のボトルネックをもつ単位（ユニット）ということにあると思っている。もし生活環がボトルネックのある型になれば、生命物質は、はっきりと区別された単一の生物個体に閉じこめられるようになる運命にあると思われる。そして生命物質がはっきり区別される生存機械にますます閉じこめられれば閉じこめられるほど、その生存機械の細胞たちは、彼らと共通の遺伝子をボトルネックをくぐりぬけて次の世代に運ぶように運命づけられた特別な部類の細胞のためにますます大きな努力を傾注するようになる。ボトルネックをもつ生活環とはっきり区別される生物個体という二つの現象は、手に手を取って進んできたのだ。一方が進化すると、それが他方をさらに強化するのだ。両者は、ちょうど進行中の恋愛の過程における男と女のらせん的に昂(たか)まっていく感情のように、相互に高めあっているのだ。

『延長された表現型』は長大な本で、その議論を簡単に一章に詰めこむことはできない。ここでは私は、圧縮した、かなり直観的な、印象派的とさえいわれそうなスタイルを採用することを余儀なくされた。にもかかわらず、議論の香りを伝えることには成功したと信じたい。

最後に、簡単な宣言をもって締めくくりとしよう。それは利己的遺伝子/延長された表現型という生命観の全体についての要約である。それは、宇宙のどんな場所にいる生物にも適用される生命観だと、私は主張する。あらゆる生命の根本的な単位であり原動力は自己複製子である。自己複製子とは、宇宙にあるどんなものであれ、それからその複製(コピー)がつくられるもののことだ。まず最初に、偶然によって、小さな粒子のランダムなひしめきあいによって、自己複製子が出現する。一度、自己複製子が存在するようになれば、それは自らの複製を果てしなくつくりだしていくことができる。しかしながら、どんな複製過程も完全ではなく、自己複製子たちの集団はお互いに異なったいくつかの変異を含むようになる。

そういった変異のあるものは自己複製の能力を失い、彼ら自身が消滅したときに、その仲間は消滅してしまう。別の変異はまだ複製をつくることはできるが、ずっと効率が悪くなっている。そこにたまたま、新しく巧妙なやり方を獲得した変異があらわれた。自分の祖先や同時代のものよりずっと効率よく自己複製できるのだ。集団の中で優勢になるのはもちろん彼らの子孫である。やがて時間の経過とともに、世界はもっとも強力で巧妙な自己複製子によって埋めつくされるようになるだろう。

よき自己複製子となるためのますます洗練されたやり方が、徐々にだが発見されていったろう。自己複製子は、自らの固有の性質のおかげだけではなく、世界に対してそれがもたらす帰結のおかげによっても生き残る。そういった帰結はきわめて間接的なものでもありうる。必要なのはただ、どんなにまわりくどく間接的なものであれ、最終的に自己複製子が自らを複製するさいの成功率にフィードバックし、影響を与えるような帰結であることだけだ。

ある自己複製子がこの世で成功するかどうかは、それがどういう世界——既存の条件——であるかにかかっている。そういった条件の中でもっとも重要なのは、他の自己複製子とそれがもたらす帰結であろう。イギリス人とドイツ人のボート選手の例と同じように、お互いに利益をあたえあう自己複製子どうしは、お互いの存在のもとで優位を占めるようになるだろう。われわれの地球上の生物進化のどこかの時点で、相互に共存しうる自己複製子どうしのそのような集結が、はっきりと区別されるヴィークル——細胞、そして後には多細胞生物体——の創造という形をとりはじめた。ボトルネックのある生活環をもつヴィークルが繁栄し、よりいっそうはっきり区別されるよりヴィークルらしいものになっていった。

生命物質を区分けされるヴィークルへ包みこむことは、あまりにもきわだった頻出する特徴となったため、生物学者がこの世に登場し、生物に関する問いを発しはじめたとき、彼らの問いはもっぱらヴィークル、つまり生物個体に関するものとなった。生物学者の意識にはまず生物個体がのぼり、自己複製子（現在では遺伝子として知られている）は、生物個体が用いる仕掛け（マシネリー）の一部とみなされた。生物学をもう一度正しい道にもどし、歴史においてだけでなく重要性においても自己複製子が最初に来るということを肝に銘じるためには、意識的な精神の努力が必要である。

肝に銘じさせる一つの方法は、今日においてさえ、一つの遺伝子の表現型効果が必ずしもすべて、それが位置する個体の体の内部に限定されていないことを思いおこすことだ。原理的にいって確実に、そして事実においてもまた、遺伝子は個体の体壁を通り抜けて、外側の世界にある対象を操作する。対象の一部は生命のないものであり、またあるものは他の生物であり、またあるものははるか遠く離れたところにある。ほんのちょっとの想像力がありさえすれば、放射状に伸びた延長された表現型の力の網の目の中心に位置する遺伝子の姿を見ることができる。世界の中にある一つの対象物は、多数の生物個体のなかに位置する多数の遺伝子の発する影響力の網の目が集中する焦点なのである。遺伝子の長い腕（リーチ）に、はっきりした境界はない。あらゆる世界には、遠くあるいは近く、遺伝子と表現型効果をつなぐ因果の矢が縦横に入り乱れている。

実践的には付随的と呼ぶにはあまりにも重要すぎるが、必然というには理論上必ずしも十分ではない事実を一つ追加しておこう。それは、こうした因果の矢が束ねられるようになってきたことである。自己複製子はもはや海の中に勝手に散らばってはいない。彼らは巨大なコロニー（個体の体）の中に包みこまれているのだ。そして表現型効果の帰結は、世界全体に一様に分布しているのではなく、多くの場合、その同じ個体に凝結してきた。しかし、この地球でおなじみのような個体の体は存在しなければならない、というわけではなかった。宇宙のどんな場所であれ、生命が生じるために存在しなければならなかった唯一の実体は、不滅の自己複製子である。

補　注

（以下の注記は、初版の11章にのみ関するものである。
当該の本文には＊を付してある。）

1　人はなぜいるのか

1-1　本文1〜2頁「……一八五九年以前には、この疑問に答えようとする試みはすべて無価値であった……」

一部の人々は、非宗教的な人々でさえ、シンプソンからのこの引用に腹を立てた。最初に読んだとき、それが、ヘンリー・フォードの「歴史は多かれ少なかれ、たわごとにすぎない」ということばとちょっとばかり似た、恐ろしく俗物的で、無神経で、狭量な響きをもつことには、私も同意する。しかし宗教的な解答（これについては私はよく知っている。切手収集と同じようにね）を別にして、もしあなたが、「人間とは何か？」「生命には意味があるのか？」「われわれはなんのためにいるのか？」といった問いに対するダーウィン以前の解答を考えるという難題に現実に取り組むとしたら、実際のところあなたは、（かなりの）歴史的な興味の他になお何か価値を認めうるような解答を思いつくことができるだろうか？　そこには、まったくどうしようもなく誤った代物が存在するだけであり、まさに一八五九年以前には、これらの問いに対するあらゆる解答はそうだったのだ。

1-2　本文4頁「私は進化にもとづいた道徳を主張しようというのではない」

批評家たちはしばしば、『利己的な遺伝子』を、われわれがどう生きるべきかという原理として利己主義を宣伝するものであると誤解してきた！　ほかの人々は、たぶん、タイトルを読んだだけか、最初の二頁以上は読まなかったためだろうが、利己性やその他の意地の悪いやり方は、好むと好まざるにかかわらずわれわれ人間の本性の逃れがたい一部であると、私が言っているというふうに考えている。あなたが遺伝的「決定」を最終的なもの、つまり絶対的で不可逆的なものと考えたなら（多くの人々が不思議なことにそう見ているように思えるのだが）、簡単にこの誤りに落ち込んでしまう。実際には、遺伝子は統計学的な意味でのみ行動を「決定する」のだ（本書の五二～六頁をも参照のこと）。一つのうまいアナロジーは、「夕焼け空は羊飼いの喜び」という広く認められた一般的推論である。真っ赤に燃える日没が翌日の晴天の予兆であるというのは統計的事実であるかもしれないが、それに大金を賭けることはしないだろう。われわれは、天候が多くの原因によってきわめて複雑な形で影響を受けることを完全によく知っている。どんな天気予報も誤りを免れない。それは統計学的な予報にすぎないのだ。われわれは、夕焼けを翌日の晴天を動かしがたく決定するものとみなすことはない。それと同様にわれわれは、遺伝子をなにごとかを動かしがたく決定するものとみなすべきではない。遺伝子の影響を他の影響によって容易に逆転させることができないという理由は存在しない。「遺伝的決定論」についてのくわしい議論と、なぜ誤解が生じたかという理由については、『延長された表現型』の2章、および私の「社会生物学――新しいからさわぎ」を参照されたい。私は、人類が基本的にはみなシカゴのギャングであると主張しているといって非難されてさえいるのだ！　しかし、私のシカゴのギャングのアナロジー（三頁）は、もちろん、こういうことだ。

ある人間が成功をおさめてきた世界がどういう類いのものであるかの知識は、その男についてなにごとかを教えてくれる。それはシカゴ・ギャングたちの個人的な特性となんの関係もない。私はこのアナロジーを、英国国教会のトップに昇りつめた人物についても、あるいは学芸の殿堂に選出された人物についても、同じように用いることができる。いずれにせよ、私のアナロジーの対象となっているのは個人ではなく、遺伝子たちなのである。

私は、文章をこえたあれこれの誤解について、「利己的遺伝子の弁護」という論文で論じたが、右記の引用はその論文からのものである。
この章で折りにふれて述べた政治的な余談のために、一九八九年において私にとって不愉快な読み直しがおこなわれていることを、付け加えておかなければならない。「近年イギリスの労働者について〈利己的な欲望を抑制して集団全体の崩壊を防ぐ必要性が〉、何度いわれてきたことか」（一二頁）は、まるで私がトーリー党員であるかのように聞こえる。一九七五年に私がそれを書いたときには、その選出に私が一票を投じた社会主義者の政府は、二三％のインフレと絶望的な戦いを続けており、高賃金要求に著しい関心が寄せられていた。私の所見は、当時の労働党政府のどの大臣の演説からでもとることができたであろう。いまやかのイギリスは、ニュー・ライトの政府をもっており、この政府は卑劣さと利己性をイデオロギーの地位にまで高めており、私のことばは、その関連で、遺憾ながら一種の下劣さを獲得するに至っている。私は自分の言ったことを撤回しようというのではない。利己的な近視眼は今なお、私が述べたような望ましからぬ結果をもたらす。しかし今日では、イギリスにおいて利己的な近視眼の実例を探すとすれば、まず最初に労働者階級に目を向けることはないだろう。本当をいえば、科学的な著作においては政治的な余談をまったく載せることをしないほうが、たぶんいいのだろう。なぜなら、そういう話題がどんなに速く時代遅れになるか、驚くべきものがあるからだ。一九三〇年代の政治的意識に目覚めていた科学者――たとえばJ・B・S・ホールデンやランスロット・ホグベン――の書いたものは、今日では、その時代錯誤的な悪口雑言によって、はなはだしく損なわれている。

1-3　本文8頁　「雌は雄の頭を食べることによって、雄の性行為を活発化することができる」
私が昆虫の雄に関するこの風変わりな事実を最初に聞いたのは、トビケラの研究をしている同僚が研究講演をしたときのことであった。彼はトビケラを飼って繁殖させることができればと考えているのだが、それを試みようにも、彼らを交尾させることができないと語った。これに対して、最前列にいた昆虫学の教授が、まるでいちばん自明な事柄を見過ごしているといわんばかりに、大声でがなりたてたのだ。「頭を切り落とすことをやってみましたか？」

1-4　本文16頁「淘汰の基本単位が、種でも、集団でも、厳密には個体でもないこと……それは遺伝子である」

遺伝子淘汰についての宣言を書いて以来、進化の長い期間のあいだに折にふれてはたらく一種の高レベルの淘汰もあるのかどうかということについて、考えなおしてみた。急いで付けくわえておくが、私が「高レベル」というとき、「群淘汰」となんらかのかかわりをもつものを意味しているのではない。私がいっているのはもっと微妙で、もっと興味ぶかいものである。私が今感じているのは、他の個体より生存しやすい個体がいる、というだけでなく、全体として見たときにある階層集団よりも《進化》しやすい階層集団があるかもしれないということだ。もちろん、ここで進化というときには、依然として、これまでと同様に、遺伝子にかかる淘汰を通じての古典的な進化のことを語っているのである。突然変異は、なお、個体の生存と繁殖成功度に及ぼす影響のゆえに選択を受ける。しかし、基本的な胚発生の設計（プラン）における新しいひとつの大きな突然変異によって、来たるべき何百万年にわたる適応放散的な進化の新たな水門が開かれるかもしれない。胚発生の設計には進化しやすさが高まる方向への――すなわち進化可能性にとって有利な――一種の高レベルの淘汰が存在する可能性がある。この種の淘汰は、群淘汰ではありえないような形で、累積的で、それゆえ前進的でさえあるかもしれない。この考え方は、私の「進化しやすさの進化」という論文でくわしく説明されている。おおむねこれは、進化の様相をシミュレートするコンピュータ・プログラム、「ブラインド・ウォッチメーカー」で遊ぶことによって思い浮かんだものである。

2　自己複製子

2-1　本文20頁「これから述べる単純化した話〔生命の起源についての〕は、おそらく真実からそれほどかけ離れてはいないであろう」

生命の起源については多数の説がある。『利己的な遺伝子』においては、それらをくどくどと論じるよりもむしろ、一つだけ選んで、その主要な考え方を示すほうを選んだ。しかし私は、これが唯一の候補であるという印象を与えたいとは望んでいなかったし、最善のものであるという印象さえ与えたくはなかった。実際、『盲目の時計職人』においては、同じ目的に、私は意図的に、A・G・ケアンズ＝スミスの粘土説という別の説を選んだ。どちらの本においても、私は選んだ特定の仮説に加担していない。もし私が別の本を書く機会があれば、おそらく、もう一つちがう観点、すなわちドイツの数理化学者であるマンフレート・アイゲンと彼の同僚の観点について説明を試みることだろう。私がつねにわからせようと試みてきたのは、いかなる惑星上の生命の起源であれ、それに関するすぐれた理論の核心になければならない根本的な性質についてであり、とりわけ自己複製的な遺伝的実体という観念である。

2-2　本文23頁「見よ、処女ははらみ……」

聖書の預言で「若い女」を「処女」と誤訳した件については、何通かの困惑した手紙が寄せられ、私は返答を要求された。宗教的な感受性を傷つけることは、今日では危険な仕事であるから、私はそれに応えるべきであった。実際にはそれは喜びであった。というのも、科学者が本当の学問的な脚注づくりのために、図書館で心ゆくまでほこりまみれになることなど、たびたびはできないからである。じつのところ問題の点は、聖書学者にはよく知られており、彼らのあいだで論争はない。この語のイザヤ書におけるヘブライ表記は עלמה (almah) で、これが「若い女」を意味し、処女性という含意をまったくもたないことは、議論の余地がない。もし「処女」というつもりなら、בתולה (bethulah) をかわりに使うことができたはずだ（曖昧な英語の maiden は、この二つの意味がいかに簡単に移行しあうものかを例証している）。「突然変異」は、七十人訳聖書と呼ばれるキリスト以前のギリシャ語訳で、almah を παρθένος (parthenos) と翻訳したときにおこった。この語は本当にふつう処女を意味する。マタイ（もちろん、イエスの同時代人の、十二使徒の一人ではなく、ずっと後世の福音書作家である）は、七十人訳から派生したと思われる本からイザヤ書の文章を引用して（一五のギリシャ語単語のうち二つを除いてすべて同じ）こう述べている。「このすべてのことが起こったのは、主が預言者を通して言われていたことが実現するためであった。すなわち、見よ、おとめ〔英語版ではvirgin〕が身ごもって男の子を産む。その名はインマヌエルと呼ばれる」（新共同訳）。処女懐胎によるイエスの誕生という物語が後世の挿入であることはキリスト教学者のあいだで広く認められている。おそらくは、（誤訳された）預言が成就されたように思わせるために、ギリシャ語を話す使徒によって挿入されたものであろう『New English Bible』のような最近の版では、イザヤ書の中で正しく「若い女」とあてている。同じように正しく、マタイによる福音書のほうは「処女」のままに残している。というのも、これはギリシャ語訳からの翻訳だからである。

2-3　本文28頁「いまや彼らは、外界から遮断された巨大なぶざまなロボットの中に巨大な集団となって群がり……」

この派手な一節（私にしてはめずらしい――いや、かなりめずらしい――遊び）は、私の過激な「遺伝的決定論」のおあつらえの証拠として、何度も引用されてきた。問題の一部は、「ロボット」という単語についての、通俗的な、しかし誤った連想に責任がある。われわれはエレクトロニクスの黄金時代に生きており、ロボットはもはや、頑固で融通のきかない愚か者ではなく、学習し、思考し、創造する能力をもっている。皮肉なことに、カレル・チャペックが「ロボット」ということばを作った一九二〇年という昔でさえ、それは、最終的には恋に陥るといった人間の感情をもつにいたる機械的な存在であった。ロボットは定義からして人間よりもより「決定論的だ」と考える人は頭が混乱しているのだ（どんな場合においてもつねに、人間は単なる機械となることを否定するなんらかの自由意志を神から授けられていると主張する信心ぶかい人でないかぎり）。もしあなたが、私の「ぶざまなロボット」のくだりを批判するたいていの人と同じように、信心ぶかくないのであれば、次の問いに直面しなければならない。すなわち、あなたは、非常に複雑なものではあるが、もしロボットでないとしたら、自分をいったい何だと考えるのか？　こういったことのすべては『延長された表現型』（日本語版四一～四五頁）で論じた。

この誤りは、もう一つの効果的な「突然変異」によって増幅されてきた。イエスが処女から生まれなければならないというのが神学的に必然であるように思えるのとまさに同様に、有効な「遺伝的決定論者」はだれもみな遺伝子がわれわれの行動のあらゆる側面を「制御」していると信じなければならないというのが、悪魔学的な必然であるように思える。私は遺伝的自己複製子について、「彼らはわれわれを、体と心を生みだした」（本文二八頁）と書いた。この一節も当然のこととはいえ、誤って、「〔彼らは〕われわれを、体と心を制御する」（傍点筆写）と引用されてきた（たとえば、ローズ、カミン、ルウォンティンの、Not in Our Genes の p. 287、およびそれ以前ではルウォンティンの学術的な論文において）。この章の文脈では、私が「生みだした」(created) ということばで意味しているところは明白であり、「制御」(control) とは非常に異なると考える。事実の問題として、遺伝子が「決定論」として批判されるような強い意味でその創造物を制御したりはしないことは、だれにも理解できることだ。われわれは避妊手段を用いるたびに、なんの努力もなしに（そう、かなり簡単に）、それらを否認しているのである。

3　不滅のコイル

3-1　本文34頁「個々の遺伝子の分担を区別するのがほとんど不可能なほど入り組んだ……」

ここと、一二二〜七頁の記述は、遺伝的「原子論」という批判に対する私の解答である。厳密には、答えではなく予測である。なぜなら、それは批判より先に書かれたのだから！　自分の書いたものをながながと引かねばならないことを遺憾に思いはするが、『利己的な遺伝子』の当該の文章は、心配になるほど簡単に見過ごされてしまうように思えるのだ！　たとえば、S・J・グールドは、「利他的な集団と利己的な遺伝子」（『パンダの親指』所収、日本語版、早川書房、上巻、一三〇頁）において、次のように述べている。

あなたの左の膝頭とか、あなたの指の爪とかいった、目に見えるある一部分の形態の〝ための〟遺伝子などというものは存在しない。からだは個々の遺伝子がそれぞれつくり上げるような、多数の部分に分解できるものではない。何百という遺伝子が協同してからだのほとんどの部分をつくりあげるのである。……グールドはこれを『利己的な遺伝子』に対する批判として書いた。しかしここで、私が実際にどういうことばを述べているかを見ていただきたい（三四頁）。

体を構築するということは、個々の遺伝子の分担を区別するのがほとんど不可能なほど入り組んだ協同事業なのである。一つの遺伝子が、体のいろんな部分に対してさまざまに異なる効果を及ぼすことがある。また、体のある部分が多数の遺伝子の影響をうける場合もあれば、ある遺伝子が他の多数の遺伝子との相互作用によって効果をあらわすこともある。

そして、再度（本書、五二頁）こうも述べている。

独立した自由な遺伝子が世代から世代へ旅をするのだが、それらは胚発生の制御においてはあまり自由な因子でも独立した因子でもない。それらはとてつもなく込み入った方法で、お互いと、また外部環境と協力し、相互作用をおこなっている。「長い肢の遺伝子」とか「利他的行動の遺伝子」とかいうような表現は、話をわかりやすくするための比喩で、重要なのはそれが意味するものを理解することだ。長いにせよ短いにせよ肢を独力でつくる遺伝子はない。肢の構築は、複数の遺伝子の協同事業である。外部環境の影響も不可欠である。つまり、肢はじっさい食物からつくられるのだ！　しかし、他の条件が同じであれば、他の対立遺伝子の影響下にあるよりは肢を長くする傾向をもつ、単一の遺伝子があるかもしれない。

私はその次の段落において、コムギの成長に及ぼす肥料の影響というアナロジーをもって、問題点をさらにくわしく論じた。グールドは、前もって、私が素朴な原子論者であるにちがいないと、あまりにも確信しすぎていたためとしか思えないのだが、彼が後に主張するのと正確に同じ相互作用論者の立場を明らかにしたこの長い文章を見逃したのだ。
グールドはこうつづける。
ドーキンスにはもう一つ、こんな隠喩が必要だろう。多数の遺伝子たちが集会を開き、同盟を結び、条約に加盟するチャンスを狙い、起こりそうな状況を予測するのだ、と。

私はボート選手のアナロジーにおいて（本書、一二四〜六頁）、すでに、後にグールドが推奨するのとまったく同じことを成し遂げていた。さらにまた、このボート選手のくだりをよく読めば、われわれは多くの点で一致しながらも、グールドがなぜ、自然淘汰は「複雑に相互作用をしているいろいろの部分が一組になってその生物に有利さを与えるがゆえに、生物体を全体として受け入れたり、はねつけたりする」（訳本、上巻、一三〇頁）と言い張る点において、誤っているかも理解できる。遺伝子の「協同性」の真の説明は次のようになる。

遺伝子は、それ単独で「すぐれたもの」としてではなく、遺伝子プール内の他の遺伝子を背景にしてはたらくさいにすぐれたものとして淘汰に残る。すぐれた遺伝子は他の遺伝子と両立し、補足しあって、何世代にもわたって体を共有していくものでなければならない（本書、一二三頁）。

遺伝的原子論という批判に対する私の全面的な返答は、『延長された表現型』の、とくに、一一六〜一一七（訳本二一九〜二二一）頁と二三九〜二四七（訳本四四三〜四六二）頁に、書いておいた。

3-2　本文40頁　「私がつかいたいと思うのはG・C・ウィリアムズの定義である」

『適応と自然淘汰』におけるウィリアムズの正確なことばはこうである。

私は遺伝子という用語を、「かなりの頻度で分離し、組換えするもの」として定義する。……遺伝子は、その内発的変化率の数倍ないしは何倍もに等しい有利または不利な淘汰バイアスがかかっている何らかの遺伝情報と定義することができよう。

ウィリアムズの本はいまや正当にも、広く古典として認められるにいたっており、「社会生物学者」からも社会生物学の批判者にも同じように尊重されている。ウィリアムズがその「遺伝子淘汰主義」において、自らがなにか新しい、あるいは革命的なことを宣言しようとこれっぽっちも考えていなかったことは明らかだと、私は思うし、一九七六年に私も同じくそんなことは考えていなかった。われわれは二人とも、一九三〇年代における「ネオ・ダーウィニズム」の創設者であるフィッシャー、ホールデン、ライトの基本的な原理をただ単に再確認していただけなのである。にもかかわらず、おそらくはわれわれの妥協のないことばづかいのためだろうが、シューアル・ライトその人を含めた何人かの人々は、「遺伝子が淘汰の単位である」というわれわれの見解に異議を唱えているように思われる。彼らの基本的な理由は、自然淘汰は生物個体を相手にしており、その内部の遺伝子ではないということである。ライトのような批判に対する私の応答は、『延長された表現型』の、とくに二三八〜四七（訳本、四四二〜四六二）頁にある。『進化生物学における還元主義の擁護』における。淘汰の単位としての遺伝子への疑問についてのウィリアムズのごく最近の思考は、これまでより以上に透徹したものである。近年、たとえばD・L・ハル、K・ステレルニー、P・キッチャー、M・ハンプ、S・R・モーガンといった哲学者たちもまた、「淘汰の単位」という問題を明らかにするうえで、有益な貢献を果たしている。残念ながら、問題を混乱させてきた他の哲学者たちも存在する。

3-3　本文49頁　「個体は……あまりに大きすぎ、はかなすぎる遺伝単位である……」

ウィリアムズにしたがって、私は、生物個体が自然淘汰において自己複製子の役割を果たしえないという私の主張において、減数分裂の断片化効果を重視してきた。今ではこれは話の半分でしかないとみている。もう一方の半分は、『延長された表現型』（訳本、一九〇〜一九五頁）と、私の「自己複製子とヴィークル」に述べられている。

もし減数分裂における断片化効果が話のすべてであったなら、雌のナナフシのような無性生殖する生物体は、真の自己複製子、一種の巨大な遺伝子ということになる。しかし、もしナナフシに変化がおきても——たとえば肢を一本失うといった——、その変化は、未来の世代に伝えられない。有性生殖であろうと無性生殖であろうと、遺伝子だけが世代を伝わっていくことができる。したがって、遺伝子は本当に自己複製子なのである。無性生殖をするナナフシの場合、ゲノムの総体（そのすべての遺伝子のセット）が一つの自己複製子である。しかし、ナナフシそれ自体は自己複製子ではない。ナナフシの体は、前の世代の体の複製（レプリカ）として形づくられるわけではない。いかなる世代の体も、そのゲノムの指示のもとに、卵から新しく成長する。そのゲノムは前の世代のゲノムの複製なのである。

本書の印刷されたすべての本は、お互いに同一である。これらは複製といえようが複製子ではない。これらは、お互いにコピーしたがゆえに複製なのではなく、すべてが同じ印刷版をコピーしたがゆえに複製なのである。それらは、ある本がほかの本の祖先であるという形での、一連の系列の複製ではない。もし、一冊のある頁をゼロックスし、それをまたゼロックスし、それをまたゼロックスするということをつづけていくのなら、コピーの系列が存在することになるだろう。この頁の系列においては、実際に祖先／子孫の関係が存在することになるだろう。この系列のどんなところにできた新しい汚れも、その子孫たちと共有されるが、祖先には共有されないだろう。この類いの祖先／子孫の系列は進化する潜在的可能性をもっている。

表面的には、ナナフシの体の継続する世代は一系列の複製をなすように思える。しかし、もしあなたがこの系列の一員に実験的に変化をくわえた場合（たとえば、肢を一本とる）、この変化はこの系列を伝わっていかない。これと対照的に、もしあなたが実験的にゲノムの一員に変化をくわえた場合（たとえば、X線によって）その変化はこの系列を伝わっていくであろう。これは、減数分裂の断片化効果よりもむしろ、生物体が、「淘汰の単位」ではない、つまり真の複製子ではないということの、基本的な理由である。これこそ、遺伝の「ラマルク」説が誤りであるという、普遍的に認められている事実のもっとも重要な帰結のひとつである。

3-4　本文57頁「ピーター・メダワー卿の提唱するもう一つの説は、……」

この老化の理論をG・C・ウィリアムズよりもむしろ、P・B・メダワーに帰したことについて私は非難を受けてきた（もちろん、ウィリアムズ自身によってでも、あるいは彼の知り合いからでさえなかった）。多くの生物学者、ことにアメリカの生物学者は、この理論を主としてウィリアムズの一九五七年の論文「多面発現、自然淘汰、老衰の進化」を通じて知っている。ウィリアムズがこの理論をメダワーの扱いよりはるかに洗練されたものに仕上げたのもまた事実である。にもかかわらず、私自身の判断は、メダワーが、一九五二年の『生物学における未解決の問題』と、一九五七年の『個体の特異性』において、基本的な核心を述べているというものである。ぜひ付け加えおくべきは、私がウィリアムズによる理論の発展は非常に有益なものであると感じていることだ。なぜなら、それが議論における必要なステップ（多面発現すなわち多重遺伝子効果の重要性）を明らかにしたからであり、この点は、メダワーがはっきりと強調しなかったところである。W・D・ハミルトンはもっと最近に、「自然淘汰による老衰の形成」という論文において、この類いの理論をさらに進展させている。ついでながら、私は医者たちからたくさんの興味ぶかい手紙をもらったが、自分の宿っている体の年齢について遺伝子を「だます」ことに関する私の推測（本書、五九頁）についての論評は一つもなかったように思う。このアイディアは、私にはまだ、まったくばかばかしいものとは思えず、そしてもしそれが正しいとすれば、むしろ医学的により重要なのではないだろうか。

3-5　本文61頁「性の長所はいったい何なのだろう？」

思考を喚起するいくつかの本、とくにM・T・ゲスリン、G・C・ウィリアムズ、J・メイナード＝スミス、G・ベルによるもの、およびR・ミチョッドとB・レヴィン編による一冊などが出版されているにもかかわらず、性が何のためにあるのかという問題は今でも相変わらず、人を悩ませている。私にとってもっとも興味をかきたてられる新しいアイディアはW・D・ハミルトンの寄生説で、これは、ジェレミー・チャーファスとジョン・グリビンの『過剰な雄』において、専門的な用語を用いずに説明されている。

3-6　本文63〜64頁「……余分なDNAは……寄生者、あるいはせいぜい……無害だが役に立たない

旅人だ……」（本書二八〇頁をも参照）

余分な、翻訳されないＤＮＡが利己的な寄生者ではないかという私の示唆は、分子生物学者（オーゲルとクリック、およびドゥーリトルとサピエンサの論文を参照）によって取り上げられ、「利己的ＤＮＡ」というキャッチフレーズのもとに発展させられた。Ｓ・Ｊ・グールドは『ニワトリの歯とウマの指』において、腹立たしい（私にとって）主張をなしている。すなわち、利己的ＤＮＡの歴史的な由来にもかかわらず、「利己的遺伝子の理論と利己的ＤＮＡの理論は、それらを育む説明の構造において、これ以上異なったものはありえないだろう」と言っているのである。私は彼の論理が誤ってはいるが、偶然にも、彼がふつうどのようにして鉱脈を見つけるかをご親切にも教えてくれたという点で興味ぶかいものであることを知った。「還元主義」と「階層構造（ヒエラルキー）」についての前置き（これは、いつものことながら、私には誤りであるとも、興味ぶかいとも思えなかった）のあと、こう続ける。

ドーキンスの言う利己的な遺伝子は、体に効果をおよぼして生存競争を生き抜くのを助けるがゆえに頻度を増加させる。利己的なＤＮＡは、それとはまさに正反対の理由によって頻度を増加させる。すなわち、それは体になんの効果もおよぼさないがゆえにである。

グールドの区別はわかるが、私には、根本的な区別だとは思えない。逆に、私はいまだに利己的ＤＮＡが利己的遺伝子の理論全体の特別なケースであると考えており、それこそまさに、利己的ＤＮＡという考えがそもそも生まれてきた理由なのである（利己的なＤＮＡが特別なケースであるという点は、おそらく、ドゥーリトルとサピエンサ、オーゲルとクリックが引用している本書六三〜四頁の文章よりも、二八〇頁の文章のほうが明瞭かもしれない。ついでながら、ドゥーリトルとサピエンサは、そのタイトルに「利己的ＤＮＡ」ではなく「利己的遺伝子」を用いている）。グールドに対して次のアナロジーで答えてみよう。ハチに黄色と黒の縞模様を与える遺伝子は、この（「警告」）色がほかの動物の脳を強力に刺激するがゆえに頻度を増加させる。トラに黄色と黒の縞模様を与える遺伝子は、「まさに正反対の理由で」頻度を増加させる。すなわち、理想的にはこの（隠蔽）色が他の動物の脳をまったく刺激しないがゆえにである。ここには、確かに、グールドの区別に非常に類似した（異なった階層構造のレベルで！）区別があるが、細部における軽微な区別にすぎない。この二つのケースが「それを育んだ説明の構造において、これ以上異なったものはありえないだろう」と主張したいとは、だれもまず望まないだろう。オーゲルとクリックは、利己的DNAとカッコウの卵を類比させたとき、核心を衝いていたのだ。カッコウの卵は、結局のところ、寄主の卵とそっくりに見えることによって発見を免れるのだから。

ついでながら、『オックスフォード英語辞典』（OED）の最新版には、「利己的（selfish）」に、「遺伝子あるいは遺伝物質について……表現型になんの効果も及ぼさないが、永続するあるいは広まる傾向」という新しい意味が付け加わっている。これは「利己的DNA」についての見事に簡潔な定義であり、そこの文例としてあげられている二番目のものは、実際に利己的DNAに関するものである。しかしながら私の意見では、「表現型になんの効果も及ぼさないが」という文句は適切ではない。利己的遺伝子は表現型に効果を及ぼさないこともあるが、しかし多くのものは及ぼすからだ。辞書編纂者がこの意味を「利己的DNA」に限定するつもりだったと主張するのは許されるだろう。実際それは表現型効果をもたないからだ。しかし最初にあげられている文例は私の『利己的な遺伝子』からのもので、表現型効果をもつ利己的遺伝子を含んでいる。しかしながら、OEDに引用されるという名誉に異議を唱えるつもりは毛頭ないのだ！

利己的DNAについては、『延長された表現型』（訳本、二九五〜三一〇頁）においてさらにくわしく論じた。

4　遺伝子機械

4-1　本文70頁「脳は機能上コンピュータに似たものと考えることができよう」

こういった類いの陳述は、文字通りの解釈をしたがる批評家を困らせる。もちろん、彼らが脳は多くの点でコンピュータと異なるというのは正しい。たとえば、脳の内在的な作動の方法は、われわれの技術が発展させた特定の種類のコンピュータとは、たまたま非常に異なったものである。だが、そのことは、それが機能上似ているという私の陳述の真実性をなんら減少させるものではない。機能的には、脳は、内蔵されたコンピュータとそっくり同じ役割を果たしている。つまり、データ処理、パターン認識、短期・長期のデータ蓄積、作業の調整（オペレーション・コーディネーション）、などなどである。

われわれはコンピュータについて言っているのだが、それに関する私の意見は満足すべきことに——あるいは、あなたの見方からすれば恐るべきことに——、時代遅れになってしまっている。私は「一個の頭骨にはわずか数百個のトランジスタしか詰めこまない」と書いたが（六九―七〇頁）、今日のトランジスタは集積回路（ＩＣ）になっていて、一個の頭骨に詰め込めるトランジスタ相当物の数は数十億に達するにちがいない。また私は、チェスをおこなうコンピュータは、うまいアマチュアの水準に達している（七四頁）とも述べた。今日では、きわめて真剣な相手以外は打ち負かしてしまうチェスのプログラムは、安価な家庭用コンピュータでどこにでもあるし、世界一強いプログラムは、やがて名人（グランドマスター）に本格的に挑戦することになるだろう。たとえば、ここに、「スペクテーター」紙の一九八八年一〇月七日付けのチェス寄稿家レイモンド・キーンの発言がある。

今のところまだ、タイトルをもつ選手がコンピュータに負かされるとちょっとした騒ぎになるが、おそらく、そういうことは長くは続かないだろう。これまで人間の脳に挑戦してきたもっとも恐るべき金属製の怪物は、「ディープ・ソート（深い考え）」という古風な名を付けられているが、これはまぎれもなく、ダグラス・アダムスに敬意を表した名である。ディープ・ソートのいちばん最近の殊勲は、八月にボストンでおこなわれた全米オープン選手権で、なみいる人間の相手たちを縮みあがらせたことである。ディープ・ソートを格づけする総合成績を私はまだ入手してはいないが、それがあれば、スイス・オープン・システム競技会における成績の試金石となるだろう。しかし私は、強敵であるカナダ人、イゴール・イワノフに対する驚くほど印象的な勝利を目にしている。イワノフは、カルポフを一度破ったことのある人間なのだ！　刮目せよ。これがチェスの未来かもしれないのだ。

このあとに、ゲームの一手一手ごとの解説がつづく。次に掲げるのは、ディープ・ソートの二二手目に対するキーンの反応である。

> すばらしい手だ。……この着想はクイーンを中央にもってこようとするものだ。……そして、この構想はおどろくほど速やかな成功を導く。……目を見張るような成果だ。黒のクイーン側の陣営はいまや、クイーンの進出によって徹底的に破壊されている。

これに対するイワノフの応手は次のように表現されている。

> 絶望的な突進だが、コンピュータは小馬鹿にしたようにあしらってしまう。……このうえない屈辱。ディープ・ソートはクイーンの奪還を無視し、そのかわりに素早いチェックメイトに向かう。……黒は撤退する。

ディープ・ソートは、チェスの世界的トップ・プレイヤーの一つというだけではない。私にとってほとんどより衝撃的に思えたのは、この解説者が使わねばならないと感じている人間の意識を示すことばづかいである。ディープ・ソートはイワノフの「絶望的な突進」を「小馬鹿にしたようにあしらう」。ディープ・ソートは「攻撃的」と描写されている。キーンはイワノフをなんらかの成果を「望んでいる」と述べるが、彼のことばづかいは、ディープ・ソートにも「望む」といった単語を同じように喜んで使うであろうことを示している。個人的には私はむしろ、コンピュータ・プログラムが世界選手権を勝ち取ることを期待したい。人間性(ヒューマニティ)は謙虚(ヒューミリティ)の中に教訓を必要としているのだ。

4-2　本文76頁「二〇〇光年のかなたにあるアンドロメダ座に、ある文明がある」

『アンドロメダ座のA』とその続編『アンドロメダ突破作戦』は、途方もなく遠距離にあるアンドロメダ銀河のことを意図しているのか、それとも私が言うようにアンドロメダ座のなかにある地球に近い一恒星を意図しているかについては、首尾一貫していない。最初の小説では、この天体は、二〇〇光年離れたところに位置しており、十分にわれわれの銀河系の内部に収まる。けれども、続編では、同じ地球外生物がアンドロメダ銀河にいることになっているが、これは二〇〇万光年離れたところにある。本書の七六頁を読む読者は、趣味に応じて、「二〇〇」を「二〇〇万」と置きかえてかまわないだろう。そうしても、私の主旨におけるこの物語の妥当性は、いささかも減じられることはない。

この二つの小説の著者であるフレッド・ホイル翁は、著名な天文学者で、あらゆる空想科学小説のなかでもとくに私のお気に入りの『暗黒星雲』の著者である。彼の小説で展開されている卓越した科学的洞察力は、C・ウィクラマシンハとの共著で近年続々と出版されている本とは痛ましいほど対照的である。彼らのダーウィニズムに対する誤解（純粋な偶然にのみよる理論とみなすという）と、ダーウィンその人に対する意地の悪い攻撃は、星間における生命の起源に関するその他の点では興味ぶかい（説得力は乏しいけれども）推論にとってなんの助けにもなっていない。出版社は、学者のある分野における名声が他の分野における権威を意味するという考え違いを正すべきである。そうした考え違いが存在するかぎり、名声のある学者はそれを悪用するという誘惑に抵抗しなくてはならない。

4-3　本文79頁「……生きるための戦略や方便……」

あたかも動物や植物あるいは遺伝子が、成功率を増加させる最善の方法を意識的に考え出そうとしているかのような——たとえば、「雄は賭け金が高く危険も大きいギャンブラー、雌は着実な投資家」（八一頁）といった表現——戦略的なものの言い方は、実践的な生物学者のあいだではありふれたものとなってきている。このような言いまわしは、それを理解する十分な資格を備えていない（あるいはそれを誤解する十分な資格を備えたというべきか？）人間の手にたまたま落ちるということさえなければ、無害な簡便語法である。たとえば私は「フィロソフィー」という雑誌で『利己的な遺伝子』を批判した、メアリー・ミッジリーとかいう人物による論文を、それ以外の方法で理解することができない。そのことは、その最初の文章に典型的に表れている。すなわち、「遺伝子は利己的でも非利己的でもありえない。原子が焼き餅焼きだったり、ゾウが抽象的だったり、ビスケットが目的論的であったりすることがありえない以上に」だ。同じ雑誌の次の号の私自身の「利己的遺伝子の擁護」は、このたまたま極度に節度に欠け、悪意に満ちた論文に対する全面的な回答である。哲学という道具を教育によって過剰に賦与された一部の人々は、それが役に立たない場合にもその学問的装置でつっきまわすことに抵抗できないように思われる。私は、「しばしば高度な文学的・学問的趣味をもち、しかし分析的思考を実行する能力をはるかに超えた教育を受けてきた膨大な数の人々」に対する「哲学的絵空事（フィクション）」の魅力についての、P・B・メダワーの意見を思い起こす。

4-4　本文85頁　「たぶん、意識が生じるのは、脳による世界のシミュレーションが完全になって、それ自体のモデルをも含めねばならぬほどになったときであろう」

世界をシミュレートする脳という考えを、私は一九八八年のギフォード講演「ミクロコスモスのなかの世界」において論じた。それが本当に意識そのものという深遠な問題についてわれわれの助けになるかどうかは、今でも私には確信がないが、カール・ポッパー卿がダーウィン講演においてそれに関心を寄せられたことを喜んでいると白状する。哲学者のダニエル・デネットは、コンピュータ・シュミレーションという隠喩をさらに押し進めた意識の理論を提出している。彼の理論を理解するためには、コンピュータの世界からやってきた二つの専門的な考え方を把握しなければならない。すなわち、仮想機械（virtual machine）という概念と、シリアル（連続的:serial）・プロセッサーとパラレル（並行的:parallel）・プロセッサーの区別である。私はまず最初にこの厄介物について、まず説明をしなければならないだろう。

コンピュータは本物の機械であり、箱に入ったハードウエアである。しかしいかなる特定の時点においても、それはもう一種の機械、つまり仮想機械に見えるようにするプログラムを走らせている。これは長いあいだ、すべてのコンピュータについて当てはまってきたが、最近の「ユーザーに友好的な」コンピュータは、この点をとくに鮮やかに痛感させることになった。本書執筆の時点で、ユーザー友好性に関する市場のリーダーは、衆目の一致するところ、アップル・マッキントッシュである。その成功は、この本物のハードウエア機械――そのメカニズムは、ほかのあらゆるコンピュータと同じく、恐ろしいほど複雑で、人間の直観とはきわめて相容れがたいものである――を、別種の機械、すなわち人間の脳と人間の手にぴったり合うように特別に設計された仮想機械のごとく見せる一連の内蔵プログラムのおかげである。マッキントッシュ・ユーザー・インターフェースと呼ばれる仮想機械はまぎれもない機械である。それは押すべきボタンをもち、ハイファイ・セットのようなスライド・コントロールをもっている。しかしそれは仮想機械である。ボタンとスライダーは金属やプラスチックではできていない。それらは、画面上の図であり、あなたは画面上を仮想的な指を動かして押したりスライドさせたりするのである。一人の人間として、あなたはコントロールの主体であると感じる。なぜなら、あなたはものごとを自分の指で動かすことに慣れているからである。私は二五年間にわたって、さまざまな種類のディジタル・コンピュータの熱心なプログラマーであり、ユーザーであったが、マッキントッシュ（あるいはその模倣機種）を使うことは、以前のいかなるタイプのコンピュータを使うのとも質的に異なる体験であると証言することができる。それに対する無理のない自然な感情がある。ほとんど、この仮想機械が自分自身の体の延長であるかのような感覚である。仮想機械は、驚くべき程度まで、あなたにマニュアルを眺めるかわりに直感を使うことを許してくれる。

さて次に、われわれがコンピュータ・サイエンスから借用する必要のある他の背景となる考え方、シリアル・プロセッサーとパラレル・プロセッサーという考え方に話を転じよう。今日のディジタル・コンピュータはほとんどシリアル・プロセッサーである。単一の中枢的な計画装置（mill）、あらゆるデータが操作されるときに通過しなければならない単一の電気的なボトルネックをもっている。それは、あまりにも迅速なので、多数のことを同時におこなっているという幻影を生み出すことができる。シリアル・コンピュータは二〇人の相手と「同時に」対戦しているチェスの名人のようなものであるが、実際には順に相手を回っているのである。チェスの名人とちがって、コンピュータはきわめて素早く、静かにその仕事を成し遂げていくので、人間のユーザーのそれぞれは、コンピュータが自分だけに関心を払ってくれているという幻影をもつことになる。しかしながら、基本的には、コンピュータはそのユーザーたちに連続的（serially）に関心を払っているのだ。

最近、より以上に目まぐるしいスピードでの処理に向かっての探求の一部として、技術者たちは本当にパラレル・プロセスをする機械をつくりだした。そうしたものの一つがエディンバラ・スーパーコンピュータで、私は最近これを訪ねる特典を得た。それは数百の「トランスピュータ」の並列からなっていて、トランスピュータの一つ一つは、能力の点で今日のデスクトップ・コンピュータに匹敵する。このスーパーコンピュータは、与えられた課題を個別に取り組むことのできる小さな仕事に分割し、その仕事を一団のトランスピュータに請け負わせる。トランスピュータは分割された課題をもちさり、それを解決して答えと報告を提出しては、新しい課題をまつ。一方、他の一団のトランスピュータもそれぞれの解答を報告しつつあり、かくして、このスーパーコンピュータ全体としては、通常のシリアル・コンピュータがなしうるよりも桁違いに早く最終的な解答を得ることになる。

通常のシリアル・コンピュータは、その「関心」を十分に素早く多数の仕事にめぐらしていくことによって、パラレル・プロセッサーの幻影を生み出しうると、私は述べた。そこには、シリアルなハードウエアの頂点に位置する仮想的なパラレル・プロセッサーが存在すると言うこともできよう。人間の脳はまさにそれと正反対をおこなうというのが、デネットの考えである。脳のハードウエアは、エディンバラの機械と同じように、基本的にパラレルなのである。そして、シリアル・プロセッシングという幻影を生むべく設計されたソフトを走らせるのである。つまり、パラレルな構築物の頂部にシリアル・プロセッシングをおこなう仮想機械が乗っかっているのだ。思考の主観的な体験の特徴は、連続的に「次から次へと」押し寄せる、「ジョイス風の」意識の流れであると、デネットは考える。彼は、ほとんどの動物はこのシリアルな体験を欠いており、その脳を直接、素朴なパラレル・プロセッシングの様式に用いていると信じている。人間の脳もまた、複雑な生存機械を維持するという多数の日常的な仕事に対して、そのパラレルな構築物を直接用いていることは疑いない。しかし、それに加えて人間の脳は、シリアル・プロセッサーの幻影をシミュレートするソフトウエアの仮想機械を進化させたのだ。意識の連続的な（シリアルな）流れをともなう心は、一つの仮想機械、脳を体験する「ユーザー友好的な」一方法であり、ちょうど「マッキントッシュ・ユーザー・インターフェイス」が、その灰色の箱の内部の物理的なコンピュータを体験する「ユーザー友好的な」一方法であるのと同じようにである。

ほかの生物が飾り気のないパラレルな機械でまったく満足しているように見えることからすれば、なぜ人間の脳がシリアルな仮想機械を必要とするのかは明瞭とはいえない。野生の人類が直面する困難な仕事には、なにか本質的にシリアルなところがあるのかもしれない。あるいは、デネットが、われわれだけは別と考えたのが誤りかもしれない。彼はさらに、シリアルなソフトウエアの発達はおおむね文化的な現象であると信じているが、またしても私には、なぜこれだけが特別にそうでなければならないのかはっきりしない。しかし私がこれを書いている時点ではデネットの論文はまだ発表されておらず、私の記述は一九八八年のロンドンにおける彼のヤコブソン講演の記憶にもとづいていることを、付け加えておかねばならない。読者は、私のまちがいなく不完全で印象派的な――ひょっとすれば潤色してさえいるかもしれない――記述よりもむしろ、デネット自身の記述が発表されたときに、そちらに当たられることをお勧めしたい。

心理学者のニコラス・ハンフリーもまた、シミュレートの能力の進化がいかにして意識の発生を導くかについて魅力的な仮説を発展させている。著書『内なる目』において、ハンフリーは、われわれやチンパンジーのような高度に社会的な動物がすぐれた心理学者にならねばならないという説得力ある陳述をおこなっている。脳は他を欺き、世界の多様な側面をシミュレートしなければならないからである。しかし世界のほとんどの側面は、脳それ自体にくらべてかなり単純である。社会的動物は他者からなる世界、潜在的な交尾の相手、ライバル、パートナー、敵からなる世界に生きている。そのような世界で生き残り、栄えるためには、そういった他個体が次になにをしようとしているのかをうまく予想できるようにならなければならない。無生物の世界でなにがおころうとしているかを予想することは、社会的な世界においてなにがおころうとしているかを予想するのにくらべれば、朝飯前のことである。科学的な研究をしている専門の心理学者は、本当は人間の行動を予測するのがそれほど得意というわけではない。微細な表情筋の動きやその他の微妙な手がかりを用いる社会的な仲間は、心を読み、行動を先読みするのに驚くほどすぐれていることがしばしばである。ハンフリーは、この「天性の心理学的」技能が社会的動物において高度に進化しており、ほとんど余分の目あるいは他の複雑な器官のごとくになっていると信じている。「内なる目」は、外の目が視覚器官であるのと同じように、進化した社会・心理学的な器官なのである。

ここまでは、私はハンフリーの理論づけは説得力があると思った。彼はさらに続けて、この内なる目が自己査察によってはたらくと主張する。個々の動物は他者の気分と感情を理解する手段として、自らの気分と感情をのぞきこむ。この心理学的器官は自己査察によってはたらくのだ。これが意識の理解にとって助けになると同意してもいいものかどうか、私には確信がないが、ともかくハンフリーはみごとな書き手であり、彼の本は説得力がある。

4-5　本文87頁「利他的行動のための遺伝子」

人々はときに、利他主義あるいはその他の一見複雑に見える行動の「ための」遺伝子について、まるっきり混乱した受け取り方をする。彼らは（誤って）、行動の複雑さがなんらかの意味で遺伝子の中に含まれているにちがいないと考える。遺伝子のなしうることが、タンパク質の鎖を暗号化するだけなら、いかにして、利他主義のための単一の遺伝子が存在しえるのかと、彼らは問う。しかし、なにものかの「ための」遺伝子について語ることは、その遺伝子の変化が当のなにものかの変化の原因になるといっているにすぎない。単一の遺伝的な差異は、細胞内の分子の細部を変えることによって、すでにして複雑な発生過程に変化を生じ、それゆえ、たとえば行動の差異を生じるのである。

たとえば、鳥類における兄弟間利他主義の「ための」一つの突然変異遺伝子が、それだけで、一つのまったく新しい複雑な行動パターンを生じさせるものでないのは確かだろう。そうではなくて、それは既存の、おそらくはすでにして複雑な行動パターンに変更を加えるのであろう。この例の場合、もっとも可能性の高い祖型パターンは親の養育行動である。鳥類は、自分の子に給餌し、世話をするために必要な複雑な神経装置をもっているのが常である。ひるがえってこの装置も、その祖型から、何世代もかけて一歩一歩ゆっくりと、築きあげられたものである（ついでながら、兄弟による世話のための遺伝子に対する懐疑論者たちはしばしば、首尾一貫していない。彼らはなぜ、同じように複雑な親による世話のための遺伝子に対して同じように懐疑的にならないのだろう）。既存の行動パターン――この場合には親による世話――は、「巣の中で鳴きわめき、口を開けているものすべてに給餌せよ」といった便宜的で、大まかな規則によって実現することができよう。そこで、「妹や弟に給餌するための」遺伝子は、この大まかな規則が成長過程で成熟する年齢を早めることによって、はたらかせることができる。兄弟の世話をする遺伝子を、新たな突然変異としてもつ雛は、単に、その「親による世話の」大まかな規則を、ほんの少しばかり早く活性化させたにすぎない。それは、親鳥の巣の中で鳴きわめき、口を開けているもの――自分の妹と弟――を、あたかも自らの巣の中で鳴きわめき、口を開けているもの――自分の子――であるかのように扱うのだ。「兄弟の世話をする行動」は、まったく新しい、複雑な行動の開花などとはほど遠いもので、既存の行動の発達におけるわずかな変形として独自に生じるだろう。われわれが進化の基本的な漸進性、すなわち適応的な進化は、既存の構造あるいは行動の小さな一歩ずつの変更によって進むという事実を忘れるときに、しばしば、誤りが生じる。

4-6 本文89頁「衛生的なハチ」

もし、初版に脚注を付けることにしていれば、その一つは、ハチの結果がそれほどうまく、きちんとしたものではなかったことの説明に――ローゼンブーラー自身が念入りに成し遂げたように――当てられたことだろう。理論に従えば、衛生的な行動を示さないはずの多数のコロニーの中で、一つだけは衛生的行動を示したのだ。ローゼンブーラー自身のことばによれば、「どれだけそうしたいと思っても、われわれはこの結果を無視するわけにはいかない。しかし、われわれの遺伝的な仮説はこれ以外の他のデータには支持されている」。例外的なコロニーにおける突然変異というのも考えられる説明ではあるが、しかし、可能性はきわめて小さい。

4-7 本文91頁「それは、広くいってコミュニケーションと名づけうる行動」

今では私自身は、動物のコミュニケーションのこの取り扱いに満足していない。ジョン・クレブスと私は二つの論文において、たいていの動物の信号が単に情報伝達でも詐欺的でもなく、むしろ操作的なものであると見るのがいちばんいいと主張した。信号とは、ある動物が他の動物の筋肉の力を利用する一手段である。ナイチンゲールの歌は情報ではないし、他を欺く情報でさえない。それは誘因的で、催眠的で、呪縛的な雄弁である。この類いの議論は『延長された表現型』における論理的な結論におもむくことになる。その結論の一部は、本書の13章に要約してある。クレブスと私は、信号はわれわれが読心と操作と呼ぶものの相互作用から進化すると主張する。動物の信号全般にかかわる驚くほど特異なアプローチはアモツ・ザハヴィによるものである。私は9章への注で、本書の初版におけるよりもはるかに大きな共感をもってザハヴィの見解を論じている。

5 攻撃――安定性と利己的機械

5-1 本文101頁「進化的に安定な戦略……」

今では私はむしろ、ESSの基本的な概念を次のようなより簡略な形で表現したいと考えている。すなわち、ESSとは自分自身のコピーに対してうまく対抗できる戦略のことであると。その根拠を以下に述べる。成功する戦略とは、個体群の中で支配的となる戦略である。したがって、それ自身のコピーと出会うようになる。したがってまた、それは自分自身のコピーにうまく対抗できなければ、成功した状態に留まることができないだろう。この定義はメイナード＝スミスの定義ほど数学的に厳密ではなく、実際には不完全なものであるがゆえに、これを彼の定義に置き換えることはできない。しかし、この定義には基本的なESSの概念を直感的に包含しているという長所がある。

ESSの考え方は、この章が書かれたときにくらべて、生物学者のあいだでずっと広く見受けられるようになってきた。メイナード＝スミス自身は、その『進化とゲーム理論』において、一九八二年までの発展を要約している。この分野におけるもうひとりの中心的な貢献者であるジェフリー・パーカーは、それよりもう少し新しい報告を書いている。ロバート・アクセルロッドの『協力の進化』はESS理論を使っているが、ここではそれについて述べない。なぜなら、本書で新しく追加した二章のうち一つ「気のいい奴が一番になる」は、アクセルロッドの仕事の解説にあてられているからだ。本書の初版が出て以降の、ESS理論に関する私の著作としては、「善い戦略か進化的に安定な戦略か」という論文と、後で論じるアナバチについての共著論文がある。

5-2　本文109頁「……報復派だけが進化的に安定であることがわかる」

この見解は残念ながらまちがいであった。メイナード＝スミスとプライスのもともとの論文に誤りがあり、私は本書でその誤りを踏襲し、あまつさえ、試し報復派が「ほぼ」ＥＳＳであるというさらに愚かしい発言をすることによって、誤りに油を注ぎさえしたのだ（もし、ある戦略が「ほぼ」ＥＳＳであるならば、ＥＳＳでないのだから他の侵入を受けることになる）。報復派は、表面的にはＥＳＳのように見える。なぜなら、報復派の個体群内では、他のどんな戦略もそれより成功することがないからである。しかし、報復派の個体群内では、ハト派も同じようにうまくやっていける。なぜなら、その行動からハト派と報復派を区別することができないからである。したがってハト派は、この個体群に入りこむことができる。問題は、次に何がおこるかである。Ｊ・Ｓ・ゲールとＬ・Ｊ・イーヴズ師は、コンピュータによるダイナミック・シミュレーションによって、モデル動物の一個体群に膨大な数の世代の進化をおこなわさせた。彼らは、このゲームにおける真のＥＳＳは、タカ派とあばれん坊派の安定した混合であることを示した。このタイプのダイナミック処理によって暴露された初期のＥＳＳ文献の誤りは、これが唯一のものではない。もう一つのみごとな実例は、私自身がおかした誤りで、それについては9章の注で論じる。

5-3　本文110頁「残念ながら、現在、自然界の諸現象の費用と利益に実際の数値をあてはめるには、あまりにもわかっていることが少なすぎる」

現在ではわれわれは、自然界における費用と利益についての、野外におけるすぐれた計測値をいくつかもっており、それらは、特定のＥＳＳモデルにはめ込まれている。最良の例が、北アメリカのアナバチの一種で得られた。アナバチ類は、秋にジャム壺によってくるおなじみの社会性のスズメバチやアシナガバチなどとはちがって、コロニーのために不妊の雌がはたらくということをしない。それぞれの雌は単独で生活しており、自ら幼虫の世代継承のために、食物と保護を与えることに一生を捧げる。典型的なものでいえば、雌は土中に長い穴を掘りすすむことからはじめ、穴の底は中空の部屋にする。次に、獲物（このアナバチの場合はキリギリス類）を狩りにでる。獲物を見つけると、針で刺して麻痺させ、自分の巣穴まで引きずってくる。キリギリスが四～五匹たまると、積み上げた獲物のてっぺんに卵を一個産みつけ、巣穴に栓をする。卵からは幼虫が孵化し、キリギリスを食べる。ついでながら、獲物が殺されず麻痺させられるということの要点は、獲物が分解せず生きたまま食べられ、したがって新鮮だということだ。近縁のヒメバチについて、ダーウィンをして「私は、恵み深き全能の神が、イモ虫の生きた体の内部を食べすすむ明確な意図をもつようにヒメバチを計画的に造られたのだと確信することができない」と、書かしめたのは、この無気味な習性であった。彼は、風味を損なわないためにロブスターを生きたままゆでるフランスのシェフを例にだしてもよかったのだ。雌のアナバチの生活に話をもどせば、同じ地域で他の雌が独立に活動していないかぎりは、単独生活者である。ときどきは、新しい穴を掘るという労をいとってむしろ、お互いに他の雌の巣穴を占拠しあうことがある。

ジェーン・ブロックマン博士は、ハチ研究におけるジェーン・グドールともいえる女性である。彼女はアメリカのオックスフォードから私のところへ研究しにきたのだが、個体識別された雌のアナバチの二つの完全な個体群の生活におこったほとんどすべての出来事についての膨大な記録を携えてきた。これらの記録はまったく完璧なもので、個々のハチの時間の割り当て表をつくることができる。時間は経済的な商品である。生活のある一部に時間を費やせば費やすほど、ほかの部分に使える時間は少なくなる。アラン・グラフェンがわれわれ二人に加わり、時間費用と生殖上の利益についての正しい考え方を教えてくれた。われわれは、ニューハンプシャーの一個体群の雌のアナバチのあいだで演じられるゲームが真の混合ＥＳＳだという証拠を見つけた。ただし、ミシガンのもうひとつの個体群ではそのような証拠を見出すことができなかった。要約すれば、ニューハンプシャーのアナバチは自分自身の巣を「掘る」か、さもなくば他のアナバチが掘った巣に「侵入する」かする。われわれの解釈によれば、アナバチは侵入によって利益を得ることができる。なぜなら、いくつかの巣がもともと掘ったハチによって放棄され、再使用できるからだ。居住されている巣に侵入するのは割に合わないが、侵入者はどの巣が居住されており、どれが放棄されているかを知るすべをもたない。侵入者は数日間二重居住の危険をおかしつづけ、その最後には、巣に帰ってみると巣穴に栓がされているのを見つけるかもしれない。これで彼女のすべての努力が無駄になってしまう

——他の居住者が卵を産み終えて、利益を得ているることだろう。もし、一つの個体群内であまりにも多くの侵入がおこると、利用できる巣穴がとぼしくなっていき、二重占拠の確率が上昇し、したがって穴を掘るという費用を支払っても元がとれるようになる。逆に、もしたくさんのアナバチが穴を掘っていれば、巣穴を高率で利用できるので侵入に有利にはたらく。個体群内には、穴掘りと侵入が同等の利益を与えるような臨界的な侵入の頻度が存在する。もし実際の頻度が臨界頻度以下であれば、自然淘汰は侵入に有利にはたらく。なぜなら、利用できる放棄された巣穴の十分な供給があるからである。もし実際の頻度が臨界頻度より高ければ、利用できる巣穴が不足し、自然淘汰は穴掘りに有利にはたらく。そこで、一つの平衡が個体群内で維持される。くわしい定量的な証拠によれば、個々のアナバチは穴掘りとか侵入を一定の確率でおこなっているのであり、個体群が穴掘りと侵入のスペシャリストの一定の混合を含んでいるのではない。これは真の混合ESSであることを示唆している。

5-4　本文116頁「この型の行動的非対称で私が知っているもっともみごとな実例は……」

ティンバーゲンの「先住者がいつも勝つ」現象よりさえもさらに明快な実証が、N・B・デーヴィースのあるチョウ（*Pararge ageria*）の調査から得られる。ティンバーゲンの研究はESSの理論が発明される以前におこなわれたものであり、本書の初版における私のESS的解釈は後知恵（あとぢえ）によってなされたものであった。デーヴィースはチョウの研究をESSの理論の光に照らして表現している。彼はオックスフォード近郊のワイタムの森では雄のチョウがそれぞれ、日だまりを防衛していることに気づいた。雌は日だまりに引き寄せられるので、日だまりは闘いとるに値する有効な資源である。日だまりの数よりも多くの雄が存在し、あぶれたものたちは樹冠でチャンスをうかがっている。雄を次から次へとつかまえては放してやることによって、デーヴィースは、二匹の個体のうちどちらであろうと、最初に日だまりに放されたほうが、双方から、「所有者」として扱われることを示した。どちらであろうと、二番目に日だまりに到着した雄は「侵入者」として扱われた。侵入者はほとんど例外なく、ただちに敗北を認め、所有者の独占にまかせた。とどめの一撃（coup de grâce）というべき最後の実験で、デーヴィースは首尾よく、両方のチョウに自分たちが所有者で、相手が侵入者であると「思わせる」ように「だます」ことができた。

このような状況下においてのみ、本物の真剣で長時間にわたる闘いが始まった。ついでながら、これらのすべてのケースにおいて、私は話を単純にするために、そこに二匹だけのチョウがいたかのように述べたが、当然のことながら、実際に存在したのは、何組もの二匹から得られた統計的なサンプルである。

5-5 本文118頁「逆説的ESS」

逆説的ESSをおそらく代表するであろう今ひとつの出来事は、「タイムズ」紙（ロンドンの、一九七七年一二月七日号）にジェームズ・ドーソン氏から寄せられたレターに記録されている。すなわち、「この何年か私は、旗竿を見晴らし台にしている一羽のカモメが、必ずといっていいくらい、その場所に舞い降りようとする他のカモメに道を譲り、それも二羽の体の大きさに無関係にそうであることに気づいた」。

私の知るかぎり、逆説的戦略のもっとも満足すべき実例には、スキナー箱の家畜ブタが関わっている。この戦略はESSと同じ意味で安定であるが、DSS（developmentally stable strategy 発生的に安定な戦略）と呼ぶほうがいいだろう。なぜなら、それは動物の進化的な時間を通じてというよりその動物自身の生涯を通じて生じてくるものだからである。スキナー箱というのは、動物がレバーを押して自分で餌をとることを学習する装置であり、すると自動的に餌がシュートから落とされる。実験心理学者たちは、ハトやネズミを小さなスキナー箱に押し込むことに慣れ親しんでいる。入れられた動物はすぐに、食べ物という報酬のためにデリケートなレバーを押すことを学習する。ブタも、とてもデリケートとはいいがたい鼻づらで押す方式のレバーのついた巨大なスキナー箱で同じことを学習することができる（私はその研究用映画を何年も前に見たことがあり、ほとんど思い出しては笑い死にしそうになる）。B・A・ボールドウィンとG・B・ミーズはブタをスキナー豚箱で調教したのだが、この話にはもう一ひねりがある。鼻づらで押すレバーは豚箱の一端にあり、食物供給器は反対の端にある。そこでブタはレバーを押したあと、獲物を得るために豚箱の反対の端に向かって走り、そしてまたレバーのところへ大急ぎで戻り、また同じことをくりかえす。これですべて非常に申し分ないように聞こえるが、しかしボールドウィンとミーズはペアにしたブタを装置の中に入れた。いまや一頭のブタが他方のブタを搾取することができる。「奴隷」ブタは行ったり来たり走りまわりながらバーを押す。「主人」ブタは食べ物が出てくるシュートの前に座って、食べ物が与えられると食べる。ペアのブタは実際にこの種の安定した「主人／奴隷」パターンに落ち着き、一方がはたらき走り回り、もう一方はもっぱら食べること専門である。

さてそこで逆説だ。「主人」と「奴隷」というラベルはまったくあべこべに逆転すべきものである。一組のペアが安定したパターンに落ち着いたときにはいつでも、「主人」すなわち「搾取する」役割を演じることになったブタは、ほかのすべての点で劣位の個体であった。いわゆる「奴隷」ブタ、あらゆる仕事をしたブタは、ふつう優位の個体だった。ブタたちを知っている人間はだれでも、逆に、優位のブタが主人でほとんどを食べ、劣位のブタがきつい仕事をしてめったに食べられない奴隷になっていると予想したことだろう。

いかにしてこのような逆説的な逆転が生じたのだろう？　ひとたび、安定な戦略という観点から考えはじめると、容易に理解できる。われわれがしなければならないのは、思考を進化的な時間から発生的な時間、つまり、二個体間の関係が発達してくる時間の尺度へとずらすことだけである。「もし優位なら餌桶(おけ)のそばに座れ、もし劣位ならレバーを押せ」という戦略は賢明なものに響くが、安定ではないだろう。劣位のブタはレバーを押したあと全速力で走ってきても、前脚をしっかりと桶に入れた優位のブタを見つけるだけのことで、追い立てることはできない。劣位のブタはすぐにレバーを押すことをあきらめるだろう。なぜなら、その習性はなんの報酬ももたらさないからである。しかしここで逆の戦略、「もし優位ならレバーを押せ、もし劣位なら餌桶のそばに座れ」を考えてみよう。これは、たとえ劣位のブタが食べ物のほんどを得るという逆説的な結果さえ生じるとしても、安定であろう。必要なのは、優位なブタが豚箱の一方の端から突進してきたときにいくらかの食べ物が残されていなければならないということだけである。優位ブタは到着するやいなや、劣位のブタを桶から追い出すのになんの苦労もない。報酬となる食べ物のかけらが存在するかぎり、レバーを押すという習性が、したがって無意識のうちに劣位のブタを満腹させることが、続くのである。そして、桶のそばで怠惰に横たわる劣位のブタの習性もまた、報酬を受けるのである。そこで、「もし優位ならば《奴隷》としてふるまい、もし劣位ならば《主人》としてふるまう」という戦略の全体が報酬を受け、したがって安定なのである。

5-6　本文119頁「……ある種の順位制〔コオロギの〕……」

当時私の学生であったバークは、コオロギにおけるこの類いの疑似的な順位制のさらなる証拠を見つけた。彼はまた、雄のコオロギは、最近に他の雄との闘いに勝ったばかりのときには雌とより交尾しやすいことをも示した。これは、「マールバラ公効果」とでも呼ぶべきであろう。それは、初代マールバラ公爵夫人の日記にある次のような記述にちなむものである。すなわち、「閣下は今日戦いからお戻りになり、乗馬靴をはいたままで妾を二度もお喜ばせになった」。名前の別の案は、男性ホルモンのテストステロンのレベルの変化についての「ニュー・サイエンティスト」誌に載った次の報告からも考えられよう。すなわち「大試合前の二四時間におけるテニス・プレイヤーのテストステロンのレベルは二倍になる。そのあと勝者のレベルはそのままにとどまるが、敗者では急落する」というのである。

5-7　本文122頁「ESS概念の発明を、ダーウィン以来の進化論におけるもっとも重要な進歩の一つとして……」

この文章はほんの少し言い過ぎている。私はたぶんこの頃、当時の生物学の文献、とくにアメリカではESS概念が広く無視されていたことにたいして過剰に反応していたのだろう。たとえばE・O・ウィルソンの大著『社会生物学』のどこにもこのことばはでてこない。しかし、それはもはや無視されてはおらず、私は、いまやもっと慎重でより熱狂的でない見方をとることができる。十分に明快な思考をしさえすれば、あなたは実際にESSの用語を使わなければいけないことはない。しかし、それは、とくに、くわしい遺伝的知識が利用できないようなケースでは――実際上はたいていのケースがそうである――、明快な思考の大きな助けとなる。ときには、ESSモデルが生殖が無性的であることを前提にしているといったことが言われるが、この言い方は、有性生殖ではなく無性生殖がとくに必要があって前提されているのだと受け取られるのなら、誤解のもとである。ESSモデルは遺伝的システムの細部についてはあえて関与しないというのがむしろ真実である。そのかわりに、ある種の漠然とした意味で、似た者は似た者を生じるということを前提とするのだ。多くの目的に関してこの前提は適切である。実際のところ、その曖昧さは好都合でさえありうる。なぜなら、それは精神を本質に集中させ、遺伝的優劣といった細部から目をそらせるからである。細部は特定のケースについてはふつうわかっていないものである。ESSの考え方は、否定的な役割においてもっとも役に立つ。それは、そうでなければ陥りがちな理論的誤りを避けるのを助けてくれるからだ。

5-8　本文126頁「進化とは、たえまない上昇ではなくて、むしろ安定した水準から安定した水準への不連続な前進のくりかえしであるらしい」

この一文は、今日よく知られている断続（区切り）平衡説という理論の一つの表現法についての、みごとな要約になっている。恥ずかしながら、この推測を書いたとき、私は、当時のイギリスの多くの生物学者と同様に、この理論についてまったく知らなかったと言わなければならない。ただし、この理論はその三年前にすでに発表されていたのである。それ以後は、たとえば『盲目の時計職人』において、区切り平衡説が吹聴しすぎてきたやり方について――たぶん、あまりにも過剰に――多少いらだちを感じるようになってきた。もしこのことがだれかの気持ちを傷つけたとすれば、遺憾である。それらの人々に、少なくとも一九七六年には、私の気持ちはすっかり収まっていたということを記せば喜んでもらえるかもしれない。

6　遺伝子道

6-1　本文131頁「私は、これらの論文が……なぜこれほど無視されてきたのか理解できない」

ハミルトンの一九六四年の論文はもはや無視されてはいない。その初期における無視とその後の認知の歴史は、それ自体で、一つの興味ぶかい定量的研究、つまり、一つの「ミーム」のミーム・プールへの取りこみに関する一つの事例研究をなすものである。このミームについては、11章の注でその進展を跡づける。

6-2 本文131頁「遺伝子プール全体の中で数の少ない遺伝子について述べるものとしよう」

われわれが全体としての個体群の中で数の少ない（まれな）遺伝子について語っているふりをするという方策は、近縁度の計算を説明しやすくするための、ちょっとしたインチキである。ハミルトンの主要な功績の一つは、彼の理論が当該の遺伝子が少ないか多いかに無関係に当てはまることを示した点だ。やがてこの点は、この理論の中で人々が理解するのがむずかしいと感じた一つの側面であることが判明する。

近縁度の計算という問題は、以下のような形で、われわれの多くを誤らせる。一つの種のいかなる二個体も、同じ家族に属していようがいまいが、ふつうは九〇％の遺伝子を共有している。だとすれば、兄弟間の近縁度が½、いとこ間の近縁度⅛といったことをわれわれが語るとき、いったい何について論じているのだろうか？　答えは、兄弟は、あらゆる個体がいずれにせよ共有している九〇％（あるいはその数値がどうであれ）を越えた残りの遺伝子の½を共有しているということだ。一つの種のすべてのメンバーによって共有される一種のベースライン近縁度が存在する。じつをいえば、程度こそ劣れ、他の種のメンバーにも共有されているのだ。利他主義は、ベースラインがどうであれ、近縁度がベースラインより高い個体に向けられることが予測されるのだ。

初版では、数の少ない遺伝子について述べるというトリックを使うことによって、問題を回避した。これは、その限りでは正しいのだが、十分な役には立たない。ハミルトン自身が「同祖的」遺伝子について書いているが、それもまた、アラン・グラフェンが示したように、それはそれで困難を生じる。他の論者たちは問題があることさえ認めておらず、共有された遺伝子の絶対的なパーセンテージについて語るだけであるが、それは疑問の余地ない明瞭な誤りである。そのような不注意な発言は、実際に重大な誤解を導いた。たとえば、ある高名な人類学者は、一九七八年に発表した「社会生物学」に対する辛辣な攻撃の中で、次のような主張を試みている。すなわち、もしわれわれが血縁淘汰説をまじめに取り上げるならば、すべての人類はお互いに利他的にふるまうと予想すべきである。なぜなら、すべての人類は九九％以上の遺伝子を共有しているからだというのだ。この誤りについては、「血縁淘汰説一二の誤解」（の第5の誤解にあたる。『延長された表現型』の訳者補注を参照）に簡単な回答を示しておいた。他の一一の誤解についても、一読の価値がある。

アラン・グラフェンは、「近縁度の幾何学的な見方」において、近縁度の計算という問題に対する決定的な解決であるかもしれないものを示しているが、ここでくわしく論じるつもりはない。またもう一つの「自然淘汰、血縁淘汰、群淘汰」という論文において、グラフェンは、さらに普遍的で重要な一つの問題、すなわちハミルトンの「包括適応度」という概念の広く行き渡った誤用を明らかにしている。彼はまた、遺伝的な近縁度に対する費用と利益の計算の正しい方法と誤った方法についても述べている。

6-3　本文136頁「アルマジロ……これはだれか南アメリカへ行って一目見てくる価値がありそうだ」

アルマジロの戦線については、新しい事態の進展はなにも報告されていないが、もう一つの「クローン」動物のグループ——アブラムシ——については、いくつかの驚くべき新事実が明るみに出されている。もしあなたがある植物についているアブラムシの群れを見たとすれば、おそらくそれらは、同じ一つの雌のクローンのメンバーであり、一方、隣の植物についているものは別のクローンのメンバーであろう。理論的には、このような条件は血縁淘汰による利他主義の進化に理想的なものである。しかしながら、一九七七年（本書の初版に登場するにはあまりにも遅すぎた）に青木重幸によって日本のアブラムシで不妊の「兵隊」アブラムシが発見されるまで、アブラムシにおける実際の利他行動は知られていなかった。以来青木は、多数の異なる種においてこの現象を見つけており、それが少なくとも四つの異なるアブラムシのグループで独立に進化したという確かな証拠を得ている。

青木の話を要約すればこうなる。アブラムシの「兵隊」は、アリのような伝統的な社会性昆虫のカーストとまったく同じように、解剖学的に異なったカーストである。兵隊は完全な成虫まで成熟することのない幼虫であり、したがって不妊である。兵隊は見かけにおいても行動においても兵隊ではない同年齢の幼虫と似ていない。けれども遺伝的には同じなのである。ふつう兵隊は兵隊でないアブラムシより大きい。そして特別に大きな前脚をもっており、まるでサソリのように見える。頭には前に突き出した鋭い角がある。兵隊はこれらの武器を使って、捕食者となるものと戦い、殺す。この過程で死ぬことがよくあるが、しかしたとえそうしなくても、兵隊たちは不妊であるがゆえに遺伝的に「利他的」であると考えるのはなお正当なのである。

利己的遺伝子の観点から、ここでは何がおこっているのだろうか？ どの個体が不妊の兵隊になりどの個体が正常な繁殖力をもつ成虫になるかを、なにが決めているかについて、青木はくわしく述べていないが、それが遺伝的な差異ではなく環境的なものであるにちがいないといっても、まず大丈夫だろう。なぜなら、明らかに、一本の植物についている不妊の兵隊と正常なアブラムシとは遺伝的に同一だからである。しかしながら、この二つの発生学的な径路のどちらに入るかを環境的にスイッチする能力の遺伝子は存在するにちがいない。たとえそのうちの一部が最終的に不妊の兵隊の体に入り、したがって子孫に伝えられないとしても、なぜ自然淘汰はこれらの遺伝子を優遇するのだろうか？ なぜなら、兵隊のおかげで、それとまさに同じ遺伝子のコピーが繁殖する兵隊でないアブラムシの体の中に貯えられてきたからである。この理由づけは、すべての社会性昆虫の場合と同じである（10章を参照）。ただし、アリやシロアリのような他の社会性昆虫では、不妊の「利他行動者」は不妊ではない繁殖個体の中の自らのコピーを助ける統計学的なチャンスしか持ち合わせていないという点だけは異なる。兵隊は利益を与える対象である繁殖する姉妹のクローン仲間であるから、アブラムシの利他的な遺伝子は統計学的な見込みよりはむしろ確実性を享受することができる。いくつかの面で青木のアブラムシは、ハミルトンの考えの威力の一番ぴったりとした実在の例証を与えるものである。

それなら、アブラムシは、伝統的にアリ、ハチ、シロアリの砦であった真の社会性昆虫の排他的なクラブに入会を許されるべきなのであろうか？ 昆虫学的な保守主義は、さまざまな根拠からアブラムシを排斥するだろう。たとえば、彼らは長命な女王をもっていない。さらに、真のクローンであるため、アブラムシはあなたの体の細胞以上に「社会的」ではない。植物を食べている一匹の動物がいるだけなのだ。それはたまたま、その体を物理的に分離されたアブラムシに分割し、そのうちの一部が、人体の中の白血球とまさに同じように防衛的役割に専門化しているだけなのだ。「真の」社会性昆虫は同じ生物体の部分ではないのにかかわらず協力しあうが、青木のアブラムシは同じ「生物体」に属しているがゆえに協力するというぐあいに、議論は進む。この意味論的な論議について私はあまり意欲をかきたてられない。アリで何がおこっているかをあなたが理解しているかぎりは、アブラムシと人間の細胞を社会的と呼ぼうが呼ぶまいが自由で、好きなようにすればいいと、私には思える。私自身の好みをいえば、青木のアブラムシは一つの生物体の部分と呼ぶよりもむしろ社会的な個体と呼ぶべきだとするいくつかの理由を持ち合わせている。一つの生物体としての決定的ないくつかの特質というものがあるが、一匹のアブラムシがそれを保有しているのにたいして、アブラムシのクローンはそれを保有していないのだ。この議論は、『延長された表現型』の「生物体を再発見する」という章、および本書に新しく追加した「遺伝子の長い腕」において、くわしく論じてある。

6-4　本文137頁　「血縁淘汰は断じて群淘汰の特殊な例ではない」

群淘汰と血縁淘汰の相違をめぐる混乱は、まだ解消されていない。むしろ悪化してさえいるかもしれない。私の意見は、さらに何倍もの強調をこめて揺るがない。ただし、配慮に欠けたことばの選択のために、私自身が本書の初版の一〇二頁（訳本一三七頁）においてまったく別種の誤りをおかした点だけは除く。初版では私はこう言っていた（この増補版の本文で訂正したわずかな箇所のうちの一つ）。「またいとこは子どもや兄弟の1/16の利他主義を受け取る傾向があると予想されるだけのことである」。S・アルトマンが指摘しているように、これは明白な誤りである。それは、この時点で私が主張しようとしていた論点となんの関係もないというただ一つの理由によって誤っている。もし一頭の利他的な動物が近縁者に与えるべきケーキをもっていたとしても、切り方の大きさを近縁度の大きさで決めて、それをすべての近縁者に一切れずつ与えるべき理由はまったくない。実際には、他種の個体はさておき、同種のすべてのメンバーは少なくとも遠い親戚であり、したがって慎重に計り分けたひとかけらを要求することができるのだから、これでは馬鹿馬鹿しい話になってしまうだろう！　反対に、周辺に密接な近縁者がいれば、遠い親戚たちにケーキを一切れだって与える理由はないだろう。収益逓減（ていげん）の法則のような他の複雑な条件に左右されて、ケーキは手近にいる密接な近縁者に与えられるべきものである。もちろん私がここで言おうとしたのは「またいとこは子どもや兄弟にくらべて利他主義を受ける可能性が1/16になると予想されるだけのことである」

であり、今回はそうなっている（一三七頁）。

6-5　本文137頁　「彼は故意に子を除外している。子は血縁に数えられていないのだ！」

私は、E・O・ウィルソンが将来の著作において、彼の血縁淘汰の定義を、子をも「血縁」に含めるよう、変更してほしいという希望を表明した。彼の『人間の本性について』では、「子以外の」という気にさわる文句が実際に省略されている（これに関して謝辞を要求しているのではない！）ことを報告できるのはうれしいことだ。彼は、「血縁は子を含めるように定義されているが、血縁淘汰という用語は通常、少なくとも兄弟・姉妹・両親などの他の近縁者も影響を受ける場合にのみ用いられる」と付け加えている。これは遺憾ながら、生物学者たちのふつうの使い方についての正確な発言である。それは、ひとえに、多くの生物学者が血縁淘汰が基本的にどういうものであるかについての本質的な理解をいまだに欠いているという事実を反映しているのである。彼らはいまだに、それをなにか特別で深遠な、通常の「個体淘汰」のほかのものであると誤って考えている。そうではないのだ。血縁淘汰は、夜の次に昼がくるのと同じように、ネオ・ダーウィニズムの基本的な前提から自然に出てくるものなのである。

6-6　本文139頁　「なんと複雑な計算だろう……」

血縁淘汰説が動物による非現実的な計算の離れ業を要求するという誤った意見は、いっこうに衰えることなく、累代の研究者によって何度も復活させられている。それも、単に若い研究者だけでない。高名な社会人類学者のマーシャル・サーリンズによる『生物学の利用と誤用』は、「社会生物学」への「縮みあがらせるような攻撃」として喝采を受けていなければ、寛大な曖昧さのなかにとどめておくこともできた。次の引用は、血縁淘汰が人類に作用しうるかどうかという文脈でなされたものであるが、真実であるには、ほとんど話があまりにもよくできすぎている。

ところでここで、rすなわち近縁係数の計算のための言語上の支援の欠如が引き起こす認識論的な問題が、血縁淘汰説に重大な弱点をもたらすことに注意を促しておく必要がある。分数というのは世界の言語においては非常にまれにしかみられないもので、インド＝ヨーロッパ語および、中近東の古代文明に現れるが、一般にいわゆる未開民族には欠如している。狩猟採集民は一、二、三以上の計数システムをもっていない。動物たちがいかにしてr〔自分のいとこの〕＝1/8であることを計算すると考えているのかというさらに重大でさえある問題についての論評は差し控えておく。

このきわめて啓発的な文章を私が引用したのは初めてではない。そして、それに対する私自身のかなり手厳しい返答を、「血縁淘汰一二の誤解」から引用しておくのがいいだろう。

サーリンズが、動物がどうやってrを計算すると考えているのかについて、「論評を差し控える」という誘惑に屈したのは、彼にとって残念なことであった。彼があざけろうと試みた観念が彼にはあまりに馬鹿げたものに思えたので、心に警鐘が鳴ってしまったにちがいない。カタツムリの殻は完璧な対数らせんを描くが、カタツムリがいったいどこに対数表をもっているというのだ？　実際にどのようにしてそれを読むのか？　カタツムリの眼のレンズはm、すなわち屈折率を計算するための「言語学的な支援」を欠いているのだから。また、どうやって緑色植物はクロロフィルの公式を「計算」するというのだ？

事実はこうだ。もしあなたが行動だけではなく、解剖、生理、あるいはほとんどいかなる生物学の側面についてであれ、サーリンズのやり方によって考えてしまえば、彼と同様に架空の問題にたどりつくことになるだろう。一個の動物体あるいは植物体のどんな小さな部分の個体発生も、それを完璧に記述しようとすれば複雑な数学を必要とするが、それは、その植物あるいは動物それ自身が頭のよい数学者でなければならないということを意味しないのだ！　非常に背の高い木はふつう、幹の基部から巨大な板根を翼のように張り出している。ある一つの種の中では、木の背丈が高くなればなるほど、相対的により大きな板根をもつ。こういった板根の形と大きさは、木を直立に保つための実用的な最適値に近似していることは広く認められているのだが、そのことを実証するために、技術者はきわめて精緻な数学を必要とするのである。サーリンズであれ、ほかのだれであれ、板根問題を説明する理論を、単に木が計算のための数学的な専門知識を欠いているというだけの理由で疑うということは決しておこらないであろう。それならばなぜ、血縁淘汰によって生じた行動という特別なケースだけに、問題が生じるのであろうか？それが解剖学的なものに対立する行動であるがゆえということはありえない。なぜならば、サーリンズがその「認識論的な」異議を唱えることなくいそいそと認めるような他の行動（血縁淘汰によって生じた行動以外のという意味）の実例は、たくさんあるからである。たとえば、われわれがみなボールを捕るときにはいつでもしなければならないある意味で複雑な計算について、私があげた実例（一四〇頁）を考えていただきたい。自然淘汰説には一般的にまったく満足しているが、彼らの学問の歴史に根源をもつのかもしれないまったく見当はずれの理由から、血縁淘汰説に都合の悪いなにか——なんであれ——を見つけだそうと必死になるような社会科学者がいるのではないかという疑問を禁じえない。

6-7　本文144頁「……実際に動物が、だれが自分の近縁者であるかをどのように判断しようとしているかを考えねばならない。われわれがだれが身内かを知っているのは、人から聞くからであり……」

この本が書かれて以来、血縁認知という問題全体が熱狂的にはやるようになった。われわれ自身をも含めて動物は、近縁者と非近縁者を、しばしば匂いによって区別する驚くほど微妙な能力を示すように思われる。最近でた『動物における血縁認知』という本は、現在知られていることを要約している。パメラ・ウェルズによる人間についての章は、前述のような見解（「われわれがだれが身内かを知るのは、人から聞くからであり」）が補強される必要のあることを示している。少なくとも、われわれが近縁物の汗の匂いを含めたさまざまな非言語的手がかりを用いうるという状況証拠が存在する。私にとってこの問題全体は、彼女が冒頭に掲げている引用に要約されている。

> すべての良き仲間を言い当てることができる
> その利他主義的な匂いによって

e・e・カミングス

近縁者は利他主義以外の理由からもお互いに認知しあう必要があるかもしれない。彼らは、次の注に見るように、外婚と内婚のあいだのバランスをとりたいと願ってもいるかもしれない。

6-8　本文144頁「……近親交配によってあらわれる劣性遺伝子の有害な効果があるのであろう（いくつかの理由から、多くの人類学者はこの説明を好まないが）」

致死遺伝子とはその保有者を殺す遺伝子である。劣性の致死遺伝子は、他のあらゆる劣性遺伝子と同じように、量が二倍にならないかぎり効果を及ぼさない。劣性致死遺伝子は遺伝子プールの中で生き残る。なぜなら、ほとんどの個体はその遺伝子のコピーを一つしかもたず、したがって悪影響を及ぼすことはないからである。どの致死遺伝子もまれである。もし数が多くなっていくと、それ自身のコピーと出会い、その保有者を殺してしまうからである。にもかかわらず、さまざまに異なるタイプの致死遺伝子がどっさりあり、われわれはすべて、いまなおそれらに蝕（むしば）まれうるのである。人間の遺伝子プールに潜んでいる致死遺伝子がどれほどの数あるかについては、いろいろ異なった計算がある。いくつかの本では、一人当たり平均して二つもの致死遺伝子があると計算している。もし行き当たりばったりの男が行き当たりばったりの女と結婚すれば、その致死遺伝子は彼女の致死遺伝子と合致せず、子どもが被害を被ることはないだろう。しかし兄が妹と、あるいは父親と娘が結婚すれば、事態は不穏に変化する。私の劣性致死遺伝子が大きな個体群の中でどれだけまれであろうと、そして私の妹の劣性致死遺伝子が大きな個体群の中でどれだけまれであろうと、私の致死遺伝子と彼女の致死遺伝子が同じである確率は心配になるほど高いのである。もし計算をするならば、私がもっている劣性致死遺伝子一つごとに、もし私が妹と結婚すれば、われわれの子どもの八分の一は死産か幼いうちに死ぬことになるだろうということが判明する。ついでながら、思春期に死ぬのは、遺伝学的な言い方をすれば、死産よりもずっと「致死的」でさえありうる。死産の子どもは親の大切な時間とエネルギーをそれほど無駄にしないのだ。しかし、それをどういう形で考察しようとも、近親相姦は単に緩やかに有害なだけではない。それは潜在的に破滅をもたらすものである。積極的な近親相姦の回避への淘汰は、自然界でこれまで計測されてきたいかなる淘汰圧に劣らず強力なものでありうる。

近親相姦回避のダーウィン主義的な説明に反対する人類学者は多分、自分たちがどれほど強力なダーウィン主義的主張に反対しているのかに気づいていないようだ。彼らの論拠はときにはあまりにも薄弱で、絶望的な特別弁論を思わせる。たとえば、いちばん多い言い方はこうだ。「もしダーウィン主義的な淘汰が本当にわれわれの中に近親相姦に対する嫌悪を組込んでいるのなら、それを禁止する必要はないだろう。タブーは、近親相姦への渇望があるがゆえにのみ生じるのである。したがって、近親相姦を禁止する規則が《生物学的》機能をもつことはありえず、それは純粋に《社会的》なものであるにちがいない」。この反論は次の言い方とかなりよく似ている。「自動車はドアにロックがあるのでイグニション・スイッチのロックは必要ない。したがって、イグニション・ロックは泥棒よけの装置ではありえない。それはなんらかの純粋に儀式的な意義をもっているにちがいない」。人類学者たちはまた、異なる文化が異なるタブー、実際に異なった血縁の定義をもっているということを強調するのも好きだ。彼らはまた、これが近親相姦回避を説明しようとするダーウィニストの野心をくじくと考えているように思われる。しかし、異なる文化が異なる体位で交接することを好むからといって、性的欲望がダーウィニズム的適応ではありえないということも同じように言えるのではないだろうか。人類における近親相姦回避が、ほかの動物におけるのに劣らず強力なダーウィニスト的淘汰の帰結であるというのは、私にはきわめてありうべきことのように思える。

遺伝的にあなたにあまりにも近い人と結婚するのだけが悪いわけではない。あまりにも離れた人との外婚もまた、異なる血統間の遺伝的不適合のゆえに悪いことがありうる。理想的な中間がどのあたりにくるか、正確なことを予測するのは簡単ではない。あなたはいとこと結婚すべきなのだろうか？　またいとこ、あるいはまたまたいとことだろうか？　パトリック・ベイトソンは日本のウズラについて、彼ら自身の好みがスペクトラムのどのあたりに位置するのかを求めようと試みた。アムステルダム装置と呼ばれる実験的な装置の中で、ウズラは、ミニチュアのショウ・ウィンドウの後ろに並んだ異性のメンバーの中から相手を運ぶようにさせられた。彼らは兄弟や血縁のない個体よりもいとこを好んだ。さらなる実験は、若いウズラは同じ巣仲間の特徴を学習し、年とってから、巣仲間ととてもよく似てはいるが、あまりにも似すぎてはいない配偶者を選ぶことを示唆している。

　したがって、ウズラはいっしょに育った個体に対する欲求を内的に欠くことによって、近親相姦を回避しているように思われる。他の動物は社会的な法、社会的に強いられた分散の規則を守ることによって、それを成し遂げる。たとえば、思春期の雄ライオンは、彼らを誘惑する近縁の雌が留まっている親のプライドから追い立てられてしまい、自分で別のプライドを強奪することができたときだけ交尾することができる。チンパンジーやゴリラの社会では、交尾の相手を求めて他のバンドへ出ていくのは若い雌のほうだという傾向がある。両方の分散パターンとも、ウズラの方式と同じように、われわれ人類のさまざまな文化のあいだで見出すことができる。

6-9　本文150頁「彼ら〔カッコウに託卵される鳥〕は自種のメンバーに託卵されるおそれはないので……」

　これはおそらく、ほとんどの種の鳥について当てはまる。にもかかわらず、自種の巣に寄生する一部の鳥を見つけたとしても驚くにあたらない。そしてこの現象は現実に、しだいに数多くの種で発見されつつある。これはとりわけて最先端のもので、だれとだれが近縁であるかを確認するために新しい分子技術が導入されつつある。実際には、利己的遺伝子の理論からは、それがこれまでわれわれが知っている以上にさえ頻繁におこっていると予測されるかもしれない。

6-10　本文152頁「ライオンの血縁淘汰」

　ライオンにおける協力の原動力として血縁淘汰を強調したバートラムの見解は、C・パッカーとA・ピュージーから異議を唱えられている。二人は、多くの群れ(プライド)では、二頭の雄ライオンは近縁ではないと主張する。そして、ライオンの協力の説明としては、互恵的利他主義が少なくとも血縁淘汰と同程度に可能性があることをほのめかす。おそらくどちらの陣営も正しいのだろう。12章では、互恵主義（「やられたらやり返す」）が、最初に互恵主義者の数が臨界値を超えることができさえすれば進化しうることを強調している。このことは、将来パートナーたるべき個体が互恵主義者であるかなりの確率をもつことを保証する。血縁はたぶん、これがおこるためのもっとも明白な方法であろう。近縁者は当然ながらお互いによく似る傾向があるから、たとえ全体としての個体群において臨界頻度まで達していなくとも、家族の内部では達していることがある。おそらくライオンにおける協力は、バートラムが示唆した血縁効果を通じて始まり、それが互恵主義が有利になるために必要な条件を提供したのであろう。ライオンをめぐるこの意見の不一致は事実によってのみ決着させうるのであるが、事実は、いつものことながら、特定のケースについてしか教えてくれないのであり、全般的に理論的議論について教えてはくれないのである。

6-11　本文155頁「Cと私が一卵性双生児であれば……」

一卵性双生児が——その双生児が本当に一卵性であることが保証されているかぎりは——あなたにとって理論的にはあなた自身と同等の価値を有することは広く理解されている。それほど広く理解されていないのは、保証された一夫一婦制の母親にも同じことがいえるということだ。もしあなたが、あなたの母親があなたの父親の子どもを、そしてあなたの父親の子どもだけを産みつづけるだろうということを確実に知っているとすれば、あなたの母親は遺伝学的にあなたにとって一卵性双生児、あるいはあなた自身と同等の価値をもつ。あなた自身を子ども製造機械と考えてもらいたい。そうすると、あなたの一夫一婦制の母親は（両親が同じ）兄弟製造機械であり、両親の同じ兄弟はあなたにとって遺伝学的にあなた自身の子どもと同等の価値がある。もちろん、これはあらゆる種類の実践的考慮点を無視している。たとえば、あなたの母親はあなたより年寄りである。ただし、このことが、特定の状況に依存して、将来の繁殖について彼女の賭け率をあなた自身よりも有利にするか不利にするかについては、一般的な規則を与えることはできない。

この議論は、あなたの母親が、だれか他の男の子どもではなくあなたの父親の子どもを産みつづけることをあてにできるということを前提にしている。彼女がどの程度まであてにできるかは、その種の配偶様式によってきまる。もしあなたが乱交を常習とする種のメンバーであれば、明らかにあなたは、あなたの母親の子どもをあなたと両親の同じ兄弟であると期待することはできない。理想的な一夫一婦制の条件のもとでさえも、あなたの母親の賭け率をあなた自身よりも不利にするであろう一つの明らかに避けがたい考慮が存在する。あなたの父親は死ぬかもしれないのだ。もしあなたの父親が死ねば、どんなにがんばっても、あなたの母親が彼の子どもを産みつづけることを期待することはほとんどできないのではないだろうか？

ところで、事実の問題として彼女はできるのだ。これが生じうるような状況は、血縁淘汰説にとって、明らかにきわめて興味ぶかいものである。哺乳類としてわれわれは出産は交接のあと固定したかなり短い期間をおいておこるという考え方に慣れ親しんでいる。人間の雄は死後に子どもの父親になることができるが、死後九ヶ月以上たつとできない（精子銀行で冷凍するという手段を除いて）。しかし、雌が生涯にわたって精子を体の内部に蓄え、時間の経過とともに、しばしば交尾の相手が死んでずっと後に、それを取り出して、卵を受精させる昆虫のグループがいくつかある。もしあなたが、これをする種のメンバーなら、あなたは、潜在的に母親がたえず良き「遺伝的賭け率」の対象でありつづけるということを実際に非常に強く確信することができる。雌のアリは、生涯の初期における一回の結婚飛行でしか交尾しない。そのあと雌は翅を失い、二度と交尾しない。ついでながら、アリの多くの種は結婚飛行において数匹の雄と交尾する。しかし、もしあなたがたまたま、つねに雌が一夫一妻を守るこうした種の一つに属しているとすれば、あなたは母親を少なくともあなたがあなた自身にとってと同じくらい良き遺伝的賭け率をもつとみなすことが本当にできるだろう。若い哺乳類に反して、若いアリであることの重要な点は、あなたの父親が死んでいるかどうかが問題ではないことである（実際、彼はほとんど確実に死んでいる）。あなたは、あなたの父親の精子が彼の死後も生き続け、母親が両親の同じ兄弟を産みつづけうることを、かなりよく確信することができるのだ。

もし、兄弟による世話や昆虫の兵隊のような現象の進化的起源に関心があるのなら、われわれは、雌が生涯にわたって精子を蓄える種に特別な関心をもって見るべきである。アリ、ハチでは、10章で論じたように、特別な遺伝的特異性——単・二倍数性——があり、これが彼らを高度に社会的に仕向けたのかもしれない。ここで私が論じているのは、単・二倍数性はそう仕向ける唯一の要因ではないということだ。生涯にわたる精子貯蔵の習性は少なくともそれと同じほど重要であるかもしれない。理想的な条件のもとでは、それは、母親を一卵性双生児と同等に、遺伝的に価値あるもの、「利他主義的な」援助に値するものにすることができるのである。

6-12　本文155頁「社会人類学者はおそらく興味ぶかい事実をご存じなのではなかろうか」

この記述はいまや私をきまりの悪さで赤面させる。このあと私は社会人類学者が「母の兄弟の効果」について言うべきことをもっているだけでなく、その多くが数年間、それ以外のことをほとんど語っていないということを知ったのだ！　私が「予想した」効果は多数の文化にある経験的な事実であり、何十年も前から人類学者にはよく知られているのだ。さらに、「夫婦の不貞度の高い社会では、母方のおじは《父親》より利他的であるにちがいない。おじのほうがその子との近縁度に対する確信にはっきりした根拠があるからだ」（一五四－五頁）という特別な仮説を示唆したとき、遺憾ながら私は、リチャード・アリグザンダーがすでに同じ示唆をしていたという事実を見過ごしていた（このことに対する謝辞は、本書の初版のあとの刷りでは脚注として挿入してある）。この仮説は、他のだれにもまして、アリグザンダー自身によって、人類学の文献からの定量的な計算を用いて、検証されており、結果はこの仮説に有利なものである。

7　家族計画

7-1　本文160頁「群淘汰の見解を流布させた第一の責任者たるウィン＝エドワーズ……」

ウィン＝エドワーズは、学会の異端者としては通例より好意的な処遇を受けてきた。彼の疑問の余地のない誤りのおかげで、淘汰に関する人々の考え方が明快になったという評価がもっぱらなのだ（個人的にいえばこの評価は少々度がすぎていると思う）。一九七八年には、彼自身も自説を撤回する大物ぶりを見せ、次のように述べている。

個体適応度を増大させる利己的遺伝子の迅速な蔓延を、群淘汰のゆっくりした進行によって抑えこめるような確かなモデルは作れない、というのが現時点での理論生物学者たちの一致した見解である。このさい私も、彼らの意見を受け入ることにしたい。

これは確かに度量のある見直しであった。しかし残念ながら彼はその後、第三の見解を抱いてしまった。最新の著書で、この見直しを、見直してしまったのである。

だれもが長きにわたって了解していた意味における、群淘汰に対する生物学者たちの評判は、本書初版の出版当時にもまして、かんばしいものではない。しかし逆の印象をもつ読者がいてもやむをえない事情もある。この間に、とくにアメリカを中心にして、〈群淘汰〉という名前をアメ玉のようにまき歩く世代が育ったからである。彼らは、明らかにまったく別の、たとえば血縁淘汰として理解されてきた（そして彼ら以外の学者はいまもそう理解している）ようなあらゆる事例に、群淘汰ということばをふりあてた。しかし、用語法をてこにしたその種の成り上がりに必要以上に関わり合うのは不毛だと私は思う。群淘汰をめぐる全問題は、一〇年前に、ジョン・メイナード＝スミスらの手で、十分納得のゆくかたちで決着をつけられており、現在にいたって私たちが、共有言語の違いだけを根拠にして二つの世代、二つの国の様相を呈しているのはいらだたしい。とりわけ残念なのは、この分野に後れて参入した哲学者たちが、最近のこの気紛れな用語法に攪乱された状態で仕事を始めてしまったことである。私は、明快な思考の見本として、そして今もっとも信頼できる新‐群淘汰問題の分析として、アラン・グラフェンの論文、「自然淘汰、血縁淘汰、群淘汰」を推薦しておくことにしたい。

8 世代間の争い

8-1 本文183頁 「この問題を手ぎわよく解決したのはR・L・トリヴァースだった」

ロバート・トリヴァースの一九七〇年代初期の一連の論文は本書の第一版を書くに当たって私にとっては最も重要なインスピレーションの源泉の一つであり、とくに8章には彼のアイディアがたくさん登場している。その彼が、ようやく『社会進化』を書き下したので、推薦したい。内容ばかりでなく、スタイルがいい。明晰な思考、学術的に厳密でありながら同時にお歴々をからかうのにちょうど手頃なくらいの擬人主義的無責任、そして自伝風の独白のスパイスも効いているからだ。その一つをここに引用しておかないわけにはゆかない。まさにトリヴァース流だからである。それは、ライバル関係にある二頭の雄のヒヒの関係をケニアで観察した時の興奮を記す場面である。「私が興奮したのはもう一つ理由があったからだ。私は無意識にアーサーに自己同一化していた。アーサーは壮年期の見事な若ヒヒで……」。親子間の葛藤に関するトリヴァースの新しい章では主題が現代化されている。とはいってても実際は、新事例が追加されたほかは一九七四年の彼の論文に付け加えるべきものはほとんどない。彼の理論はこの間の時代のテストに耐えたのである。ことばに頼るところも多かったトリヴァースの議論だが、その後、詳細な数学的・遺伝学的モデルが駆使され、現代のダーウィン派の理論から実際に誘導可能なものであることが確証されている。

8-2　本文204頁　「(アリグザンダー)によれば、常に親が勝つはずだというのである」

親子の対立で親が勝つのはダーウィン派の根本的な前提から必然的に引き出される結論である、というアリグザンダーの議論は誤りであった。一九八〇年の著書『ダーウィニズムと人間の諸問題』の中で、彼もそれを率直に認めている(三九頁)。しかし、世代間の争いでは親の側が子どもに対して不釣り合いに有利な立場にあるとする彼の理論は、現在は別の論議から支持されうる主張となっているように私には思えてきた。その議論を私はエリック・チャーノフから学んだ。

チャーノフのその論議は社会性昆虫の不妊階級の起源に関連したものだったが、議論自体はもっと一般性のあるものなので、一般的な用語に置き換えて以下に紹介してみよう。単婚性の種の、まさに成熟に達する時期にある若雌を一個体想像してほしい(別に昆虫である必要はない)。彼女は、巣を離れて自分で繁殖するか、それとも親の巣に留まって弟妹を育てるか、いずれを選ぶべきかのジレンマにおかれる。彼女の属する種は単婚性なので、母親の生む弟・妹はその後もずっと全同胞であると彼女は信じることができる。ハミルトンのロジックに従えば、この場合、彼女にとって弟・妹は、実の子どもとまさに同じ「遺伝的な価値」をもつことになる。遺伝的な血縁度だけが問題なら、当該の若雌は二つの選択肢に関して無関心なはずである。つまり、巣から出ようが、留まろうが、同じなのだ。しかし親のほうは、娘の選択に関して無関心であるわけにはゆかない。彼女の母親から見れば、子が育つか、孫が育つかの選択である。この場合、遺伝的に見て、新しく生まれる子どもは、新しく生まれる孫の二倍だけ価値がある。巣を離れるか、それとも巣に残って親の子育てを手伝うかという子どもの行動をめぐって親子のあいだに対立があるというふうに言うなら、チャーノフの視点は親の楽勝を示唆するものだ。その事態を利害の対立と見るのは実は親だけ、ということになるからだ。

この事態は、一方の選手は勝ったときに限って一〇〇〇ポンドの賞金、他方の選手は勝敗に関係なく一〇〇〇ポンドを予約されている、という状況下での競争に少し似ているところがある。この場合、前者のほうが一生懸命走るに違いなく、ほかの点で両選手が同格なら、たぶん前者が勝つはずだ。ただし、全力疾走のコストはさほど大きいものではないので、賞金の有無にかかわりなく走る人々もたくさんいるかもしれない。チャーノフの視点は、実はこの比喩が示唆するよりも強く親の勝利を支持するのである。問題のダーウィン的ゲームにおいては、そのようなオリンピック的な理想主義はとても通用しないからだ。ある方面に努力を向けることは、常に別の方面の努力の減少を引きおこす。それは、あるレースに力を入れてしまうと、疲労のために将来のレースの勝ち目が減ってしまう、という事態に似ていると言ってよい。

種ごとに諸条件はさまざまなので、ダーウィン流のゲームの結末をいつも予測できるとは限らない。しかし、遺伝的血縁の度合だけに注目し、かつ単婚性の繁殖システムを前提するなら（つまり娘はその弟妹が全同胞であると期待できる状況であるなら）、母親は成熟に達した娘に操作を及ぼして巣に留まらせ、母親の子育てを支援させるのに成功するはずだと予想できるのである。そのことによって母親の得る利益はまことに大きく、いっぽう娘は可能な選択肢のいずれを選んでも遺伝的には同じことなので、母親の操作に抵抗する理由がないからである。

これは、「他の条件が等しいとすれば」云々という類いの議論の一つであることを改めて強調しておくことも重要であろう。ただし、他の条件は同じではないのがふつうではあるとしても、チャーノフの論理は、アリグザンダーであれ他のだれであれ、親による子の操作理論を唱導する人々にとって有用なものであることに変わりはない。いずれにせよ、親の勝利を予測するに当たってアリグザンダーが引き合いに出した「親のほうが大きく、強く、云々」という現実的な議論は十分に根拠があったということになる。

9　雄と雌の争い

9-1　本文212頁「……互いに血縁関係にない配偶者間の争いは、それをどれほど上まわる激しさを呈することになろうか」

じつに頻繁にあることだが、9章の冒頭のこの文章にも、「他の条件が同じなら」という前提が隠されていた。いうまでもなく、配偶者は互いに協力することによって大きな利益を得ることができるのであり、この事実は9章にくりかえし登場する。そもそも配偶者は一方にとっての利益がそのまま他方の損失になるようなゲームではなく、協力によって双方が利益を得ることができるようなノンゼロサム・ゲームを演じる可能性が高いのである（12章で詳説してある）。本書には生命に関して利己的でシニカルな見方を強調しすぎた箇所がいくつもあるのだが、先の記載もその一例だった。しかし、これを記した当時は、動物の求愛に関して逆の見方が強調されすぎていたので、利己性の強調が必要と思われたのだ。実際当時は、配偶者というものは互いに惜しみなく協力しあうものと、ほとんどの人々が無批判に広く信じていた。配偶者が相手を搾取するなどということは、考えられもしなかったのである。そのような歴史的な文脈からすれば、私の冒頭の文章の明らかなシニシズムも理解していただけるだろうと思う。しかしいま書き直すなら、私はもっと穏やかな調子を採用するに違いないと思う。同様に、この章の末尾に記した人間の性的役割に関する私の見解も、今となっては表現が単純すぎるという気がする。人間の性差の進化については、マーティン・デイリーとマーゴ・ウィルソンの『性、進化と行動』、そしてドナルド・サイモンズの『人間の性の進化』の二冊が詳細に論じている。

9-2　本文215頁「……雄が作りうる子どもの数には実質的に限界がない。雄による雌の搾取の出発点はここにあるのである」

精子と卵子の大きさの違いが性役割の基礎であると強調したのは、今から見ると誤解のもとだったように思われる。個々の精子は小さく安上がりだとしても、膨大な数の精子を生産し、しかもあらゆる競争に抗してそれらをうまく雌に注入するのは決して安上がりなことではない。現時点では、雄と雌の根本的な非対称性は、次のようなアプローチで説明するほうがよいと思っている。

雄・雌の特異な属性をいっさい備えていない二つの性がある、という仮定から出発することにしよう。両者は、A、Bという中立的な名前で呼んでおく。ここではすべての交配がAとBのあいだでおこるということだけを約束しておけばよい。この条件のもとでは、雄であれ雌であれ、すべての個体が二者択一をせまられる。すなわち、ライバルとの闘争に時間と努力を費やしてしまえば、現存の子どもの世話を焼くのにその同じ時間や努力を当てることはできず、もちろん逆も真である。つまり、どの動物もそれら二つの分野に割り当てる努力をバランスさせるにちがいないのである。ここで私は次のように考えたい。そのバランス点がA型とB型とで異なるのではないか。そしていったん異なってしまえば、両者の相違はますますエスカレートする可能性がある。

この点を確かめるためにA型とB型の二つの性を仮定する。それらのあいだには、繁殖成功度を高める上で、子どもへの保護を増したほうが有利というのと、闘争に投資したほうが有利という相違が最初から存在するものとしておこう（ここでいう「闘争」は同性間のあらゆる直接的な競争を指すものと考えてほしい）。この場合、最初の相違は微々たるものでかまわない。それが自動的に拡大してしまうというのが私の主張だからである。さてスタートの段階では、A型は闘争するほうが子どもの保護を選ぶよりも繁殖成功に大きく貢献し、反対にB型は、闘争するよりも保護行動を選んだほうが繁殖成功の分散がやや大きくなるものとしよう。もちろんA型も保護行動を強めれば繁殖成功度が上がりはするのだが、保護に成功したA型個体と失敗したA型個体の成功度の差は、闘争に勝ったA型個体と負けたA型個体の成功度の差よりも小さいと仮定しておくのである。B型のあいだでは事情はちょうど前述の逆になる。すなわち、同じ努力量なら、Aは闘争したほうが有利であり、Bは闘争を避けて子どもの保護に努めたほうが有利だということである。

世代を重ねるにつれて、A型は親世代よりも闘争傾向が強まり、B型は親世代よりも闘争傾向が弱まって保護傾向が強まるだろう。もちろん、闘争に関して最上位のA型個体と最下位のA型個体の繁殖成功の相違はますます拡大し、保護行動に関して最高のA型個体と最下位のA型個体の相違はいっそう縮小する。このため、A型の個体では、闘争に努力を傾けることによる利益はますます大きくなり、保護に努力を向けることによる成功はますます小さくなるのである。B型に関しては、世代を経るにつれて事情はまったく逆の方向に進む。ここで重大なのは両性間の最初のわずかの相違が自己増幅される、という点である。すなわち初期のわずかな相違に自然淘汰が作用しはじめると、相違はますます拡大され、やがてA型はわれわれのいう雄に、そしてB型はわれわれのいう雌になってしまうのである。初発の相違は、偶然の変異で生じうるくらいの些細さで足りる。そもそも、両性の最初の条件がまったく同じということもありえないのである。

読者もお気づきのように、これは、パーカー、ベイカーそしてスミスが、始源的な配偶子の精子・卵子への分化を説明するために提出した理論（二一五頁に論議がある）によく似ている。しかし、ここで私が示した論議のほうが一般性は高いのである。精子・卵子への分化はもっと根本的な性役割の分化の一つの側面にすぎない。精子・卵子の分化こそ第一義と見て、雌雄のすべての特性をそれに由来するものと考えるのではなく、いまや私たちは、精子・卵子の分化もほかのすべての側面と同じ枠組みで説明することができる。ここで前提にしなければならないのは、互いに交配する二つの性があるということだけである。この際、互いに交配するという以外に前提は不要である。私たちはこの最小限度の前提から出発して、両性が初期の段階でいかに似ていても、やがて対極的で相補的な繁殖戦略を特化させる方向に分化してゆくと強く予想することができる。精子・卵子への分化はこの一般的な分離のひとつの徴候にすぎず、その原因ではない。

9-3　本文229頁　「メイナード＝スミスが攻撃的な争いの分析に用いた方法を、性の争いの問題に応用することにしよう」

一方の性における進化的に安定な混合戦略に対応して、他方の性に形成される進化的に安定な混合戦略がどのようなものになるかを探ろうというこの発想は、その後メイナード＝スミス自身によって、また彼とは独立に、しかし同じ方向性でアラン・グラフェンとリチャード・シブリーによってさらに追究されてきた。グラフェンとシブリーの論文は専門的に高度な内容のもので、メイナード＝スミスの論文のほうがことばで説明するのが簡単である。簡単に要約すると、雌雄双方が採用する可能性のある二つの戦略、「保護」戦略と「遺棄」戦略を仮定するのがメイナード＝スミスの出発点である。雄には「誠実」戦略・「浮気」戦略、雌には「はじらい」戦略・「尻軽」戦略という仮定を置いた私のモデルの場合と同様、この場合の興味の焦点は、雌の戦略のどのような混合配置に対して雄の戦略のどのような混合配置が安定なものになるかということである。答えは、問題とする種の経済的な諸状況をどう仮定するかによっている。ここでおもしろいのは、経済的な条件をいかに大きく変化させても、両戦略の安定な混合率の変化しうる範囲は、連続的な可変域の全域には及ばないことだ。このモデルは、たった四つしかない安定解のどれかに収斂する傾向を示すのである。この四つの安定解には、それぞれを象徴する動物の名前がついている。第一はアヒル解（雄は遺棄戦略、雌は保護戦略）、第二はトゲウオ解（雌は遺棄戦略、雄は保護戦略）、第三はショウジョウバエ解（雌雄とも遺棄戦略）、そして第四はテナガザル解（雌雄とも保護戦略）である。

このモデルには、じつはさらに興味ぶかいことがある。5章で、ESSは同等に安定な二つの状態のいずれに落ち着くことも可能だ、と述べたことを思い出していただきたい。メイナード＝スミスのこのモデルについても同じことがいえるのである。とくにおもしろいのは、先の四つの解のうちの特定のペアは、同じ経済条件下において同時に安定解になりうることである。たとえば、ある条件のもとでは、アヒル解とトゲウオ解の両方が安定である。二つのどちらが実現するかは運による。正確にいえば初期条件を形成する進化史の偶発的な事態に依存する。同様に、別の条件のもとでは、ショウジョウバエ解とテナガザル解の両方が安定である。この場合も、任意の種においていずれの解が実現するかは歴史的な偶然によるのである。しかし、テナガザル解とアヒル解が同時に安定解となりうるような条件は存在せず、またアヒル解とショウジョウバエ解が同時に安定解になる状況も存在しない。ESSの適合的、非適合的な組合わせに関するこの「安定配偶者（stablemate、これは駄洒落の類いの造語だが）」分析は私たちの進化史理解に興味ぶかい影響を及ぼす。たとえば、その結果からいえば、進化の歴史において、ある種の繁殖システムのあいだでの転移は可能だが、別の型のあいだでの転移は不可能ということが予想できる。メイナード＝スミスは動物界の繁殖様式のパターンを簡単に総覧した論文の中でそのような歴史的なネットワークを検討し、その末尾を次のような印象的な発言で締めくくっている。「哺乳類の雄はなぜ乳を分泌しないのか」。

9-4　本文232頁　「……実際にはそんな振動などおこらぬはずであることが証明できる。このシステムはある安定状態に収斂してしまうのである」

遺憾ながらじつはこの発言は誤りだった。しかしこの誤りは興味ぶかいものなので、訂正はせずに、代わりにここでいくらかの解明を試みておくことにしたい。この誤りは、ゲールとイーヴスがメイナード＝スミスとプライスの原論文の中に見出したものと事実上同じ種類のものである。私の誤りについては、オーストリアで仕事をしている数理生物学者、シュスターとジークムントが指摘している。「誠実」型と「浮気」型の雄、および「はじらい」型と「尻軽」型の雌の比率に関する私の計算はまちがっていなかった。その比率のもとでは、両タイプの雄の成功度は等しく、また両タイプの雌の成功度も等しい。これは確かに一つの平衡点なのである。しかし、それが安定的な平衡点であるかどうかを、私は確認せずにいた。それは安定した谷底のような平衡点ではなく、ナイフの刃の縁のような不安定な平衡点かもしれないのだった。平衡点の安全性を調べるためには、平衡点からのわずかなずれを作った場合に何がおこるかを確認しなければならない（ナイフの刃の縁からボールを押せば落ちてしまう。谷底から押しあげればボールはまた戻って来る）。私の設定した数値例では、雄の平衡点は「誠実」型5/8、「浮気」型3/8であった。では、「浮気」型の比率が偶然によってほんの少しだけ平衡値より大きくなったら何がおこるだろうか。その平衡点が安定なものであり自己調節的なものであるためには、この場合、「浮気」型の成功度はただちに下がりはじめなければならない。残念なことに、シュスターとジークムントが示したように、事態はそのようにならない。反対に、「浮気」型はますます有利になりはじめた。個体群中における彼らの頻度は、自己安定化的であるどころか、自己増大化の様相を見せたのである。しかしその増加は無際限ではなく、限度がある。今回私が試してみたようにこのモデルの動きをコンピュータでシミュレートしてみれば、無限に反復するサイクルがあらわれる。皮肉なことにこれは、二三一—二頁に私が仮説的に記述したサイクルそのものなのである。ただしその際の私は、「ハト」・「タカ」問題を扱った場合と同じように単に説明のための道具としてそれを持ち出したにすぎなかった。「ハト」・「タカ」問題からの類推で私は、問題のサイクルは単に仮説的なもので、システムは実際には安定的な平衡点に落ち着くと考えてしまったのだ。シュスターとジークムントの批判は決定的で、反論の余地はない。

これらから私たちは以下の二つの結論を引き出すことができる。

(a)　両性間の戦いには、捕食と共通した性質がたくさんある。
(b)　恋人たちの行動は月のように変動し、天気のように予測しがたい。

これに気づくのに、かつて人々は微分方程式など必要ではなかったのだ。

9-5　本文236頁　「……父親が子のために献身する例は……魚では……ふつうにみられるのである。これはいったいなぜだろうか」

タムシン・カーライルがこの問題に関して学部学生の時に思いついた仮説の妥当性は、全動物界の保護習性の網羅的な総説をまとめていたマーク・リドレーが比較データによって検討した。彼の論文は驚異の力技というべきで、しかもカーライルの仮説と同様、私に当てて提出されるべき学部コースの論文としてスタートしたものであった。ただし、リドレーの結果は、カーライルの仮説にとって有利なものではなかった。

9-6 本文241頁「……ある種の不安定で一方的な過程」

R・A・フィッシャーがきわめて簡単に述べた性淘汰のラナウェイ（歯どめのない一方的な過程）理論は、最近、R・ランデほかの手で数学的な形にまとめられた。おかげでこの理論はきわめて難解な主題になってしまったが、十分なスペースが与えられさえすれば、非数学的な言葉でも説明できる。しかし、それにはたっぷり一章分くらいのスペースが必要であり、『盲目の時計職人』という私の著書で実際に一章（8章）を費やしたことがあるので、ここでは触れない。

その代わりここでは、これまでの私の著書の中では十分触れたことのなかった性淘汰に関する別の一つの問題を扱うことにしたい。それは、必要な変異はいかにして維持されるのか、という問題である。ダーウィン的な自然淘汰は、遺伝的な変異が十分に供給されてはじめて機能できる。たとえば耳を長くする方向にウサギを改良しようとすれば最初はうまくいく。野生の個体群の平均的なウサギは中程度のサイズの耳をもっている（もちろんウサギの基準でみてである。人の基準からすればそれはとんでもなく長い）。一部のウサギは平均以下のサイズの耳をもち、別の一部の耳は平均より長い。これらのうち、もっとも耳の長い個体だけを繁殖させることにすれば後代の耳の長さの平均値を上昇させることができるのである。しかしそれはしばらくのあいだのことだ。もっとも耳の長い個体だけを繁殖させ続けていると、やがて必要な変異が喪失する時がくる。どのウサギもみな最長の耳の持主になってしまい、進化は停止してしまうのだ。通常の進化においてはこのような事態は問題にならない。ほとんどの環境は、一つの方向に向かって一貫したゆるぎない淘汰圧を加え続けるようなことがないからである。「現在の平均サイズにかかわらず、平均サイズより少し大きなもの」が常に「ベスト」なサイズであるなどということは、動物のどの部分をとってもふつうはありえないことだ。「ベスト」の長さは、三インチなどと決まっている可能性のほうが大きい。しかし性淘汰は、たえず一方向に向かって変化する「最適」を追うやっかいな性質をもちうる。現状の個体群の耳の長さがどうであろうが、雌のあいだの流行が常にもっと長い耳を求め続ける可能性はあるのである。この場合には変異は実際に枯渇する可能性がある。しかし性淘汰は実際に機能しつづけてきたように見える。私たちは実際にきわめて誇張された雄の装飾を目にできる。これは、変異消失のパラドックスとでも呼ぶべき一つのパラドックスのように思われる。

このパラドックスに対するランデの解答は突然変異である。持続的な自然淘汰を可能にするだけの十分な突然変異が常に存在すると彼は考えた。このような考え方がこれまで疑問視されていたのは、人々が一遺伝子で考えていたからである。任意の一遺伝子座における突然変異率は非常に低く、変異消失のパラドックスを解決することはできない。しかし、性淘汰が作用する「尾」やそのほかの形質は、無数の異なる遺伝子、すなわちそれぞれの小さな効果が加算される「多数同義遺伝子（ポリジーン）」の影響をうけるのだということをランデはわれわれに思い出させてくれた。さらにいえば、進化の過程で重要なのは、推移途上にある多数同義遺伝子の集合である。すなわち、「尾の長さ」に関する変異に影響する遺伝子セットには、新しい遺伝子が次々に参入し、またそこからは古い遺伝子が除去されてゆくだろう。この推移途上の大きな遺伝子セットの任意の遺伝子に突然変異は影響を及ぼしうる。かくして変異消失のパラドックス自体が消失してしまう。

このパラドックスへのW・D・ハミルトンの解答は異なっている。彼の解答は、最近彼が多数の問題に対して持ち出しているのと同じ解答である。すなわち、「寄生生物」。ウサギの耳の問題にもどって考えよう。ウサギの耳の最適長はたぶん各種の音響学的な要因に依存しているだろう。それらの要因が、世代の経過にともなって一つの方向に一貫して持続的に変化してゆくという特別な理由は期待しがたい。それゆえ、ウサギにとっての最適な耳の長さが絶対的にある値に決まっているというわけはないにしろ、自然淘汰が特定の方向に大きく進んで、耳の最適長が、現存の遺伝子プールから容易に形成される変異幅の外に迷い出る、などということはおこりそうにない。とすれば、変異消失のパラドックスは存在しないことになる。

しかしここで、寄生生物によってもたらされる激しい変動環境に注目してみよう。寄生生物が充満している世の中では、それらに対する抵抗性を有利にする強い自然淘汰がはたらくだろう。自然淘汰は、周囲に登場する寄生生物にもっともおかされにくいウサギ個体に有利にはたらくはずである。重要なのは、そのような寄生生物がいつも同じ種類ではないということである。疫病は移り変わる。今年は粘液腫症、来年はウサギ版のペスト、そして再来年はウサギ版エイズ等々。そしてたとえば一〇年たって、ふたたび粘液腫症にもどるのかもしれない。あるいは粘液腫症のウイルス自身が進化して、ウサギの発達させるあらゆる対抗適応に対処する方向に進化するのかもしれない。ハミルトンは、対抗適応と反・対抗適応のサイクルは終ることなく変転しつづけ、「最良の」ウサギの定義はたえずひねくれた形で更新されつづけると考える。

この見方の重要な結論は、病気への適応が物理化学的な環境への適応と大いに異なる側面をもっているということである。ウサギの脚にはしかるべき「最良」の長さというものがあるにちがいないが、病気への耐性に関しては固定的な「最良の」ウサギなどというものはない。そのときどきの最悪の疾病が変われば、それに合わせて「最良」のウサギも変わる。このような淘汰作用を及ぼすのは果たして寄生生物だけなのか。たとえば、捕食者や被食者はどうなのだろう。これらも基本的には寄生生物に似ているとハミルトンは同意している。しかし捕食者・被食者は寄生生物の多くのように迅速には進化しえない。また、寄生生物は捕食者や被食者などにくらべて、さらに詳細な遺伝子対遺伝子の対抗適応を進化させやすい。

寄生生物の周期的な挑戦に注目したハミルトンはそれを破格の大理論の基礎にしている。それは、この世に性が存在するのはなぜか、という問題に関する理論である。しかしここでは、性淘汰の変異消滅パラドックスを解くのにハミルトンが寄生生物をどのように利用したかに注目することにしたい。彼の信ずるところでは、雄を選ぶさいに雌が利用するもっとも重大な選別基準は、雄間にみられる遺伝的な対疾病耐性である。疾病のもたらす損失は非常に大きいので、潜在的配偶者の疾病を診断する能力は、何であれ雌にとって大変に有利なものであろう。有能な医者のようにふるまい、もっとも健康な雄だけを配偶者として選択するような雌は、子どもたちのために健康な遺伝子を手に入れることになろう。ところが「最良のウサギ」の定義はたえず変化してしまうので、雄を見くらべて選択する際、雌にとってなにか重要な手がかりになるものが常に存在するのではないか。「よい雄」と「悪い雄」がいつも存在するはずなのだ。何代にもわたって淘汰を受けても、それで雄がすべて「よい雄」になれはしない。その間に寄生生物も変化してしまい、したがって「よいウサギ」の定義もすでに変化してしまうはずだからだ。ある系統の粘液腫症ウイルスに耐性を示す遺伝子群は、突然変異で登場した別の系統のウイルスにはうまく対抗できないだろう。進化を続ける疫病の際限のないサイクルを通して、同様なことが続く。寄生生物は手をゆるめてはくれない。だから雌も健康な配偶者をきびしく選別するのをやめるわけにはゆかないのである。

医者のように精査を加える雌に対して、雄はいかに反応するか。健康なふりをするように仕向ける遺伝子は淘汰に有利になるのだろうか。最初はそれも可能かもしれない。しかし、その後は淘汰によって雌の診断能力にみがきがかかり、本当に健康な雄とにせ者を判別するようになってしまうだろう。そして最終的には雌はきわめて有能な医者となり、雄は、もし宣伝するのなら正直に宣伝せざるをえなくなるとハミルトンは信じている。この見方によれば、雄において性的な宣伝が誇張されることがあれば、それは正直な健康指標だからこそ誇張されているのだ、ということになる。すなわち、雄は、自分が健康なら、それを雌にわかりやすくするよう進化してしまうのだ。本当に健康な雄は喜んで真実を宣伝するだろう。健康でない雄はもちろんそうはしない。しかしでは何ができるというのか。かりにそのような雄たちが健康保証書を見せようとすらしないというのであれば、雌は最悪の判断を下すだろう。ところで、医者の比喩から雌は雄を治療することに関心があると判断されては困る。雌は診断することにだけ関心があり、しかもこれは利他的な関心ではない。というわけで、「正直な」とか「結論を下す」とかいったメタファーの使用について弁解する必要はないと私は思っているのである。

宣伝の話にもどろう。雄は、雌に強いられて、あたかもずっと口に差しこんだままの体温計を、しかも明らかに雌に読んでもらうために、進化させるかのように見える。ではその「体温計」とはどんな代物なのだろうか。たとえばゴクラクチョウの長大な尾を思い浮かべてほしい。この優雅な装飾の進化に関するフィッシャーの優雅な説明はすでに紹介した。ハミルトンの説明はすべからくもっと泥臭いものだ。鳥類における疾病の共通の特徴は下痢である。もし鳥の尾が長ければ、下痢がおこると尾が汚れる。下痢で苦しんでいることを隠したいなら、最良の手段は尾を長くしないことだ。同じ理屈で、もし下痢で苦しんでいないことを宣伝したければ、最良の方法は、長大な尾を持つことである。そうすることで、尾が清潔であるという事実がより鮮明になるからである。雄の尾が非常に短ければ、雌はそれが清潔か不潔か判定できず、最悪の評価を雄に下すだろう。ゴクラクチョウの尾の長さそのものに関する説明としては、あるいはハミルトンはこの特殊な説明をとらないかもしれないが、これは彼が好む説明のスタイルのよい見本なのである。

雌は診断を下す医師で、雄は体中を体温計にして雌の診断を助ける、というのが私の利用した直喩だった。ここで血圧計や聴診器のような診断用具を想起すると、人間の性淘汰に関してさらに若干の考察が可能である。真実性よりもおもしろさがまさる、といった代物だが、手短に紹介しておこう。第一の考察は、人間の陰茎骨喪失を説明する理論である。勃起した人間のペニスは非常に硬くなりうるもので、本当に骨はないのかとジョークが出るほどである。事実、多くの哺乳類は勃起を支援するためにペニスに剛直性を与える陰茎骨をもつ。それは私たちの近縁であるサル類にもふつうにみられ、もっとも近縁なチンパンジーにさえある。ただしチンパンジーのものは、きわめて小さく、消滅に向かう進化の途上にあるものかもしれない。サル類には陰茎骨が縮小する傾向があるようであり、他の少数のサル類とともに人間はそれを完全に喪失するに至ったのである。さて、先祖においてペニスの堅強化に役だったはずの骨を喪失した私たちは、加圧ポンプ方式という高コストにして遠まわりと思わざるをえない方式に全面的に依存することになった。しかし、周知のように、勃起は不調に終ることがある。これは、少なくとも野生生活の男性の遺伝的成功にとっては憂うべきことだ。自明な改善策はなにか。もちろんペニスに骨を入れることだ。それなのになぜ私たちは陰茎骨を進化させないのか。この件に関しては「遺伝的束縛」派の生物学者たちも「必要な遺伝的変異が生じなかっただけさ」と言い逃れるわけにはいかない。最近までわれわれの先祖はまさしくそのような骨をもっていたのであり、実際にはそれを喪失する道をたどったからだ。なぜか?

人の勃起は血液の圧力だけで達成される。しかし、勃起の硬さは男性の健康度をはかるために女性が血圧計の代替として利用するのだ、とは残念ながらいいにくいのである。しかし私たちは血圧計の比喩に縛られる必要もない。理由はなんであれ、勃起の失敗はある種の肉体的・精神的な健康障害の鋭敏な初期徴候であるとするなら、別の形で同様な理論をたてることができる。女性は診断に役立つ道具ならなんでもいいのである。定期検診で医師が勃起テストをおこなうことはなく、代わりに舌をとがらせてほしいと言うだろう。しかし、勃起不順は糖尿病やある種の神経疾患の初期徴候としてよく知られている。さらに、それは鬱、不安、ストレス、過労、自信喪失等々、各種の心理的な要因によって頻繁に引き起こされる（自然状態では、集団内の序列の低い雄がそのような状況に置かれると予想されよう。サルの仲間には勃起したペニスを威嚇の手段とする種も知られている)。となれば、自然淘汰によって診断能力にみがきをかけられた女性が、勃起の硬さや持続性から男性の健康さやストレスへの抵抗力に関するあらゆる種類の情報を収集することができる、という可能性も否定できないはずなのである。しかし、ここで骨が介入しうる！ ペニスに骨を発達させてしまえば、とくに健康でタフである必要はない。だからこそ、女性の行使する淘汰圧は男性の陰茎骨を消滅させる方向に作用したのではないか。骨がなければ、本当に健康な、あるいは強壮な男性だけに実際に堅強な勃起が可能になり、女性は妨害なしに診断を下せるようになるからである。

この説には一部に反論の余地がある。たとえば、淘汰圧をかける女性の側は感知した堅強さが骨に由来するのか血圧に由来するのかをどうして区別できるのか、という疑問がありうる。そもそもわれわれの議論は、人の勃起の堅強さはまるで骨があるようだという観察から出発したのだ。しかし私には、女性がそれほど簡単にだまされるとは思えない。女性もまた淘汰を受けているのだ。この場合、淘汰は骨を喪失する方向にではなく、判断の正確さを向上させる方向に作用する。そしてこの際、女性は同じペニスの勃起していない状態も知っていることを忘れないでほしい。両者の対比はまことに目覚ましいものがあるはずなのだ。骨は（収納されることはできても）萎縮することはできない。たぶんペニスのこの驚異的な二重生活こそが、男性の加圧能力宣伝の真実性を保証しているのである。

次は「聴診器」の話だ。寝室における別の悪名高い問題、いびき、を考えよう。現代ではこれは単に社会的な迷惑にすぎないかもしれない。しかし大昔は、生死の問題だったかもしれない。静まりかえった夜の闇の中では、いびきは非常に大きな音であろう。それは、四方八方そしてかなたから、当のいびきをかいている個体と彼の仲間たちのところへ捕食獣をおびきよせるだろう。にもかかわらず、なぜ、多くの人々はいびきをかくのか。鮮新世のどこかの洞窟で寝ている御先祖の集団を想像してほしい。男性たちはそれぞれ別の調子でいびきをかき、女性たちは眠らずになすすべなくそれを聞いている（男性のほうがいびきをかきやすいというのは事実と仮定しておく）。果たして男性たちは、女性たちに、わざわざ拡大された形で聴診器情報を宣伝しているのだろうか。男性のいびきの詳細な音色は、彼の呼吸器の健康度を診断する手がかりになっているのか。ここで私は、いびきは体調の悪いときにだけ出る、というつもりはない。むしろいびきは、ときをわきまえず唸りだすラジオの搬送波のようなものだと思う。それは、鼻腔や咽喉の状態によって、診断にかかりやすい形で変調された、明晰な信号なのではないか。雌は障害物のない気管の発するトランペット調の音のほうが、ウイルスに影響されたいびきよりも好きだ、という見解はもっともなものだろう。いびきかきの男性を積極的に選ぶ女性を想像するのはちょっと困難であろうというのが私の正直な見解でもある。とはいえ、個人の直感の頼りなさは周知のことだ。この問題は、少なくとも不眠症の医師には一つの研究課題を提供するかもしれない。そう思いたってくれる女医がいれば、彼女はいびきに関する他の理論をテストするうえでも有利な位置を占めることになるのだが。

以上述べた二つの思弁はどうかあまり真剣に受け取らないでほしい。これらの例をあげることで、雌の健康な雄選びに関するハミルトンの理論の原理がわかりやすくなれば、そこで私の思弁は成功だった、ということなのだ。これらに関していちばん興味ぶかいのは、ハミルトンの寄生生物理論とアモツ・ザハヴィのハンディキャップ理論の関連が示唆されることである。私のペニス理論のロジックに従うなら、男性は陰茎骨の喪失によってハンディキャップを被っており、しかもそれは単なる偶発事態ではない。勃起における加圧能力の宣伝は、ときとして勃起は不調であるからこそ効果を示すのである。ダーウィン派の読者は言うまでもなくこのハンディキャップがらみの含意を察しておられたにちがいなく、あるいは大きな疑念を抱いておられるかもしれない。しかし、ハンディキャップ原理そのものに関する新しい視点を論ずる次の補注を読み終るまで、判断は保留してほしい。

9-7　本文242頁「……〔ザハヴィの〕……とてつもなくひねくれた考え方……」

本書の初版で私は「私はザハヴィの理論を信じていない。もっとも、私の疑惑に対しては、私自身、初めてこの理論を聞いたときほど確固たる自信をもっているわけではない」と書いた。そこに「もっとも」と書き加えておいたのは良かった。当時にくらべ、ザハヴィの理論ははるかにもっともらしいと思われるようになったからである。最近、有名な理論家たちの一部も彼の理論を真剣に検討しはじめた。もっとも困った事態は、私の同僚のアラン・グラフェンもその一人であるということだ。前にも書いたことがあるが、「彼にはいつも正しいことをいうというきわめて困った習性があるのである」。彼はザハヴィの言語モデルを数学的なモデルに翻訳し、妥当性あり、と宣言したのだ。これは他の研究者たちがおこなってきたようなザハヴィの理論の空想的・衒学的な曲解の類いではなく、ザハヴィのアイディアそのものの直接的な数学的翻訳だ。ここではグラフェンがはじめにまとめたＥＳＳ型のモデルを紹介する。グラフェンは目下、全面的に遺伝的なモデルを研究中であり、それはＥＳＳ型のモデルよりすぐれた点があるはずである。しかしこれはＥＳＳモデルが誤りだということではない。ＥＳＳモデルはよい近似である。実際、本書に示したものを含めて、すべてのＥＳＳモデルは同じ意味において近似である。

ハンディキャップ理論は、潜在的には個体が他の個体の質を判定するあらゆる状況に、関連をもつ。しかしここでは、雌に向かって宣伝をする雄、という配置で話を進めることにする。これは議論を明晰にしたいだけのものだ。これは代名詞の性区分が実際に有用性を発揮するケースの一つである。ハンディキャップ原理に関しては少なくとも四つのアプローチがある。これらは、資格型ハンディキャップ（ハンディキャップの存在にかかわらず生存できている雄は他の側面に関して大いにすぐれているにちがいなく、雌はそれらの雄を選択する）、示現型ハンディキャップ（雄はそうでなければ隠されている諸能力を示すためにやっかいな行為を実行してみせる）、条件型ハンディキャップ（質のすぐれた雄だけがハンディキャップを発達させる）、そしてグラフェンが好み、戦略選択型と彼が呼ぶ解釈である（雄は自分の質に関して雌に内緒で情報をもっており、ハンディキャップを発達させるかどうか、またハンディキャップの大きさはどの程度であるべきかを決めるに当ってその情報を利用する）。グラフェンの戦略選択型ハンディキャップは、ＥＳＳ分析を頼りとする。この場合、雄の発達させる宣伝が高コスト、すなわちハンディキャップ的であるという先見的な前提は存在しない。逆に、正直であれ不正直であれ、高コストであれ低コストであれ、どんな宣伝でも自由に進化してよいことになっている。しかし、出発点でのこの自由さにもかかわらず、グラフェンによれば、ハンディキャップ・システムが進化的に安定なものとして登場してしまうのだ。

グラフェンの出発点での仮定は次の四点である。

1　雄の質には実際的な変異がある。ここでいう質は、過去の学寮や親交にもとづく無思慮なプライドのように曖昧かつ俗物的な代物ではない（以前私が読者から受け取った手紙の一つはおしまいの文句が以下のようだった。「この手紙を傲慢（ごうまん）と思わないでください。私はじつはオックスフォード大学バリオル学寮の出身者です」）。グラフェンにとっての質とは、雌が交配相手としてよい雄を選び悪い雄を避けると遺伝的に利益を得る、という意味でのよい雄・悪い雄がいるということだ。それは筋肉の力や、走るスピードや、餌動物を発見する能力や、よい巣を造る能力のようなものである。われわれは雄の最終的な繁殖成功度を問題にしているのではない。これは雌が実際にその雄を選ぶかどうかに左右されるからだ。この段階で繁殖成功度を問題にしてしまうのは論点先取りである。繁殖成功は当該のモデルから結果として生ずることもあり、生じないこともあるような量なのである。

2　雌は雄の質を直接感知することはできず、雄の宣伝に頼らなければならない。この段階ではその宣伝が正直なものであるかどうかは問題にしない。正直さは当該のモデルから生じるかもしれないし、生じないかもしれない。モデルはそもそもそのように利用されるものなのだ。たとえば、雄は実際より体のサイズと強靭さを大きくみせるために、いかり型の肩を発達させるとしよう。そのようなごまかしの信号が進化的に安定するか、それとも自然淘汰は上品で、正直で、信頼性のある宣伝基準を強制するのか、それを教えてくれるのがモデルの仕事である。

3　見る側の雌と異なり、雄はある意味で自分の質を「知って」いる。そして宣伝のための一定の戦略、すなわち自分の質に照らして条件的に宣伝をおこなうルールを採用するものとする。いつものことだが、「知っている」というのは知覚的に知っているということを意味してはいない。雄は、自分の質に応じて条件的に活性化される遺伝子群をもっていると仮定されているのである（自分の質に対して雄が特別のアクセスをもっているというのは筋の通らない仮定ではない。雄の遺伝子群は実際に彼の体内の生化学的な状況に浸っており、したがって自分の質に反応するのに雌の遺伝子群よりもはるかに有利な立場にある）。異なる雄は異なる規則を採用する。たとえばある雄は、「自分の実際の質に比例したサイズの尾を誇示せよ」というルールに従い、別の雄は逆のルールに従うかもしれない。このため、異なるルールを採用するように遺伝的にプログラムされている雄のあいだに淘汰がはたらき、自然淘汰がルールを調整する機会を手に入れるのである。宣伝の強さは本当の質に比例する必要はない。雄は逆のルールを採用することもできるのである。仮定する必要のあるのは、雄は自分の本当の質を「探る」ためのなんらかの種類の規則を採用し、これをもとに宣伝のレベル——尾や角のサイズなど——を選ぶようにプログラムされている、ということである。そのような可能なルールのうち、いったいどれが進化的に安定なものになるのか。モデルはこれを探るために利用されるのである。

4　雌もまた雄と平行して独自のルールを採用する自由をもつ。雌の場合、ルールは雄の宣伝の強さを基礎にしてどのように雄を選択するかに関するものである（雌には、というよりはその遺伝子には、自分の質を知ることができる雄の場合の特権のようなものはないことを思いだしてほしい）。たとえば、ある雌は「雄をまるごと信用する」というルールを採用するかもしれない。別の雌は「雄の宣伝は完璧に無視する」というルールを採用するかもしれない。そしてさらに別の雌は、「雄の宣伝することの反対が事実と仮定する」ルールを採用するかもしれない。

かくして、自分の質と宣伝のレベルをいかに関連させるかについてさまざまなルールをもちうる雄と、雄の宣伝のレベルに対して配偶者選択をどのように関連させるかについてさまざまなルールをもちうる雌、という構図ができる。雌雄いずれについてもルールは遺伝的影響のもとに連続的に変化する。これまでの議論では、雄は自分の質と宣伝を関連させるいかなるルールでも選ぶことができ、雌は雄の宣伝と選択すべき雄の関係についていかなるルールでも選べることになっている。これら可能性のある雄・雌のルールのスペクトルの中から、私たちは進化的に安定な雌雄のルールのペアを探そうというのである。これは「誠実／浮気・尻軽／はじらい」モデルと少しばかり似ている。そのモデルでも、私たちが探究したのは進化的に安定な雄のルールと進化的に安定な雌のルールだった。そこでいう安定は相互安定性である。すなわちいずれのルールもそれ自身と他のルールの存在下で安定なのである。そのような意味で進化的に安定な雌雄のルールの対が発見できれば、そのようなルールにもとづいて行動する雌雄の構成する社会における暮らしがどのようなものであるかを調べることができる。たとえば具体的に、それは果たしてザハヴィ風のハンディキャップの世界だろうか。

グラフェンが自らに課した課題は、そのような相互的に安定な規則の対を発見することだった。もしも私がその仕事をする身なら、たぶん面倒なコンピュータ・シミュレーションをこつこつ進めていただろう。まず自らの質と宣伝を対応させるルールを異にする一連の雄を、コンピュータに入力する。同時に、雄の宣伝レベルと対応させていかに雄を選ぶかというルールを異にする一連の雌を入力する。ついでコンピュータの中で雄・雌を走りまわらせ、衝突させ、雌の選択基準が満たされれば交配がおこり、雌雄のルールはそれぞれ息子と娘に伝わることにするのである。もちろん個々の個体はそれぞれが受け継いだ「質」に従って生存をまっとうしたり、しなかったりする。世代の経過に沿って、雄の諸ルール、雌の諸ルールの成功度が変転する様子は、集団におけるそれぞれのルールの頻度の変化としてあらわれる。そしてときどき私はコンピュータをのぞき、安定な混合が成立していないかどうか確かめるのである。

この方法は原理的には機能するが実際にはいくつも困難が生じる。幸いなことに、一群の方程式をたて、それらを解くことによって、数学者はシミュレーションと同じ結論に到達できる。グラフェンが実行したのはこれだ。ここでは彼の数学的な理論展開を再現することも、また彼のさらに詳細な諸仮定も持ち出さないでおく。かわりに私は、ただちに結論に飛びたい。彼は事実、進化的に安定なルールの対を発見したのある。

そこでいよいよ大問題だ。グラフェンのESSが作り上げる世界は、ザハヴィがハンディキャップと誠実さの世界と認めるようなものであろうか。答えはしかり。グラフェンは進化的に安定な世界が実際に存在しうることを発見したのである。その世界は以下のようなザハヴィ的な特性を組合せたものだ。

1　宣伝レベルに関して自由な戦略的選択が可能なのにもかかわらず、雄は彼らの本当の質を正確に表示するレベルを選択する。そうすることが彼ら自身の本当の質が低いことを暴露してしまう場合ですら、そうするのである。言い換えれば、ESSの状態では、雄は正直である。

2　雄の宣伝に対して自由な戦略的選択が可能であるにもかかわらず、雌は「雄を信じる」戦略を採用するにいたる。ＥＳＳの状態では、雌はまさしく「信じやすい」。

3　宣伝は高価である。すなわち、個体の質や魅力の効果を何らかの形で無視することができるなら、雄は宣伝をしないほうが有利である（そうしたほうがエネルギーの節約になり、目立たないので捕食もされにくい）。しかし宣伝は高価などころではない。じつは高価だからこそその宣伝システムは選択されるのである。ある宣伝システムが選ばれるのは、まさにそのシステムが――他の条件が同一なら――、宣伝者の〔訳者追加　生存・繁殖上の・〕成功度を実際に減少させる効果を持つためだ。

4　宣伝は質の劣る雄にとっていっそう高価である。同じレベルの宣伝をおこなうと、強い雄より弱い雄のほうがリスクが高くなる。高価な宣伝をおこなうと、質の低い雄のほうが質の高い雄よりも深刻なリスクを招くことになるのである。

これらの特性、とくに第三の特質は正真正銘ザハヴィ流である。現実性のある条件のもとでそれらが進化的に安定になることを示したグラフェンの証明は非常に説得力がある。しかし、ザハヴィの理論は進化の上で無効だと主張して本書の初版に影響を与えたザハヴィ批判派の論議もそもそも同じように説得的だったはずだ。ザハヴィ批判派たちの意見はいったいどこで誤ったのだろうか（もし誤ったのだとしたら）。それを十分理解できた、という状態になってからでなければ、私たちはグラフェンの結論に喜ぶべきではないだろう。批判派たちが別の結論に至ったのはいったいどんな前提をおいたためだろうか。批判派たちは、仮説上の動物が、一連の連続的な戦略群から戦略を選択するという状況を想定しなかった。これが解答の一部であろうと思われる。これは、批判派たちが言語によるザハヴィの理論提示を、しばしばグラフェンのいう四つの解釈の初めの三つ（資格型ハンディキャップ・示現型ハンディキャップ・条件型ハンディキャップ）のいずれかと解釈していたことを示唆している。四番目の解釈である戦略選択型ハンディキャップがなんらかの形で考慮された形跡はないのである。その結果、批判派たちはハンディキャップ原理はまったく機能しないと結論したり、あるいはハンディキャップ原理は、数学的に抽象的な特殊な条件のもとでのみ機能する、ザハヴィ的な逆説の香りを欠くものと結論する羽目になった。さらに言えば、ハンデイキャップ原理の戦略選択型解釈の本質的特徴の一つは、質の高い雄も、低い雄も、すべて「正直に宣伝する」という同じ戦略を採用することである。しかし従来のモデル研究者たちは、質の高い雄と低い雄は別の戦略を採用し、したがって別の宣伝を発達させると仮定していた。しかしグラフェンの見方はこれとは逆で、ESS状態においては、すべての雄が同じ戦略を採用するからこそ高い質と低い質を信号で表示する雄の区別が発生し、また、信号表示のルールによって質の違いが正直に表現されるからこそ、雄間の宣伝に違いが生ずるのである。

実のところ私たちは、信号がハンディキャップであ り う ることをずっと認めてきた。私たちは、ハンディキャップであるにもかかわらず、とくに性淘汰の結果として極端なハンディキャップが進化しえたと、ずっと理解してきたのである。ザハヴィの理論の中で私たちがそろって反対したのは、そういった信号が淘汰で有利になったのはまさに発信者にとってその信号がハンディキャップであるからこそ、という彼の考えだった。しかしアラン・グラフェンはまさにその考えの正しさを証明してしまったように見えるのである。

グラフェンが正しければ（私は正しいと思う）、その結論は動物界における信号の研究全体に非常に重要な意義をもつ。それは、行動の進化に対する私たちの見方全体の根本的な転換を不可避なものにするかもしれない。本書で扱った諸問題の多くに関する私たちの視点は大幅に変わらざるをえなくなるかもしれないのだ。性的な宣伝は宣伝全体のなかの一部にすぎない。もし正しければ、ザハヴィ－グラフェン理論は、同性のライバル個体間、親子間、敵対する異種個体間の関係に関する生物学者たちの見解に逆転的な転換をもたらすことになるだろう。この見通しはまことに困ったことである。そうなってしまえば、ほとんど限りなく奇妙奇天烈な諸理論も、常識に反するという基準で拒否するわけにはいかなくなるからだ。たとえばライオンから逃げるかわりに逆立ちをするなどという真実ばかげた行動をする動物を観察したとしても、それは雌に見せびらかすための行為なのかもしれないのである。それどころかその行為はライオンそのものへの宣伝かもしれない。「ぼくはこんなにすぐれた個体だぞ。ぼくをつかまえようとしたって時間の無駄だよ」（二六一頁を参照せよ）。

ある事態が私たちにどれほど奇怪奇天烈に見えても、自然淘汰は別の見方をしているかもしれない。よだれをたらして近づく捕食者の群れに直面した動物は、そうすることによる危険度の増加より、その危険条件下での宣伝効果のほうが大きければ、バック宙返りをくりかえす、などということになるかもしれない。その種のしぐさに宣伝の力を与えるのは、その危険さそのものである。もちろん自然淘汰は、際限なく危険なものを有利にするはずはない。顕示性が身も蓋もない愚かさに転じたところで、それは罰をうける。危険に満ちコストの高いふるまいは私たちには無謀に見えるかもしれない。しかし本当に問題なのは私たちの感想ではない。判断する資格のあるのは自然淘汰だけなのだ。

10　ぼくの背中を掻いておくれ、お返しに背中をふみつけてやろう

10-1　本文265頁「それ〔不妊ワーカーの進化〕が実際におこったのは社会性昆虫においてのみだったようだ」

以前はだれもがそう考えていた。しかし私たちはハダカデバネズミを見落としていた。ハダカデバネズミは無毛かつほとんど盲目の小型齧歯類で、ケニア、ソマリア、エチオピアの乾燥地域に大きな地下コロニーを作って暮らしている。彼らは哺乳類の世界における真実の「社会性昆虫」であるように見える。ケープタウンに近いステレンボッス大学の飼育集団で先駆的な研究をしたのはジェニファー・ジャーヴィス。ついでロバート・ブレットがケニアで野外観察を加えた。現在アメリカでは、リチャード・アリグザンダーとポール・シャーマンが、飼育集団を用いたさらにくわしい研究を進行中である。この四人の研究者は共著を出版すると予約ずみで、私はそれを心待ちにしている一人だ。そこで以下の説明は、すでに出版されているわずかな論文の記載と、ポール・シャーマン、ロバート・ブレットの研究講演で聴講した内容にもとづくものである。なお、哺乳類担当のキュレーターだったブライアン・バートラムの好意でロンドン動物園のハダカデバネズミ飼育集団を見せてもらうこともできた。

ハダカデバネズミは地下に広く張りめぐらされたトンネル網で暮らしている。コロニーの典型的なサイズは七〇～八〇頭だが、数百頭に達することもある。一つのコロニーの専有するトンネル網は全長二～三マイルにもおよび、毎年三～四トンの土を掘り出している。トンネル掘りは集団作業である。先頭の作業個体が歯を使って土を掘り、

その土は、半ダースほどの小さなピンク色の動物たちがごった返す生きたベルトコンベアーによって後方に選ばれる。先頭の作業個体はときどき後方の個体と交代する。

コロニーの中で繁殖する雌は、数年にわたって一頭だけである。ジャーヴィスは社会性昆虫の用語を援用して（これは妥当と私は思う）、その雌を女王と呼んだ。女王は二、三頭の雄とだけ交尾し、他の個体は雌雄にかかわらず非繁殖個体である。そして女王を除去すると、多くの社会性昆虫の場合と同様、それまで不妊だった雌たちの一部が繁殖状態になり、女王の座をめぐって闘争する。

非繁殖個体は「ワーカー」と呼ばれている。適切な呼称だと思う。ワーカーはシロアリの場合のように（そして雌だけがワーカーになるアリやハナバチ類やスズメバチ類などとは異なり）、雄・雌両方の個体を含む。ハダカデバネズミの活動の内容は個体のサイズに依存している。ジャーヴィスが「頻繁なワーカー」と呼んだ最小の個体たちは、土を掘り、運び、子どもに餌を与え、おそらくは女王が子育てに専念できるようにしている。女王は、齧歯類の同サイズの雌の通例よりも多くの子どもを産み、これも社会性昆虫の女王を髣髴（ほうふつ）させる。もっとも大型の非繁殖個体たちは寝て食べるほかほとんどなにもしないように見え、中間的なサイズの非繁殖個体は大型・小型の中間的なふるまいを示す。つまり、多くのアリに見られるような非連続的なカーストではなく、ミツバチの場合のような役割の連続性が認められる。

ジャーヴィスは初め最大サイズの非繁殖個体たちをノン・ワーカーと呼んでいた。しかし本当になにもしないのだろうか。今では室内・室外の観察から、彼らはじつは兵隊であり危険にさらされたコロニー（主な捕食者はヘビである）の防衛に当たるのだ、という示唆が得られている。さらに、彼らはミツアリ（二六二頁）と同じように「食物桶」のはたらきをしている可能性もある。ハダカデバネズミはホモコプロファガス（同質糞食性）である。これは互いの糞を食べあう性質をやや上品に表現したものだ（決定的にというわけではないにしろ、これは世界の法則と大いに抵触するだろう）。もしかすると大型個体は、食物が豊かなときに体の中に糞を貯え、食物不足時に緊急食物貯蔵庫という貴重な役割（便秘型物資補給部というわけだ）を果たすのかもしれない。

ハダカデバネズミに関して私がもっとも不思議に思うことは、彼らがさまざまな点で社会性昆虫によく似ているのに、アリやシロアリの若い有翅繁殖虫に相当するカーストを欠いているように見えることである。彼らにはもちろん繁殖個体がいる。しかし、その繁殖個体たちは、飛びたって、新しい土地に遺伝子を分散させることを最初に仕事にするわけではないのである。知られている限りでは、ハダカデバネズミのコロニーは地下のトンネル・システムを拡大しながら周辺に広がるだけだ。遠距離に分散する個体、つまり有翅繁殖虫に相当する個体をコロニーが放出することはないように見える。私のダーウィン派的な直感からするとこれは非常に驚くべきことで、思弁の対象にしてしまいたくなるのである。私には、これまでなんらかの理由で見逃されていた分散相がいずれ見つかるだろうという予感がある。分散相の個体が文字通り翅を生やすというのは期待過剰というものだろうが、分散相の個体はさまざまな点で地下生活ではなく、地上生活に適した特徴を備えているかもしれない。たとえば彼らは裸でなく毛深かったりするかもしれない。また、ハダカデバネズミは通常の哺乳類のような様式で個体ごとに体温を調節しているのではない。彼らはむしろ「冷血」の爬虫類に似ている。ハダカデバネズミたちはコロニーの温度を社会的にコントロールしているのだろうか。もしそうならそれはシロアリやハチの仲間とよく似た性質の一つだ。それとも、良好な地下室にはつきものである温度の定常性を利用しているのか。いずれにしろ、私の仮説上の分散個体は地下のワーカーと異なり、常識どおりの「温血性」を示すはずである。既知の毛深い齧歯類で、これまでまったく別の種とされていたものが、じつはハダカデバネズミの行方不明のカーストだったなどということだってありうるのではないか。

この種の事態にはじつは先例がある。たとえばローカスト（移住性トノサマバッタ）がそうだ。ローカストは形の変わったバッタ（グラスホッパー）で、ふつうはバッタ類の通例どおり、単独性で、隠蔽色で、あまり目立たない生活をしている。しかし、ある種の特殊な条件のもとで彼らはおそろしい存在に豹変する。隠蔽色は消えて鮮やかな縞模様があらわれる。あたかも警告色かと思われるほどである。だとしたら、これは生半可な警告色ではない。行動も変化するからである。彼らは単独生活を棄てて集合し、恐るべき結果をもたらすのだ。聖書の伝説上の災疫から現代までを通覧して、人類の富の破壊者としてこれほど恐れられた動物はいない。無数の大群が巨大な収穫機となり、ときには一日に数百マイルの速度で数十マイル幅の農地を襲い、一日二〇〇〇トンの穀物を食いつくして、あとに飢餓と廃墟を残すのだ。さてそこでハダカデバネズミとの比較である。ローカストの孤独相と集合相の個体はアリの二つのカーストほども違っている。しかも、いま私たちがハダカデバネズミに「行方不明のカースト」がいると仮定しているように、一九二一年までは、バッタのジキル氏とハイド博士は別種に分類されていたのである。

ただし残念なことに、今日にいたるまで哺乳類の専門家たちがそんな誤解を続けているなどとは思えない。さらにまた、通常の変形していないハダカデバネズミがときに地上で目撃され、ふつうよりかなり遠くまで移動しているらしいということも付言しておかねばならないだろう。しかし「変形型繁殖個体」仮説を完全に諦めてしまう前に、ローカストからの類推が示唆するもうひとつの可能性を考えておこう。すなわち、ハダカデバネズミは確かに変形型繁殖個体を作り出すのだが、それはある種の——ここ数十年来、発生したことがないような——条件下に限られているという可能性だ。アフリカや中東ではバッタの災害はいまだに聖書の時代と同じように大きな脅威である。しかし北米では事情が異なる。北米のバッタの一部は集合相を発生させる能力を備えている。しかし、明らかに条件が整わなかったために、今世紀北米ではバッタの災害は生じていない(ただし北米ではバッタとはまったく別の害虫であるセミがいまだに周期的に大発生し、アメリカの口語ではこの昆虫のこともローカストと呼ぶ)。しかし、現代のアメリカで本当のローカストの被害が生じたとしても、特別に驚くべきことというわけではない。火山は休止しているだけで死火山になったわけではないからだ。しかし、私たちが歴史の記録をもたず、また世界の他地域の情報を知らなければ、それは大変な驚きとなるだろう。人々が知っている限りでのローカストは単独性で無害なふつうのバッタにすぎないからである。では、ハダカデバネズミがアメリカのバッタと同様ならどうだろう。特別の分散用のカーストを生み出す能力はもっているのだが、それは特殊な条件下でだけのことであり、その条件はなんらかの理由で今世紀にはまだ生じていないとしたら……。十九世紀の東アフリカでは、〝ケブカデバネズミ〟が地上をレミングのように移動して大変な災害に苦しんだのだが、記録がなにも残っていないのかもしれない。いや、地方部族の伝説や英雄物語の中にじつはちゃんと記録されているのかもしれない。

10-2　本文269頁「……膜翅目の雌の場合、父母を共有する姉妹に対する彼女の血縁の濃さは、自分の子ども（雌雄を問わず）に対する彼女の血縁の濃さを上まわるということになる」

膜翅目という特殊ケースに関するハミルトンの「血縁度¾仮説」の印象的な巧妙さは、皮肉なことに彼のもっと一般的で根本的な理論の評判を混乱させている。単・二倍数体における血縁度¾の仮説には少々の努力でだれにも理解できるやさしさがあり、しかし同時にそれを理解できると大いにうれしくなって、ぜひ他人にも教えたくなるほどにはむずかしい。つまりそれはじつによい「ミーム」なのである。ハミルトンに関する読者の知識が彼の著作ではなく、酒場の会話からのものであれば、読者は単・二倍数性以外についてはなにも聞いていない可能性が非常に高い。今では生物学のどんな教科書でも、血縁淘汰の扱いがいかに小さくても、ほぼ決まって血縁度¾問題に一パラグラフがさかれている。いまや大型哺乳類の社会行動に関する世界のエキスパートの一人とみなされている私の同僚の一人は、ハミルトンの血縁淘汰説とは血縁度¾仮説のことで、それ以外ではないと数年にわたって思いこんでいたと私に白状したことがある。そんな事情が高じた結果、血縁度¾仮説の重要性に疑問を投げかけるような新事実が登場すると、人々はそれをもって血縁淘汰理論全体に対する反証であるかのように受け取る傾向が生じてしまった。これは、偉大な作曲家が独創的な長編シンフォニーを作曲したが、その曲の中頃に短くて目だち、覚えやすい旋律があるので、町を行く呼び売りの行商たちがみんなその短い旋律を口笛で吹くようになってしまった、というような話だ。やがてシンフォニーはその旋律ひとつと同じものと思われるようになり、そしてその旋律に倦きた人々は、シンフォニー全体が嫌いになったと思い込むというわけである。

たとえば、最近「ニューサイエンティスト」誌に掲載されたハダカデバネズミに関するリンダ・ガムリンの、他の面では大変有用な論文を取り上げよう。この論文は、ハダカデバネズミやシロアリは単・二倍数体ではないという事実だけを根拠に、それらの存在はハミルトンの理論にとって不都合なはずとほのめかす調子に貫かれているのだ！　著者がハミルトンの古典的な二編の論文を一瞥したという可能性すら私は信じることができない。ハミルトンの五〇ページの論文のうち、単・二倍数性問題はたったの四ページを占めるにすぎないからである。彼女は二次文献を頼ったにちがいない。それが本書ではありませんように。

もう一つの見本は、6章の補注で紹介した兵隊アブラムシに関わるものだ（四四九頁）。そこで説明しておいたように、アブラムシは一卵性双生児のクローンを形成するので、利他的な自己犠牲が非常に生じやすいと期待される。一九六四年にハミルトンはこれに言及しているのだが、その際は、クローン性の動物に利他行動への顕著な傾向が（当時までの知見では）見られないという困った事実を説明しようと少々苦労していた。兵隊アブラムシが発見されたとき、ハミルトンの理論にこれ以上完璧に合致する例はありえなかったのである。しかしその発見を公表した最初の論文は、兵隊アブラムシは単・二倍数体ではないので、ハミルトンの理論にとって難題であるという扱いをしていた。なんという皮肉だろう。

ハミルトンの理論にとってこれもまたしばしば厄介な存在とみなされるシロアリについても皮肉な事情がある。なぜなら、シロアリの社会性の獲得に関するもっとも巧妙な理論の一つを一九七二年にハミルトン自身が示唆しており、しかもそれは単・二倍数性仮説の見事な相似型とみなしうるからである。循環的同系交配理論とでもいうべきその理論は、ふつうはハミルトンが最初にそれを発表してから七年後のS・バルツの業績とされている。まことに彼らしいことだが、「バルツ理論」を最初に思いついたのは自分だということをハミルトンはすっかり忘れており、彼を信用させるために、私は彼自身の論文をハミルトンの鼻先に突きつけなければならなかった！　先取権の問題はさておき、その理論は大変おもしろく、初版でそれを論じなかったのが悔やまれる。そこで以下に欠如を補っておくことにする。

この理論は単・二倍数性仮説のみごとな類似型である。それは次のような意味だ。社会進化の観点から見ると、単・二倍数体の動物の本質的な特徴は、雌の個体が、子どもより弟・妹に遺伝的に近くなりうるということである。これは、雌が、親の巣を離れて自分の子どもを産み育てるよりも、親の巣に留まって弟・妹を育てようとする傾向をうながす。ハミルトンは、シロアリの場合も兄弟間のほうが親子間より遺伝的に近くなりうる理由を考察した。手がかりは同系交配である。動物がその兄弟と交配するとその子孫たちは遺伝的にさらに均一になる。ラット（シロネズミ）はどんな研究所の系統であれ遺伝的にほとんど一卵性双生児に近いほど均一になっている。それらの個体は連綿と同胞（兄弟姉妹）間の交配をくりかえして生まれてきたからである。専門用語でいうなら、それらの個体のゲノムは同形接合の程度がきわめて高い。すなわち遺伝子座のほとんどにおいて二つの遺伝子は同一になっており、同時にその系統の他のすべての個体の同じ遺伝子座の遺伝子群とも同一になっている。私たちは自然の中で近親結婚的な交配の長い連鎖に出会うことはあまりない。しかし一つ重大な例外がある。それがシロアリなのである！

典型的なシロアリの巣は、王アリと女王アリのロイアル・ペアによって創設される。ペアは一方が死亡するまで互いに相手とだけ交尾するのである。一方が死亡するとその替わりに子どもがおさまり、生き残った親個体と近親交配をおこなう。一代目のペアがそろって死亡した場合は雌雄の子孫個体が近親結婚的なペアをつくりその位置を埋める、等々。成熟したコロニーはすでに数代にわたって女王と王を失ってきている可能性があり、数代を経た後の子孫個体たちは実験室のラットと同じように同系交配の度合がきわめて高くなっている。年を経て、女王・王の繁殖ペアがその子孫に次々に入れ換わってゆくにつれ、平均的な同形接合の度合や、平均近縁係数はどんどん高くなるのである。しかしこれはハミルトンの議論の第一段階であるにすぎない。彼の卓抜なアイディアはこの次の段階である。

どの場合も社会性昆虫のコロニーの最終生産物は、親のコロニーから飛翔して交尾し、新しいコロニーを創設する有翅の繁殖虫である。これらの新しい王と女王が交尾する際には、その交尾は同系交配でない可能性が高い。実際、おそらくは異系交配をうながすため、一定地域の異なるシロアリの巣が同じ日に有翅繁殖虫を放出するように仕立てる特殊な同調機構のようなものがあるように見える。そこでAコロニー由来の若い王個体とBコロニー由来の若い女王の交尾の遺伝的な帰結を考えることにしよう。両者はそれぞれ強い同系交配の結果うまれた個体である。すなわち両者は同系交配をくりかえす実験室内のラットと同じような存在である。しかし、両者は互いに異なる独立の近親交配プログラムの産物なので遺伝的に異なっているだろう。ちょうど別の研究室に属する白色ラットの系統と同じようなものである。両者が交配すると、生まれる子どもはきわめて強い異形接合の状態となる。ただしすべての個体が一律にそうなのである。異形接合とは多くの遺伝子座で二つの遺伝子が互いに異なる状態であることをさす。一律に異形接合的であるというのは、ほとんどすべての子孫個体がまったく同じ状態の異形接合になっているということである。彼らは兄弟姉妹どうしそれぞれ遺伝的にほとんどまったく同じであり、しかし同時に極度に異形接合的なのである。

さてここで一気に時間を進めてみよう。創設ペアを擁するコロニーはかなり大きくなった。内部には遺伝的に同一でかつ異形接合的な若いシロアリたちが多数暮らしている。ここでロイアル・ペアの一方あるいは両方が死亡するとどうなるだろうか。かつての近親婚のサイクルが再び始まり、目覚ましい効果があらわれる。近親交配によって生み出された最初の世代は、前の世代にくらべて一気に変異をます。兄弟姉妹間の交配だろうと、父娘間あるいは母息子間の交配だろうと、事情にかわりはない。どの場合も原理は同じだ。しかし兄弟姉妹の交配を考えるのが一番単純だ。雌雄が同胞で、同一の異形接合状態にある場合、その子孫は組換えによって遺伝的にきわめて多様な存在となる。これは初歩的なメンデル遺伝学から導かれるもので、原理的にはシロアリだけでなくすべての動植物に当てはまる。同一の異形接合状態の個体を、互いに、あるいは同系接合の親系統の一方と交配すると、遺伝的な意味で活字箱が壊れたような状態になる。遺伝学の初歩的な教科書を見ればどれにもその理由は書かれているので、ここで解説はしないでおく。私たちの当面の視点から重要なことは、シロアリのコロニーの発達のこの段階では、個体は潜在的な子どもより同胞（兄弟姉妹）ととくに遺伝的に近くなっていることである。そしてこれは、単・二倍数体の膜翅目のケースで見たように、利他的な不妊のワーカー・カーストの進化の前提条件になりうるものである。

しかし、個体が子どもより同胞に遺伝的に近いと期待すべき特別の理由はなくても、個体が同胞に対して子どもと同じくらい近縁であると期待できるよい理由があることはしばしばある。これが真実であるための唯一の必要条件は、ある程度の単婚傾向が存在することである。ある意味では、弟・妹の面倒を見る不妊のワーカーの存在する種がもっとたくさんいないことこそ、ハミルトンの視点から見て驚くべきことだ。広く見受けられるのは不妊ワーカー現象の水割版の一種とでもいうべき「巣のヘルパー」だということが、ますます明らかになってきた。鳥や哺乳類の中には、自分の家族を作るために独立する前の若い個体が、一、二シーズンにわたって親元にとどまり、弟・妹の養育を手伝う種がたくさんいる。このような行動をうながす遺伝子のコピーは弟・妹の体におさまって伝えられる。利益を受けるのは全同胞（半同胞ではなく）だとするなら、一頭の同胞に投資された一オンスの食物は、遺伝的に見て、一頭の子どもに投資されたのとちょうど同じだけの見返りをもたらすのである。しかし、これはほかの事情が等しければという話だ。巣の手伝い現象がある種で生じて他の種で生じないことを説明しようというのなら、等しくない事情に注目しなければならない。

たとえば、樹洞に営巣する鳥を考えてみよう。樹洞のある木は供給が限られているので貴重である。もしあなたが若い成鳥で両親がまだ生存しているとすれば、彼らはたぶんまだ貴重な樹洞のある木を専有しているだろう（少なくとも最近までは一つ専有していたはずだ。そうでなければあなたはこの世にいない）。あなたも、おそらくは繁栄する樹洞に暮らしており、その生産的な繁殖場を新たに占拠する子どもたちはあなたの全同胞たち、すなわち、遺伝的にはあなたの子どもたちと同じくらいあなたに近い個体である。あなたが巣を離れ、自分で繁殖しようとしても、樹洞を入手できる確率は非常に低い。かりにうまくいったとしても、あなたの育てる子どもたちは、遺伝的にいうと妹・弟よりあなたに近いわけではないのである。同じ量の努力を投資するなら、親鳥の樹洞に投資したほうが、あなたが自分で樹洞を確保しようとするよりも見返りが大きいのだ。こうした条件が同胞の世話、すなわち「巣のヘルパー」を有利なものにするのである。

こういった事情にもかかわらず、一部の個体（あるいはときにはすべての個体）は巣を離れて自分で樹洞（別種ではそれに相当するもの）を探さなければならない、というのも本当である。7章の、子作り・子育ての区別に従うなら、だれかがなにがしかの子作りはしなければならない。そうでなければ子育ての対象となる子どもが存在しないことになるからだ。ここで重要なのは、「そうでなければ種が滅んでしまうから」とはいっていないことであ る。そうではなく、純粋な子育てだけをうながす遺伝子の卓越した集団では、子作り遺伝子が有利になるということなのだ。社会性昆虫ではその有利な位置を占めるのが女王と王である。彼らは「樹洞」を探しに世間に飛び出す個体なのである。だからこそ、ワーカーには翅のないアリでさえ、女王と王は翅をもつのだ。これらの繁殖カーストは生涯にわたって特殊化した存在である。巣で手伝いをする鳥や哺乳類は、それを別の形でおこなっているのである。この場合、個々の個体は生涯の始まり〔最初の一、二回の繁殖シーズン〕を「ワーカー」として過ごして妹・弟の養育を手伝い、残りの生涯は自ら「繁殖個体」たらんと志すのである。

前項で紹介したハダカデバネズミの場合はどうなっているのだろうか。彼らは繁盛する「樹洞」の原理を完璧に例示するものだ。ただし彼らの「繁盛する樹洞」は文字どおりの樹洞ではない。この話の鍵になるのは、サバンナの地下の彼らの食物源がパッチ状の分布をしていることである。彼らの主食は地下の塊茎である。塊茎には巨大で地下深くに存在するものがある。そのような種類の塊茎は一つでハダカデバネズミ一〇〇〇匹分を越す重量があり、いったん発見されれば、コロニーを数ヶ月いや数年にわたって養うことができるのである。しかし塊茎はサバンナ全域に散発的・偶発的に分布している。問題はそのような塊茎をいかにして発見するかだ。ハダカデバネズミにとって、食物源は発見は困難だがいったん発見されれば非常に値打ちの高いものである。ロバート・ブレットの計算によれば、ハダカデバネズミが一頭で塊茎を探しにかかると非常に長時間を要し、土掘りで歯は擦り切れてしまうだろうという。頻繁にパトロールの行き来する数マイルものトンネルを持つ巨大な社会性コロニーはじつに効果的な塊茎発掘坑である。個々のハダカデバネズミは坑夫仲間の組合に加盟していることで経済的に豊かになっているのだ。

ところで、協力的な数十の労働者を配置した巨大なトンネル・システムは、私たちの仮説上の「樹洞」と同じように、いやそれ以上に、繁栄する企業である。繁栄続く共同洞窟に暮らし、母親は依然として全同胞の弟妹を産み続けているとすれば、巣を離れて自分で家族をつくろうという誘惑は非常に小さなものになろう。かりに生まれてくる幼獣の一部が半同胞〔訳注　親の一方だけを共有する兄弟〕だとしても、「繁栄する企業」の論理は、若者を巣に留めさせるに十分な力をなお行使することができるだろう。

10-3　本文272頁「彼らの見出した値は、……理論から予測される、雌と雄三対一という比に、かなりの信頼度でよく適合するものであった」

リチャード・アリグザンダーとポール・シャーマンはトリヴァースとヘアの方法と結論を批判する論文を書いた。彼らは雌に偏った性比が社会性昆虫で一般的なことには同意したが、それが三対一によく適合するという主張に反対した。雌に偏る性比に彼らは別の説明を加えようというのだ。それは、トリヴァースとヘアの説明と同様に、ハミルトンによってすでに示唆されていたものだ。私の見るところ、アリグザンダーとシャーマンの議論は大変説得的である。しかし同時に、トリヴァースとヘアの論文のような美しい仕事がすべて誤りであるはずはないという直観のようなものも感じてしまうのだ。

膜翅目の性比に関して私が初版で与えた説明にはさらに困った問題点のあったことをアラン・グラフェンが教えてくれた。彼の指摘については、『延長された表現型』の中で説明しておいた。一部を以下に引用する。

個体群の性比が考えられるどのようなものであれ、それでも潜在的なワーカーは同胞を養おうと自分の子どもを養おうと、なおかつどちらでもかまわない。たとえば個体群の性比が雌に偏っているとしてみよう。トリヴァースとヘアの予想した三対一に一致していると考えてもよい。その場合、ワーカーは自分の兄弟あるいはどちらの性であれ自分の子どもよりも、自分の姉妹とより血縁が近いので、そのような雌に偏った性比が与えられれば、自分の子どもよりも同胞を「好む」ように思えるだろう。彼女が同胞のほうを選べば、価値の高い姉妹（とごく少数の比較的価値の低い兄弟）をほとんど得ることにならないだろうか、というわけだ。しかし、この理屈はそうした個体群では希少性の結果として雄の繁殖価が比較的大きいということを無視している。ワーカーは自分の兄弟たちのおのおのとはそれほど血縁が近くないにしても、雄が全体として個体群中にまれであれば、それらの兄弟のおのおのはその希少性の程度にしたがって将来の世代の祖先にきわめてなりやすいだろう。

10-4　本文286頁「もしもある集団が、それ自体を絶滅に追いこむような進化的に安定な戦略に到達してしまえば、たしかに絶滅してしまうだろう。これはただもう運が悪いというほかないのである」

すぐれた哲学者であった故・J・L・マッキー氏は、「ごまかし屋」の個体群も、「恨み屋」の個体群もいずれも安定になりうるという事実が生み出す興味ぶかい帰結に関心をもってくれた。それ自体を絶滅に追いこむような進化的に安定な戦略に到達してしまえば、運が悪いというほかないのだが、マッキーはこれに、ある種のESSはほかのESSにくらべて個体群を絶滅させやすい、という視点を加えたのである。今述べた例でいえば、「ごまかし屋」も「恨み屋」も進化的に安定である。すなわち個体群はごまかし屋の平衡状態に達することもあるし、恨み屋の平衡状態に達することもありうる。この場合、たまたまごまかし屋の平衡状態に達した個体群のほうがその後絶滅しやすいのではないか、というのがマッキーの論点である。つまり、互恵的な利他主義に有利に作用するような、ESS間に作用する高次の淘汰がありうるのではないかということである。この視点は、通常の群淘汰の諸理論とは別の、実際に機能しうる一種の群淘汰を支持する論議に発展させることができるだろう。この論議は、「利己的遺伝子の弁護」という論文に書いた。

11　ミーム――新登場の自己複製子

11-1　本文295〜296頁　「私はある基本原理に自分のお金を賭けるだろう。すべての生物は、自己複製をおこなう実体の生存率の差にもとづいて進化する、というのがその原理である」

宇宙のどこであれ生命はすべてダーウィン流に進化したはず、という私の賭けは、「Universal Darwinism（普遍的なダーウィニズム）」という論文と、『盲目の時計職人』の最終章にもっとくわしく述べて、理屈をつけておいた。ダーウィニズムに代わるものとして過去に登場したすべての理論は、生命の組織された複雑さを説明することが原理的にできない、ということを私は示しておいた。その論議は、私たちの知っている生命に関する特殊な事実にもとづくものではなく、普遍的なものである。そういう性質のものなので、科学における発見法は熱した試験管を相手に（あるいは冷たい泥まみれの長靴で）あくせくはたらくしかないと考える科学の歩行主義者たちから批判されてきた。批判者の一人は、論議が「哲学的だ」と苦情を呈した。そう言うだけで十分な非難になっていると思っているらしい。しかし、哲学的であろうが、そうでなかろうが、私の主張に欠陥があるとはだれも指摘できていないのが事実である。そしてじつは、私のおこなったような「原理的な」論議は、現実の世界と無縁であるどころか、個々の事例研究にもとづく論議よりはるかに強力でありうる。もし正しければ、私の論議は宇宙のあらゆる場所における生命について重大なことを語っているはずである。実験室や野外での研究は、現在ここで私たちが取り上げる生命について語りうるのみである。

11-2 本文296頁「ミーム」

ミームということばはどうやらよいミームであったようだ。いまやこのことばは大変広く使われるようになり、一九八八年には『オックスフォード英語辞典』の将来の版への収録を考慮する用語の公式リストにも加えられた。おかげで私は、人間文化に関する私の構想はゼロに近いくらいささやかなものなのだということを改めて強調しておきたいと思うようになった。大きいのは確かだが、私の本当の野心は、まったく別の方向を向いているからである。宇宙のどこで生まれようが、ほんの少し不正確に複製をつくる実体が登場すると、その威力はほとんど無限だ、というのが私の主張したい事柄だ。なぜならそれはダーウィン流の淘汰の基礎となり、十分な世代を経れば、きわめて複雑なシステムを累積的に構築する傾向を示すからである。適切な条件があれば、複製子は自動的に集合してシステムあるいは機械を作り、その機械は複製子を持ち運んでその持続的な複製作業を助けるように行動するようになると私は信じている。本書の初めから10章までは、ただ一種の複製子、すなわち遺伝子だけを扱っている。初版の最終章でミームを論じたのは、複製子を一般的に扱おうとするためであり、遺伝子は複製子という重要な類いの唯一のメンバーではないことを示すためだった。人間文化という環境が、ある種のダーウィン流の進み方を示すようなものであるのかどうか、私に確信があるわけではない。しかしいずれにせよその問題は私の関心にとっては副次的なものだ。DNA分子だけがダーウィン流の進化の基礎となりうる実体ではない、という印象をもって読者が本書を閉じてくれれば、11章は成功だったといえるだろう。私の目的は人間文化についての大理論を作りあげることではなく、遺伝子をそれにふさわしいサイズに小さくすることだった。

11-3　本文297頁「ミームは、比喩としてではなく、厳密な意味で生きた構造とみなされるべきである」

DNAはハードウエアの自己複製断片の一つである。個々の断片は独自の構造をもっており、それぞれがライバルのDNA断片と異なっている。脳の中のミームが遺伝子と相似なものならば、それらは自己複製的な脳構造、すなわち脳から脳へと再構成されうるような神経回路の具体的な型であるにちがいない。この意見をはっきり表明しようとすると、私はいつも落ち着かない気持ちになるのだった。脳に関して私たちは遺伝子よりもはるかに少しのことしか知らず、したがってそのような脳の構造がいったいどんなものであるのかに関してどうしても曖昧にならざるをえないからだ。そんな状態なので、最近ドイツ・コンスタンツ大学のユアン・デリウスの興味ぶかい論文を受け取ったときは、救われた気持ちになった。私と違ってデリウスは言い訳がましく感じる必要がない。私は脳科学者でさえないが、彼はすぐれた脳科学者だからだ。彼は、ミームの神経的なハードウエアがどんなものでありうるかに関する詳細な構図を実際に発表して、肝心の問題を徹底的に強調する大胆さを見せた。おかげで私は大いにうれしかったのだ。彼の興味ぶかいほかの仕事の一つは、私よりもはるかに徹底的にミームと寄生生物、もっと正確にいえば悪性の寄生生物を一方の端とし、良性の「共生生物」を他方の端とするスペクトルとミームとのアナロジーを追究したことである。私自身、寄生生物の遺伝子が寄生生物に及ぼす「延長された表現型」効果（本書13章と、『延長された表現型』の12章を見よ）に関心があるので、彼のアプローチには非常に興味がある。ところで、デリウスは、ミームとその（表現型）効果の明確な区別を強調している。また、ミームの相互的な適合性が淘汰の上で有利になるような、共適応的なミーム複合の重要さをくりかえし強調してもいる。

11-4　本文300頁「オールド・ラング・サイン」

オールド・ラング・サインとは、期せずしてまことに見本的な幸運な例を選んだものである。この歌は突然変異のためにほとんど普遍的に一ヵ所が誤ったものに変形されているからである。リフレインの部分は、今ではいつも変わらず、'For the sake of auld lang syne' と歌われる。しかしバーンズはじつは 'For auld lang syne' と書いていたのである。ミームを意識したダーウィン派なら、挿入された 'for the sake' という句の生存価はなんなのかとただちに疑問に思うであろう。ここでは、その歌を変形版で歌うことによって人々の生存がうながされるようになる様式を探っているのではない、ということを思い出そう。私たちが探しているのは、問題の変形それ自身の生存率をミーム・プールの中で上げるような様式である。私たちは皆この歌を子ども時代に覚えた。バーンズを読んでではなく、大晦日にそれが歌われるのを聞いて覚えたのである。昔はたぶんだれもが正しく歌っていたのだろう。'For the sake of' はまれな突然変異として生じたにちがいない。しかし、初期にはまれだったその突然変異が知らないうちにミーム・プールの標準になるほど増えてしまったのは一体どういうわけか。それが問題なのである。

答えは遠くにあるのではないと思う。歯擦音である「s」は耳につくことで有名である。練習の際、教会の聖歌隊は「s」の音をできるだけ軽く発音するよう指導される。そうしないと教会中に歯擦音が響きわたってしまうのだ。大教会の祭壇で口ごもって説教をする司祭の声を本堂の後ろで聞いていると、散発的なスッ、スッ、スッという音にしか聞こえないことがある。'sake' の中にあるもう一つの子音である「k」も同様に耳につく音である。さて一九人は正しく 'For auld lang syne' と歌っているのに、部屋のどこかで二〇人目が 'For the sake of auld lang syne' とまちがって歌ってしまった、と想像してほしい。そこにその歌を初めてきいた一人の子どもがいて、ことばがよくわからないままにいっしょに歌いたがったとする。すると、ほとんどの人は 'For auld lang syne' と歌っているにもかかわらず、「s」と「k」の音は子どもの耳に到達し、次のリフレインでは彼も 'For the sake of auld lang syne' と歌ってしまうのだ。突然変異したミームはかくして別の乗り物を獲得したのである。そこに他の子どもが同席していたり、あるいはおとなでも歌詞に自信のない人がいれば、次のリフレインの機会には彼らもまた変異型のミームに同調してしまう可能性が高い。それらの人々が変異型のミームを「好んだ」わけではない。彼らは本当に歌詞を知らず、一生懸命勉強しようとしているだけだ。歌詞をちゃんと知っている人々がおごそかな調子で、しかも思い切り大きな声で（私のように！）'For auld lang syne' と歌っても、正しいことばには目立った子音がなく、一方変異型のほうは、自信なげに小さな声で歌われてもはるかに聞こえやすいのである。

'Rule Britania'も似たようなケースである。コーラス第二句の正しい歌詞は'Britania, rule the waves'である。しかし非常に頻繁というわけではないが、これはしばしば'Britania rules the waves'と歌われるのだ。この場合は、ミームのしつこく歯擦音を発する「s」がさらに別の要因の支援を受ける。作詩者（ジェームス・トンプソン）の意図した意味は、たぶん命令法（大英帝国よ、進出し海を支配せよ）か、あるいは仮定法（大英帝国に海を支配させたまえ）であろう。しかしちょっと見ただけでは、直接法（大英帝国は、実際に、海を支配している）と簡単に誤解されやすい。つまりこの突然変異型のミームは、元の形に対して二つの別の生存価をもっている。発音が目立つことと、理解しやすいことである。

仮説の最終的なテストは実験によるべきである。ミーム・プールの中に、歯擦音を含むミームを低頻度でわざと紛れこませておき、その後、それ自身の生存価でそれが増加してゆくのを観察するのである。たとえば、一部の人人が、'God save our gracious Queen'などと歌いだしたらいったいどうなることだろうか。

11-5　本文300頁　「問題のミームが科学的なアイディアである場合、その繁殖は、そのアイディアが科学者集団にどの程度受け入れられるかに依存するだろう。この場合、発表後、科学雑誌にそのアイディアが引用される数を数えることによって、そのアイディアの生存価の大まかな尺度とみなすこともできよう」

この文が、科学的なアイディアが受容される際の唯一の基準は「人目を引きやすいこと」だと主張しているかのように受け取られたとしたら非常に遺憾である。つまるところ、科学的なアイディアには実際に正しいものと誤ったものがあるからだ！　それらの正しさや誤りはテストにかけることができる。論理も細かく検討することができる。それらは実際は、流行歌や、宗教や、パンクの髪形のようなものではないのである。しかし科学には論理と同時に社会学がある。しばらくのあいだであれば、まちがった科学的アイディアが広くゆきわたってしまうこともある。そしてよいアイディアであるにもかかわらず、注目されて科学のイマジネーションの領域に広がるまで数年に

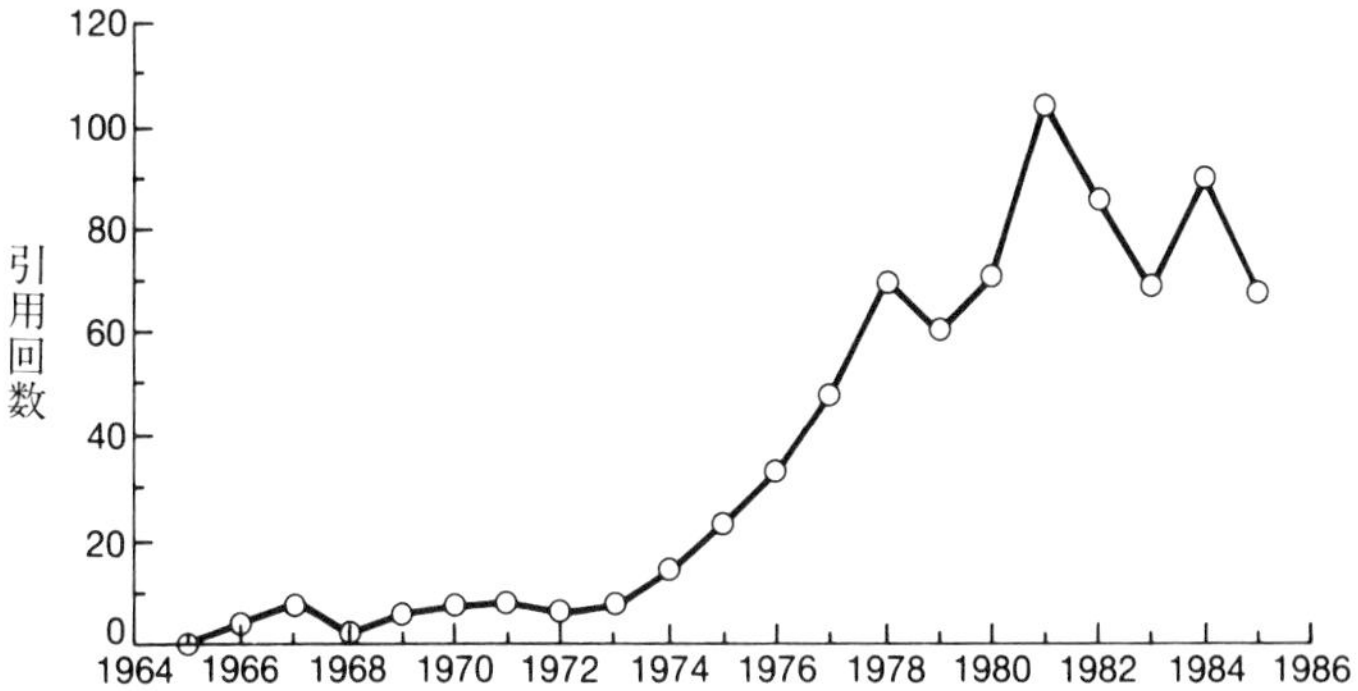

図1　『科学引用索引』に収録されているハミルトン論文（1964）の年度別引用回数。

わたって休止状態のままというようなものもある。休止状態に続いて急激な伝播が生じた代表的な事例の一つがじつは本書の主要なアイディアの中にある。ハミルトンの血縁淘汰理論である。雑誌の引用回数を数えることによってミームの拡大を測定してみるというアイディアを試すのに、これはうってつけの事例と私は考えた。初版で私は次のように書いた。「一九六四年の彼の二つの論文は、これまでに書かれた社会エソロジーの文献のうち、もっとも重要なものに数えられる。私は、これらの論文がエソロジストたちになぜこれほど無視されてきたのか理解できない（彼の名前は、一九七〇年に出たエソロジーの二大教科書の索引にすら載っていないのだ）。幸い、最近彼の仕事がみなおされはじめている」（本書一三二頁）。これを書いたのは一九七六年である。このミーム回復の過程をその後の一〇年を含めてたどっておこう。

『科学引用索引（Science Citation Index）』は少し奇妙な出版物である。そこには出版された論文がみんな載っていて、しかもその論文を引用した出版物の数が、年度ごとにあげられているのである。これは、特定の話題に関して文献をたどる手助けとなるのが目的だ。しかし、大学の人事委員会は人事採用の際に応募者の科学的な業績を大まかにかつ手っとりばやく比較するための手段としてこれを利用する癖をつけてしまっている。ハミルトン論文の引用回数を、一九六四年以降年ごとに数えることによって、私たちは彼のアイディアが生物学者の意識の中に浸透していった過程を近似的にたどることができる（図1）。初期に休止状態のあったことがはっきりわかる。ついで、一九七〇年代に血縁淘汰への関心が劇的に上昇したように見える。上昇の始まった時点を決めるなら、それは一九七三年から四年の間と思われる。上昇傾向は一九八一年まで勢いを増して、その後年度別引用数は高原値のまわりを不規則に変動している。

血縁淘汰への関心の急増はすべて一九七五年と一九七六年に出版された本によって引きおこされたのだというミーム神話ができあがってしまった。しかし、一九七四年に立ち上がりを見せているグラフは、この考えが誤りであることを示しているように見える。逆に、証拠はまったく別の仮説を支持するものとも受けとれる。すなわち私たちは「うわさになっていて」、「ようやく時を迎えた」アイディアの一つを扱っているのだという考え方である。この見方に従えば、一九七〇年代半ばの二冊の本は、流行の原因というよりは、その徴候だったということになる。

実際私たちは、ずっと早期に始まっていながら、長期的で、立ち上がりが遅い、指数関数増加的な流行を扱っているのかもしれない。この単純な指数関数増加仮説をテストする一つの方法は、累積引用回数を対数座標に書き込んでみることである。その時点までに到達された量に比例する速度で増加する過程はすべて指数関数増加と呼ばれる。流行病は典型的な指数関数増加過程である。個々の人は数人にウイルスをまき散らす。まき散らされた人はまた一人あたり同じ人数の他者にウイルスをまく。こうして犠牲者はますます大きな数で増えてゆくのである。指数関数曲線と判定できる特徴の一つは、対数座標で画くと直線になることである。必須なわけではないのだが、そのような対数グラフを画くときには、ふつうは累積値で画くのが便利である。ハミルトンのミームの拡大が実際に勢いをます流行病のようなものであるのなら、累積値の対数グラフは直線に乗るはずである。そうなるだろうか。

図2の直線は、累積値のすべての値に統計的にいってもっとも適合した直線である。一九六六年から六七年にかけての急増は、データを対数で打つ際に誇張されてしまいがちな信頼性の低い少数サンプルの効果として無視されるべきものかもしれない。その点を除けば、ささいな追加的なパターンも見られはするものの、直線近似は悪くない。私の指数関数増加解釈が受け入れられるなら、私たちが扱っているのは、一九六七年から八〇年代にかけて、関心がゆっくり爆発してゆく過程である。個々の論文や著書は、この長期的な傾向の徴候であり、また原因でもあるのにちがいない。

ところで、この増加パターンを、必然的なものでつまらないとは考えないでほしい。累積カーブは、年度別の引

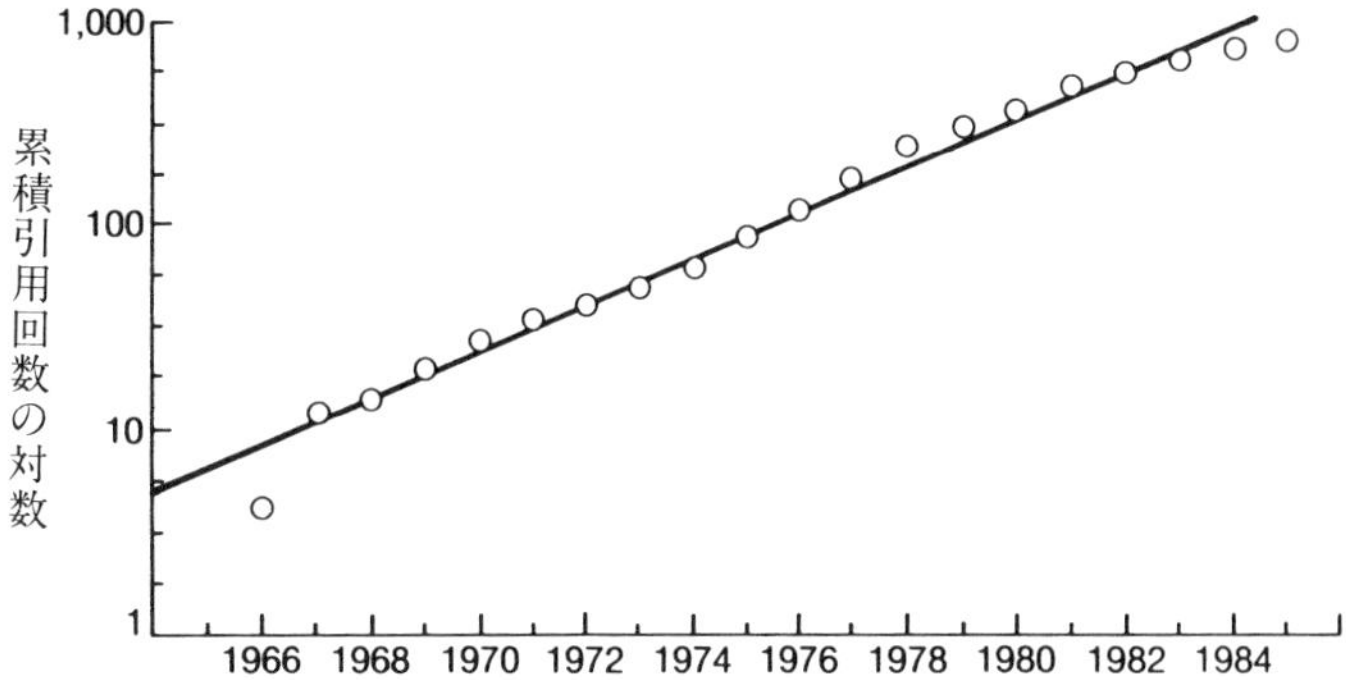

図 2　ハミルトン論文（1964）の累積引用回数の対数表示。

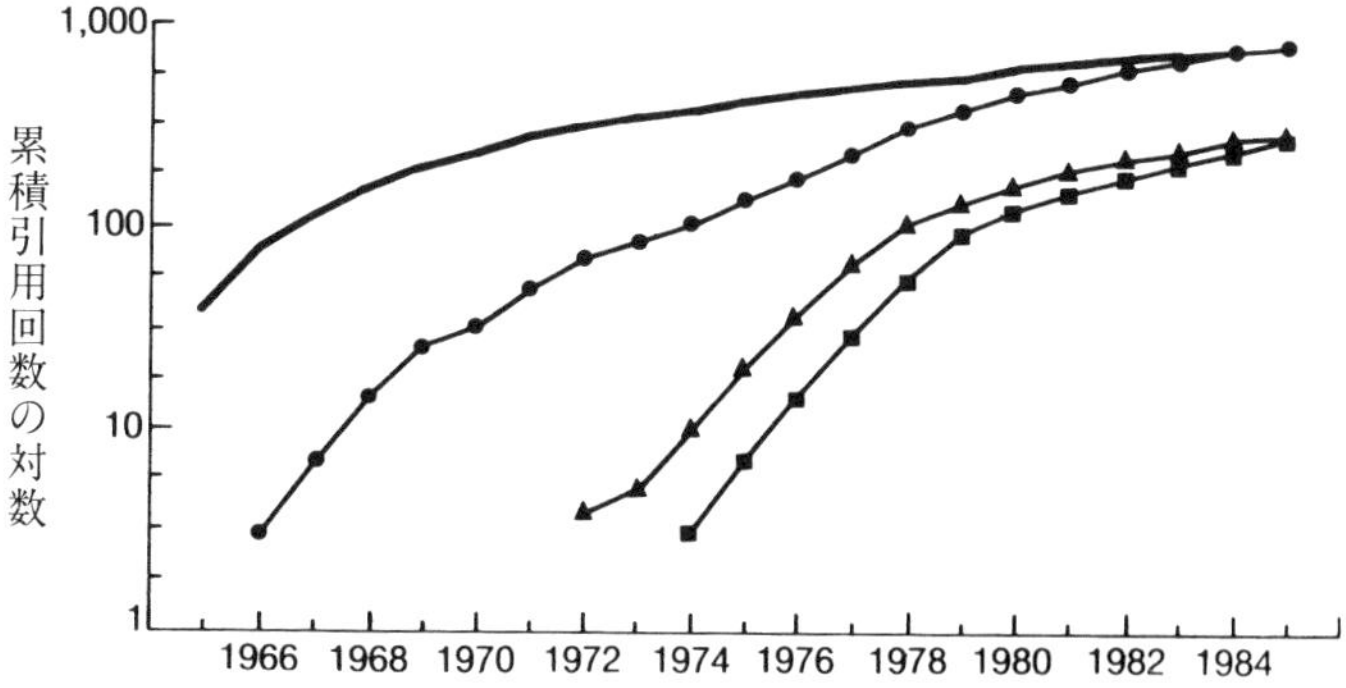

ハミルトン論文の年度別引用回数が一定だった場合の理論カーブ

● ウィリアムズ（1966）　▲ トリヴァース（1971）　■ メイナード=スミスとプライス

図 3　ハミルトン以外の 3 つの著作の累積引用頻度の対数値と、ハミルトンの論文の引用頻度累積値の（引用頻度一定とした場合の）理論カーブ。

用回数がたとえ同じでももちろん増加する。しかし、そんなカーブは対数座標では増加率が逓減する。すなわち頭打ちのカーブになってしまうのである。図3の一番上の太い実線のカーブは、毎年の引用回数が同じ（ハミルトンの実際の年平均引用回数である三七件/年の値を用いてある）場合の理論カーブである。この頭打ちカーブと、指数関数増加を示す図2の実際に観察された直線の違いを比較してほしい。私たちが扱っているのは増加に増加を重ねる現象であり、引用回数一定のケースではないのである。

もう一つ、指数関数増加という点に関しては、必然とは言わないまでも、少なくとも当然それを予想させるような事情がある、と考える人がいるかもしれない。科学論文の出版点数全体が、したがって他の論文の引用機会そのものが、指数関数的に増加するのではないだろうか。もしかしたら科学者社会も指数関数増加的に増大しているのではないか。ハミルトンのミームに関して何か特別なことがあることを示すのにもっとも簡単な方法は、他の著作に関してハミルトンと同じグラフを画いてみることである。図3にはこのために三つの他の著作の累積引用頻度を対数で画いておいた（ちなみにいずれも本書の初版に大きな影響を与えた著作である）。ウィリアムズの一九六六年の著書『適応と自然淘汰』、トリヴァースの一九七一年の互恵的利他主義に関する論文、そしてESSの考え方を導入したメイナード＝スミスとプライスの一九七三年の論文である。全期間についていうとどの著作も指数関数的ではないカーブを見せている。しかしどの著作も、年度別引用頻度は一律とはほど遠く、一部の期間に関しては指数関数的でさえある。たとえばウィリアムズのカーブは対数座標で一九七〇年以降ほぼ直線的であり、影響力が指数関数的に拡大する相に入ったことを示唆している。

ハミルトンのミームが拡大する上で特定の著書が果たした影響力を私は控え目に見てきた。しかし、このささやかなミーム分析には、明らかに示唆的なあとがきが一つある。'Auld lang syne'や'Rule Britannia'の例と同じような示唆的な突然変異的な過誤がここにも一つ存在するのだ。ハミルトンの一九六四年の論文の正しいタイトルは「社会行動の遺伝的進化」である。しかし一九七〇年代の半ばから末にかけて、『社会生物学』や『利己的な遺伝子』を含めて盛んに出版された著作群は、誤ってそれを「社会行動の遺伝的理論」と引用しているのである。ジョン・シーガーとポール・ハーヴェイはこの変異型ミームの最初の登場を突き止めようとした。科学的な影響をたどる上で、この変異型ミームがちょうど放射性ラベルと同じように手頃なマーカーになると考えたのだ。彼らは一九七五年に出版されたE・O・ウィルソンの影響力甚大な著書『社会生物学』にたどりつき、この系譜を示唆する間接的な証拠も発見した。

私はウィルソンの力作を賞賛するが（人々がその本の中身をもっと読み、その本の評判についてはあまり読まなくなってほしいものだが……）、彼の本が私の著作に影響を与えたという完璧にまちがった示唆に出会うといつも毛を逆立ててしまう。しかし、問題の変異型の引用（つまり「放射性のラベル」）は私の著書にも含まれているので、少なくとも一つのミームはウィルソンから私に移転した可能性が高いと思われてしまいそうなのだ。もしそうだとしても、さして驚くにはあたらないように見えてしまう。『社会生物学』が英国に到着したのは私が『利己的な遺伝子』をまさに書き上げるころ、つまり私が文献表のまとめにかかっていた時期だったのではないか。ウィルソンの本の大部の文献目録は、図書館の時間を節約させてくれる神の贈り物とみえたのではないか。こんな憶測がありうるので一九七〇年にオックスフォードでおこなった講義の際に私が学生たちにわたした古い謄写版刷りの文献表に出会ったときは、無念が喜びに変わった。そこにはまぎれもなく、「社会行動の遺伝的理論」と記されていたのである。ウィルソンの出版よりもまる五年早い。おそらくウィルソンは一九七〇年の文献表を見るわけにはゆかなかったろう。ウィルソンと私が、独立に同じ変異型のミームを導入したことに、疑問の余地はない。

そんな偶然がどうしておこりえたのか。ここでも、'Auld lang syne' の場合と同じように、それらしい説明は遠くで探す必要がない。R・A・フィッシャーの最も有名な本は『自然淘汰の遺伝的理論（The Genetical Theory of Natural Selection）』である。このタイトルは世界の進化生物学者のあいだで非常によく知られたものになっているので、私たちは最初の二語（the genetical）を聞いて自動的に第三のことばをつなげずにいるのはむずかしいのだ。ウィルソンも私も、たぶんまさにそうしてしまったに違いないのである。これは関係者すべてにとって幸せな結論である。フィッシャーの影響を受けていると認めるのを気にする者はいないからである。

11-6　本文305頁「人間の脳は、ミームの住みつくコンピュータである」

工場で作られる電子的なコンピュータもやがて情報の自己増殖的なパターン、つまりミームのホストになるだろう、という予測も自明であった。コンピュータはますます複雑なネットワークで結ばれて情報を共有しつつある。それらの多くは文字通り回線でつながれて、電子通信を交換している。そうでないものも、使用者がフロッピーを貸し借りすれば情報を共有する。自己増殖的なプログラムが栄え広がる上でコンピュータは完璧な環境だ。本書の初版を執筆していたときの私は大変単純だった。望ましくないコンピュータ・ミームは正式なプログラムがコピーされる過程で自然のミスで生じるしかないはずで、そんな事態はおこりがたいと考えてしまっていた。あのころはなんと無邪気な時代だったことだろう。しかしいまや、世界のコンピュータ使用者のあいだでは、悪質なプログラマーが意図的に放った「ウイルス」や「ワーム」の流行病が日常的な危険となってしまっている。私のハードディスクも去年一年に私にわかっている限りで二度、ウイルスの流行に感染した。コンピュータの頻繁な利用者のあいだでは、これはごく標準的な体験である。ウイルスの固有名はあげないことにしておこう。不潔で幼稚な下手人たちに、不潔で幼稚な満足を与えてしまっては困るからだ。彼らの行動は、病気にかかる人々を笑おうと、飲料水にわざと病原菌を入れ流行病の種をまく微生物学研究室の技術者と道徳的には区別がつかない。だから「不潔」というのである。そうした下手人は精神的に幼稚である。だから「幼稚」というのである。コンピュータウイルスを設計するのに賢さはいらない。中途半端な能力のプログラマーでも可能なのだ。そして、現代の世の中では中途半端な能力のプログラマーは二束三文の存在である。私自身もその一人だ。コンピュータウイルスがどのように作動するのか説明するのもやめておく。自明なことだからだ。

容易でないのはそれらとの戦い方を知ることである。残念なことに、非常に熟練したプログラマーたちが、ウイルス発見プログラムや免疫形成プログラム（「弱毒系統の」ウイルスを注入する点にいたるまで、医学的なワクチン療法との類似性が驚くほど高い）などを作るために貴重な時間をむだづかいせざるをえない状況である。ただし、ウイルス防止策が発展するたびに対抗的な新ウイルス・プログラムが作られてしまい、軍拡競争が進んでしまう危険性もある。これまでのところ、ほとんどの対ウイルス・プログラムは利他主義者の手で作成され、無料のサービスで提供されてきた。しかし、今後はまったく新しい職業が発展する可能性がある。それは、黒のバッグに診断・

治療用のフロッピーをつめて待機する「ソフトウエア・ドクター（医師）」とでもいうべき職業で、他の専門職と同様に、商売になる分野に分化してゆくだろう。私は「医師」ということばを使ったが、実際の医師は自然の問題を解くのであって、人の悪意によって意図的に組立てられた問題を扱うのではない。われわれのソフトウエア・ドクターは、そもそもは存在しなかった人為的な問題を解くという点で、一面では弁護士のような存在になるだろう。ウイルス制作者に認知可能な動機があるのだとすれば、彼らはなんとなく無政府的な感じでいるのであろう。彼らに言いたい。君たちは新しい特権的な職業を作るための露払いを本当に果したいのか。もしそうでないなら、愚かなミーム遊びは止めて、ささやかなプログラム能力をもっとよい目的のために活かしてほしいものだ。

11-7 本文307頁「盲信は一切を正当化できる」

私の信仰批判に抗議して、信仰の犠牲者から私あてに予想どおりたくさんの手紙が届いた。信仰はそれ自身に都合のよいみごとな洗脳者である。とくに子どもたちへの洗脳はみごとで、その拘束をはずすのはむずかしい。しかし結局のところ信仰とは何なのだろうか。それは、証拠がまったくない状況のもとで、人々に何か（それが何であるかは問題ではない）を信じさせてしまう心の状態だ。十分な証拠がある場合は、信仰は余分である。いずれにせよ証拠がわれわれに信じることを強いるだろうからだ。だからこそ、しばしばオウムのようにくりかえされる「進化それ自身が信仰の問題」という主張はばかげているのである。人々が進化を信じるのは、彼らが恣意的に信じたいと思うからではなく、公に入手可能な膨大な証拠があるからである。

信仰篤い人々が何を信じるかは問題でない。人々はとんでもなくふざけた人為的なものさえ信仰の対象にする。たとえばダグラス・アダムスの愉快な著書『Dirk Gently's Holistic Detective Agency』の中の電気仕掛けの修道師のようなものだ。彼はあなたに替わってあなたの信仰を貫くように作られており、みごとに仕事を果たす。私たちが彼と会う日は、彼はあらゆる反証にもかかわらず、世界のすべてはピンクだと断固として信じているのである。特定の個人が信仰の対象とするものは必ず正気を逸していると主張するつもりはない。そういうこともあるし、そうでないこともある。問題は、それらを信仰の対象とすべきか否かを決める方法、そしてあるもののほうが他のものよりも信仰対象として望ましいと決める方法が、存在しないことである。証拠を論ずることを意識的にさけるからだ。実際、本当の信仰が証拠を必要としないという事実は、信仰の最大の徳とされている。だからこそ私は、十二使徒の中で唯一賞賛に値する人物として不信のトマスの物語を引用したのである。

信仰で山を動かすことはできない（子どもたちはいつの世代もこれと逆のことを恭(うやうや)しく告げられそう信じこむ）。しかし信仰は人々をそのような危険な愚行に駆りたてることはできる。だから私には、信仰は精神疾患の一つとしての基準を満たしているように見えるのである。どんな対象であれ信仰は人々を強く帰依させ、極端な場合はそのためにそれ以上の正当化の必要なしに人を殺し、自らも死ぬ覚悟をさせてしまうのだ。「ミームに取りつかれて自分の生存も危うくするにいたった犠牲者」を呼ぶのにキース・ヘンソンは「ミーメオイド」という新語を作った。「ベルファストやベイルート発の夕方のニュースにはそのような人々がたくさん登場する」。信仰はきわめて強力で、同情や、寛大さや、上品な人間的な感情へのあらゆる訴えかけにも人々は動じなくなる。それどころか、市長を殺せばすぐに天国へ行けるとまともに信じてしまえば、恐怖に対しても動じなくなる。なんという武器だろうか。軍事技術年鑑には、大弓や軍馬や戦車や水爆と同じ資格で、宗教的な信仰についても一章がさかれて当然である。

11-8　本文311頁「この地上で、唯一われわれだけが、利己的な自己複製子たちの専制支配に反逆できるのである」

この結論の楽天的な調子に対して批判者たちから疑問が寄せられた。本書の他の部分の内容と整合しないと受け取られたようだ。批判の一部は、遺伝的影響の重大さを熱心に防衛しようとする教条的な社会生物学者たちからのものだった。これとはまるで反対に、かのお気に入りの魔神的偶像を熱心に防衛する左翼の高僧たちからも批判がきた！　ローズ、カミン、ルウォンティンは共著『Not in Our Genes』の中に「還元主義」という私的な妖怪を住まわせている。そこではすぐれた還元主義者はすべて「決定論者」、さらに望ましくは「遺伝的決定論者」であると想定されているのである。

還元主義者たちにとって、脳は、決定論的な生物学的存在であり、われわれの目撃する行動や、その行動からわれわれが推定する思考や意図の状態は、脳の特性によって生み出されるのである……。そのような見方は、ウィルソンやドーキンスによって提供された社会生物学の諸原理と完璧に整合する、あるいは整合すべきものである。しかしながら、そのような見解に立つことで、彼らはジレンマにおちいる。すなわち、リベラルな人物である彼らにとっては明らかに不快な人間行動（意地悪、教化されやすさ、等々）の多くをまずは生得的であると主張してしまうので、次には、では他のすべての行動と同様に生物学的に決定されているかもしれないはずの犯罪行動の責任問題をどうするのかというリベラルな倫理的憂慮にからめとられてしまうのである。この問題を避けるために、ウィルソンやドーキンスは、われわれが望めば遺伝子の専制に反抗することも可能にする自由意志なるものを持ち出すのである……。これは本質的に、恥しらずなデカルト主義、すなわち二元論的なデウス・エクス・マキナ（訳注 機械仕掛けの神。ギリシャ劇で混乱した劇の筋を解決するために登場する神）への回帰である。

ローズとその仲間たちは、私たちがケーキを食べてしまったはずなのになおケーキを抱えていると糾弾しているらしい。私たちは「遺伝的決定論者」であるか、そうでなければ「自由意志」の信者でなければならない。同時に両者であることはできないはずだというのである。しかし私たちが「遺伝的決定論者」であるのはローズとその仲間たちにそう見えるだけのことだ（これは私と、そしておそらくはウィルソン教授のために言っておく）。一方で遺伝子は人間の行動に統計的な影響力を行使すると考え、しかし他方で、その影響力を他の影響力によって変形させたり、克服したり、あるいは逆転したりできると信ずることは完璧に可能である。しかし彼らはこれが理解できないらしいのだ（信じがたいことだが、どうやらそうであるらしい）。遺伝子は自然淘汰によって進化したどのような行動パターンにも一定の統計的影響力を行使している。たぶんローズとその仲間たちも、なにものにせよ自然淘汰によって進化するという意味では、人間の性欲も自然淘汰によって進化したものであることに同意するだろう。

とすれば、彼らも、なにものにせよ遺伝子の影響は及ぶという意味において、性欲に影響する遺伝子が存在してきたということには同意するに違いない。しかし彼らも、社会的にそうする必要があるときには性欲の抑制になんの困難もないはずなのだ。そのどこが二元論というのだろう。そんなものはありはしない。そしてもちろん「利己的な自己複製子の専制支配に対する反逆」を提唱する私も、同様に二元論者などではない。私たち、つまり私たちの脳は、遺伝子に対して反逆できるほどには十分に、遺伝子から分離独立した存在なのである。すでに記したように、避妊手段をこうずる際、私たちはいつもささやかな仕方でその反逆を実行している。もっと大規模に反逆してはいけない理由は、なにもないのである。

書評抜粋

公共の利益のために

ピーター・メダワー卿
『スペクテイター』一九七七年一月一五日

動物における、利他的あるいはともかくも非利己的に見えるような行動に直面したとき、生物学の素人、多数の社会学者を含む一群の人々は、その行動が「種の利益のために」進化したと言いたいという誘惑にきわめて簡単にひっかかってしまう。

たとえば、レミングは、何千頭もが断崖から飛び込んで海に姿を消すことによって個体数を調節している（明らかにわれわれよりもその必要性を知っている）という、よく知られた神話がある。どんなに間抜けなナチュラリストでも、この大がかりな人口学的死刑執行において、それを指令する遺伝的成分は持主とともに消滅してしまったにちがいないということを考えれば、そのような利他行動が、いかにしてその種の行動レパートリーの一部になりえたのかということを、きっと自問したにちがいない。しかしながら、これを神話として退けることは、遺伝的に利己的な作用が、ときに無私のあるいは利他的なふるまいとして「あらわれる」（臨床医が言うように）ことがあるという事実を否定するものではない。お祖母さんに、冷たく無関心にするのではなく甘やかすよう指令する遺伝的要因が進化で広まることがあるかもしれない。なぜなら、優しいお祖母さんは、孫のなかにある自分の遺伝子の一部分の生存と増殖を利己的に促進することになるからである。

リチャード・ドーキンスは、新世代の生物学者のなかでも最も才気あふれる一人であり、利他行動の進化をめぐって社会的生物学でもてはやされている妄説（もうせつ）のいくつかについて、穏やかにしかも巧みに、その偽りを曝露していく。しかし、これを暴露本の類いとけっして考えてはならない。正反対に、これは社会的生物学の中心的問題を、遺伝学的な自然淘汰の理論という観点から、非常に巧妙に再編成したものである。それにもまして、この本は学識と機知に富み、まことによく書けている。リチャード・ドーキンスを動物学の研究に引きつけたことの一つは、動物がもつ「全般的な好ましさ」であった——すべてのすぐれた生物学者が共有する視点であり、それが本書全体を通じて光輝いている。

『利己的な遺伝子』は論争的な性質の本ではないが、ローレンツの『攻撃』、アードリーの『社会契約』やアイブル＝アイベスフェルトの『愛と憎しみ』のような本の言い分をへこませることが、ドーキンスの計画の非常に重要な部分であった。「これらの本の難点は、その著者たちが全面的にかつ完全にまちがっていることである。彼らは進化のはたらき方を誤解したからだ……彼らは、進化において重要なのは、個体（ないしは遺伝子）の利益ではなく、種（ないし集団）の利益だという誤った仮定をおこなっている」。

「ニワトリは卵がもう一つの卵をつくる手段だ」という生徒たちの格言には、数多くの教訓に値する十分な真実がある。リチャード・ドーキンスはそのことをこう述べている。

この本の主張するところは、われわれおよびその他のあらゆる動物が遺伝子によって創りだされた機械にほかならないというものである。……私がこれから述べるのは、成功した遺伝子に期待される特質のうちでもっとも重要なのは非情な利己主義である、ということである。ふつう、この遺伝子の利己主義は個体の行動における利己主義を生みだす。しかし、いずれ述べるように、遺伝子が個体レベルにある限られた形の利他主義を助長することによって、もっともよく自分自身の利己的な目標を達成できるような特別な状況も存在するのである。この最後の文の「限られた」と「特別な」というのは重要なことばである。そうでないと信じたいのは山々だが、普遍的な愛とか種全体の繁栄とかいうものは、進化的には意味をなさない概念にすぎない。

われわれがこうした真実をどれだけ嘆こうとも、それが真実であることに変わりはないと、ドーキンスは言う。けれども、遺伝的過程の利己性についてより深く理解すればするほど、われわれは、寛大に協力しあい、そしてなによりも共通の利益のためにはたらくことの利点を教えるのに、よりふさわしい資格をもつことになるだろう。ドーキンスは、人類における文化的、すなわち「遺伝子以外による」進化の特別な重要性について、たいていの人よりもはるかに明快に説明している。

最後のそしてもっとも重要な一章［新版では11章］において、ドーキンスは、すべての進化的なシステムにまちがいなく適用できる――ひょっとしたら、珪素(けいそ)原子が炭素原子に置き換わった生物、人類のようにほとんどを非遺伝的な回路を通じて進化したような生物にさえ適用できる――一つの根本的な原理を打ち出すことに挑戦している。その原理とは、自己複製をおこなう実体が得る繁殖上の利益の総計を通じて進化はおこるというものである。通常の状況下にあるふつうの生物にとっては、そうした実体は、DNA分子のなかにあって、「遺伝子」という名で呼ばれているものである。ドーキンスにとっては、文化的伝達の単位は、彼が「ミーム」と名づけたものであり、この最終章で彼は、ダーウィニズム的なミーム理論が実際にはどのようなものであるかを説明している。

浮き浮きしてくるほど素晴らしいドーキンスの本に対して、私は一つだけ脚注を加えたいと思う。すなわち、すべての生物にとって記憶機能の保有が一つの基本的な属性であるという考えは、一八七〇年にオーストリアの生理学者エヴァルト・ヘリンクが最初に提唱したということである。彼は、その単位を言語学的な正確さを意識して「ムネーム」と呼んだ。この問題についてのリチャード・シーモンの解説（一九二一年）は、まったく当然のことながら、完全に非ダーウィニズム的なものであり、いまや時代遅れの遺物としかみなしようがない。ヘリンクの予見的な考えの一つは、好敵手だった自然哲学の教授J・S・ホールデンによって笑いものにされた。その考えというのは、現在デオキシリボ核酸つまりDNAがもつことをわかっている性質とまさに同じ性質をもつ化合物が存在するにちがいないというものであった。

Published in *The Spectator*, 15th January 1977 issue

自然が演じる芝居

"The following is not an official Japanese translation by the staff of *Science*, nor is it endorsed by *Science* as accurate. Rather, this translation is entirely that of tlanslators of this book. In crucial matters please refer to the official English-language version originally printed in *Science*."

W・D・ハミルトン

『サイエンス』一九七七年五月一三日（抜粋）

この本はほとんどすべての人に読まれるべきものであり、また読むことができる。進化の新しい局面がきわめて巧みに記述されているのだ。近年、新しいしかし時として誤った生物学を大衆に売りこんできた、あまりごたごたとしない軽妙なスタイルをたぶんに保ちながらも、本書は、私の意見によれば、はるかに本格的な内容になっている。最近の進化思想の、かなり難解でほとんど数学的ともいえるいくつかのテーマを専門用語を使わずやさしい言葉で提示するという一見不可能とも思える課題を、みごとになしとげているのだ。それらのテーマを広い視野に位置づけた本書を読み通すと、最後には、そんなことはとっくに知っていると思ってきたかもしれない多くの生物研究者にさえも、驚きと活力を与えることだろう。少なくとも評者にとってはそうだった。しかし、くりかえしておくが、本書は科学に対する最小限の素養さえあれば、だれにでもたやすく読めるものになっている。

お高くとまるつもりはなくとも、自分の研究上の関心に近い分野の啓蒙書を読んでいると、ほとんどあら探しばかりを強いられるものだ——その例はお門違いだ、その点はまだはっきりしていない、その考えはまちがっていて、何年も前に放棄されたといった具合に。だが本書は私の目から見て、ほとんどどこにも傷がない。ただし、誤っている可能性がないと言っているわけではない（ある意味で、手持ちの材料が推測しかないような仕事においては、誤りの可能性がないなどということはまずありえない）が、その生物学は全体としてしっかりと正しい道を歩んでおり、疑わしい発言があっても、少なくとも独断的なものとは言えない。自らの考えに対する著者の穏当な査定は批判の矛先（ほこさき）を和らげる傾向があるが、読者は本書のそこここで、示されたモデルが気に入らなければ、もっといいモデルを考えだしたらどうかという提案に接して、うれしい気持ちにさせられるだろう。啓蒙書でそのような誘いを真面目にすることができるという事実が、本書の主題の新しさを端的に反映している。ふしぎなことに、これまで検証されたことのない単純なアイディアが、進化の古くからの謎を簡単に解決してしまうという可能性は実際に存在するのだ。

それでは、進化論における新しい局面というのは、何のことだろう。それは、シェイクスピアについての新解釈といくぶん似たところがある。すべては台本に書かれているが、なぜだか見過ごされてきた。けれども、付け加えておくべきは、問題の新しい見方は、進化についてのダーウィンの台本には、自然の台本におけるほど深く隠れていたわけではなく、気がつかなかった期間は一〇〇年ではなく、むしろ二〇年という物差しだったということである。たとえば、ドーキンスは、われわれが今日かなりよく知っている変異のある二重らせんの分子から話を始めるが、ダーウィンは、染色体についてさえも、有性生殖の際に染色体が見せる不思議なダンスについてさえも知らなかったのだ。しかし、二〇年といえども、予期せぬ驚きをもたらすには十分に長い。

1章は、本書が説明しようとする現象の特徴をおおまかに述べ、人間の生活におけるその哲学的、実践的な重要性を示している。いくつかの魅力的で人を驚かせるような動物の実例がわれわれの目を引く。2章は、原始のスープのなかの最初の自己複製子にさかのぼる。そうした自己複製子が増殖し、より精巧になっていくのを見ることになる。それらの分子は基質をめぐって競争を開始し、お互いに闘い、相手を溶かし、食べることさえした。彼らは防御壁の中に自分の身と、獲物と武器を隠した。こうした壁は、競争相手や捕食者の方策から身を守るためだけでなく、自己複製子が徐々に進出していくことができるようになった環境の物理的な困難から身を守るのにも使われるようになった。かくして、彼らは結集し、定着し、奇妙な農場をつくりだし、浜にあふれ出て、陸地を横断して、砂漠や万年雪の土地まで向かった。久しく生命がそこを越えて達することができなかったそのようなフロンティアにはさまれた内部で、原始のスープは何百万回とくりかえし鋳型に注ぎ込まれたが、その鋳型は、次第により変わったものへと多様化していき、おしまいには、アリやゾウや、マンドリルやヒトといった鋳型にも注ぎ込まれることになる。この2章は、こうした太古の自己複製子の連合体の究極的な子孫についての考察をもって締めくくっている。「彼らの維持ということこそ、われわれの存在の最終的な論拠なのだ……いまや彼らは遺伝子という名で呼ばれており、われわれは彼らの生存機械なのである」。

力強く、刺激的だと、読者は思うかもしれない。しかし本当にそれほど新しい考えなのか？　まあ、これまでのところではたぶん、そうではない。しかし、もちろん、進化はわれわれの体で終りになるわけではない。さらに重要なことに、ひしめきあう世界で生きのびる方策が、予想外に微妙なものであり、生物学者が種の利益のための適応という古くて、廃（すた）れたパラダイムのもとで想像しようとしていたものよりもはるかに微妙なものであることが判明するだろう。本書の残りの部分のテーマは、大ざっぱに言って、この微妙さなのである。単純な例として、鳥のさえずりをとりあげてみよう。それは非常に効率の悪い手管のように見える。たとえば、ツグミ属のある種が、どんな方策で厳しい冬、食物の不足、その他を生きのびるのかを探し求めている素朴な唯物論者には、その方策が雄によるけたたましいさえずりだというのは、降霊会のエクトプラズムと同じほどありえないことに思えるだろう（さらに考えるうちに、彼はこの種に雄が存在するという事実がまったく同じようにありえないことだと思うかもしれない。そして実際に、これが本書のもう一つの主題であり、さえずりの場合と同じように、性の機能が過去におけるよりもはるかに平易な形で論理的に説明されている）。しかし、どんな鳥の内部でも、自己複製子のチーム全体が、このパフォーマンスのための精巧な概要を定めることに関心を寄せてきたのである。どこかでドーキンスは、ザトウクジラのさらに並はずれた歌を引用しているが、それは海のどんな場所にいても聴くことができるかもしれないのだが、この歌が何であって、だれに向けたものであるかについて、われわれはツグミ属のさえずりより、もっとわずかしか知らないのである。証拠の指し示すかぎりでは、それが実際は、クジラ目が人類に対抗して団結を呼びかける聖歌なのかもしれない――もし、そうならクジラ類にとってすばらしいことかもしれない。もちろん、いま交響曲を合奏しているのは、いくつもの自己複製子のチームからなる別のチームである。そしてこれらの合奏はきっと、ときに海を横断することがあるにちがいない（さらにそれより複雑なチームから出される計画にしたがってつくられ、旋回している宇宙の天体によって反響されることで）。もしドーキンスが正しければ、手品師が鏡を使ってやってのけることと、凝固した原始のスープほどにしか見込みのない最初の材料で自然がやってのけることは比較にならない。はるか遠い未来にまで拡張されたこうした生命がやがて、細部はともかく本質において（宗教的な人間やネオ・マルクス主義的な人間は、そのほうが自分たちに都合がよければ、このくだりをあべこべにするかもしれない）、より明確な形で、ごく単純な細胞壁、ごく単純な多細胞生物の体、そしてブラックバードのさえずりを含めた一つの包括的なパターンをなしていくだろうという希望に輝いている見方なのだと言えば、本書やその他の最近の本（E・O・ウィルソンの『社会生物学』のような）における新しい生物学の見方を特徴づけるのに役立つだろう。

しかしながら、本書がある種の大衆版、ないしは廉価版の『社会生物学』であるという印象をもつのは避けるべきである。第一に、本書には多数の独創的な考えが含まれており、第二に、ウィルソンがほとんど言及しなかった社会行動のゲーム理論的な側面を強く強調することによって、ウィルソンの大著のある種の不均衡の釣り合いをとっているのである。「ゲーム理論的」というのはそれほど適切なことばではなく、とくに、低次レベルでの社会進化について述べるときには不適切である。なぜなら、遺伝子そのものは操作の方法について合理的な判断をすることはないからである。にもかかわらず、あらゆるレベルで、ゲーム理論の概念的な構造と社会進化の概念的な構造のあいだに有益な類似性が存在するのである。ここでほのめかされているような知識の交流は新しいことで、目下進行中のものでしかない。たとえば私は、ゲーム理論が「進化的に安定な戦略」におおむね対応するような概念にすでに名（「ナッシュ平衡」）を与えていたことを、ごく最近になって知ったのである。ドーキンスは、進化的に安定という概念を、彼の社会的生物学の新たな概要にとってきわめて重要な概念として正しく扱っている。社会行動ならびに社会的適応におけるゲーム理論的な要素は、いかなる社会的状況においても、ある個体の戦略の成功が、その個体と相互作用する相手の戦略に依存することに由来するものである。与えられた条件のもとで全体的な利益とは無関係に最大の利益を得るような適応の追究は、ある種の非常に驚くべき結果をもたらすことがおこりうる。たとえば、魚類では他の大部分の動物とは逆に、雌雄どちらか一方が卵や稚魚の保護をするときには、ふつう雄がそれをするのはなぜかという重大な問題が、どちらが先に配偶子を水中に放出することを余儀なくされているかという些細な事柄に依存しているなど、だれがいったい想像しえただろう。しかし、ドーキンスと共同研究者は、R・L・トリヴァースのアイディアを追究することで、そのようなタイミングの差が、たった数秒という小さなちがいでさえ、この現象全体にとって決定的であるという、鮮やかな論証をおこなっている。さらにまたわれわれは、雄の助けという恩恵を受けている一夫一婦制の鳥の雌は、一夫多妻の種よりも大きな一腹産卵数をもつとは予想するのではないだろうか。実際には事実はその逆なのである。ドーキンスは、「雄と雌の争い」といういささか人を驚かせる章において、もう一度、搾取（この場合には雄による）に対する安定という考え方を適用するが、すると突然、この奇妙な関係が自然なものに見えるのである。この考えは、彼の他の考えの多くと同じように、まだ証明されておらず、他のもっと重大な理由があるかもしれないが、彼が示している理由は、彼が獲得した新しい視点からきわめて容易に理解できるものであり、注目する必要がある。

ゲーム理論の教科書には、現代幾何学の教科書に円と三角形があまり出てこないのと同じように、ゲームはあまり出てこない。一見したところ。すべてがまるで代数学である。ゲーム理論は一貫して技術的な学問である。したがって、本書がしているように、数式に頼ることなしに、内部の詳細はいうまでもなく、ゲーム理論的な状況について、これほど多くのことを伝えるというのは、確かに文学的な離業である。R・A・フィッシャーは、進化に関する彼の大著の序章において、「私のもてるあらゆる努力を傾けたにもかかわらず、この本を読みやすいものにすることができなかった」と書いている。この本では、数式が雨のように降り注ぐなかで、文章は簡潔かつ深遠で、読者はすぐにボロボロにされ、沈黙させられてしまう。『利己的な遺伝子』を読み終わったあと、フィッシャーはもう少しなんとかできたのではないかと私は思った。ただし、彼がちがった種類の本を書かなければならなかったのは認めざるをえない。古典的な集団遺伝学の数式的な考え方でさえ、日常的な文章で、これまでもよりもずっとおもしろくすることができるのではないかと思える（実際に、この点では、ホールデンはフィッシャーよりもいくぶんうまくやってのけることができたが、それほど深遠なものではなかった）。しかし、本当に注目すべきことは、ライト、フィッシャー、およびホールデンという先達のあとにしたがう集団遺伝学の主流から生まれたかなり退屈な数学のうちのどれほど多くが、現実の生物に対する新しく、より社会的なアプローチのなかで回避することできるかということである。私は、フィッシャーが「二〇世紀最大の生物学者」（珍しい見方だと私は思っていた）だという私の評価をドーキンスが共有していることを知って、かなり驚いた。しかし同時に、彼がどれほどわずかしかフィッシャーの本をくりかえす必要がなかったかということに気づいて驚きもした。

最後に、最終章〔新版では11章〕において、ドーキンスは文化の進化という魅力的な主題に到達する。彼は「遺伝子」に対応する文化的因子に「ミーム」(mimemeを簡略化したもの)という用語を提案する。この用語の範囲を限定するのはむずかしいが――遺伝子も限定はむずかしいが、それよりもむずかしいのはまちがいない――、私はこれがすぐに生物学者によってふつうに使われるようになるだろうと推測している。さらには、哲学者、言語学者、その他の人々にも使われることを期待し、ひろく受け入れられて、「遺伝子」という単語と同じように、日常会話のなかに入り込むところまでいくかもしれないと思っている。

W. D. Hamilton, *Science* 196: 757-59 (1977)

遺伝子とミーム

ジョン・メイナード＝スミス

『ロンドン・レヴュー・オヴ・ブックス』一九八二年二月号（『延長された表現型』の書評から抜粋）

『利己的な遺伝子』は、一般向けに書かれたものであるにもかかわらず、生物学に独自の貢献を果たしたという意味で異例の本である。さらに、その貢献自体も異例なものである。デイヴィッド・ラックの古典『ロビンの生活』（これもまた一般向けに書かれた本でありながら独自の貢献を果たした）とちがって、『利己的な遺伝子』は新しい事実を何一つ報告していない、何らかの新しい数学的モデルを含んでいるわけでもない――そもそも数学がまったく含まれていない。それが提供しているのは、一つの新しい世界観なのである。

この本は広く読まれ、好評を得てきているが、強い敵意もかきたててきた。その敵意のほとんどは誤解、あるいはむしろ複数の誤解にもとづいていると、私は思っている。そのなかで、もっとも根本的なものは、この本が何についてのものであるかが理解できていないことである。それは進化的な過程についての本であり、道徳、あるいは政治、あるいは人文科学についての本ではないのである。もしあなたが、進化がどのようにして生じたかに関心がないのなら、人間に関する事柄以外の何かに対して、ほかの人間がどれほど本気で考えることができるかということに思いがおよばないのであれば、この本を読まなければいい。読めば、不必要に腹を立てるだけのことにしかならないだろう。

けれども、あなたが進化に関心をもっているとすれば、一九六〇年代から七〇年代にかけて、進化生物学者のあいだでおこなわれてきた論争がどういう性質のものであったかを把握するためには、ドーキンスがやろうとしていることを理解するのが、いい方法である。この論争は、「群（集団）淘汰」と「血縁淘汰」という二つの互いに関連のある話題にかかわるものであった。「群淘汰」論争は、ウィン＝エドワーズによって口火を切られた。彼は、行動的な適応は「群淘汰」によって進化した、つまり、ある集団が生き残り、別の集団が絶滅することを通じて進化するのではないかと提案したのである。

ほとんど同じ時期に、W・D・ハミルトンが、自然淘汰のはたらき方についてもう一つ別の疑問を提起した。彼は、もしある遺伝子がその持ち主に、数個体の近縁者の命を救うために自らの命を犠牲にするように仕向けるとすれば、のちにその遺伝子のコピーは、犠牲にしなかった場合にくらべてより多く存在するのではないかと指摘した。……この過程を数量的なモデルにするために、ハミルトンは「包括適応度」という概念を導入した、……包括適応度には、その個体自身の子どもだけでなく、その個体の助けによって育てられた近縁者の子どももすべて、その近縁度に応じた適切な比率を掛けて、含められる……。

ドーキンスはハミルトンに負うところが大きいことに謝辞を述べていながら、適応度の概念を身につけるための最後の努力で、誤りをおかしたのではないかと述べ、進化についての正真正銘の「遺伝子瞰図的見方（遺伝子の目から見るという視点）」を採用するほうが賢明であったかもしれないと述べている。彼は、「自己複製子」（繁殖の過程でその厳密な構造が複製される実体）と、「ヴィークル」（死を免れず、複製されないが、その性質は自己複製子によって影響を受ける実体）のあいだの根本的なちがいを認識するように、われわれに強く訴える。われわれがよく知っている主要な自己複製子は、遺伝子および染色体の構成要素である核酸分子（ふつうはＤＮＡ分子）である。典型的なヴィークルは、イヌ、ショウジョウバエ、そして人間の体である。そこで、かりに眼のような構造を観察すると仮定してみよう。眼は明らかに見ることに適応している。眼が進化したのはだれの利益のためだったのかという問いを発するのは理に適っているだろう。唯一の合理的な答えは、眼は、その発達の原因となった自己複製子の利益のために進化したというものではないかと、ドーキンスは言う。どちらにせよ私と同様に、説明のためには、彼は集団の利益よりも個体の利益で考えるほうを強く好み、自己複製子の利益だけで考えることが好きなのであろう。

訳者あとがき

動物にみられる一見「道徳的」な行動——たとえば同種の仲間を殺したり傷つけたりすることを避けるとか、親が労をいとわず子を育てるとか、敵の姿に気づいた個体が自分の身にふりかかるリスクをもかえりみず警戒声を発するとか、働きアリや働きバチがひたすら女王の子孫のために働くとか——をどのように解釈するかは、長い間の問題であった。とくに、自己犠牲的な利他行動がいかにして進化しえたかということは、説明が困難だった。

たとえば、鳥には「擬傷」とよばれる行動をするものがいる。雛を育てている巣の近くに捕食者があらわれると、親鳥は巣から出て、いかにも翼が折れて飛べないようなふりをしながら、捕食者の前を逃げてゆく。捕食者は得たりとばかりに親鳥を追う。親は必死に走って逃げるかっこうで、捕食者を巣からずっと遠くへひっぱっていってしまう。十分遠くまでいったところで親鳥は突然飛びたち、サッと巣へもどってくる。こうして、雛を守るのである。もっとも、この擬傷という行為は、親が自分の子どもを守るために行なう行為であり、より多くの子どもを残すことが個体にとっての利益だと見るならば、この行為もとくにきわだった利他行為とはみられないかもしれない。ところが、本書にもくわしく紹介されているように、ミツバチなどには、もはや完璧としかいいようのないような自己犠牲的な利他行動が見られる。働きバチたちは、遺伝的には雌であるにもかかわらず、自ら卵を産み育てることをせず、もっぱら妹の養育に専念するのである。しかも、ひとたび巣が危険にさらされると、働きバチたちは自らの命を投げだして巣の防衛に当る。そのような行為によって、彼女たちが通常の意味での利益（子どもをより多く残す！）を何らえていないことは明白である。

このような利他行動は、その種にとって当然好ましいものにちがいないが、そのようなリスクの大きい行動が、なぜ進化しえたのであろうか？ 利他的にふるまう個体は、そうでない個体より大きなリスクをおかすのであるから、死ぬ確率は高いわけである。したがって、そのような個体の遺伝子は残りにくいのではないか。もし利他行動をさせる遺伝子というものがあるとすれば、それはたえずふるいおとされてゆくはずなので、利他行動が進化することはなさそうにみえる。けれど、現実には多くの利他行動が進化してきている。

この矛盾を解決しようとする一つの考え方が群淘汰説である。淘汰は個体にではなく、集団に働くのだと、この説では考える。利他行動によって互いに守りあうような集団は、そうでない集団より、よく生き残ってゆくであろう。

この説は直観的にたいへんわかりやすいけれど、理論的につめてゆくと、多くの難点を含んでいる。個体にとっては危険で損になるが集団としては有利な行動が残ってゆくということを説明するのは、たいへんにむずかしい。

もう一つの説は、この本でドーキンスが述べている遺伝子淘汰説である。淘汰はやはり個体、いや正しくは（とドーキンスはいう）遺伝子に働くのだというのである。その論拠はこの本でくわしく展開されているから、ここでそれを拙劣にくりかえすこともあるまい。

この説に立って考えると、このあとがきの始めに例をあげたような「道徳的」行動、利他的行動は、まったく別の形で理解されることになってくる。大ざっぱにいえば、すべての利他的行動は、本来利己的で自分が生き残ることだけを「考えている」遺伝子によって司令された完全に利己的な行動に他ならないのだ。これはいささか逆説めいてきこえるが、この考え方によると、動物たちのやっていることがよくよく説明できそうにみえることもたしかである。

リチャード・ドーキンスは、高名なニコ・ティンバーゲン（一九七三年にノーベル賞受賞）の弟子で、オックスフォード大学における動物行動研究グループ（Animal Behaviour Research Group, ABRG）の指導的研究者の一人であるばかりか、現代エソロジーの世界的俊才である。彼の思索の鋭さ緻密さは定評のあるところだが、彼の妻メリアン・ドーキンスもまたすぐれた才能の持主である。リチャード・ドーキンスはこの遺伝子淘汰理論をわかりやすく解説することから出発し、それにもとづいて動物の社会にみられる多くの問題を検討している。それはたいへん興味ぶかいものである。読み進んでいくうちに、読者は思わず「なるほど」とうなずいたり、あるいはいい知れぬ不快感を味わったりすることであろう。この本がヨーロッパ、アメリカでたいへんな話題作となり、広範に読まれているのも当然だと思われる。

残念ながら、ドーキンスにしてなお、ときにまちがいと思われるところを残している。巻末の訳者補注2に記した½と2倍の問題はその一例で、これの一部は新しい版では訂正されているが、訂正されずにいるところもある。なお、ささいなことではあるが、この誤りに関連した誤解が、一部本文中の記述にも波及していて、これらも訂正されていない。近縁度が二倍の個体に対しては、世話も二倍施すべきだ、というような表現（一五三ページなど）がそれで、誤解の原因は前記の数字の問題と同根であるようだ。訳者補注を参照していただきたい。

いずれにせよ、この本に書かれた内容を完全に理解するためには、数学のことばが必要である。ドーキンスはそれを、ややこしい数学を使わずに見事に展開してくれた。現在、進化の論議がどのような形で進められているかを知る上で、たいへんすぐれた本というべきであろう。

翻訳は、1章から6章までを羽田・日高が、7章から第11章までを岸が担当した。のち岸と日高で全体を再検討し、岸が訳者補注をつけた。

訳文中、淘汰ということばがたくさんでてくる。これは当然ながら selection の訳である。この訳語は本来「ふるいおとす」というニュアンスの強いことばであるが、この本ではむしろ「自然淘汰の過程で生き残る」という意味に使っている。その点留意していただきたい。

岸・羽田両氏の訳稿は早くにできていたのであるが、私が多忙をきわめたため、出版が大幅におくれ、紀伊國屋書店と編集担当の水野寛氏には多大のご迷惑をかけた。心からお詫び申し上げる。

リチャード・ドーキンスにも、一九七七年、西ドイツ・ビーレフェルトにおける第十五回国際行動学会議の際、近々の出版を約束しておきながら、一九七九年、ヴァンクーヴァーでの第十六回同会議でまた同じことをいわねばならなかった。たいへん心苦しく思っている。

一九八〇年二月

日高敏隆

第二版への訳者あとがき

著者の一九八九年版へのまえがきにあるようないきさつで、この第二版が出版された。新しく加えられた12章、13章は垂水が担当し、補注は6章までは垂水が、7章以降は岸が受け持つことにした。ぼく自身はあまりにも忙しいからということで、新しいまえがきを訳すだけで勘弁してもらい、あとで訳稿を通読した。訳にはほとんどまったく手を入れる必要はなかったので、これは大変らくな仕事だった。

いずれにせよ、今、この分野で興味をもたれている「囚人のジレンマ」から筆をおこして、利己的遺伝子論の主張者としてのドーキンスがいちばん気にしているらしい「協力」の問題をくわしく論じた12章は、中々の出来である。

13章は、同じ著者による『延長された表現型』(日高敏隆、遠藤彰、遠藤知二訳、紀伊國屋書店)のみごとな要約であり、利己的遺伝子論をさらに押し進めたらどうなるかを手短に知りたい人に、ぜひ読んでいただきたい。

「The Selfish Gene」というタイトルが人に知られるにつれて、この本の邦訳を探す人がふえてきた。それが『生物＝生存機械論』という、ふつうには思いもつかない日本語タイトルで出版されたため、この本も、日本の読者も、ずいぶん損をしたと思う。そうなったいきさつには触れないで、この度の第二版からは、邦訳のメイン・タイトルを原題そのままに『利己的な遺伝子』とすることになった。混乱は少し減るかもしれない。

一九九一年一月

訳者を代表して
日高　敏隆

第三版への訳者あとがき

リチャード・ドーキンスの処女作にして代表作『利己的な遺伝子』の第三版の訳書をお届けする。原著の初版が出たのが一九七六年のこと。原著刊行三〇周年を記念して今年三月に英語圏ではこの第三版が刊行された。初版が出てから三〇年後に第三版が出版されるということは、この本がいかにインパクトのあるものであったかを示している。

原著第三版が、第二版と異なるところは、

(1)ドーキンスの「三〇周年記念版への序文」書き下ろし
(2)第一版にあり、第二版ではとれていたロバート・L・トリヴァースの「序文」の再録
(3)ピーター・メダワー、W・D・ハミルトン、ジョン・メイナード゠スミスによる極めて重要な書評の収録

の三点である。ドーキンスの新しい序文と三名の書評の翻訳は、今回垂水氏にお願いした。

その日本語版である本書は、上記三点はそのまま翻訳して収録した以外に、

(1)すべて新組みにし、とりわけ本文は活字を一回り大きくし、生物用語をはじめ、読みにくいと思わ

れる漢字にルビを付した

(2)ごく一部の訳の手直しを、訳者である岸氏と垂水氏の責任においておこなった

(3)索引について、日本版ではこれまで「人名索引」しかつけていなかったが、この際、原著の索引項目すべてを翻訳してつけた

とりわけ索引については、一度読まれた読者の方も、何がどこに書いてあったか振り返る意味で、便利かと思う。この本が今後とも長く読まれ続けることを願っての出版社の判断である。

日高敏隆

二〇〇六年三月十四日

533（iv）

表現は、この点でやや曖昧）。

まずXが雌（ワーカー）、Yがその妹の場合のP_{xy}を考える。Gが母・父それぞれに由来する確率はいずれも1/2。さらに、Gが母に由来する場合、Gが妹に伝わる確率は、母が二倍体のため、1/2となり、一方、Gが父に由来する場合、Gが妹に伝わっている確率は、父が単数体のため、1となる。したがって、ワーカー（X）に対する妹（Y）の近縁度は、これら二つの場合を平均して、$P_{xy}=1/2\times1/2+1/2\times1=3/4$となる。ちなみにこの場合、$P_{xy}=P_{yx}=3/4$である。

次にYが弟の場合を考える。上例と異なる点は、父ゆずりのGがYに伝わる確率が、ゼロとなることである（雌は父親をもたない！）。したがって、ワーカー（X）に対する弟（Y）の近縁度は、$P_{xy}=1/2\times1/2+1/2\times0=1/4$となる。ただしこの場合、$P_{xy}\neq P_{yx}$で、$P_{yx}$は1/2の値をとる。

ところで、ワーカーが、弟妹を1：1の比で育ててしまうと、彼女に対する弟妹の平均近縁度は、$1/2\times3/4+1/2\times1/4=1/2$となり、これでは、同数の子どもを育てるのと同じ結果になる。この場合、弟妹の養育がGの伝達にとって有利となるためには、弟より妹を多く育てねばならない。もし妹だけを育てることができれば、$P_{xy}=3/4$となるのだが、妹だけを育てる戦略はESSではない。トリヴァースとヘアは、この場合、妹：弟＝3：1の比が、GにとってのESSになると予想したのである。

(iii) 親子の対立

親の体の中にある遺伝子Gは、どの子どもにも1/2の確率で伝えられる。したがって、同胞間の利己主義が、親の体内の遺伝子Gに与える効果は、

$$\triangle B_x \cdot \frac{1}{2} - \triangle C_y \cdot \frac{1}{2} \qquad (6)$$

となる。もしも(6)がゼロより小さくなれば、すなわち、$\triangle B_x < \triangle C_y$ になれば、XのYに対する利己主義は、親の立場（Gの立場）からみて不利である。ところが、(4)から、たとえ $\triangle B_x < \triangle C_y$ であっても、$\triangle B_x > 1/2 \triangle C_y$ であれば、Xにとっては利己主義が有利である。つまり、

$$\triangle C_y > \triangle B_x > 1/2 \triangle C_y \qquad (7)$$

の条件下では、子どもXは、Yに対して利己的にふるまおうとし、親はXの利己主義を抑えようとする傾向を示しうる。このように親子間の対立が生じうる期間を、ドーキンスは本文で、感受期間（sensitive time、本文210ページ）と表現している。利他主義についても、同様に感受期間の条件を決めることができる（くわしくは、文献中のTrivers（1974）参照のこと）。

補注3　膜翅目の社会進化についてのメモ

ワーカーと弟妹の間の近縁度の計算法と性比について（単婚で近親交配はないと仮定する）

膜翅目の場合、受精卵からは雌（二倍体）が育ち、未受精卵からは雄（単数体）が育つ。この特殊な条件のため、膜翅目における近縁度の計算は少し複雑である。ここでは、曖昧さを避けるため、個体Xが低頻度の遺伝子Gをもっているとき、その近縁者YがGを共有する条件確率 P_{xy} を、〝YのXに対する近縁度〞、と考えておくことにする（ドーキンスの

補注 2　同胞（両親を共有する兄弟）間の利己主義と利他主義の進化の条件。ただし通常の二倍体生物を考える

(i)　同胞間の利己主義をうながす遺伝子 A が広がりうる条件

個体 X が遺伝子 A をもっているとき、その同胞 Y が A をもつ確率（＝近縁度）は 1/2 である。いま X が、ある量の資源を Y から利己的に奪ってしまうことによって、自らは $\triangle B_x$ の利得を手に入れ、Y には $\triangle C_y$ の損失を与えたとする（利得、損失はいずれも生存率あるいは、ドーキンスは好まないようだが、適応度で測るべきものである）。この時、X の行為によって遺伝子 A が増える程度は、

$$\triangle B_x \cdot 1 - \triangle C_y \cdot 1/2 \qquad (3)$$

となる。これがゼロより大きければ、A は広がるとみられるから、A の広がる条件は次のように示せる。

$$\triangle B_x > 1/2 \triangle C_y \qquad (4)$$

つまり、X の受ける利得が、Y のこうむる損失の 1/2 より大きければ、同胞に対する X の利己主義は、進化上有利となりうる。ドーキンスは、この値を当初 2 としていたが、これは 1/2 の誤りであり、第二版では204ページをのぞいては訂正されている。

(ii)　同胞間の利他主義をうながす遺伝子 A′ が広がりうる条件

遺伝子 A′ をもつ個体 X が、一定量の資源を同胞 Y に与えるとする。これによって X は $\triangle C_x$ の損失、Y は $\triangle B_y$ の利得を得たとすれば、この利他主義によって A′ が増加する条件は、(i)にならって、

$$-\triangle C_x \cdot 1 + \triangle B_y \cdot \frac{1}{2} > 0 \text{ ゆえに、} \triangle B_y > 2\triangle C_x \qquad (5)$$

つまり、X のこうむる損失の 2 倍以上の利得を Y が手に入れるなら、X の Y に対する利他主義が進化しうる。

訳　者　補　注

ドーキンスは、数学をほとんど使わずに説明する方針を貫いたが、話題によっては、少し数学的な形式の説明を加えておいたほうが、要点を把みやすいかとも思われるので、参考のために、訳者の責任において、いくつか補注をつけておくことにする。

補注 1　ハト戦略とタカ戦略の混合 ESS について

集団内のハト派の割合を p、タカ派の割合を（1−p）とすると、ハト派個体が他のハト派、タカ派に出会う確率は、それぞれ p、（1−p）と予想できる。（同様にタカ派個体が他のハト派、タカ派に出会う確率も、それぞれp、（1−p）と予想できる。）ハト派に出会ったハト派、タカ派に出会ったハト派、ハト派に出会ったタカ派、タカ派に出会ったタカ派の利得を、それぞれ、+15、0、+50、−25、とすると、ハト派個体の平均利得 E_D、タカ派個体の平均利得 E_H は、次のように示せる。

$$E_D = 15 \times p + 0 \times (1-p) = 15p \qquad (1)$$

$$E_H = 50 \times p - 25 \times (1-p) = 75p - 25 \qquad (2)$$

ここで $E_D = E_H$ とすると、$p = 5/12$ が得られる。ところで区間 $0 < p < 5/12$ では、(1)(2)から明らかに $E_D > E_H$ であり、したがってこの区間ではハト派の比率 p が増加する。逆に、$5/12 < p < 1$ では、$E_D < E_H$ であり、ここではタカ派の比率（1−p）が増加する（すなわち $5/12 < p$ では p が減少する）。つまり、$p = 5/12$ のとき、p は安定する。このとき、ハト派とタカ派の比率はそれぞれ、5/12、7/12 である（本文105ページ）。

20 ボナー，J.T.『動物は文化をもつか』八杉貞雄訳（岩波書店）
30 ケアンズ=スミス，A.G.『遺伝的乗っ取り』野田春彦，川口啓明訳（紀伊國屋書店）
31 ケアンズ＝スミス，A.G.『生命の起源を解く七つの鍵』石川統訳（岩波書店）
41 ダーウィン，C.『種の起源』八杉龍一訳（岩波文庫）
43 ドーキンス，M.S.『動物行動学再考』山下恵子，新妻昭夫訳（平凡社）
45 この論文の要約は下記の『延長された表現型』の中に所収。
47 ドーキンス，R.『延長された表現型』日高敏隆，遠藤彰，遠藤知二訳（紀伊國屋書店）
50 ドーキンス，R.『盲目の時計職人』日高敏隆訳（早川書房）
65 アイブル＝アイベスフェルト，I.『愛と憎しみ』日高敏隆，久保和彦訳（みすず書房）
76 グールド，S.J.『パンダの親指』（上・下）櫻町翠軒訳（早川書房）
77 グールド，S.J.『ニワトリの歯』（上・下）渡辺政隆，三中信宏訳（早川書房）
95 ハインド，R.A.『行動生物学』桑原万寿太郎，平井久監訳（講談社）
99 ハンフリー，N.『内なる目』垂水雄二訳（紀伊國屋書店）
105 クルーク，H.『ブチハイエナ』（上・下）平田久訳（思索社）
113 ローレンツ，K.『行動は進化するか』日高敏隆，羽田節子訳（講談社）
114 ローレンツ，K.『攻撃』日高敏隆，久保和彦訳（みすず書房）
115 ルリア，S.E.『分子から人間へ』渡辺格，鈴木堅之訳（法政大学出版局）
118 マーギュリス，L.『細胞の共生進化』永井進監訳（学出会版センター）
127 メイナード＝スミス，J.『進化とゲーム理論』寺本英，梯正之訳（産業図書）
133 ミード，M.『男性と女性』田中寿美子，加藤秀俊訳（東京創元社）
144 オーゲル，L.E.『生命の起源と発展』長野敬，石神正浩訳（共立出版）
168 ティンベルヘン，N.『動物のことば』渡辺宗孝，日高敏隆，宇野弘之訳（みすず書房）
175 ターンブル，C.『ブリンジ・ヌガク』幾野宏訳（筑摩書房）
178 ヴィックラー，W.『擬態』羽田節子訳（平凡社）
185 ウィルソン，E.O.『社会生物学』伊藤嘉明監訳（思索新社）
186 ウィルソン，E.O.『人間の本性について』岸由二訳（ちくま学芸文庫）

sachusetts: Harvard University Press.
*185. WILSON, E. O. (1975) *Sociobiology: The New Synthesis*. Cambridge, Massachusetts: Harvard University Press.
*186. WILSON, E. O. (1978) *On Human Nature*. Cambridge, Massachusetts: Harvard University Press.
187. WRIGHT, S. (1980) Genic and organismic selection. *Evolution* **34**, 825–43.
188. WYNNE-EDWARDS, V. C. (1962) *Animal Dispersion in Relation to Social Behaviour*. Edinburgh: Oliver and Boyd.
189. WYNNE-EDWARDS, V. C. (1978) Intrinsic population control: an introduction. In *Population Control by Social Behaviour* (eds. F. J. Ebling and D. M. Stoddart). London: Institute of Biology. pp. 1–22.
190. WYNNE-EDWARDS, V. C. (1986) *Evolution Through Group Selection*. Oxford: Blackwell Scientific Publications.

191. YOM-TOV, Y. (1980) Intraspecific nest parasitism in birds. *Biological Reviews* **55**, 93–108.
192. YOUNG, J. Z. (1975) *The Life of Mammals*. 2nd edition. Oxford: Clarendon Press.

193. ZAHAVI, A. (1975) Mate selection—a selection for a handicap. *Journal of Theoretical Biology* **53**, 205–14.
194. ZAHAVI, A. (1977) Reliability in communication systems and the evolution of altruism. In *Evolutionary Ecology* (ed. B. Stonehouse and C. M. Perrins). London: Macmillan. pp. 253–9.
195. ZAHAVI, A. (1978) Decorative patterns and the evolution of art. *New Scientist* **80** (1125), 182–4.
196. ZAHAVI, A. (1987) The theory of signal selection and some of its implications. In *International Symposium on Biological Evolution, Bari, 9–14 April 1985* (ed. V. P. Delfino). Bari: Adriatici Editrici. pp. 305–27.
197. ZAHAVI, A. Personal communication, quoted by permission.

COMPUTER PROGRAM

198. DAWKINS, R. (1987) Blind Watchmaker: an application for the Apple Macintosh computer. New York and London: W. W. Norton.

■以上の参考文献のうち，邦訳のあることに気づいたものを以下に掲げる.

3　アレグザンダー，R.D.『ダーウィニズムと人間の諸問題』山根正気，牧野俊一訳（思索社）

12　アクセルロッド，R.『つきあい方の科学』松田裕之訳（ＨＢＪ出版局）

165. SMYTHE, N. (1970) On the existence of 'pursuit invitation' signals in mammals. *American Naturalist* **104**, 491–4.
166. STERELNY, K. and KITCHER, P. (1988) The return of the gene. *Journal of Philosophy* **85**, 339–61.
167. SYMONS, D. (1979) *The Evolution of Human Sexuality*. New York: Oxford University Press.

*168. TINBERGEN, N. (1953) *Social Behaviour in Animals*. London: Methuen.
169. TREISMAN, M. and DAWKINS, R. (1976) The cost of meiosis—is there any? *Journal of Theoretical Biology* **63**, 479–84.
170. TRIVERS, R. L. (1971) The evolution of reciprocal altruism. *Quarterly Review of Biology* **46**, 35–57.
171. TRIVERS, R. L. (1972) Parental investment and sexual selection. In *Sexual Selection and the Descent of Man* (ed. B. Campbell). Chicago: Aldine. pp. 136–79.
172. TRIVERS, R. L. (1974) Parent–offspring conflict. *American Zoologist* **14**, 249–64.
173. TRIVERS, R. L. (1985) *Social Evolution*. Menlo Park: Benjamin/Cummings.
174. TRIVERS, R. L. and HARE, H. (1976) Haplodiploidy and the evolution of the social insects. *Science* **191**, 249–63.
*175. TURNBULL, C. (1972) *The Mountain People*. London: Jonathan Cape.

176. WASHBURN, S. L. (1978) Human behavior and the behavior of other animals. *American Psychologist* **33**, 405–18.
177. WELLS, P. A. (1987) Kin recognition in humans. In *Kin Recognition in Animals* (eds. D. J. C. Fletcher and C. D. Michener). New York: Wiley. pp. 395–415.
*178. WICKLER, W. (1968) *Mimicry*. London: World University Library.
179. WILKINSON, G. S. (1984) Reciprocal food-sharing in the vampire bat. *Nature* **308**, 181–4.
180. WILLIAMS, G. C. (1957) Pleiotropy, natural selection, and the evolution of senescence. *Evolution* **11**, 398–411.
181. WILLIAMS, G. C. (1966) *Adaptation and Natural Selection*. Princeton: Princeton University Press.
182. WILLIAMS, G. C. (1975) *Sex and Evolution*. Princeton: Princeton University Press.
183. WILLIAMS, G. C. (1985) A defense of reductionism in evolutionary biology. In *Oxford Surveys in Evolutionary Biology* (eds. R. Dawkins and M. Ridley), **2**, pp. 1–27.
184. WILSON, E. O. (1971) *The Insect Societies*. Cambridge, Mas-

within coalitions of male lions: kin-selection or game theory? *Nature* **296**, 740–2.

147. Parker, G. A. (1984) Evolutionarily stable strategies. In *Behavioural Ecology: An Evolutionary Approach* (eds. J. R. Krebs and N. B. Davies), 2nd edition. Oxford: Blackwell Scientific Publications. pp. 62–84.
148. Parker, G. A., Baker, R. R., and Smith, V. G. F. (1972) The origin and evolution of gametic dimorphism and the male–female phenomenon. *Journal of Theoretical Biology* **36**, 529–53.
149. Payne, R. S. and McVay, S. (1971) Songs of humpback whales. *Science* **173**, 583–97.
150. Popper, K. (1974) The rationality of scientific revolutions. In *Problems of Scientific Revolution* (ed. R. Harré). Oxford: Clarendon Press. pp. 72–101.
151. Popper, K. (1978) Natural selection and the emergence of mind. *Dialectica* **32**, 339–55.

152. Ridley, M. (1978) Paternal care. *Animal Behaviour* **26**, 904–32.
153. Ridley, M. (1985) *The Problems of Evolution.* Oxford: Oxford University Press.
154. Rose, S., Kamin, L. J., and Lewontin, R. C. (1984) *Not In Our Genes*. London: Penguin.
155. Rothenbuhler, W. C. (1964) Behavior genetics of nest cleaning in honey bees. IV. Responses of F_1 and backcross generations to disease-killed brood. *American Zoologist* **4**, 111–23.
156. Ryder, R. (1975) *Victims of Science*. London: Davis-Poynter.

157. Sagan, L. (1967) On the origin of mitosing cells. *Journal of Theoretical Biology* **14**, 225–74.
158. Sahlins, M. (1977) *The Use and Abuse of Biology*. Ann Arbor: University of Michigan Press.
159. Schuster, P. and Sigmund, K. (1981) Coyness, philandering and stable strategies. *Animal Behaviour* **29**, 186–92.
160. Seger, J. and Hamilton, W. D. (1988) Parasites and sex. In *The Evolution of Sex* (eds. R. E. Michod and B. R. Levin). Sunderland, Massachusetts: Sinauer. pp.176–93.
161. Seger, J. and Harvey, P. (1980) The evolution of the genetical theory of social behaviour. *New Scientist* **87** (1208), 50–1.
162. Sheppard, P. M. (1958) *Natural Selection and Heredity*. London: Hutchinson.
163. Simpson, G. G. (1966) The biological nature of man. *Science* **152**, 472–8.
164. Singer, P. (1976) *Animal Liberation*. London: Jonathan Cape.

126. MAYNARD SMITH, J. (1978) *The Evolution of Sex*. Cambridge: Cambridge University Press.
*127. MAYNARD SMITH, J. (1982) *Evolution and the Theory of Games*. Cambridge: Cambridge University Press.
128. MAYNARD SMITH, J. (1988) *Games, Sex and Evolution*. New York: Harvester Wheatsheaf.
129. MAYNARD SMITH, J. (1989) *Evolutionary Genetics*. Oxford: Oxford University Press.
130. MAYNARD SMITH, J. and PARKER, G. A. (1976) The logic of asymmetric contests. *Animal Behaviour* **24**, 159–75.
131. MAYNARD SMITH, J. and PRICE, G. R. (1973) The logic of animal conflicts. *Nature* **246**, 15–18.
132. MCFARLAND, D. J. (1971) *Feedback Mechanisms in Animal Behaviour*. London: Academic Press.
*133. MEAD, M. (1950) *Male and Female*. London: Gollancz.
134. MEDAWAR, P. B. (1952) *An Unsolved Problem in Biology*. London: H. K. Lewis.
135. MEDAWAR, P. B. (1957) *The Uniqueness of the Individual*. London: Methuen.
136. MEDAWAR, P. B. (1961) Review of P. Teilhard de Chardin, *The Phenomenon of Man*. Reprinted in P. B. Medawar (1982) *Pluto's Republic*. Oxford: Oxford University Press.
137. MICHOD, R. E. and LEVIN, B. R. (1988) *The Evolution of Sex*. Sunderland, Massachusetts: Sinauer.
138. MIDGLEY, M. (1979) Gene-juggling. *Philosophy* **54**, 439–58.
139. MONOD, J. L. (1974) On the molecular theory of evolution. In *Problems of Scientific Revolution* (ed. R. Harré). Oxford: Clarendon Press. pp. 11–24.
140. MONTAGU, A. (1976) *The Nature of Human Aggression*. New York: Oxford University Press.
141. MORAVEC, H. (1988) *Mind Children*. Cambridge, Massachusetts: Harvard University Press.
142. MORRIS, D. (1957) 'Typical Intensity' and its relation to the problem of ritualization. *Behaviour* **11**, 1–21.

143. *Nuffield Biology Teachers Guide IV* (1966) London: Longmans, p. 96.

*144. ORGEL, L. E. (1973) *The Origins of Life*. London: Chapman and Hall.
145. ORGEL, L. E. and CRICK, F. H. C. (1980) Selfish DNA: the ultimate parasite. *Nature* **284**, 604–7.

146. PACKER, C. and PUSEY, A. E. (1982) Cooperation and competition

107. LACK, D. (1966) *Population Studies of Birds*. Oxford: Clarendon Press.
108. LE BOEUF, B. J. (1974) Male–male competition and reproductive success in elephant seals. *American Zoologist* **14**, 163–76.
109. LEWIN, B. (1974) *Gene Expression*, volume 2. London: Wiley.
110. LEWONTIN, R. C. (1983) The organism as the subject and object of evolution. *Scientia* **118**, 65–82.
111. LIDICKER, W. Z. (1965) Comparative study of density regulation in confined populations of four species of rodents. *Researches on Population Ecology* **7** (27), 57–72.
112. LOMBARDO, M. P. (1985) Mutual restraint in tree swallows: a test of the Tit for Tat model of reciprocity. *Science* **227**, 1363–5.
*113. LORENZ, K. Z. (1966) *Evolution and Modification of Behavior*. London: Methuen.
*114. LORENZ, K. Z. (1966) *On Aggression*. London: Methuen.
*115. LURIA, S. E. (1973) *Life—the Unfinished Experiment*. London: Souvenir Press.

116. MACARTHUR, R. H. (1965) Ecological consequences of natural selection. In *Theoretical and Mathematical Biology* (eds. T. H. Waterman and H. J. Morowitz). New York: Blaisdell. pp. 388–97.
117. MACKIE, J. L. (1978) The law of the jungle: moral alternatives and principles of evolution. *Philosophy* **53**, 455–64. Reprinted in *Persons and Values* (eds. J. Mackie and P. Mackie, 1985). Oxford: Oxford University Press. pp. 120–31.
*118. MARGULIS, L. (1981) *Symbiosis in Cell Evolution*. San Francisco: W. H. Freeman.
119. MARLER, P. R. (1959) Developments in the study of animal communication. In *Darwin's Biological Work* (ed. P. R. Bell). Cambridge: Cambridge University Press. pp. 150–206.
120. MAYNARD SMITH, J. (1972) Game theory and the evolution of fighting. In J. Maynard Smith, *On Evolution*. Edinburgh: Edinburgh University Press. pp. 8–28.
121. MAYNARD SMITH, J. (1974) The theory of games and the evolution of animal conflict. *Journal of Theoretical Biology* **47**, 209–21.
122. MAYNARD SMITH, J. (1976) Group selection. *Quarterly Review of Biology* **51**, 277–83.
123. MAYNARD SMITH, J. (1976) Evolution and the theory of games. *American Scientist* **64**, 41–5.
124. MAYNARD SMITH, J. (1976) Sexual selection and the handicap principle. *Journal of Theoretical Biology* **57**, 239–42.
125. MAYNARD SMITH, J. (1977) Parental investment: a prospective analysis. *Animal Behaviour* **25**, 1–9.

89. HAMILTON, W. D. (1980) Sex versus non-sex versus parasite. *Oikos* **35**, 282–90.
90. HAMILTON, W. D. and ZUK, M. (1982) Heritable true fitness and bright birds: a role for parasites? *Science* **218**, 384–7.
91. HAMPE, M. and MORGAN, S. R. (1987) Two consequences of Richard Dawkins' view of genes and organisms. *Studies in the History and Philosophy of Science* **19**, 119–38.
92. HANSELL, M. H. (1984) *Animal Architecture and Building Behaviour*. Harlow: Longman.
93. HARDIN, G. (1978) Nice guys finish last. In *Sociobiology and Human Nature* (eds. M. S. Gregory, A. Silvers and D. Sutch). San Francisco: Jossey Bass. pp. 183–94.
94. HENSON, H. K. (1985) Memes, L5 and the religion of the space colonies. *L5 News*, September 1985, pp. 5–8.
*95. HINDE, R. A. (1974) *Biological Bases of Human Social Behaviour*. New York: McGraw-Hill.
96. HOYLE, F. and ELLIOT, J. (1962) *A for Andromeda*. London: Souvenir Press.
97. HULL, D. L. (1980) Individuality and selection. *Annual Review of Ecology and Systematics* **11**, 311–32.
98. HULL, D. L. (1981) Units of evolution: a metaphysical essay. In *The Philosophy of Evolution* (eds. U. L. Jensen and R. Harré). Brighton: Harvester. pp. 23–44.
99. HUMPHREY, N. (1986) *The Inner Eye*. London: Faber and Faber.

100. JARVIS, J. U. M. (1981) Eusociality in a mammal: cooperative breeding in naked mole-rat colonies. *Science* **212**, 571–3.
101. JENKINS, P. F. (1978) Cultural transmission of song patterns and dialect development in a free-living bird population. *Animal Behaviour* **26**, 50–78.

102. KALMUS, H. (1969) Animal behaviour and theories of games and of language. *Animal Behaviour* **17**, 607–17.
103. KREBS, J. R. (1977) The significance of song repertoires—the Beau Geste hypothesis. *Animal Behaviour* **25**, 475–8.
104. KREBS, J. R. and DAWKINS, R. (1984) Animal signals: mind-reading and manipulation. In *Behavioural Ecology: An Evolutionary Approach* (eds. J. R. Krebs and N. B. Davies), 2nd edition. Oxford: Blackwell Scientific Publications. pp. 380–402.
*105. KRUUK, H. (1972) *The Spotted Hyena: A Study of Predation and Social Behavior*. Chicago: Chicago University Press.

106. LACK, D. (1954) *The Natural Regulation of Animal Numbers*. Oxford: Clarendon Press.

69. FISHER, R. A. (1930) *The Genetical Theory of Natural Selection.* Oxford: Clarendon Press.
70. FLETCHER, D. J. C. and MICHENER, C. D. (1987) *Kin Recognition in Humans.* New York: Wiley.
71. FOX, R. (1980) *The Red Lamp of Incest.* London: Hutchinson.

72. GALE, J. S. and EAVES, L. J. (1975) Logic of animal conflict. *Nature* 254, 463–4.
73. GAMLIN, L. (1987) Rodents join the commune. *New Scientist* **115** (1571), 40–7.
74. GARDNER, B. T. and GARDNER, R. A. (1971) Two-way communication with an infant chimpanzee. In *Behavior of Non-human Primates* 4 (eds. A. M. Schrier and F. Stollnitz). New York: Academic Press. pp. 117–84.
75. GHISELIN, M. T. (1974) *The Economy of Nature and the Evolution of Sex.* Berkeley: University of California Press.
*76. GOULD, S. J. (1980) *The Panda's Thumb.* New York: W. W. Norton.
*77. GOULD, S. J. (1983) *Hen's Teeth and Horse's Toes.* New York: W. W. Norton.
78. GRAFEN, A. (1984) Natural selection, kin selection and group selection. In *Behavioural Ecology: An Evolutionary Approach* (eds. J. R. Krebs and N. B. Davies). Oxford: Blackwell Scientific Publications. pp. 62–84.
79. GRAFEN, A. (1985) A geometric view of relatedness. In *Oxford Surveys in Evolutionary Biology* (eds. R. Dawkins and M. Ridley), 2, pp. 28–89.
80. GRAFEN, A. (forthcoming). Sexual selection unhandicapped by the Fisher process. Manuscript in preparation.
81. GRAFEN, A. and SIBLY, R. M. (1978) A model of mate desertion. *Animal Behaviour* **26**, 645–52.

82. HALDANE, J. B. S. (1955) Population genetics. *New Biology* **18**, 34–51.
83. HAMILTON, W. D. (1964) The genetical evolution of social behaviour (I and II). *Journal of Theoretical Biology* 7, 1–16; 17–52.
84. HAMILTON, W. D. (1966) The moulding of senescence by natural selection. *Journal of Theoretical Biology* **12**, 12–45.
85. HAMILTON, W. D. (1967) Extraordinary sex ratios. *Science* **156**, 477–88.
86. HAMILTON, W. D. (1971) Geometry for the selfish herd. *Journal of Theoretical Biology* 31, 295–311.
87. HAMILTON, W. D. (1972) Altruism and related phenomena, mainly in social insects. *Annual Review of Ecology and Systematics* 3, 193–232.
88. HAMILTON, W. D. (1975) Gamblers since life began: barnacles, aphids, elms. *Quarterly Review of Biology* **50**, 175–80.

Science and Beyond (eds. S. Rose and L. Appignanesi). Oxford: Basil Blackwell. pp. 61–78.
52. DAWKINS, R. (1989) The evolution of evolvability. In *Artificial Life* (ed. C. Langton). Santa Fe: Addison-Wesley. pp. 201–20.
53. DAWKINS, R. (forthcoming) Worlds in microcosm. In *Man, Environment and God* (ed. N. Spurway). Oxford: Basil Blackwell.
54. DAWKINS, R. and CARLISLE, T. R. (1976) Parental investment, mate desertion and a fallacy. *Nature* **262**, 131–2.
55. DAWKINS, R. and KREBS, J. R. (1978) Animal signals: information or manipulation? In *Behavioural Ecology: An Evolutionary Approach* (eds. J. R. Krebs and N. B. Davies). Oxford: Blackwell Scientific Publications. pp. 282–309.
56. DAWKINS R. and KREBS, J. R. (1979) Arms races between and within species. *Proc. Roy. Soc. Lond. B.* **205**, 489–511.
57. DE VRIES, P. J. (1988) The larval ant-organs of *Thisbe irenea* (Lepidoptera: Riodinidae) and their effects upon attending ants. *Zoological Journal of the Linnean Society* **94**, 379–93.
58. DELIUS, J. D. (in press) Of mind memes and brain bugs: a natural history of culture. In *The Nature of Culture* (ed. W. A. Koch). Bochum: Studienlag Brockmeyer.
59. DENNETT, D. C. (1989) The evolution of consciousness. In *Reality Club* 3 (ed. J. Brockman). New York: Lynx Publications.
60. DEWSBURY, D. A. (1982) Ejaculate cost and male choice. *American Naturalist* **119**, 601–10.
61. DIXSON, A. F. (1987) Baculum length and copulatory behavior in primates. *American Journal of Primatology* **13**, 51–60.
62. DOBZHANSKY, T. (1962) *Mankind Evolving*. New Haven: Yale University Press.
63. DOOLITTLE, W. F. and SAPIENZA, C. (1980) Selfish genes, the phenotype paradigm and genome evolution. *Nature* **284**, 601–3.

64. EHRLICH, P. R., EHRLICH, A. H., and HOLDREN, J. P. (1973) *Human Ecology*. San Francisco: Freeman.
*65. EIBL-EIBESFELDT, I. (1971) *Love and Hate*. London: Methuen.
66. EIGEN, M., GARDINER, W., SCHUSTER, P., and WINKLER-OSWATITSCH, R. (1981) The origin of genetic information. *Scientific American* **244** (4), 88–118.
67. ELDREDGE, N. and GOULD, S. J. (1972) Punctuated equilibrium: an alternative to phyletic gradualism. In *Models in Paleobiology* (ed. J. M. Schopf). San Francisco: Freeman Cooper. pp. 82–115.

68. FISCHER, E. A. (1980) The relationship between mating system and simultaneous hermaphroditism in the coral reef fish, *Hypoplectrus nigricans* (Serranidae). *Animal Behaviour* **28**, 620–33.

33. CAVALLI-SFORZA, L. L. and FELDMAN, M. W. (1981) *Cultural Transmission and Evolution: A Quantitative Approach*. Princeton: Princeton University Press.
34. CHARNOV, E. L. (1978) Evolution of eusocial behavior: offspring choice or parental parasitism? *Journal of Theoretical Biology* **75**, 451–65.
35. CHARNOV, E. L. and KREBS, J. R. (1975) The evolution of alarm calls: altruism or manipulation? *American Naturalist* **109**, 107–12.
36. CHERFAS, J. and GRIBBIN, J. (1985) *The Redundant Male*. London: Bodley Head.
37. CLOAK, F. T. (1975) Is a cultural ethology possible? *Human Ecology* **3**, 161–82.
38. CROW, J. F. (1979) Genes that violate Mendel's rules. *Scientific American* **240** (2), 104–13.
39. CULLEN, J. M. (1972) Some principles of animal communication. In *Non-verbal Communication* (ed. R. A. Hinde). Cambridge: Cambridge University Press. pp. 101–22.

40. DALY, M. and WILSON, M. (1982) *Sex, Evolution and Behavior*. 2nd edition. Boston: Willard Grant.
*41. DARWIN, C. R. (1859) *The Origin of Species*. London: John Murray.
42. DAVIES, N. B. (1978) Territorial defence in the speckled wood butterfly (*Pararge aegeria*): the resident always wins. *Animal Behaviour* **26**, 138–47.
*43. DAWKINS, M. S. (1986) *Unravelling Animal Behaviour*. Harlow: Longman.
44. DAWKINS, R. (1979) In defence of selfish genes. *Philosophy* **56**, 556–73.
*45. DAWKINS, R. (1979) Twelve misunderstandings of kin selection. *Zeitschrift für Tierpsychologie* **51**, 184–200.
46. DAWKINS, R. (1980) Good strategy or evolutionarily stable strategy? In *Sociobiology: Beyond Nature/Nurture* (eds. G. W. Barlow and J. Silverberg). Boulder, Colorado: Westview Press. pp. 331–67.
*47. DAWKINS, R. (1982) *The Extended Phenotype*. Oxford: W. H. Freeman.
48. DAWKINS, R. (1982) Replicators and vehicles. In *Current Problems in Sociobiology* (eds. King's College Sociobiology Group). Cambridge: Cambridge University Press. pp. 45–64.
49. DAWKINS, R. (1983) Universal Darwinism. In *Evolution from Molecules to Men* (ed. D. S. Bendall). Cambridge: Cambridge University Press. pp. 403–25.
*50. DAWKINS, R. (1986) *The Blind Watchmaker*. Harlow: Longman.
51. DAWKINS, R. (1986) Sociobiology: the new storm in a teacup. In

15. BARTZ, S. H. (1979) Evolution of eusociality in termites. *Proceedings of the National Academy of Sciences, USA* **76** (11), 5764–8.
16. BASTOCK, M. (1967) *Courtship: A Zoological Study*. London: Heinemann.
17. BATESON, P. (1983) Optimal outbreeding. In *Mate Choice* (ed. P. Bateson). Cambridge: Cambridge University Press. pp. 257–77.
18. BELL, G. (1982) *The Masterpiece of Nature*. London: Croom Helm.
19. BERTRAM, B. C. R. (1976) Kin selection in lions and in evolution. In *Growing Points in Ethology* (eds. P. P. G. Bateson and R. A. Hinde). Cambridge: Cambridge University Press. pp. 281–301.
*20. BONNER, J. T. (1980) *The Evolution of Culture in Animals*. Princeton: Princeton University Press.
21. BOYD, R. and LORBERBAUM, J. P. (1987) No pure strategy is evolutionarily stable in the repeated Prisoner's Dilemma game. *Nature* **327**, 58–9.
22. BRETT, R. A. (1986) The ecology and behaviour of the naked mole rat (*Heterocephalus glaber*). Ph.D. thesis, University of London.
23. BROADBENT, D. E. (1961) *Behaviour*. London: Eyre and Spottiswoode.
24. BROCKMANN, H. J. and DAWKINS, R. (1979) Joint nesting in a digger wasp as an evolutionarily stable preadaptation to social life. *Behaviour* **71**, 203–45.
25. BROCKMANN, H. J., GRAFEN, A., and DAWKINS, R. (1979) Evolutionarily stable nesting strategy in a digger wasp. *Journal of Theoretical Biology* **77**, 473–96.
26. BROOKE, M. DE L. and DAVIES, N. B. (1988) Egg mimicry by cuckoos *Cuculus canorus* in relation to discrimination by hosts. *Nature* **335**, 630–2.
27. BURGESS, J. W. (1976) Social spiders. *Scientific American* **234** (3), 101–6.
28. BURK, T. E. (1980) An analysis of social behaviour in crickets. D.Phil. thesis, University of Oxford.

29. CAIRNS-SMITH, A. G. (1971) *The Life Puzzle*. Edinburgh: Oliver and Boyd.
*30. CAIRNS-SMITH, A. G. (1982) *Genetic Takeover*. Cambridge: Cambridge University Press.
*31. CAIRNS-SMITH, A. G. (1985) *Seven Clues to the Origin of Life*. Cambridge: Cambridge University Press.
32. CAVALLI-SFORZA, L. L. (1971) Similarities and dissimilarities of sociocultural and biological evolution. In *Mathematics in the Archaeological and Historical Sciences* (eds. F. R. Hodson, D. G. Kendall, and P. Tautu). Edinburgh: Edinburgh University Press. pp. 535–41.

参考文献

（＊印は邦訳があると気づいたものを示す）

1. ALEXANDER, R. D. (1961) Aggressiveness, territoriality, and sexual behavior in field crickets. *Behaviour* **17**, 130–223.
2. ALEXANDER, R. D. (1974) The evolution of social behavior. *Annual Review of Ecology and Systematics* **5**, 325–83.
＊3. ALEXANDER, R. D. (1980) *Darwinism and Human Affairs*. London: Pitman.
4. ALEXANDER, R. D. (1987) *The Biology of Moral Systems*. New York: Aldine de Gruyter.
5. ALEXANDER, R. D. and SHERMAN, P. W. (1977) Local mate competition and parental investment in social insects. *Science* **96**, 494–500.
6. ALLEE, W. C. (1938) *The Social Life of Animals*. London: Heinemann.
7. ALTMANN, S. A. (1979) Altruistic behaviour: the fallacy of kin deployment. *Animal Behaviour* **27**, 958–9.
8. ALVAREZ, F., DE REYNA, A., and SEGURA, H. (1976) Experimental brood-parasitism of the magpie *(Pica pica)*. *Animal Behaviour* **24**, 907–16.
9. ANON. (1989) Hormones and brain structure explain behaviour. *New Scientist* **121** (1649), 35.
10. AOKI, S. (1987) Evolution of sterile soldiers in aphids. In *Animal Societies: Theories and facts* (eds. Y. Ito, J. L. Brown, and J. Kikkawa). Tokyo: Japan Scientific Societies Press. pp. 53–65.
11. ARDREY, R. (1970) *The Social Contract*. London: Collins.
＊12. AXELROD, R. (1984) *The Evolution of Cooperation*. New York: Basic Books.
13. AXELROD, R. and HAMILTON, W. D. (1981) The evolution of cooperation. *Science* **211**, 1390–6.

14. BALDWIN, B. A. and MEESE, G. B. (1979) Social behaviour in pigs studied by means of operant conditioning. *Animal Behaviour* **27**, 947–57.

[ら行]

[わ行]

[な行]

[は行]

[た行]

[さ行]

[か行]

索引および参考文献への鍵

私は文献の引用でもって、この本の論旨の流れを断ち切ることは選ばなかった。そこで、この索引でもって、特定のトピックについては読者が出典にまで辿れるように便宜をはかった。括弧の中に入っている数字は、参考文献に付された出典の番号を表す。その前にある数字は、通常の索引にあるように、本書のページを指し示す。頻繁に使用された用語については、毎回出てくるたびに索引に拾ったわけではなく、その用語が定義されているところといったように特定の箇所のみ索引にあげてある。

［AからZ］

［あ行］

著　者

Richard Dawkins

1941年ナイロビ生まれ。オックスフォード大学卒業。エソロジーの研究でノーベル賞を受賞したニコ・ティンバーゲンの下で学ぶ。現在、オックスフォード大学科学啓蒙のためのチャールズ・シソニー講座教授。

1976年に刊行された処女作『利己的な遺伝子』が世界的ベストセラーとなり、ドーキンスの名声を世界に轟かせた。この本は、それ以前の30年間に進行していた、いわば「集団遺伝学とエソロジーの結婚」による学問成果を、数式を使わずにドーキンス流に提示したもので、それまでの生命観を180度転換した。その後の社会生物学論争や進化論争において、たえず中心的な位置を占め、刺激的かつ先導的な発言を発している。欧米で最も人気の高い生物学者の一人。他の著作に『延長された表現型』(邦訳:紀伊國屋書店)、『盲目の時計職人』(同:早川書房)、『遺伝子の川』(同:草思社)、『虹の解体』(同:早川書房)、『悪魔に仕える牧師』(同:早川書房)、『祖先の物語』(同:小学館)、『神は妄想である』(同:早川書房)がある。英国学士院会員。

以下にあげる賞を受賞。1987年英国学士院文学賞とロサンゼルスタイムズ文学賞、1990年マイケル・ファラデー賞、1994年中山賞、1997年国際コスモス科学賞、2001年キスラー賞、2005年シェイクスピア賞。

訳　者

日高敏隆（ひだか としたか）

1930年生まれ。東京大学理学部卒業。現在、京都大学名誉教授。動物行動学者。著書に『利己としての死』『動物と人間の世界認識』『春の数え方』など。

岸由二（きし ゆうじ）

1947年生まれ。横浜市立大学卒業。現在、慶応大学経済学部教授。著書:『自然へのまなざし』ほか、訳書:ウィルソン『人間の本性について』など。

羽田節子（はねだ せつこ）

1944年生まれ。東京農工大学卒業。現在、動物学関係の翻訳に携わる。訳書:エンジェル『動物たちの自然健康法』、ヴィックラー『擬態』など。

垂水雄二（たるみ ゆうじ）

1942年生まれ。京都大学理学部卒業。現在、科学ジャーナリスト。訳書にドーキンス『悪魔に仕えた牧師』『祖先の物語』『神は妄想である』、ハンフリー『内なる目』『喪失と獲得』など。

利己的な遺伝子　〈増補新装版〉

2006年 5 月 5 日　第 1 刷発行©
2008年 6 月16日　第 3 刷発行

発行所　株式会社　紀伊國屋書店
東京都新宿区新宿 3－17－7
出版部（編集）　電話03(6910)0508
ホールセール部（営業）　電話03(6910)0519
〒153-8504　東京都目黒区下目黒3-7-10

装幀　芦澤泰偉

印刷　慶昌堂印刷
製本　大口製本印刷

ISBN 978-4-314-01003-0 C0040
Printed in Japan
定価は外装に表示してあります